PONTIFICIA ACADEMIA THEOLOGICA

ITINERARIA

1

La collana *Itineraria* pubblica opere
di Autori singoli o in collaborazione,
che rispecchiano le finalità
della *Pontificia Academia Theologica*.
I volumi,
editi sotto la responsabilità del Consiglio dell'Accademia,
si pongono a servizio della ricerca teologica
nell'odierno contesto culturale ed ecclesiale.

L'Accademia, fondata nel 1695 da Cosimo de' Girolami, poi Cardinale,
fu approvata con *Breve* del 23 aprile 1718, da Clemente XI.

Fu poi arricchita di privilegi da Benedetto XIII (6 maggio 1726),
da Clemente XIV (27 aprile 1770) e da Gregorio XVI (26 ottobre 1838).

Fu sostenuta dal beato Pio IX, da Leone XIII e da Pio XII.

Giovannni Paolo II, il 28 gennaio 1999,
ha approvato gli *Statuti* della rinnovata *Pontificia Accademia di Teologia*
(il nome ufficiale è *Pontificia Academia Theologica*).

«Il fine dell'Accademia è quello di curare e promuovere gli studi teologici
e il dialogo tra le discipline teologiche e filosofiche
così da essere come un "Centro" di formazione più ricca
e di conoscenza delle novità utili in questo campo
per i cultori delle sacre discipline...» (*Statuti*, art. 2).

Inoltre «l'Accademia, per conseguire il suo fine,
organizzerà nei tempi stabiliti convegni nazionali e internazionali
per promuovere gli studi teologici,
curerà la pubblicazione di riviste
per illustrare nuovi documenti teologici della Chiesa...» (art. 12).

L'Accademia consta di quaranta accademici Ordinari (art. 4),
cui si aggiungono gli Emeriti e i Soci "corrispondenti";
è retta da un *Consiglio* formato dal Presidente,
dal Prelato Segretario e da quattro Consiglieri (art. 6).

A partire dal 2002 l'Accademia pubblica la rivista «PATH»,
a scadenza semestrale, edita dalla Libreria Editrice Vaticana.

Dal 2008 ha iniziato la pubblicazione di volumi
nella presente collana «ITINERARIA».

Sede dell'Accademia:
        Pontificio Consiglio della Cultura
        Via della Conciliazione 5 - 00193 Roma
        info@patheologica.va
Indirizzo postale:
        Pontificia Academia Theologica
        00120 Città del Vaticano
        www.vatican.va : Accademie Pontificie

IL METODO TEOLOGICO

Tradizione, innovazione, comunione in Cristo

a cura di

Manlio Sodi

Libreria Editrice Vaticana

Città del Vaticano

2008

Finito di stampare nel mese di settembre 2008
dalla Tipografia Giammarioli
Via Enrico Fermi, 8/10 - 00044 Frascati (Roma)
Tel.: 06.942.03.10 – Fax 06.940.18.499
www.tipografiagiammarioli.com – posta@tipografiagiammarioli.com

ISBN 978-88-209-8079-5

La collana "Itineraria"

Marcello Bordoni

Con questo primo volume di una nuova collana la Pontificia Accademia di Teologia arricchisce i contributi da essa già offerti – con la rivista PATH, la celebrazione dei Forum, le Sedute pubbliche e le altre molteplici iniziative con le quali è andata coltivando il *cammino itinerante della teologia* – il suo saper coniugare il dato della *storia salvifica* e della *tradizione ecclesiale* con il *momento speculativo*. Ciò è avvenuto avendo la Scrittura e la Tradizione vivente come punto di riferimento. In questo modo, la riflessione teologica si vale anche dell'esperienza spirituale, delle prospettive protologiche ed escatologiche, della ricchezza delle tradizioni liturgiche, che devono proteggere la professione di fede da ogni errore attraverso il principio inderogabile della corrispondenza tra *lex orandi* e *lex credendi*, e non da ultimo del *sensus fidelium*.

Così il compito assunto dall'Accademia segue le indicazioni statutarie del rinnovamente degli studi[1] espresse dal titolo stesso della Rivista PATH: in forza del duplice valore che la parola esprime nel suo significato latino, che abbrevia le iniziali di *Pontificia Academia Theologica* e che, con la parola inglese *path*, *sentiero*, propone un'indicazione delle finalità e dei compiti che riguardano il metodo e la promozione di una teologia intesa come *cammino nel sentiero della Verità verso la «pienezza della Verità»* che è il mistero della Trinità rivelato in Gesù Cristo (cfr. Gv 14,6). Si tratta, insomma, di una teologia che *accompagni* la Chiesa nel cammino della nuova evangelizzazione, sostenendo questa missione *nella fedeltà al Vangelo e nella fedeltà all'uomo*, superando i sentieri interrotti del passato e aprendo profeticamente il cammino della speranza tra i popoli.

Il richiamo che formulo in riferimento alle origini del nuovo inizio intrapreso dalla Pontificia Accademica di Teologia quale animatrice di una teologia in cammino nel sentiero della Verità, è nello stesso tempo antico e nuovo. Esso si richiama infatti, da un lato, a quelle qualità essenziali che i

---

[1] Cfr. M. BORDONI, *Fare teologia all'inizio del terzo millennio*, in *Path* 1 (2002/1) 9-46.

Dottori della Chiesa ben riconoscevano alla natura della teologia cristiana nel suo compito insieme di memoria e di profezia della fede, oggi più che mai attuale nella dinamicità del pensare teologico: sia come dinamismo proprio del soggetto della fede pensante ed amante, personale e comunitario, sia riguardo all'oggetto proprio di questo pensiero, in quanto si offre attraverso un cammino storico o attraverso una "Via", per la quale solamente il teologo può giungere all'incontro sempre più pieno con la Verità, che a lui si manifesta in Gesù Cristo sotto l'azione dello Spirito di Verità.

Dall'altro lato, la riflessione credente, nel suo contesto, insieme, cristologico, trinitario, ecclesiologico, antropologico-culturale, esperienziale, liturgico, spirituale, può correttamente definire il significato della teologia, per quanto concerne la sua identità, i suoi scopi, le sue finalità, in rapporto alla crescita, sia all'interno della vita ecclesiale sia in rapporto all'annunzio missionario del Vangelo nel mondo. Quando si parla di un cammino di ricerca della Verità, non si possono dimenticare le osservazioni di Aristotele sul rapporto tra il metodo e i contenuti della verità: *il metodo è, infatti, più che un procedimento strumentale che potrebbe essere usato indipendentemente dai contenuti della verità, la via per giungere alla verità nelle sue stesse anticipazioni di contenuto*[2], per cui «i pensatori erano spinti in avanti dalla stessa verità»[3]. È la verità stessa, quindi, che, nella ricerca delinea la via e caratterizza la struttura stessa del cammino: «il metodo è un ricordare in maniera riflessa la meta che la verità percorre con noi e quindi un perlustrare e uno sperimentare in anticipo la via sulla quale la verità ci fa inoltrare»[4].

Questa considerazione è particolarmente importante, soprattutto per la teologia, avendo presente il carattere singolare e personale della Verità che è Gesù Cristo Crocifisso e Risorto assimilato dalla fede cristiana attraverso la potenza del suo Spirito nel cammino di una storia nella quale lo sconosciuto di Emmaus si fa accompagnatore e amico, capace di far ardere il cuore nel petto (*scientia amoris*) ed aprire progressivamente gli occhi della fede che lo riconoscono nello spezzare il pane.

---

[2] "Quando i pensatori procedevano così, l'oggetto stesso li guidava sulla giusta via e dirigeva la loro ricerca": ARISTOTELE , *Metafisica* , 984a.

[3] *Ib.*, 984b.

[4] W. KASPER, *Teologia e comprensione della verità* , in ID., *Teologia e Chiesa*, Queriniana, Brescia 2001, 35 ss.

Significato e percorso di una ricerca

Marcello Bordoni

1. I primi cinque anni dal nuovo inizio della Pontificia Accademia di Teologia (1999) hanno vissuto un primo momento forte nel I Forum del febbraio 2002 sul tema *"Gesù Cristo, Via, Verità e Vita (Gv 14,6) per una rilettura della Dominus Iesus"*. Quel simposio ha portato ad approfondire il mistero del Cristo come Colui che è, insieme e personalmente, la "Verità Rivelata" e la "Via della Verità". Così, i primi due numeri della Rivista PATH hanno mostrato chiaramente l'esigenza di promuovere il *cammino della teologia lungo la via della Verità*.

Tale metodo non è semplicemente una questione di carattere tecnico, poiché non si tratta solo di una ricerca che ponga in risalto la scientificità della teologia, attraverso una metodologia critica letteraria, ma si tratta di delineare quella *forma di pensiero e di discorso* che è *ispirato dalla stessa Verità che si manifesta*. Ricordo le sapienti parole di antichi filosofi quali Aristotele, che nella sua *Metafisica* (984 a.b; 985 a-b) affermava *che i problemi del metodo sono sempre già problemi di contenuto*: e che "quando i pensatori procedevano così, l'oggetto stesso li guidava sulla giusta via e dirigeva la loro ricerca", essi "erano spinti in avanti dalla stessa verità". Così, il metodo è l'indicazione della forma di pensiero e la via che la stessa Verità offre. Questo è ancor più notevole nel contesto della Teologia, ove la *Verità che è l'evento cristologico* che si manifesta nella storia, segna nell'*evento Parola* il cammino della ricerca attraverso la Via che solo in Lui dobbiamo percorrere, guidati dallo Spirito, verso la pienezza della Verità che il Padre ci offre.

2. L'assunto tematico del II Forum (22-24 gennaio 2004): *"Il metodo teologico. Tra Tradizione e Innovazione"* sta ad indicare che, essendo la Rivelazione della Verità compiuta "nella storia" ed "attraverso la storia", il cammino del metodo teologico non può non tener conto del fatto che si muove tra una "anamnesi" (Gv 14, 26) e una "prognosi" (Gv 16, 13). In realtà, solo una Tradizione che è mossa dalla Verità può guidarci sulla via della ricerca della pienezza della Verità. Nessuno comincia da zero. La Tradizione degli eventi fondatori della fede ci schiude sempre un ulteriore orizzonte futuro di Verità. Questo vale, in particolare, considerando che l'evento storico del Cristo Crocifisso e Risorto non può restare chiuso nel passato: esso lo trascende in alto e in avanti, senza rinnegarlo, ma per la sua forza vitale spinge verso la pienezza della Verità. *L'anamnesi* del passato costituisce allora un momento necessario e sempre in fermento nella riflessione della fede che, sull'esempio di Maria che "conservava tutte queste cose meditandole nel suo cuore" (Lc 2,19.51), accompagna e dischiude nuovi orizzonti per una teologia aperta al futuro.

La proposta di riflessione sul metodo, cosciente della sua complessità, non avanza alcuna pretesa di esaurimento, ma si offre come una proposta di cammino ulteriore e si è articolata nel I Forum, per ora, in tre momenti.

a. Innanzi tutto, le *esigenze poste dalla fede al metodo teologico*, per cui il "fare teologia" comporta la prassi di fede del teologo congiunta al *luogo ecclesiale*, nel suo atteggiamento di *auditus et intellectus fidei*, con l'attenzione sempre rivolta a quella *Traditio vivens* della Chiesa che si esprime nella *lex orandi*, nel *sensus fidei* (LG 12) proveniente dall'unzione dello Spirito Santo (1Gv 2,20 e 27), sotto la guida ed autenticazione del Magistero. In questo momento di legame alla Scrittura, letta non solo esegeticamente ma nel contesto della *Traditio vivens*, un compito della teologia che si deve esprimere nel cammino della Verità è quello *profetico*: capace di leggere nei segni dei tempi le aperture per il cammino stesso del Magistero, nella continuità e nel progresso verso il futuro della storia della Chiesa, nella sua missione di annuncio della verità a tutti i popoli.

b. Il secondo momento si è proposto di studiare il metodo teologico nell'attuale contesto *culturale e religioso*, per il quale la fede cristiana si rende annunciabile e credibile nell'area delle attuali frontiere della pluralità delle culture e delle religioni, non ignorando i nuovi aereopaghi aperti dal progresso delle scienze sia antropologiche che naturali. In questo ambito si definiscono le relazioni che richiamano lo studio dei Padri della Chiesa, il tema dell'inculturazione della fede, il rapporto al dialogo ecumenico, il problema delicato del dialogo interreligioso, il metodo teologico delle comunità della Riforma, l'impostazione metodologica della teologia ortodossa.

c. Il rapporto tra Verità e Libertà nella ricerca teologica, infine, non ha potuto ignorare quegli elementi della metodologia teologica che concernono la prassi di vita morale e spirituale e il legame al luogo della santità del discorso teologico.

3. Il tema del III Forum *"Il metodo teologico oggi. Comunione in Cristo tra memoria e dialogo* (26-28 gennaio 2006) si è inserito nel contesto del cammino iniziato nel precedente II Forum, costituendone un approfondimento alla luce della prospettiva: *comunione in Cristo tra memoria e dialogo.* Esso ha risposto a una particolare urgenza per la vita della Chiesa e della teologia, dal momento che la Chiesa non può fare a meno di una riflessione credente che si sviluppa nella vita della *Communio ecclesialis* e risponde al dinamismo insito nella fede stessa. Infatti, «di natura, la Verità vuole comunicarsi, perché l'uomo è stato creato per percepire la verità»[1]. D'altra parte, la Teologia, per essere autentica, non può essere autoreferenziale: essa va necessariamente compresa ed elaborata in comunione con la *Tradizione vivente della Chiesa*, grazie alla cui mediazione l'evento della Rivelazione ci viene incontro, attraverso molte vie, quali la Scrittura e il *sensus fidei* del Popolo di Dio, che si esprime nel vissuto adorante ed orante del culto liturgico, nell'esperienza dello Spirito, nella testimonianza autorevole dei Padri e Dottori della Chiesa, nella voce del Magistero. Così, attingendo alla *Tradizione vivente della Chiesa* che approfondisce ed annuncia la *memoria sempre attuale* della fede, la teologia evolve quella *cogitatio fidei* che, nella Chiesa, avanza nella comprensione della Verità, attraverso la riflessione della ragione illuminata dalla fede e attraverso il *dialogo* con le diverse confessioni cristiane, col mondo delle culture e delle molteplici religioni.

Papa Benedetto XVI, nel messaggio rivolto ai membri della Commissione Teologica Internazionale in occasione della sua Sessione Plenaria del 22 novembre al 2 dicembre 2005[2] ha toccato, tra gli altri temi, quello dello statuto e del metodo della teologia cattolica, richiamando le parole dell'Istruzione *Donum Veritatis* sulla vocazione ecclesiale del teologo: «la teologia non può nascere se non dall'obbedienza all'impulso della Verità e dell'Amore che desidera conoscere sempre meglio Colui che ama, in questo caso, Dio stesso, la cui bontà abbiamo riconosciuto nell'atto di fede». Così, considerando che

---

[1] Congregazione per la Dottrina della Fede, *Donum Veritatis*, n.7.
[2] Cfr. "L'Osservatore Romano", 2 dicembre 2005, p. 12.

la conoscenza di Dio si è adempiuta nel mistero della Rivelazione di Cristo, ne consegue – ha sottolineato il Santo Padre – che il principio normativo fondamentale, per la teologia, è la Rivelazione. «Essa (la Teologia) si esercita, pertanto, sempre nella Chiesa e per la Chiesa, Corpo di Cristo, unico soggetto con Cristo e così anche nella fedeltà alla Tradizione apostolica» (n. 7).

Meritano particolare attenzione, a questo proposito, le parole di Benedetto XVI secondo cui «considerare la Teologia come un affare privato del teologo, significa misconoscerne la sua stessa natura. È soltanto all'interno della comunione ecclesiale e nella comunione con i legittimi Pastori della Chiesa, che ha senso il lavoro teologico che richiede evidentemente la competenza scientifica, ma anche, e non meno, lo spirito di fede». Importante, in questo breve intervento, è non solo il richiamo alla fedeltà al Magistero, ma pure alla *competenza scientifica*, allo *spirito di fede, alla preghiera e alla contemplazione,* con cui si può acquisire il senso di Dio e la docilità all'azione dello Spirito Santo, i quali renderanno la ricerca teologica feconda per il bene di tutta la Chiesa e dell'umanità. Papa Benedetto XVI, rispondendo a un'attuale obiezione, afferma ancora che la «*razionalità della Teologia*, la sua scientificità ed *il pensare nella comunione ecclesiale*, non si escludono, ma vanno insieme. "Lo Spirito Santo introduce la Chiesa nella pienezza della Verità" (Gv 16,13). La Chiesa è in servizio della Verità e la sua guida è educazione alla Verità».

In tutto questo discorso non si deve ignorare il *ruolo profetico della Teologia* e una *sua certa autonomia*, attraverso quella responsabilità che si esercita nella lettura e interpretazione dei "segni dei tempi" e che richiede l'esercizio dell'intelligenza e la pratica della scienza proprie della teologia. Così, è importante ricordare le parole di Giovanni Paolo II nei suoi due memorabili discorsi tenuti nel duomo di Colonia e ad Altötting (1980), nei quali egli dichiarava: «la Chiesa auspica una ricerca cattolica *indipendente, distinta* dal Magistero della Chiesa, ma che ad esso tuttavia si sente obbligata, nel servizio comune alla verità di fede e al Popolo di Dio»[3].

Nel suo rapporto peculiare alla comunità di fede, il teologo s'incontra quindi non solo con il Magistero e con il *sensus fidei* del Popolo di Dio, ma anche con quella razionalità scientifica dei credenti, sostenuta da una seria prospettiva filosofica, che mette in risalto la capacità di Verità di ogni uomo,

---

[3] Per una presentazione e valutazione di questi discorsi: M. SECKLER, *Una svolta nella comprensione magisteriale della teologia*, in ID, *Teologia, Scienza, Chiesa. Saggi di teologia fondamentale*, tr. it., Morcelliana, Brescia, 1988, pp. 261-263 e ss.

riconoscendo il valore di uno *statuto di intellettualità cristiana* oggi più che mai fondamentale per la fede stessa nella sua *esigenza di dialogo* con ogni uomo animato da buona volontà. Di qui l'invito, per il teologo, a offrire il suo servizio per *elaborare con intelligenza nuove forme di comunicazione della fede*. Per questo suo compito, egli non deve estraniarsi dalla Chiesa, né deve subire passivamente il pur necessario riferimento al suo passato normativo, ma deve saper offrire il suo contributo al presente quotidiano della fede ecclesiale attraverso forme atte a vivere coerentemente la fede di sempre, nel senso della memoria e nella fedeltà al dono dello Spirito di Verità (cfr. LG 12)[4].

Questa proposta di un nuovo stile nei rapporti tra Magistero e Teologia, per cui entrambi realizzano la loro specificità in un rapporto di *pericoresi vitale* di fede e comprensione, di testimonianza apostolica e razionalità scientifica, è importante non solo per la sana vita religiosa della Chiesa nel suo insieme, «ma è anche fondamentale perché il Magistero e la teologia possano cogliere in modo più puro la loro diversa natura ed inserirla nel loro servizio comune della fede»[5].

La Teologia va sottolineando sempre più, oggi, il suo compito ecclesiale, in rapporto alla totalità della *Communio* aperta, *nel dialogo,* alla comunicazione della Verità della fede cristiana nel mondo, ma anche *la sua diakonia alla Verità in aiuto al Magistero*, specialmente là dove ancora non ci sono affermazioni dottrinali precise e definitive, per aprire nuove vie al Vangelo. Così, essa, per essere ecclesiale, non deve ridursi a un semplice commentario degli insegnamenti magisteriali, ma deve operare preparando la via per quegli interventi che s'impongono sotto l'incalzare delle situazioni nuove della vita sociale e culturale e che esigono sempre più *documenti dialogici* e non *monologici*. Naturalmente, questo aiuto da parte della Teologia dev'essere fatto nel rispetto della comunione ecclesiale nella Verità e nella Carità, secondo la norma indicata da *Donum Veritatis*: «là ove la comunione di fede è in causa, vale il principio dell'*unitas veritatis*; là ove rimangono delle divergenze che non mettono in causa questa comunione, si salvaguarderà *l'unitas caritatis*» (n. 26).

---

[4] Si veda R. FISICHELLA, *Il Teologo ed il «sensus fidei»*, in CONGREGAZIONE PER LA DOTTRINA DELLA FEDE, *Donum Veritaris*, Istruzione e commenti, Libreria Editrica Vaticana, Città del Vaticano 1993, pp. 98-103.

[5] M. SECKLER, *Teologia Scienza Chiesa*, o.c., p. 264.

"Veritatem facientes in caritate" (Ef 4,15) Una messa a punto sul metodo teologico

Piero Coda

1. Già il II Forum della Pontificia Accademia di Teologia, nel gennaio del 2004, ha messo a tema la questione de "Il metodo teologico oggi fra tradizione e innovazione"[1]. Esso intendeva così offrire una prima istruzione metodologica delle istanze prospettate alla teologia cattolica dalla Dichiarazione *Dominus Iesus*, fatta oggetto del I Forum, nel gennaio 2002[2]. In quell'occasione, Giovanni Paolo II aveva infatti sottolineato che «il compito primario della Pontificia Accademia di Teologia è la meditazione del mistero di Gesù Cristo, nostro Maestro e Signore, pienezza di grazia e di verità»[3]. Il secondo Forum, ispirandosi a questa autorevole indicazione, aveva perciò inteso mettere a fuoco il rapporto tra le esigenze fondamentali che per sé scaturiscono dalla fede in Cristo e la figura complessiva e le correlate declinazioni del metodo teologico, aprendo al contempo lo sguardo sull'attuale contesto culturale e religioso.

L'ampio dibattito che ha accompagnato i lavori e che è confluito nelle prospettive di sintesi elaborate a conclusione dell'assise[4], sin da quel momento hanno orientato alla decisione di dedicare anche il Forum successivo, il III, a un ulteriore e in certo modo più serrato approfondimento del

---

[1] Cfr. "PATH", III (2004/1): *Il metodo teologico oggi. Fra tradizione e innovazione.*

[2] Cfr. "PATH", I (2002/2): *«Gesù Cristo, via, verità e vita» (Gv 14,6). Per una rilettura della «Dominus Iesus».*

[3] GIOVANNI PAOLO II, *Discorso alla Pontificia Accademia Teologica*, 16 febbraio 2002, 2.

[4] Cfr. M. BORDONI – P. CODA, *Prospettive di sintesi*, in "Path", 3 (2004/1) 257-272.

metodo teologico sulla base del più ampio contesto già delineato. In quale direzione?

2. Il cammino che ha guidato nell'enucleare i temi che articolano il III Forum ha coinvolto il Consiglio Accademico, ma anche un buon numero di Accademici, soprattutto grazie a una sessione di lavoro appositamente dedicata a questo obiettivo[5].

Tirando le fila di quanto emerso a seguito del II Forum, si è convenuto di consacrare ad alcuni temi emersi in quell'occasione, senz'altro rilevanti ma più specifici – come quelli del rapporto tra teologia e metafisica, teologia e scienze naturali, teologia ed esperienza spirituale, escatologia e protologia – altrettanti numeri monografici della rivista PATH attivando anche, per gli ultimi due temi, altrettanti gruppi di ricerca; e di percorrere invece nel III Forum tre prospettive complementari che sono apparse determinanti e convergenti in ordine alla definizione e all'esercizio di un metodo teologico fedele allo statuto e all'oggetto proprio della teologia e insieme capace d'intercettare produttivamente le provocazioni dei segni dei tempi.

Tali prospettive, che articolano le tre sessioni del III Forum, concernono rispettivamente: (1) il rapporto tra Ecclesiologia di comunione e metodo teologico, (2) quello tra la Tradizione vivente della Parola e l'azione continuata e vivificante dello Spirito Santo nella Chiesa e (3) quello tra la testimonianza della verità di Cristo e il dialogo con le istanze e i protagonisti della storia dell'uomo.

Di qui il significato evocativo del sottotitolo del III Forum: "*Comunione in Cristo tra memoria e dialogo*", dove "comunione in Cristo" richiama lo spazio vitale, le esigenze intrinseche e le dinamiche concrete del metodo teologico in quanto determinati dal dimorare nella verità di Cristo che si realizza nella *koinonía* ecclesiale; "memoria" sottolinea il riferimento all'evento fondatore di Gesù Cristo in quanto sostanzialmente e integralmente trasmesso dalla *Traditio vivens* della Chiesa, grazie all'azione multiforme e insieme unificante dello Spirito Santo; e "dialogo" dice il compito teologico della comunicazione della verità di Cristo in una relazione agli uomini, alle culture, ai saperi che sia a un tempo espressione specifica e integrale della verità di Gesù Cristo e, proprio per questo, antropologicamente e culturalmente significativa.

---

[5] Cfr. *Cronaca dell'Accademia*, in *Path* 3 (2004/1) 307-308.

3. Per quanto concerne la nozione di "metodo teologico", basti dire che la intendiamo secondo l'accezione integrale e generale di accesso ecclesiale, in Cristo mediante lo Spirito Santo, alla verità di Dio e dell'uomo in fedeltà alla rivelazione trasmessa dalla Chiesa e in conformità alle esigenze della *ratio fide illustrata*. È ovvio, pertanto, che esso, nella sua unità epistemica di fondo, si articola poi con pertinenza in una pluriformità di approcci teologici (dalla teologia sapienziale a quella scientifica) che disegnano, a vari livelli, secondo diverse modalità, grazie a molteplici linguaggi, l'accesso e l'illustrazione dell'inesauribile ricchezza del mistero di Cristo.

Ma cerchiamo di spendere almeno una parola su ciascuna delle tre assi portanti che hanno disegnato il percorso del III Forum. Intanto, si può osservare che le prime due, concernenti l'*Ecclesiologia di comunione* e la *Traditio vivens* dell'evento Cristo nello Spirito, guardano in certo modo più *ad intra*, al permanere cioè e al presentificarsi della verità di Cristo nella Chiesa, cui la teologia offre il suo qualificato e indispensabile ministero, anche se resta fondamentale in entrambi i casi il riferimento alla storia e alla cultura. La prima prospettiva, quella dell'Ecclesiologia di comunione, intende sviluppare la dimensione *sincronica* del dimorare vitalmente nella verità di Cristo; la seconda, quella della *Traditio vivens*, la dimensione *diacronica* del suo riprodursi, inalterato e insieme sempre rinnovato, lungo il corso dei secoli.

In particolare, mettere consapevolmente e formalmente in rapporto il metodo teologico con l'Ecclesiologia di comunione significa non solo ribadire che il luogo pertinente del ministero teologico è la comunione ecclesiale, ma anche tematizzare – di conseguenza – le implicazioni oggettive e soggettive che ne derivano per il metodo teologico, in sintonia con l'Ecclesiologia di comunione del Concilio Vaticano II.

Già parecchi anni or sono, il prof. Max Seckler, in un prezioso saggio, sottolineava che nell'idea sistematica dei *loci theologici* elaborata nel XVI secolo da Melchior Cano e diventata canonica per la teologia cattolica successiva, il dimorare nella verità di Cristo viene garantito da «un organismo interattivo di soggetti della Tradizione», in modo tale che ciascuno di essi «rappresenta potenzialmente il tutto, ma con i propri mezzi e a partire dalla propria ottica». In questo modo, «il tutto della *veritas catholica* in quanto *veritas catholica* si realizza soltanto nella cooperazione di questa totalità». Il limite di tale concezione – notava Seckler – sta nel fatto che i vari soggetti potevano, di fatto, diventare «sempre più autonomi»[6].

La prospettiva teologica complessivamente proposta dal Vaticano II, e maturata in riferimento sia al concetto di *presentia Christi in mysterio* della *Sacrosanctum Concilium*, sia al concetto di rivelazione cristologico-trinitario proposto dalla *Dei Verbum*, sia al concetto di Chiesa-comunione presentato nella *Lumen gentium*, invita a un ulteriore approfondimento che, senza confondere l'identità peculiare e la funzione propria delle varie espressioni e dei vari momenti della *Traditio* dell'evento Cristo, ne comprenda e promuova tuttavia la convergenza e i rapporti, sulla base dell'unica radice da cui germogliano e dell'unica finalità cui per sé tendono: la κοινωνία e la παράδωσις, nello Spirito Santo, dell'evento della Parola di Dio che s'è fatto carne «una volta per sempre» in Cristo Gesù. In tal modo, la Chiesa – come insegna la *Dei Verbum* –, «*volventibus saeculis, ad plenitudinem divinae veritatis iugiter tendit, donec in ipsa consummentur verba Dei*»[7].

Al prof. Seckler, nella prima sessione dei nostri lavori, e al prof. Bordoni nella seconda, abbiamo dunque chiesto, in base alla loro riconosciuta competenza e sensibilità per questi temi, d'introdurci in questo approfondimento del metodo teologico in rapporto, rispettivamente, all'Ecclesiologia di comunione e alla Tradizione vivente dell'evento Cristo nello Spirito, sullo sfondo di quella «cornice mariana che circonda il Concilio» e che – come ha sottolineato Benedetto XVI l'8 dicembre 2005 –, invitandoci a riconoscere in Maria «il vero centro» della Chiesa, ci sollecita a imparare da lei «a diventare noi stessi "anime ecclesiali", come si esprimevano i Padri»[8].

4. La terza sessione dei lavori si è dispiegata attorno a un'ulteriore, imprescindibile asse della configurazione del metodo teologico: quella che concerne *la testimonianza e l'annuncio della verità di Gesù Cristo*, di cui la Chiesa vive, agli uomini e alle donne del nostro tempo, il che significa tenere in debito conto la situazione storica e la temperie culturale in cui essi vivono e operano.

---

[6] M. SECKLER, «Il significato ecclesiologico dei "*loci theologici*"», in ID., *Teologia, scienza, Chiesa*, tr. it., Morcelliana, Brescia 1988, 171-206, in particolare 188-189, 193-194.

[7] *Dei Verbum*, 9.

[8] BENEDETTO XVI, *Omelia nella solennità dell'Immacolata Concezione della Beata Vergine Maria*, 8 dicembre 2005, 40° anniversario della conclusione del Concilio Ecumenico Vaticano II.

Anche quest'attenzione, che è per sé connaturata alla missione della Chiesa, è venuta in singolare evidenza nel Concilio Vaticano II, sia a motivo del fatto che – come ha ricordato recentemente Benedetto XVI – «il Concilio doveva determinare in modo nuovo il rapporto tra Chiesa ed età moderna»[9], sia in riferimento al fatto che la rapida e profonda transizione sociale e culturale che caratterizza il nostro tempo – come nota la *Gaudium et spes* – ci sta introducendo in un'epoca nuova e inedita della storia, caratterizzata dall'orizzonte unitario e globale che, a partire dalle differenti identità, viene a connotare la situazione dell'umanità odierna come un'unica famiglia[10].

Di qui, innanzi tutto, l'istanza lucidamente proposta da Giovanni XXIII nel suo discorso d'apertura del Concilio, l'11 ottobre del 1962, che Benedetto XVI ha voluto richiamare in occasione del quarantesimo anniversario della conclusione del Concilio stesso:

«È necessario che questa dottrina [della fede] certa e immutabile, che deve essere fedelmente rispettata, sia approfondita e presentata in modo che corrisponde alle esigenze del nostro tempo. Una cosa è infatti il deposito della fede, cioè la verità contenuta nella nostra veneranda dottrina, e altra cosa è il modo col quale esse sono enunciate, conservando ad esse tuttavia lo stesso senso e la stessa portata»[11].

Di qui l'ulteriore istanza, per sé connessa alla precedente, che Paolo VI, a partire dall'enciclica *Ecclesiam suam*, ha riassunto con la parola, filosoficamente assai ricca di significato ancorché teologicamente acerba e in gran parte a tutt'oggi indeterminata, di "dialogo". Con essa – se si guarda all'uso che via via è venuto precisandosi nel magistero conciliare e in quello pontificio successivo, a livello teorico e di prassi, di Paolo VI e di Giovanni Paolo II – è evidente che non s'intende un aggiustamento esteriore o un atteggiamento meramente tattico nella missione della Chiesa, quanto piuttosto la messa in valore di una dimensione intrinseca della verità di Gesù Cristo nel suo proporsi testimoniale al mondo e, di conseguenza, anche del metodo teologico.

La semantica e la prassi del dialogo, infatti – quand'esso sia inteso in modo teologicamente pertinente – vengono a determinare la dimensione di storicità e di relazionalità della verità di Gesù Cristo, e dunque la forma

---

[9] BENEDETTO XVI, *Allocuzione alla Curia Romana*, 21 dicembre 2005.
[10] Cfr. *Gaudium et spes*, 4.
[11] BENEDETTO XVI, *Allocuzione alla Curia Romana*, 21 dicembre 2005.

specifica e qualificante dell'annuncio e della testimonianza cristiani. Al prof. Paul O'Callaghan è stato affidato il non facile compito d'introdurre in questa dimensione del metodo teologico, senz'altro più che attuale e senz'altro delicata e impegnativa, tenendo conto della crisi – tra le acute ambiguità di relativismo e le nascoste attese di ridefinizione – del concetto e dell'esperienza di verità che attraversa oggi, in genere, la cultura occidentale.

5. In una parola, il percorso che ha articolato il III Forum invita ad approfondire la figura originaria del metodo teologico nella sua configurazione originaria e precedente le sue legittime e plurali declinazioni, in conformità agl'indirizzi del Vaticano II e del successivo magistero pontificio, in riferimento alla comunione, alla tradizione e al dialogo. A ben vedere, un riconoscibile filo d'oro lega insieme le tre linee di questo approfondimento: e cioè *la relazione* dinamica e feconda, per sé costitutiva della singolarità della fede cristiana, *tra verità e carità* nella prospettiva «sconvolgente – come ha affermato Benedetto XVI – della rivelazione di Dio come cerchio trinitario di conoscenza e amore» al cui centro splende «il volto di Gesù Cristo»[12].

Non penso sia un caso che proprio sul significato decisivo di quest'intimo legame che quasi tende a configurare un'endiadi, più volte, a partire dall'inizio del suo pontificato, abbia appunto voluto richiamare la nostra attenzione Benedetto XVI, come risalta a chiare lettere dalla prima enciclica del suo pontificato, la «*Deus caritas est*».

> «Fare la verità nella carità come formula fondamentale dell'esistenza cristiana – egli ha detto –. In Cristo coincidono verità e carità. Nella misura in cui ci avviciniamo a Cristo, anche nella nostra vita, verità e carità si fondono. La carità senza verità sarebbe cieca; la verità senza carità sarebbe come "un cembalo che tintinna" (1Cor 13,1)»[13].

Che cosa implica tutto ciò per il metodo teologico? L'invito è senz'altro a puntare lo sguardo sulla vita nello Spirito Santo, mediante il quale la carità di Cristo è effusa nei nostri cuori (cfr. Rom 5,5), come quella che costituisce l'*humus* e la regola interiore dell'*intelligentia fidei*. La conformazione per amore e nell'amore a Cristo, infatti, illumina gli occhi della fede, rendendoli

---

[12] BENEDETTO XVI, *Discorso all'incontro del Pontificio Consiglio "Cor Unum"*, 23 gennaio 2006.
[13] CARD. J. RATZINGER, *Omelia della S. Messa "Pro eligendo Romano Pontifice"*, 18 aprile 2005.

capaci di riflettere in sé, per quanto possibile alla creatura in *statu viae*, la luce della verità divina che splende sul volto di Cristo.

Ma ciò, a ben vedere, riveste un ulteriore significato per la teologia. La invita infatti a tener fisso lo sguardo sul suo obiettivo primo e ultimo, che è quello di guidare mistagogicamente, nel modo che le è proprio, alla comunione d'amore sempre più piena con Cristo via, verità e vita (cfr. Gv 14,6) e, in e per Lui, con la Santissima Trinità e con i fratelli (cfr. Gv 17,21). Il che non può non avere delle precise conseguenze sull'esercizio stesso del teologare. Il «*finis fidei*» – spiega San Tommaso – è quel «*Bonum divinum*» che è «*proprium obiectum caritatis*», così che «*caritas dicitur forma fidei, in quantum per caritatem actus fidei perficitur et formatur*»[14]. Ne consegue che anche l'*intelligentia fidei* è per sé chiamata a trovare la sua forma perfettiva nel dinamismo teologico della carità.

In tal modo, il procedere concettuale proprio della teologia scientifica non solo si nutre della *scientia amoris* dei Santi[15], ma – come ancora afferma San Tommaso – «*prorumpit in affectum amoris*»[16]. Così che l'intelligenza giunge per grazia a un'attuazione di sé che è formalmente illuminata e innervata dall'amore divino, perché, «facendosi passiva di fronte all'amore – spiega Jacques Maritain – e lasciando dormire i suoi concetti, fa per ciò stesso l'amore mezzo formale di conoscenza»[17]: non solo nell'interiorità personale dell'intelligenza credente ma anche nella reciprocità, donata e accolta, dell'ascolto e della parola che si fa dimora comunitaria del Cristo in mezzo a «due o tre συνηγμένοι εἰς τὸ ἐμὸν ὄνομα, raccolti nel/verso il mio Nome» (cfr. Mt 18,20).

Il metodo teologico, in definitiva, rimanda alla peculiarità di quel *Subiectum* singolare – per dirla con San Tommaso[18] – che è proprio della teologia: *Deus Trinitas*. Di qui derivano la connessione ontologica tra verità

---

[14] *S.Th.*, II-IIa, q. 4, a. 3, *corpus*.

[15] Cfr. F.-M. Léthel, *Vertià e amore di Cristo nella teologia dei Santi. L'orientamento teologico della Lettera Apostolica Nuovo Millennio Ineunte*, in "PATH", 1 (2002), 281-314; mi permetto rinviare anche al mio *La santità come luogo teologico*, in Congregatio de Cultu Divino et Disciplina Sacramentorum, *Il Martirologio Romano. Teologia, liturgia, santità*, Atti della giornata di studio nell'anniversario della "Sacrosanctum Concilium" (Roma, Palazzo della Cancelleria, 4 dicembre 2004), Libreria Editrice Vaticana 2005.

[16] *S.Th.*, I, q. 43, a. 5, ad *2um*.

[17] J. Maritain, *Court traité de l'existence et de l'existant*, Paris 1947; tr. it., *Breve trattato dell'esistenza e dell'esistente*, Morcelliana, Brescia 1974, 67.

[18] *S.Th.*, I, q. 1, a. 7.

e carità, di qui la natura per sé comunionale, tradizionale e dialogica del metodo teologico. Richiamandosi a H. De Lubac, J. Ratzinger, già negli anni '70, sottolineava che «la fede trinitaria, essendo comunione, implica che il credere secondo la Trinità significa diventare comunione»[19].

Il metodo teologico, in altre parole, s'inserisce per natura sua nella dinamica stessa dell'evento escatologico di dedizione di Dio Padre per Cristo nello Spirito e della consegna, nella fede e nell'amore, che vi corrisponde. La rivelazione dell'*agápe* del Padre, nel Figlio crocifisso e risorto mediante lo Spirito Santo effuso nei nostri cuori, non definisce soltanto la *fides quae*, e dunque l'oggetto della sua intelligenza, ma anche la *fides qua*, e dunque anche il soggetto e il μέθοδος di essa[20]. Così che Dio Trinità non viene al pensiero e alla parola o, per dirla con J.H. Newman, non lo si conosce e lo si testimonia "realmente" astraendo dall'apertura agli altri[21]. Anche se tale apertura si configura realisticamente e nel concreto della storia segnata dal peccato, sulla via maestra segnata dal Cristo, nel "segno di contraddizione" della "Parola della croce" (cfr. 1 Cor 1,18).

---

[19] L'intervento è riprodotto in *Theologische Prinzipienlehre Bausteine zur Fundamental-theologie*, Erich Wewel Verlag, München 1982; tr. it. sotto il titolo *Che cosa è oggi costitutivo della fede cristiana?*, in J. RATZINGER, *Elementi di teologia fondamentale. Saggi sulla fede e sul ministero*, Morcelliana, Brescia 1986, 11-24, qui 19.

[20] Cfr. C. SPICQ, *Agapè dans le Nouveau Testament*, III, Gabalda, Paris 1959, 288.

[21] Cfr. la distinzione tra conoscenza reale e conoscenza nozionale nel suo *An Essay in Aid of a Grammar of Assent* (1870), tr. it., *Grammatica dell'assenso*, Jaca Book - Morcelliana, Milano-Brescia 1980.

PARTE I

ALL'ORIGINE LA PAROLA

Méthode théologique et pratique (*praxis*) de la foi

Georges Card. Cottier

La question dont nous devons nous entretenir est complexe.

Deux formules, qu'on pourrait croire antithétiques, d'Augustin nous serviront d'introduction: *fides quaerens intellectum*, qui est la plus citée, et *intellectus quaerens fidem*. Chacun de ces énoncés éclaire un aspect du problème.

La foi qui est adhésion au mystère de Dieu et de son dessein de salut, qui nous est donné à connaître par la révélation, ne s'arrête pas, pour ainsi dire, à elle-même comme acte simple, elle demande à s'avancer, si possible, dans l'intelligence de ce mystère. Autrement dit, cet Inaccessible, qui est le mystère de Dieu, n'est pas, face à la pensée, dans un rapport d'opposition. Si la foi cherche, sollicite la pensée, c'est parce qu'elle adhère à une source de lumière et que la lumière est la nourriture de l'esprit. Comme simple adhésion à la vérité révélée, la foi demande par elle-même et pour elle-même de pénétrer dans les profondeurs de ce qui lui est donné. Il est dans sa nature d'aspirer à voir, de tendre vers la vision. En deçà de la vision béatifique, où ce désir sera pleinement satisfait, elle a recours aux possibilités que lui offre la raison, et, si elle le fait, c'est parce que la raison elle-même est une faculté de lumière. Que le mystère de Dieu dépasse infiniment ses capacités ne signifie pas un antagonisme ou un radicale hétérogénéité. Une parenté profonde relie la lumière naturelle de la raison et la lumière surnaturelle de la foi, Dieu étant source de l'une et de l'autre.

Quant à la seconde formule, elle indique d'abord que la raison ne s'enferme pas dans ses propres limites, et que, loin de rejeter dans la sphère de l'irrationnel ce qui la dépasse, elle se trouve stimulée à aller au-delà d'elle-même; elle peut comprendre que le mystère dont parle la révélation lui apporte un complément essentiel et la lumière définitive, à laquelle elle aspire sans pour autant être en droit de l'exiger.

Le rappel de la double formule d'Augustin m'a conduit à user d'un terme qu'elle ne contient pas, le terme de *mystère*. Il exprime l'*objet* de la foi. Avant de traiter de la méthode théologique, disons donc un mot de la *praxis de la foi*. Nous verrons en quel sens il est légitime de parler de *praxis* à propos de la foi.

1. «Fides quae et fides qua»

Pour l'instant, il faut rappeler une distinction qui est essentielle, la distinction entre *fides quae* et *fides qua*. Les deux aspects sont indissociables. C'est l'examen de la *fides qua* qui nous permettra de saisir le sens de l'expression *praxis de la foi*.

La *fides qua* désigne la vertu et les actes de la foi comme adhésion à la Parole de Dieu. Cette adhésion, parce qu'elle a une dimension volontaire, est un acte essentiellement personnel. La personne est engagée dans l'acte de foi d'une manière tout à fait particulière, qui aura sa répercussion sur le savoir théologique, comme nous le verrons.

Notre intelligence tend à l'évidence comme manifestation de la vérité, qu'il s'agisse soit de l'évidence immédiate, soit de la conclusion d'une démonstration, soit d'une vérification dans l'ordre du savoir expérimental. Seule l'intelligence divine a l'évidence de Dieu. Si Dieu nous communique sa vérité, il ne peut le faire que par la médiation d'un Témoin, qui, lui, a vu: "Nul n'a jamais vu Dieu, le Fils unique, qui est dans le sein du Père, lui l'a fait connaître" (Jn 1, 18).

L'accès à la vérité divine requiert de notre part un acte de confiance, de remise de nous-même à Celui qui a vu (et qui par ailleurs ne peut pas nous tromper): tel est l'acte de foi. Nous n'y sommes pas portés par une évidence contraignante, mais, supposé un examen sérieux des motifs de crédibilité, c'est la volonté qui intervient et qui, pour ainsi dire, supplée au déficit d'évidence de ce qui nous est proposé. Si la volonté est mue, c'est parce que ce qui lui est proposé se présente à elle comme un bien qui mérite de la part de la personne un engagement total et définitif où se joue sa destinée.

2. Evidence

Par rapport à l'exigence d'évidence, il y a certes dans la foi un manque; quant au mode de connaissance, la foi est imparfaite. Mais si on regarde à ce *qui est connu*, certes *in speculo et aenigmate,* à l'objet, la foi est la connaissance la plus haute et la plus précieuse qui soit. C'est la nature du mystère de Dieu, en tant qu'inaccessible à l'intelligence créée, qui fonde la nécessité de la foi.

Ce sont là des choses que nous savons. Mais si je les ai rappelées, c'est parce que le mot *évidence* exprime une revendication majeure de la philosophie des Lumières et qu'en son nom celle-ci a nié tout fondement de vérité à la foi chrétienne. Pour les Lumières, il n'y a d'évidence que celle que notre raison peut, par ses seules forces, se procurer. Tout ce qui est hors du cercle de cette évidence, la seule qui est authentique, se trouve radicalement discrédité comme préjugé. C'est à partir de cette conception restrictive de l'évidence que se sont déployées, en un large éventail, les diverses formes de rationalisme, qui vont de la raison satisfaite de ses propres limites à la raison prétendant connaître par elle-même l'Absolu, dépouillé de tout mystère. Le rationalisme est une des composantes de notre contexte culturel. Il *pensiero debole* peut être considéré comme une maladie interne du rationalisme qui pour autant n'est pas contesté dans ses prétentions.

L'encyclique *Fides et ratio* (nn. 31-34) a souligné l'importance de la foi, comprise dans le sens large de confiance en autrui. Nombre de nos connaissances sont reçues par nous parce que nous faisons confiance à qui nous les transmet. La pédagogie et l'enseignement supposent un tel rapport de confiance. Dans un tel rapport s'instituent et se consolident des rapports interpersonnels. Bien plus, dans les rapports d'amitié, c'est la vérité d'autrui que nous découvrons. Il est donc nécessaire de souligner la valeur de la foi à l'intérieur des relations humaines. C'est là un aspect que le rationalisme refuse de considérer ou contre lequel il se heurte comme contre une objection majeure, comme le prouvent, dans les philosophies de la conscience, la difficulté à reconnaître un statut à autrui ou le fait de la pluralité des consciences.

Bien plus, la foi, telle qu'elle se présente au niveau des rapports humains, peut être considérée comme une préparation à l'accueil de la foi théologale. Ajoutons cependant qu'il est nécessaire de souligner qu'entre foi humaine et foi théologale, il y a unité d'analogie.

C'est aussi analogiquement qu'il convient de parler de foi dans les questions du dialogue interreligieux. Les diverses religions reposent sur un ensemble de *croyances*. C'est là un terme général qui exprime une attitude anthropologique qu'il est normal de retrouver, sous des formes différentes, dans diverses sphères religio-culturelles. Mais quand dans des publications théologiques on lit des formules comme la foi chrétienne et la foi musulmane ou la foi hindouiste, on a là le signe d'une ruineuse confusion. Mieux vaut parler de croyance, et désigner par foi, en langage théologique, la foi théologale. Car c'est de celle-ci qu'il est question.

3. Certitude

Ceci dit, il reste vrai que, dans la ligne de la connaissance et de la connaissance parfaite, c'est-à-dire scientifique au sens ancien et aussi moderne du terme, la foi dans le sens générique est imparfaite, car il lui manque ce fondement qu'est l'évidence (ou ces équivalents qui sont la démonstration ou la vérification). La foi humaine n'est pas capable d'éliminer la possibilité du doute. On ne saurait proposer une méthode pour l'amour ou pour l'amitié.

C'est ici que se présente une propriété essentielle de la foi théologale: *la certitude*. Ce point est décisif pour la question épistémologique dont nous parlons. La certitude de la foi théologale la distingue de tout autre foi humaine, qui ne peut pas prétendre aller au-delà d'une certitude morale.

La certitude désigne la sûreté dans la possession de la vérité; elle a pour cause l'évidence. En lieu d'évidence, la certitude de la foi théologale a pour fondement direct la *véracité divine*. Dieu qui est la vérité même et la parfaite évidence à soi-même ne peut ni se tromper ni nous tromper.

Il faut dire davantage: s'il est vrai que la certitude de la foi repose sur la véracité divine, on doit affirmer que la foi est plus certaine, en elle-même, que toutes les certitudes acquises par voie humaine. C'est l'évidence de Dieu qui cause la certitude théologale. Le savoir théologique s'articulera à cette certitude principielle.

Il est clair également qu'il y a correspondance entre la *fides qua* et la *fides quae*. Si Dieu en cette vie nous communique son mystère, l'accueil dans notre intelligence de ce mystère, qui est mystère de lumière, ne peut être qu'un acte de foi, qui n'est pas une simple foi humaine, laquelle demeurerait au plan de l'opinion, mais un acte de foi dont la certitude est proportionnée à la profondeur du mystère divin communiqué. Cet acte à son tour présuppose en nous une disposition permanente, la vertu théologale de foi, qui est un don de Dieu.

4. Les exigences de la foi

On pourrait entendre de diverses manières la *praxis de la foi*. On comprendrait dans le sens de certaines formes de théologie de la libération, fortement marquées par la lecture d'auteurs marxistes, que la foi est essentiellement *praxis*, ce qui conduit, à la limite, à éliminer la notion d'orthodoxie au profit de celle d'orthopraxis. Il est évident que tel n'est pas le sens. On pourrait aussi entendre par *praxis de la foi*, l'exercice de la foi comme on a parlé de "pratique théologique": cela ne conduit pas très loin. On pourrait encore entendre par *praxis de la foi* le rappel du contenu moral de la foi, en tant qu'elle est "source et exigence d'un engagement cohérent de la vie" (...) (cf. *Veritatis splendor*, nn. 88-89), ou, en d'autres termes, considérer la foi en tant qu'"opérant par la charité" (cfr. Ga 5, 6). C'est certainement dans cette direction qu'il nous faut poursuivre notre réflexion. Nous savons en effet que la foi peut être vécue sous plusieurs états et peut comporter divers degrés de perfection.

Par elle-même la foi contient diverses exigences, qu'on la considère soit comme *fides quae* soit comme *fides qua*.

Comme *fides quae*, elle pose l'exigence de la parfaite rectitude et pureté. Le croyant est sans cesse tenté de mêler à ce qu'il croit de foi théologale, des pensées d'un autre ordre plus ou moins en harmonie avec le contenu proprement dit de la foi elle-même, et ceci jusque dans l'interprétation qu'il donne du contenu même de la foi. De là l'exigence pour le croyant, de l'orthodoxie: il s'agit là d'une exigence de parfaite cohérence de la pensée avec ce qui est révélé et qui est transmis grâce à la médiation du Magistère. Il est important ici de souligner que la foi, en tant que théologale, est adhésion à la Parole de Dieu, le Magistère, qui présente authentiquement cette Parole, constituant une *conditio sine qua non*. L'exigence d'orthodoxie est donc exigence de cohérence de la pensée avec le mystère de la foi et de sa formulation. Manquer à cette exigence, c'est s'engager sur la voie de l'hétérodoxie qui est la voie de la négation de la foi. La fidélité de la foi s'exerce ainsi d'abord à l'égard de son objet, qui est le mystère révélé. Cette fidélité s'enracine dans la conscience du caractère théologal de la foi.

Précisons: l'orthodoxie est un terme qui signifie la relation de la pensée avec le contenu de la révélation; cette relation est une relation de pleine correspondance. Il n'existe pas de révélation hétérodoxe, pour la bonne raison que la révélation est communication de la vérité divine. En ce sens, la foi théologale est par elle-même orthodoxe, mais parce qu'elle est reçue dans des vases fragiles et en tant qu'elle est *quaerens intellectum*, il s'impose au croyant un devoir éthique de contrôler la rectitude de sa propre pensée.

Cette remarque m'est dictée par la manière de s'exprimer de certains auteurs qui s'occupent du dialogue interreligieux et qui semblent considérer la foi comme une attitude subjective qui ne serait pas substantiellement autre quand change son contenu. Ce qui importerait ce serait de croire avec intensité; à la limite, peu importe à quel objet l'on croit. On substitue ainsi la "bonne foi" à la foi, l'idée même de foi théologale est vidée de son sens. Ce n'est là qu'une simple indication, qui exigerait de plus amples développements.

Il est clair que l'exigence d'orthodoxie a des conséquences directes sur la théologie.

Notre recherche pourrait se porter ensuite vers la distinction entre foi explicite et foi implicite. La théologie, cela va de soi, a pour présupposé la foi explicite; d'ailleurs elle contribue elle-même à cette explicitation. On notera ici la tendance de certains théologiens, mût sans doute par un noble désir œcuménique, à remonter au rebours de l'histoire jusqu'à un état antérieur de non-désenveloppement de la doctrine de la foi, je veux dire un état de non-encore-désenveloppement. A cet état antérieur, vers lequel on regarde avec une certaine nostalgie, certaines précisions n'étaient pas encore faites et certaines questions ne se posaient pas encore. Mais c'est là une vue de l'esprit, parce que le développement du dogme est une marque de la vie de l'Eglise. Il y va du sens même de l'histoire et du temps de l'Eglise.

5. Une double attraction: science et spiritualité

Nous devons maintenant nous tourner vers la *fides qua*, c'est-à-dire la foi comme habitus et comme vertu. Rappelons la distinction entre la *fides formata* et la *fides informis*. C'est la charité qui, en tant qu'elle oriente activement la foi vers la fin ultime, qui est le bien divin, est dite forme de la foi, comme d'ailleurs de toutes les vertus. Par là l'acte de foi et la vertu de foi sont portés à leur perfection. Sous cet aspect la foi est appelée à croître, comme sont appelés à croître la charité et tout l'organisme des vertus. La croissance signifie ici un enracinement toujours plus profond dans le sujet.

Cette croissance n'est pas sans répercussions sur la théologie elle-même, comme nous le dirons bientôt.

La foi grandit comme pure adhésion et de ce point de vue le mystère divin, qui est son objet propre, manifeste toujours davantage sa transcendance, et la disproportion qu'il y a entre lui et l'intelligence créée. Ce qui sera perçu toujours plus fortement, c'est le caractère de non-vision de la foi. Saint Jean de la Croix a illustré d'une manière incomparables cet aspect des choses.

Il y a une différence radicale entre le mouvement de la charité qui va vers l'Aimé en lui-même et celui de la foi qui connaît son objet en le ramenant à ses propres mesures. C'est pourquoi ici-bas l'amour va plus loin que la connaissance et cette priorité elle-même souligne l'inadéquation du mode humain de connaître relativement au mystère divin. Par elle-même la foi ne peut atteindre la vision. Elle est soutenue, dans ce que nous pouvons appeler son impuissance, par les dons du Saint-Esprit et notamment par les dons spéculatifs, qui procèdent de la charité par voie de connaturalité.

Fides et ratio n. 44 a rappelé, à ce propos, une doctrine de saint Thomas qui est d'une portée considérable, la doctrine de la hiérarchie des sagesses et de leur possible harmonie dans un même esprit.

Thomas affirme le primat de la sagesse qui est don de l'Esprit Saint et qui introduit à la connaissance des réalités divines.

"Sa théologie permet de comprendre la particularité de la sagesse dans son lien étroit avec la foi et avec la connaissance divine. Elle connaît par connaturalité, présuppose la foi et arrive à formuler son jugement droit à partir de la vérité de la foi elle-même: La sagesse comptée parmi les dons du Saint-Esprit est différente de celle qui est comptée comme une vertu intellectuelle acquise, car celle-ci s'acquiert par l'effort humain, et celle-là au contraire 'vient d'en haut', comme le dit saint Jacques. Ainsi, elle est également distincte de la foi, car la foi donne son assentiment à la vérité divine considérée en elle-même, tandis que c'est le propre du don de sagesse de juger selon la vérité divine".

"La priorité reconnue à cette sagesse ne fait pourtant pas oublier au Docteur Angélique la présence de deux formes complémentaires de sagesse: la sagesse *philosophique*, qui se fonde sur la capacité de l'intellect à rechercher la vérité à l'intérieur des limites qui lui sont connaturelles, et la sagesse *théologique*, qui se fonde sur la Révélation et qui examine le contenu de la foi, atteignant le mystère même de Dieu".

Par les dons du Saint-Esprit la foi se trouve confortée.

Dans la doctrine thomasienne, la distinction des trois sagesses ne pose pas des oppositions ni des exclusions: les trois sagesses sont faites pour s'intégrer harmonieusement, la sagesse supérieure confortant celle qui lui est inférieure. Cette distinction a pour le problème qui nous occupe, et si nous faisons abstraction de la sagesse philosophique, une portée avant tout existentielle, elle concerne la vie de foi du sujet. Par mode de conséquence, elle influencera sa pratique de la théologie, son climat spirituel.

Avant de développer ce point, relevons encore ceci: la foi informe, c'est-à-dire qui ne fructifie pas en œuvres, et qui pour cela est "bel et bien morte" (cfr. Jc 2, 17), signifie l'état de la foi chez le pécheur qui ne vit pas en état de grâce: il ne perd pas pour autant nécessairement l'habitus de foi. La conséquence est que dans cette situation, qui, du point de vue existentiel, est une situation de violence, la possibilité et l'exercice de la théologie ne sont pas supprimés.

Il y a là un indice fort qui nous avertit de ne pas confondre ce qui ressortit de la *fides qua* et ce qui est du domaine de la *fides quae*.

Je reviens au thème de la sagesse. Dans la belle étude qu'il a consacrée à la gnose chrétienne, de Clément d'Alexandrie et d'Origène à Grégoire de Nysse et Evagre le Pontique, le P. Pierre-Thomas Camelot écrit: "Ce désir de 'connaître' est aussi, dès le début, un désir de s'unir à Dieu dans la charité et ce trait essentiel se trouve toujours: la gnose est 'connaissance affective' et par là même expérience de Dieu. Elle est à la fois théologie et mystique" (522)[1]. Si j'ai cité ce jugement, c'est parce que, dans la théologie de nombreux Pères, nous rencontrons un vécu dans lequel spiritualité et pensée théologique sont intrinsèquement mêlées. Cette symbiose exerce une forte attirance et d'aucuns sont tentés de la retrouver en deçà des distinctions dues au progrès de la réflexion.

Nous arrivons ainsi à la problématique actuelle que, simplifiant, nous pouvons exprimer ainsi: la théologie et la double attraction du rationalisme et de la spiritualité. En disant spiritualité, nous y incluons soit la mystique soit la sainteté. Et si je parle de rationalisme, c'est pour marquer une certaine interprétation du savoir scientifique.

On pourrait donc dire: double attraction de la science et de la spiritualité. C'est de cette question qu'il nous faut parler. Je note que jusqu'ici il a été question de structures épistémologiques plus que de méthode proprement dite, mais celle-ci dépend de celles-là et est, comme nous le verrons, davantage diversifiée.

La lumière de la théologie n'est pas celle de la pure foi, simple adhésion au mystère révélé; elle n'est pas non plus celle de la simple raison. C'est une lumière mixte. La théologie, en effet, use de la raison sous la règle de la foi. Elle approfondit notre intelligence du mystère, elle en dégage les virtualités. Elle comporte les fragilités qui sont celles de la raison humaine et c'est pourquoi la théologie doit soumettre son discours et ses conclusions au jugement critique.

6. Science et méthode

Nous pouvons maintenant dire quelque chose de la méthode théologique. Le terme méthode au sens moderne désigne l'ensemble des règles de la pensée et de leur usage, tel qu'il conduise infailliblement à un résultat qu'on s'est fixé. Dans cette définition intervient la référence à l'objet déterminé sur lequel porte la méthode. L'exigence de méthode correspond donc à l'exigence de rigueur inhérente à toute recherche de la vérité. Elle est commandée par l'idée même de science comme état parfait et accompli de la connaissance.

---

[1] P.-Th. CAMELOT, *Gnose et Gnosticisme*, 1. Gnose chrétienne, DSAM, VI, Paris 1967, c. 509-523.

Je prends ici le terme science dans son sens large, tel qu'il nous est légué par les Grecs: savoir dans son statut parfait de connaissance certaine de la vérité, cette certitude reposant sur une argumentation en elle-même irréfutable. La méthode se présente ainsi comme une procédure obligée pour obtenir un tel résultat.

La science moderne entre dans cette définition. Elle se distingue par des exigences propres qui tiennent à sa double référence: d'une part son objet est l'objet d'une prospection expérimentale, d'autre part la formalisation mathématique, ce qui suppose que l'objet résulte d'une certaine abstraction délibérée par rapport à la réalité. La relation entre l'aspect expérimental et l'aspect de formalisation mathématique peut varier d'une discipline à l'autre, le modèle initial étant fourni par les sciences physico-mathématiques. Celles-ci ont exercé au début une sorte d'impérialisme et d'exclusivisme, mais la prise de conscience de la spécificité des sciences humaines, irréductibles au modèle physique, a conduit à l'idée de la diversification spécifique des savoirs et à la spécificité des méthodes commandées par des objets eux-mêmes irréductibles.

Il faut aussi tenir compte du contexte idéologique qui a marqué l'essor des sciences modernes, qu'on peut caractériser par les traits suivants: *a)* Parce que la science moderne s'est affirmée contre l'emprise de la physique aristotélicienne qui constituait une sorte de vulgate reçue par tradition, cette affirmation a été accompagnée de la revendication de la liberté de la recherche à l'encontre de toute autorité. *b)* Le second trait est celui déjà mentionné d'impérialisme et d'exclusivisme. Il repose sur l'idée de l'uniformité structurelle des savoirs et donc de l'universalité de la méthode. En dehors d'elle, on tomberait dans l'ordre du sentiment et de la subjectivité. Le positivisme, sous ses différentes formes, entretient l'idée qu'en dehors de la science, au sens moderne, il n'existe pas de savoir authentique. On a ainsi proclamé la mort de la philosophie ou sa substitution par les sciences dites humaines.

Tout cela est à tenir en considération car cela marque profondément notre climat culturel. Si en parlant d'une double tentation pour la théologie d'aujourd'hui, j'ai usé du terme de rationalisme, c'est en pensant à l'impérialisme positiviste qui affecte souvent dans notre culture la conception qu'on se fait de la science.

Ceux qui tendent à identifier la théologie avec la mystique considèrent que la sagesse mystique est un substitut de la sagesse théologique, dont ils ne perçoivent plus la nécessité.

Ceux qui vont dans le sens du rationalisme aboutiront logiquement à la substitution de la théologie par la science des religions. La lumière de la foi est intrinsèque à la théologie. En absence de foi, rejetée ou mise entre parenthèses, la science des religions considèrera le mystère chrétien non plus en lui-même mais comme un objet extérieur, que l'on peut décrire. Mais seule la foi permet d'entrer dans son intellection.

Le passage de la théologie à la science des religions, considéré dans une structure épistémologique qui impliquerait l'élimination de la foi, est l'aboutissement normal du processus de sécularisation.

Différente est la question de la légitimité d'une science des religions à côté de – et dans la lumière de – la théologie.

7. Deux séries de problèmes

Ceci étant précisé, nous devons nous interroger sur l'impact des sciences modernes sur la théologie. Cet impact est multiple. Il se vérifie d'abord – nous y avons fait allusion – comme impact de l'idéologie scientiste et positiviste, comme expression du rationalisme, sur notre culture. La question est philosophique. Il a ensuite des répercussions sur l'organisation interne de la théologie, étant clair qu'il y a théologie pour autant que celle-ci est un savoir dont la lumière propre est la lumière mixte dont nous avons parlé.

L'unité de la théologie – unité formelle au sens scolastique du terme – ne s'oppose pas à la pluralité des sciences théologiques.

Ces prémisses étant posées, je voudrais attirer l'attention sur deux types de problèmes, tous deux ayant des conséquences méthodologiques de première importance.

La *première série de problèmes* concerne les rapports entre la philosophie et la théologie. Saint Thomas, quand il intègre les principes et les analyses de la philosophie aristotélicienne, le fait parce qu'il en a reconnu la vérité. Pour lui la philosophie est une sagesse, la première selon un ordre ascendant dans la hiérarchie des sagesses dont nous avons parlé. La sagesse est un savoir, son objet est la vérité.

Quelle est la situation du théologien aujourd'hui? je dirais qu'il a d'abord à lutter en lui-même contre deux préjugés qui imprègnent la culture moderne: le premier est l'historicisme, le second tient à la fois du scepticisme et de l'éclectisme, en ce sens que, devant la pluralité des systèmes, on est pris de doute quant à la capacité de vérité de la raison philosophique.

Il n'est pas question de nier tous les enrichissements dûs à la réflexion des philosophes modernes. Mais le problème auquel nous nous heurtons est un problème lui-même philosophique, le problème d'une histoire de la philosophie qui soit critique et systématique et qui sache dégager les éventuelles connexions et lignes de force, de sorte que l'on n'ait pas affaire à une succession chaotique mais qu'on puisse vraiment parler d'histoire.

A ce propos, il faut souligner une différence de capitale importance entre la pensée grecque et la philosophie moderne qui est une pensée marquée par le christianisme. Cette dernière, chez certains de ses grands représentants, a développé des thèmes qui ne sont pas purement philosophiques, mais qui sont d'origine théologique. A ce propos, il n'est pas exagéré de parler de gnose. Le recours non critique à ces penseurs – je pense à Hegel – risque d'introduire dans la théologie de graves dérives.

Le danger d'une contamination de nature gnostique à partir d'une lecture non pleinement maîtrisée des philosophies modernes est réel.

Le plus souvent ce dont risque de souffrir la production théologique dans ses emprunts non critiques à la philosophie, c'est de recourir à cette dernière comme à un réservoir d'opinions ou d'illustrations rhétoriques. C'est alors le caractère de vrai savoir de la théologie qui se trouve compromis.

Une *seconde série de problèmes* concerne l'équilibre interne de la théologie, en ce sens qu'un certain nombre de disciplines théologiques ont connu sous l'impulsion de l'esprit scientifique moderne, un développement considérable. Il s'agit essentiellement de l'exégèse et de tout ce qui concerne l'histoire: histoire de l'Eglise, histoire des dogmes, etc.

Ces disciplines, quant à la méthode, sont semblables aux disciplines qui touchent à la critique et à l'interprétation des textes ou à l'histoire profanes. A cause de ces similitudes, la tentation est forte pour elles de mettre entre parenthèses leur caractère théologique, pour devenir des disciplines profanes, extérieures à la théologie, ressortissant à la science des religions.

Il semblerait à certains que cette mise entre parenthèses soit une condition de l'objectivité. Celle-ci au contraire est pleinement garantie pour autant que, satisfaisant à toutes les requêtes spécifiques et notamment herméneutiques propres à ces types de savoir, ces derniers, à cause de leur objet, sont maintenus dans la lumière théologique. Il y a là un vaste champ de recherches épistémologiques qui s'ouvre devant nous. Le problème devient ainsi celui de l'articulation de ces disciplines avec leurs exigences propres, et de la lumière théologique dans la mouvance de laquelle, à cause de leur objet, elle se situent.

La Tradizione vivente della Parola e l'azione molteplice dello Spirito

Marcello Bordoni

La fede cristiana ha bisogno del servizio di una *riflessione credente* che si sviluppi all'interno della *Comunione ecclesiale*, approfondendo, da un lato, la *logica interna* della "Rivelazione della Parola di Verità" ed operando, dall'altro, nello studio, nella riflessione, nel dialogo, una via d'incontro con ogni uomo proteso alla ricerca della verità. Così, «il lavoro del teologo, risponde al dinamismo insito nella fede stessa, che per natura tende a comunicarsi perché l'uomo è stato creato per percepire la verità»[1].

Se pertanto la "teologia", come servizio per *l'intelligenza della fede*, è una missione alla quale la Chiesa non può rinunciare, una *qualità essenziale e strutturale della teologia* proprio come *scientia fidei* è la sua *ecclesialità*.

1. La "Chiesa Comunione" luogo e soggetto della Tradizione di fede

L'importanza della visione ecclesiale della teologia si apre oggi in un orizzonte più ampio di quello che in un recente passato era stato espresso prevalentemente nel rapporto tra "Teologia e Magistero", che era stato denominato come il "modello romano"[2] e che costituiva il motivo determinante della sua ecclesialità. Senza negare l'importanza di questo

---

[1] CONGREGAZIONE PER LA DOTTRINA DELLA FEDE, *Donum Veritatis*, 7.
[2] Vedi in merito M. SECKLER, *La teologia come scienza ecclesiale: un modello romano*, in ID., *Teologia, Scienza, Chiesa. Saggi di teologia fondamentale*, Morcelliana, Brescia 1988, 207-226.

rapporto, il discorso della ecclesialità si va arricchendo oggi nel contesto più ampio e totale della Chiesa come *Comunione*.

Ritengo che questa visione consenta, da un lato, di *superare diffi-coltà* nel metodo teologico e, dall'altro, di acquisire notevoli vantaggi. *Anzitutto consente di superare la difficoltà della dissociazione dei classici luoghi teologici,* la quale porterebbe il discorso teologico a forme di uni-lateralità, mentre nella *Comunione ecclesiale* si ritrova quel punto d'incon-tro nel quale essi possono interagire reciprocamente arricchendo lo stesso discorso scientifico.

Questa visione consente ancora di reagire efficacemente al pericolo dell'*autoreferenzialità* della teologia. Giustamente affermava Giovanni Paolo II nella sua prima Enciclica *Redemptor Hominis*: «nessuno può fare della teologia come fosse una semplice raccolta dei propri concetti personali; ma ognuno deve essere consapevole di rimanere in stretta unione con quella missione di insegnare la Verità, di cui è responsabile la Chiesa» (n. 19).

Questo principio ecclesiale della responsabilità verso la Verità, men-tre richiama alla sorgente normativa della Teologia, che è la *Rivelazione*, evento che sta al fondamento della Chiesa presa nella sua totalità, richia-ma pure alla sua *Traditio vivens*, come costituente quella *mediazione necessaria* dell'evento rivelato della Verità, del quale il teologo non può assolutamente fare a meno.

Ma il principio della comunione ecclesiale va ancora precisato non solamente come un "luogo", un "ambiente di fede", nell'ambito del quale si opera una ricerca: esso è anche un *soggetto attivo* convocato dalla Parola rivelata che esso accoglie e comprende nella ragione illuminata dalla fede[3]. Pertanto, non è il "singolo teologo", né solo "un insieme di teologi" a sé stante, che fa teologia, quale *scientia fidei*, come un pensare del tutto autonomo. Il soggetto *autentico* e *integrale* dell'attività che si chiama "teologia" o "scienza della fede" è propriamente la Chiesa, la quale non è solo l'*oggetto* del teologare, ma ne è il *soggetto,* in rapporto alla Parola di Rivelazione che essa trasmette per Tradizione, trovando

---

[3] Vedi in merito M. SECKLER, *Teologia, Scienza, Chiesa,* o.c.; ID., *La teologia come scienza della fede,* in W. KERN - H.J. POTTMEYER - M. SECKLER (edd.), *Corso di Teologia fondamentale,* IV, *Trattato di gnoseologia teologica,* Queriniana, Brescia 1990, 249; G. LORIZIO, *La "funzione ecclesiale" della teologia,* in RdT 39 (1998), 813-834.

il suo momento saliente nell'evento pasquale, annunciato e celebrato, che così definisce il "criterio della teologia"[4]. Il soggetto ecclesiale del teologare deve però *lasciarsi informare e guidare dall'oggetto stesso*, che è il "mistero trinitario" che si rivela per Cristo, nell'unità dello Spirito. «In verità, la "forma del pensare cristiano" che viene ispirata dall'evento pasquale della "croce e resurrezione", come *momento supremo di rivelazione dell'agape di Dio manifestatasi in Gesù Cristo*»[5] costituisce «*la forma propria ed originale del modo eterno di amare di Dio*»[6].

Il teologo che *fa teologia nella Chiesa,* intesa nella sua totalità come l'intero Popolo di Dio, costituito di Pastori e fedeli, e che vive l'evento rivelativo del *mysterium crucis et resurrectionis* come l'ora suprema della *Traditio Verbi,* esercita la sua riflessione in sintonia con la fede di questo Popolo. Esso è guidato dalla Parola ispirata della *Scrittura,* interpreta alla luce dello Spirito, è guidato da questa stessa Parola proclamata e celebrata nella *vita liturgica,* specialmente eucaristica, condivisa nel *sensus fidei,* tramandata dalla *Tradizione dei Padri,* autenticata dal *Magistero della Chiesa.* In questo senso, la teologia trova *nella sua ecclesialità la ragione distintiva della sua stessa riflessione teoretica e scientifica.*

Giustamente così affermava nella sua opera *Natura e compito della teologia,* circa dieci anni or sono, l'allora Card. J. Ratzinger:

> «Per la scienza teologica, la Chiesa non è un'istanza estranea, essa è piuttosto il fondamento della sua esistenza, della sua possibilità. E la Chiesa non è, a sua volta, un principio astratto; essa è invece un *soggetto vivente, è un contenuto concreto* [...] , la Chiesa non è neppure uno spazio spirituale intangibile, in cui ciascuno ha da scegliere quel che più gli aggrada. Essa è concreta nella Parola vincolante della fede. Essa è voce vivente che dice le Parole della fede»[7].

Per questo non credo che si possa discordare dall'affermazione che, anche scientificamente, l'esercizio della riflessione teologica non sia possibile senza l'adesione personale del teologo alla fede della Chiesa.

---

[4] Vedi in questa chiave ancora M. SECKLER, *La teologia,* o.c., 249-50.

[5] Per uno sviluppo di questa riflessione rimando a M. BORDONI, *Il pensiero teologico sotto la norma trinitaria della croce e della resurrezione di Cristo,* in AA. Vv., *Il sapere teologico ed il suo metodo,* EDB, Bologna 1993, 34-36 e ss.

[6] *Ib.,* 37-38.

[7] J. RATZINGER, *Natura e compito della teologia. Il teologo nella disputa contemporanea. Storia e dogma,* Jaca Book, Milano 1993, 57.

2. La Chiesa nella *Traditio Verbi*: le molteplici componenti della Parola vivente

Partendo da DV 8, là ove si afferma che «la Chiesa, nella sua dottrina, nella sua vita, nel suo culto, conserva ininterrottamente e *trasmette a tutte le generazioni tutto ciò che essa è*, tutto *ciò che essa crede»*, potrei dire che la Chiesa è *un soggetto attivo, vivente,* che, guidato dallo Spirito, trasmette la Parola di Verità rendendola viva in se stessa, in una *moltitudine di soggetti vitali che la mediatizzano.*

1. Questa trasmissione della Parola ha un punto di *preminenza*, egemonico, nella *Scrittura*, a motivo della "ispirazione" del "Testo Sacro". Però, la Chiesa, nella *Traditio della Parola vivente*, non trasmette delle semplici copie della Scrittura: non si può ridurre il cristianesimo a una "religione del Libro". La Tradizione, infatti, include le Scritture, più che porsi solo accanto ad esse. L'*Ecclesia Tradens vive l'evento della Rivelazione leggendo in molti modi e forme la Scrittura: ciò avviene nel suo celebrare i Sacramenti, in modo speciale nella Liturgia eucaristica, nel suo predicare la Parola, nel suo incarnarla nelle molteplici culture, nella propria esperienza di fede, nella sua vita di santità, nel suo dialogo con ogni essere umano, anche appartenente ad altre religioni e nello stesso esercizio della ragione.* Si tratta di una trasmissione che non è solo verbale, ma *reale*: essa ripropone infatti e rende costantemente presente l'Evento pasquale di Croce e di Resurrezione come rivelazione dell'Agape Trinitaria, che scandisce il movimento costante della sua vita, del suo linguaggio e del suo pensiero, delle sue attese.

2. La *Tradizione vivente della Parola, che coincide con l'essere e la vita della Chiesa stessa, comprende non solo una comunione di volontà e di sentimenti, ma anche di intelligenza e di pensieri*, per cui il *sensus fidei* include anche una *cogitatio fidei*[8]. Il *sensus fidei*[9], sul quale si soffermano in modo particolare LG 12 e DV 8, richiama uno dei tre elementi che insieme alla Teologia e al Magistero costituiscono un imprescindibile contributo allo sviluppo della fede. Tale contributo consente di definire

---

[8] G. LORIZIO, *o.c.*, 819.
[9] R. FISICHELLA, *Il teologo ed il "sensus fidei"*, in CDF, *Donum Veritatis. Istruzione e commenti*, LEV, Città del Vaticano 1992, 98; D. VITALI, *Sensus fidelium. Una funzione ecclesiale di intelligenza della fede*, Morcelliana, Brescia 1993, 73 ss.; P. CODA, *"Sensus fidelium", Magistero, Carismi*, in ID., *Teo-Logia*, PUL, Roma 2004, 358 ss.

meglio anche il *proprium della teologia,* per la quale, se il suo criterio di verità è la Rivelazione, il suo criterio scientifico è l'*argumentum*[10]. Per cui, mentre la fede professa il *credibile ut credibile,* la teologia affronta il *credibile ut intelligibile*[11].

3. In questa luce, la posizione dello studio dei teologi, che appare intimamente congiunta con il *sensus fidei* ed il *Magistero, ha il compito,* nel servizio per la Verità, di tendere ad *elaborare l'unione tra l'esperienza vissuta della fede* (il *sentire cum Ecclesia*) e *l'esercizio del pensare la fede* (il *cogitare cum Ecclesia*), pensare regolato dalla "norma pasquale" che sta al cuore della sua stessa *Traditio Verbi.* Il *pensare la fede, anche se avviene nel rispetto dell'esercizio della ragione illuminata dalla luce dell'essere,* deve compiersi, però, nella tendenza a fare emergere quella *intelligentia fidei* che brilla *nella logica rivelata dal mistero del Cristo.*

Tra l'*intelligentia essendi,* che nell'epistemologia tommasiana brilla soprattutto nell'atto del giudizio, e *l'intelligentia fidei,* che riluce nel mistero della fede, non corre una estrinsecità o una correlazione antitetica, perché «l'evento della rivelazione non ha luogo "a lato" dell'essere, come qualcosa di sopraggiunto; [...] benché essa sia soprannaturale, la rivelazione si produce nel *cuore dell'essere stesso*: essa svela le profondità ultime dell' essere e lo rischiara a partire dalla sua trascendenza propria»[12].

Per questo il lavoro della *ratio* come contributo del pensare la fede, sul quale si impegna metodicamente e precipuamente il teologo, non solo non entra in conflitto con la fede, ma al contrario tende a mostrarne la sua Verità trascendente, misterica, operando in duplice direzione: *da un lato,* indagando nella sua riflessione e ricerca *su tutto lo spessore* della *Traditio Fidei,* comprendente, oltre alla *Scrittura,* i *Padri,* la *vita liturgica,* il *sensus fidei,* il *Magistero,* e *dall'altro,* operando non tanto con il metodo deduttivo delle *conclusioni teoretiche,* ma in modo, direi, induttivo, consistente nell'*esplicitare,* portandolo alla luce, il *pensiero soggiacente o implicato nelle pieghe del vissuto* della vita di fede di tutta la Chiesa. Questo

---

[10] Cfr. TOMMASO D'AQUINO, *Summa Theologiae* I, q. 1, a. 8.
[11] M.-D. CHENU, *La Théologie comme sciente au XIII siécle,* Paris 1943, 57.
[12] E. BRITO, *Dieu et l'être d'après S. Thomas d'Aquin et Hegel,* PUF, Paris 1991, 22; per uno sviluppo del tema rimando a M. BORDONI, *Il ruolo della ragione, come «intelletto» in teologia,* in AA. VV., *Il sapere teologico e il suo metodo, o.c.,* 25 ss.

lavoro è di carattere *ermeneutico* nel senso che deve operare un costante confronto tra lo studio dello spessore storico di tutta la *Traditio Fidei* e l'esperienza fondamentale originaria della fede, trasmessa con fedeltà nelle generazioni cristiane ed approfondita nelle vie di trasmissione sopra accennate, onde rendere attualmente parlante e comunicante all'uomo del nostro tempo il linguaggio della fede di sempre.

In questo suo compito di servizio per la Verità, il teologo deve aprire nuove forme di comunicazione della fede, non estraniandosi dalla comunità ecclesiale o subendo in maniera passiva le pressioni di «una opinione pubblica artificiosamente orientata» (*Donum Veritatis*, 32). Egli deve piuttosto prestare attenzione critica, per individuare e discernere i germi, le affermazioni di verità che autenticamente possono essere ricondotte al senso della fede e che permettono una sua maturazione. Si potrebbe affermare l'importanza, nella missione del teologo, di un essenziale rapporto circolare tra *l'intelligentia fidei* e *l'experientia fidei*: *una maggiore intelligenza favorisce una più profonda esperienza ed una più profonda esperienza produce una più intima intelligenza*. È proprio in questo rapporto circolare che, da un lato, l'intelligenza illumina la fede nella sua intelligibilità umana, e dall'altro, la fede plasma quella forma di pensiero che è particolarmente adatta alla penetrazione dei misteri rivelati della fede[13].

Siamo di fronte, allora, ad una *nuova ancillarità*[14] del pensare filoso-fico che la *Fides et ratio* così descrive in relazione al ruolo di Maria nel mistero della incarnazione:

> «Come la Vergine fu chiamata ad offrire tutta la sua umanità e femminilità affinché il Verbo di Dio potesse prendere carne e farsi uno di noi, così la filosofia è chiama-ta a prestare la sua opera, razionale e critica, affinché la teologia come comprensio-ne della fede sia feconda ed efficace. E come Maria, nell'assenso dato all'annuncio di Gabriele, *nulla perse* della sua vera umanità e libertà, così il pensiero filosofico,

---

[13] «Per il lavoro teologico si impone pertanto uno *stile di pensiero* che si può defini-re come un "fare filosofia" che è un "fare esperienza" dell'essere che si dona e che è, al tempo stesso, da me ricevuto. E se il riceverlo mi dà, in certo modo, di percepire il mio non esistere, il ridonarlo, ridonandomi, mi fa percepire l'esistere nella pienezza» (P. FORESI, *Conversazioni di filosofia*, Roma 2001, 46-47).

[14] M. MANTOVANI, *Philosophari in Maria*, in "Nuova Umanità" 25 (2003/3-4), 344-350 (*Una nuova "ancillarità" per la filosofia*).

nell'accogliere l'interpellanza che gli viene dalla verità del Vangelo, nulla perde della sua autonomia, ma vede sospinta ogni sua ricerca alla *più alta realizzazione*» (*Fides et ratio*, 108).

Già John Henry Newman in uno dei suoi memorabili discorsi[15], presentava *l'atteggiamento di Maria, nell'annunciazione, come il "modello epistemologico" del ricevere e del pensare la Parola della fede*. Meditando *Lc* 2, 19.51, egli presentava la Vergine «*come modello del vero teologo*, essa accetta infatti la Parola di Dio, vi riflette nel suo cuore, la approfondisce e sviluppa la sua comprensione»[16].

«La fede di Maria non si limitò ad un puro consentire alla provvidenza e alle rivelazioni di Dio: come ci dice il testo, essa la *meditava* [...] ». Infatti, mentre tutti si meravigliavano al racconto dei pastori, «*Maria serbava tutte queste cose meditandole nel suo cuore*» (*Lc* 2, 19.51).

Esprimendo un'attività riflessiva della sua mente, secondo Newman, Maria *mostra il metodo che ogni teologo dovrebbe usare*:

«Maria ci è modello di fede sia nell'accogliere, sia nello studiare la Verità divina. Essa non crede sufficiente accettare: vi indugia; non solo soddisfatta del possesso di questa verità, ne fa uso; non contenta di acconsentirvi, la sviluppa; non paga di sottomettervi la ragione, vi ragiona sopra; non certo ragionando come primo passo, per credervi successivamente, come fece Zaccaria, ma prima credendo senza ragionare, per poi, con amore e riverenza, ragionarci su dopo aver creduto».

In questo modo, conclude Newman, Maria «diventa simbolo per noi non soltanto della fede dei semplici, ma anche dei Dottori della Chiesa,

---

[15] J. H. NEWMAN, *University Sermons*, London 1892, 312-313. Il Sermone citato fu tenuto il 2 febbraio, festa della purificazione di Maria (1843), dinanzi a studenti e professori dell'Università di Oxford, ultimo di una serie di sedici sermoni che trattavano vari problemi di fede e ragione. Questo Sermone contiene in embrione, la teoria che Newman sviluppò più tardi nel suo fondamentale *Saggio sullo sviluppo della Dottrina cristiana*. Per un rapporto tra fede e ragione in Newman vedi: L. CALLEGARI, *Newman. La fede e le sue ragioni*, Paoline, Milano 2001 (con bibliografia).

[16] R. FENOGLIO, *Maria in John Henry Newman*, Paoline, Milano 1999, 182, n. 2 (il corsivo della citazione è mio).

cui è devoluto il compito di investigare, di soppesare e definire oltre che di professare il Vangelo»[17].

3. L'azione molteplice dello Spirito

Nel richiamo alla molteplice azione mediatrice dell'*Unica Ecclesia Tradens*, nel suo agire nei vari momenti sopra accennati, emerge *l'opera molteplice dello Spirito* quale principio personale, animatore della *Communio*, principio di iniziazione e di sviluppo nella comprensione di fede della Parola Vivente nelle sue varie articolazioni e relazioni dialogiche.

È infatti «grazie all'*unzione dello Spirito Santo* che diventiamo l'unico Nuovo Popolo di Dio che con vocazioni e carismi diversi ha la missione di trasmettere il dono della Verità. Infatti, la Chiesa tutta, come sale della terra e luce del mondo, deve rendere testimonianza alla Verità di Cristo»[18].

1. Lo *Spirito Santo nella Scrittura*. *L'importanza egemonica* che la Scrittura ha assunto nelle Costituzioni del Vaticano II, in tutta la vita della Chiesa e nella stessa Teologia (cfr. OT 16), è fondata apertamente – come sopra ho ricordato – sul principio che la Sacra Scrittura è stata scritta sotto *l'ispirazione dello Spirito Santo*. Per questo, la *Dei Verbum* (n. 9) attribuisce la qualità di "Parola di Dio" alla Scrittura (*Locutio Dei*), mentre la Tradizione, alla quale è affidata la Parola di Dio (*Verbum Dei*), ha il compito di trasmetterla nella sua *integralità*. Va notato che nel n. 11 della *Dei Verbum* circa *l'azione ispiratrice dello Spirito Santo*, non viene evidenziato il rapporto tra «ispirazione e *inerranza*», quanto il rapporto tra «ispirazione-*verità*» (come dice l'intestazione del paragrafo 11). Questo rapporto *evidenzia maggiormente l'azione positiva dello Spirito Santo rispetto a quella preservativa dall'errore*, azione positiva più conforme all'identità stessa dello Spirito, quale «Spirito di Verità», in consonanza ai discorsi del Paraclito (cfr. *Gv* 14–16). Ora, avendo presente il

---

[17] Si rimanda in merito a M. BORDONI, *Il «principio mariano» nell'esperienza di fede e nella epistemologia teologica*, in AA. VV., *Fons lucis. Studi in onore di Ermanno M. Toniolo*, Marianum, Roma 2004, 473-495.

[18] CONGREGAZIONE PER LA DOTTRINA DELLA FEDE, *Donum Veritatis*, 3.

"significato cristologico" della Verità nel quarto evangelo (*Gv* 14, 6), il compito dello "Spirito di Verità" *non è né quello di ispirare una verità accanto a quella rivelata in Gesù Cristo, né quello di garantire solo l'esattezza della narrazione nei particolari fatti accaduti e trasmessi*, quanto quello di far conoscere e penetrare la portata del *mistero trinitario, cristologico ed ecclesiologico* di questi eventi, secondo il disegno salvifico di Dio che ci fa comprendere, così, la storia alla luce del Dio rivelato in Cristo[19].

Questa *funzione veritativa*, che compie lo Spirito, prosegue nel cuore della Tradizione Vivente *della Parola,* descritta come *assistenza interpretativa della Parola*, per la quale «la Sacra Scrittura deve essere interpretata con lo stesso Spirito con cui fu scritta» (DV 12). Per lo Spirito, quindi, *la Parola di Cristo, scritta sotto la sua ispirazione*, e che riflette l'evento originario dell'incarnazione della Parola generata in Maria dallo Spirito Santo (*Mt* 1, 20), diviene Parola di *quel Libro che è Cristo stesso Vivente nella Chiesa*, nella quale si tramanda il "Vangelo della Verità". Infatti, lo Spirito, che garantisce la trascendenza ed ineffabilità del mistero di Dio, che si autocomunica nell'evento dell'incarnazione e nella sua ispirazione della Scrittura, *dona alla Parola scritta la dimensione della vita.*

Lo Spirito Santo, possiamo dire ancora, presiede alla rivelazione come "principio dialogico", nel suo carattere di evento di comunicazione interpersonale. Per esso, infatti, la Parola non resta chiusa nel suo contenuto *informativo*, ma assume anche un *carattere performativo* che la rende via di incontro vitale con il cuore degli uomini, come appello interiore ed esperienziale alla comunione in Cristo, nella Chiesa. Così, è per lo Spirito che la Parola rivelata, incarnata in Gesù Cristo, è costituita formalmente «Parola di Vita» (*Gv* 6, 63), capace di operare, grazie al suo ascolto, nel cuore dell'uomo, una profonda "vibrazione di sintonia" con il mistero di Dio che in Cristo si comunica. È lo Spirito che conduce, attraverso l'interazione dei molteplici soggetti della *Traditio Vivens*, alla comprensione della Verità tutta intera (cfr. *Gv* 16, 13); è Lui che presiede al suo sviluppo come il suo "Soggetto trascendente", per cui se la Tradizione

---

[19] Nel paragrafo in questione (n. 11), si afferma certamente che in ragione dell'ispirazione i Libri della Scrittura insegnano «con certezza e senza errore, la Verità che Dio, per la nostra salvezza, volle fosse consegnata nella Sacre Lettere» (*2 Tim* 3, 16-17), ma questa verità è precisamente quella «in vista della nostra salvezza».

non può essere definita ispirata, come la Scrittura, però è sotto il segno dell'*integralità* (cfr. DV 9)[20].

2. Lo Spirito *opera nella vita liturgica della Chiesa*. Dom Guéranger ha scritto nelle sue *Istituzioni liturgiche*: «nella liturgia lo Spirito che ispirò le Scritture parla ancora; la Liturgia è la Tradizione stessa nel suo più alto grado di potenza e di solennità».

Si può dire che la Liturgia è «memoriale attivo della Parola vivente», «presenza e realizzazione del mistero»[21]. L'importanza del *momento liturgico* della *Traditio Verbi* consente di superare il pericolo di una esperienza soggettivizzata della fede, la quale deve essere integrata nel mistero ecclesiale liturgico in cui "oggettivamente" *opera Cristo* nel suo mistero salvifico, per la virtù del suo Spirito[22]. Per questo, la Liturgia è «la prima e per di più necessaria fonte dalla quale i fedeli possono attingere il genuino spirito cristiano» (SC 14).

Questo vale in modo singolare per l'Eucaristia, fondamento e culmine di tutta l'economia sacramentale della Chiesa, essa stessa Sacramento per eccellenza. Nell'Eucaristia, infatti, la Tradizione della Parola vivente si attua per la virtù dello Spirito: *anzitutto* nel momento della Liturgia della Parola: lo Spirito Santo, che opera in chi presiede l'atto della proclamazione della Parola, guida la *comunità di ascolto alla recezione vitale di questa Parola*, penetrandola *nel suo Mistero di Verità* che *si rivela oltre lo scritto*. La Sacra Scrittura non è mai "Parola rivelatrice" se non nella comunità che, pregando, l'accoglie con fede e la vive. Ma lo Spirito opera anche nel duplice momento della *epíklesi* grazie alla quale la Parola che continua la sua incarnazione nelle oblate, sotto l'azione dello Spirito si attualizza nel Corpo ecclesiale facendo dei credenti un Corpo solo, in Cristo, e rendendoli partecipi della sua pienezza di Rivelazione.

La liturgia, specialmente eucaristica, eredita, nell'azione dello Spirito che accompagna la Parola di Cristo e il gesto della frazione del pane,

---

[20]   Y.M.-J. CONGAR, *Lo Spirito Santo, Soggetto trascendente della Tradizione,* in ID., *La Tradizione e la vita della Chiesa,* San Paolo, CB (Mi) 1983, 60 ss. (ed. originaria: *La Tradition et la vie de l'Eglise,* Du Cerf, Paris 1963).

[21]   Testo riferito in Y.M.-J. CONGAR, o.c., 135.

[22]   Il Concilio Vaticano II nella SC supera l'antinomia tra spiritualità oggettiva e spiritualità soggettiva, definendo la stessa spiritualità come inserimento liturgico nella sacramentale ripresentazione del mistero di Cristo.

quanto Cristo ha comunicato ai suoi nella cena pasquale e fonda per i credenti l'unità e centralità cristologica della comprensione delle Scritture, facendo memoria di Gesù, il quale, *la sera di Pasqua, ha spiegato le Scritture ai discepoli, riferendole al mistero centrale della propria croce e risurrezione* (cfr. *Lc* 24, 25-27.44-46). Così, l'azione liturgica non si colloca tra l'evento del Cristo e la vita cristiana, ma, in essa, *è il medesimo mistero salvifico di Cristo che diventa esistenza cristiana.*

3. Lo *Spirito opera* nel *sensus fidei* del Popolo cristiano, come "dono dello Spirito di Verità" alla comunione ecclesiale (cfr. LG 12). Il *sensus fidei* possiede un suo essenziale rapporto all'azione dello Spirito, anzitutto perché Esso suscita, come dice Tommaso, «un *istinto interiore* di Dio invitante»[23], che potremmo chiamare anche un *senso intimo* di *protensione* verso la Verità per *l'unzione che proviene dal Santo,* che guida *dentro* la Verità e ne *dona la scienza* (cfr. *1 Gv* 2, 20). Così nella Scrittura si parla anche di *sensus Domini* (cfr. *1 Cor* 2, 16) o di *intelligenza spirituale* (cfr. *Col* 1, 9). La presenza dello Spirito appare come *l'orizzonte primordiale dell'esperienza della fede* che, *congiunto inseparabilmente all'esperienza dei primi testimoni* (apostolici), si sviluppa nel *sentire spirituale* del quale parla molto la tradizione post-biblica[24]. Nell'unità di questi due aspetti, si parla pure, nei Padri, di *sensus ecclesiasticus o catholicus,* di un *sentire cum Ecclesia* che costituisce una comunione esperienziale e conoscitiva di tutto il popolo cristiano (*sensus fidelium*) che lo Spirito, con continui doni, «introduce e guida verso la pienezza della Verità» (DV 8). Questo ci fa comprendere come tale azione dello Spirito riguardi non solo i singoli credenti, ma la Comunione della Chiesa, quale *soggetto vivente* che aderisce comunitariamente all'oggetto della fede.

Scriveva J.A. Möhler nella sua *Symbolica*: «Lo Spirito di Dio che governa e vivifica la Chiesa genera nell'uomo un istinto, un tatto cristiano, che lo conduce alla vera dottrina». «Questo senso intimo, questa

---

[23]   *Summa Theologiae* II-II, q. 2, a. 9, ad 3um.

[24]   Rimando in questo tema a M. BORDONI, *La cristologia nell'orizzonte dello Spirito,* Queriniana, Brescia 1995, 81-130 (*L'esperienza di Cristo "nello Spirito" nel "sentire spirituale" secondo la Tradizione post-biblica*).

coscienza, è la Tradizione, catena di pensieri e di testimonianze che risalgono di secolo in secolo fino al Divino Maestro»[25].

Lo Spirito è il principio personale che agisce interiormente consentendo alla Parola di Cristo di entrare nel più profondo dell'anima rimanendo in essa stabile. Così si può dire che lo Spirito di Cristo opera *nei credenti* il *noûs* di Cristo, per il quale essi divengono uomini spirituali.

L'azione dello Spirito, si potrebbe dire, è il luogo di incontro tra la *dimensione interiore e soggettiva del sensus fidei* e quella più *oggettiva*, così come appare nei Padri *e nei Concili*, i quali non separano mai *l'istinto* soggettivo della fede dal *contenuto oggettivo* ricevuto dalle generazioni precedenti. Per questo *non si parla di autonomia di un istinto mistico e soggettivo delle cose di Dio*. La Tradizione trasmette i *contenuti della Parola vivente* che costituiscono il cosiddetto "deposito rivelato" e che la *Communio* dei credenti condivide "convergendo verso la Verità", che è il Cristo, sotto la guida dello Spirito e la testimonianza dei Pastori, secondo il testo degli Atti: «noi siamo testimoni di tutto questo, *noi e lo Spirito* che Dio ha dato a tutti quelli che gli obbediscono» (*At* 5, 32; cf. *Gv* 15, 26-27).

4. Queste parole "noi e lo Spirito" ci consentono di notare l'opera dello Spirito Santo nella sua assistenza al Magistero, con il suo "carisma sicuro di verità", per conservare e difendere integro, nella Chiesa tutta, il Vangelo (cfr. DV 7). Il Magistero però *non gode di autonomia nei confronti del deposito della Tradizione*: mentre la parola degli Apostoli è *costituente e si trova alla pari con i loro scritti ispirati*, la parola del Magistero è condizionata dalla Tradizione apostolica, scritta e non-scritta, presa nel suo stato originale, che le Scritture hanno conservato, o nel suo stato elaborato nei dogmi[26].

4. Conclusione

A conclusione di queste brevi riflessioni vorrei richiamare il rapporto tra il Magistero e la Teologia nella prospettiva sin qui enucleata.

Il *Magistero*, dotato del "carisma certo di verità" da parte dello Spirito Santo, nell'assolvere la sua missione di guida della comunione ecclesiale,

---

[25] J.A. MÖHLER, *Simbolica*, § XXXVIII.
[26] Y. M-J. CONGAR, *La tradizione e le tradizioni. Saggio storico*, Ed. Paoline, CB (Milano) 1965, 399-409.

per aprire le vie del Vangelo verso tutti i popoli, *ha bisogno dell'opera dei teologi*. Questi, infatti, nella loro missione di promozione dell'*intelligentia fidei*, nel loro impegno di studio e di *riflessione teologica*, nel *lavoro di ricerca*, faticosa e metodica (cfr. DV 8), attraverso anche un certo esercizio *autonomo* della ragione, devono assolvere – secondo la *Fides et ratio*[27] – quel "duplice compito" sopra evidenziato: da un lato, quello di fare emergere la logica interna della "Rivelazione della Parola di Verità" propria della fede cristiana, e, dall'altro, quello di *ripensare la Verità della fede attualizzandola nel contesto delle nuove culture, nel dialogo con le varie esperienze religiose dell'umanità, promuovendo il dialogo con Dio nel cuore di ogni uomo*. In questo modo, specie *nell'ambito in cui non ci sono ancora pronunciamenti magisteriali definitivi*, riguardanti la Via della Verità da percorrere in ambiti nuovi creati dalle situazioni sociali e culturali della vita umana, il lavoro della teologia appare prezioso come ausilio per tracciare nuove vie di ricerca per l'annuncio della Verità evangelica.

Ma per assolvere questi compiti, i teologi devono saper unire il "pensare critico della fede", secondo una metodologia scientifica, ai momenti esperienziali, contemplativi e celebrativi della fede, che ne esprimono il *carattere dossologico e sapienziale*[28]. In questa luce, il lavoro dei teologi deve svolgersi in profonda sintonia con il *sensus fidei* e il *Magistero*. Se il pensare la fede deve realizzarsi con il lavoro di riflessione e di indagine su tutto lo spessore della Tradizione vivente della Parola, il rapporto al Magistero è indispensabile alla fatica del teologo per avere un'autenticazione della propria *intelligentia veritatis*, quel sostegno nella ricerca della Verità che lo garantisca nella coerenza con la fede della conclusione delle sue ricerche.

Così, un autentico esercizio del lavoro teologico non può prescindere dal discernimento del carisma certo di verità donato da Cristo attraverso il suo Spirito agli apostoli ed ai loro successori nella guida pastorale della Chiesa. Credo che in una *ecclesiologia di comunione* si possa superare il *divario tra Teologia e Magistero, tra Teologia ed esperienza vissuta nella vita spirituale, liturgico-sacramentale e morale, tra Teologia ed inculturazione della fede*.

---

[27]   Vedi discorsi di Giovanni Paolo II a Colonia e ad Altötting rispettivamente il 15 e 18 novembre 1980. Valutazione in M. SECKLER, *Teologia, Scienza, Chiesa*, o.c., 261.
[28]   M. BORDONI, *L'esperienza dello Spirito nel sapere teologico*, in ID., *La cristologia nell'orizzonte dello Spirito*, o.c., 160 ss.

Il ruolo dello Spirito Santo
nella trasmissione della Tradizione

Prosper Grech

L'identità di una società è strettamente legata alle sue tradizioni, le quali, in certo qual modo, la definiscono. Queste tradizioni vivono nel linguaggio di un popolo, un linguaggio che non consiste soltanto nella lingua, ma in ogni sua manifestazione culturale: arte, letteratura, legislazione, struttura sociale e vita quotidiana. Le tradizioni crescono man mano che un popolo si sviluppa, e ciò che stiamo dicendo di un popolo vale anche per qualsiasi religione organizzata. La Chiesa cattolica e le chiese ortodosse hanno sempre insistito sull'importanza della tradizione apostolica. Il concetto venne messo in dubbio dai riformatori nel sedicesimo secolo, confondendo tradizione di fede e tradizioni umane. Anche Gesù aveva accusato i farisei di imporre sul popolo le loro tradizioni umane. Ma il concetto di tradizione che stiamo trattando è completamente diverso. Anche oggi, dopo cinque secoli di protestantesimo, le confessioni protestanti stesse hanno creato le loro tradizioni che servono da chiave ermeneutica per la loro interpretazione della Scrittura. La tradizione cattolica segue sì il modello di ogni evoluzione storico-sociale e si può studiare anche da questo punto di vista; i fedeli, però, credono che questa tradizione è animata dallo Spirito Santo nonostante i peccati e gli errori degli uomini. Scopo di questo intervento è di illustrare il ruolo dello Spirito nella trasmissione della *paradosis* come testimoniato dalla Sacra Scrittura e nella Chiesa antica.

Il n. 8 della *Dei Verbum* contiene la presentazione più chiara e completa della tradizione ecclesiale che si trova nei documenti ufficiali della

Chiesa cattolica. In questa comunicazione voglio commentare solamente una proposizione della suddetta Costituzione: *Haec quae est ab Apostolis traditio sub assistentia Spiritus Sancti in Ecclesia proficit [...]* . L'asserzione conciliare ha le sue radici profonde nella Sacra Scrittura e nei Padri della Chiesa, come tenterò di dimostrare.

La *Form-Traditions-* e *Redaktionsgeschichte* nel senso accettato dalla medesima *Dei Verbum* ci spiegano come i detti e le opere di Gesù siano stati trasmessi oralmente nelle comunità primitive prima di essere scritti nei vangeli sinottici e in Giovanni. Il fatto che nei quattro vangeli ci sono delle differenze è dovuto all'evoluzione del contenuto stesso che subiva mutamenti man mano che veniva capito più profondamente, e in seguito adattato allo sviluppo delle comunità cristiane. In queste forme sviluppate e differenti i detti e fatti di Gesù sono contenuti in quattro libri che la Chiesa ha sempre ricevuto come ispirati dallo Spirito Santo, il che ci fa concludere che sia la trasmissione stessa sia il suo sviluppo siano stati guidati da quello Spirito che li ha fatti mettere per iscritto.

Non è soltanto il messaggio di Gesù che è stato trasmesso per tradizione, ma anche il messaggio paolino. Nella seconda Lettera ai Tessalonicesi – alcuni dubitano che sia autentica, ma ciò non cambia l'argomento, come diremo appresso – lo scrittore esorta i destinatari: «Perciò, fratelli, state saldi e mantenete le tradizioni che avete appreso così dalla nostra parola come dalla nostra lettera» (2, 15). Se la lettera non è della mano di Paolo (e ciò che stiamo dicendo vale ancora di più per le lettere pastorali che esamineremo in seguito), l'argomento è ancora più forte, perché la pseudepigrafia ha origine nella cerchia di un maestro il cui messaggio deve essere mantenuto e trasmesso in ogni modo, anche se reinterpretato. Questo è evidente nella lettere pastorali le quali, a giudizio della maggioranza degli esegeti, non vengono direttamente dalla penna di Paolo; l'autore, infatti, insiste sul mantenimento delle dottrine insegnate da Paolo che egli chiama "il deposito": «O Timoteo, custodisci il deposito» (*1 Tim* 6, 20). Nella seconda a Timoteo lo scrittore è ancora più esplicito e attribuisce la custodia della tradizione allo Spirito Santo:

«È questa la causa dei mali che soffro, ma non me ne vergogno: so infatti a chi ho creduto e sono convinto che egli è capace di conservare fino a quel giorno il deposito che mi è stato affidato. Prendi come modello le sane parole che hai udito da me, con la fede e carità che sono in Cristo Gesù. Custodisci il buon deposito con l'aiuto dello Spirito Santo che abita in noi» (1, 12-14).

Il modo di trasmissione della parola salvifica viene descritto nella Lettera agli Ebrei:

> «Questa (salvezza) infatti, dopo essere stata promulgata all'inizio dal Signore, è stata confermata in mezzo a noi da quelli che l'avevano udita, mentre Dio convalidava la loro testimonianza con segni e prodigi e miracoli d'ogni genere e doni dello Spirito Santo, distribuiti secondo la sua volontà» (*Eb* 2, 3-4).

Ciò vuol dire che tramandare il kerigma era affidato a testimoni oculari della vita di Gesù, aiutati e convalidati da carismi dello Spirito Santo, miracoli, segni e prodigi, perché non si dubitasse dell'autenticità del messaggio.

Poiché la *Dei Verbum* dice che la tradizione della Chiesa non consiste soltanto nella trasmissione di dottrine, ma anche della disciplina stessa della Chiesa e di «tutto ciò che la Chiesa è», leggiamo negli Atti degli Apostoli come lo Spirito diriga la missione di Paolo in ogni passo che fa, confermando la sua predicazione con segni e prodigi.

Se adesso passiamo alla tradizione giovannea non possiamo far altro che citare il ben noto passo nel c. 16:

> «Molte cose ho ancora da dirvi, ma per il momento non siete capaci di portarne il peso. Quando però, verrà lo Spirito di verità, egli vi guiderà alla verità tutta intera, perché non parlerà da se, ma dirà tutto ciò che avrà udito e vi annunzierà le cose future. Egli mi glorificherà, perché prenderà del mio e ve l'annunzierà» (*Gv* 16, 12-14).

Perciò, l'autore della prima Lettera di Giovanni inizia proprio annunziando il kerigma primitivo annunziato alla sua comunità:

> «Ciò che era da principio, ciò che abbiamo udito, ciò che noi abbiamo veduto con i nostri occhi, ciò che noi abbiamo contemplato e ciò che le nostre mani hanno toccato [...] noi lo annunziamo anche a voi» (*1 Gv* 1, 1-3).

Lo Spirito darà agli ascoltatori anche la facoltà di discernere la vera dalla falsa dottrina:

«Questo vi ho scritto riguardo a coloro che cercano di traviarvi. E quanto a voi, l'unzione che avete ricevuto da lui rimane in voi e non avete bisogno che alcuno vi ammaestri; ma come la sua unzione vi insegna ogni cosa, è veritiera e non mentisce, così state saldi in lui, come essa vi insegna» (16, 26-27, e 16, 20).

L'unzione è quella dello Spirito che agisce nel *sensus fidelium*.

I passi citati ci dicono che le parole e le gesta di Gesù verranno esplicate nel futuro dallo Spirito Santo, finché il loro intendimento ermeneutico non sia pieno nella Chiesa. Intanto è compito della comunità ecclesiale ripetere "ciò che era da principio", cioè, non travisare il kerigma, ma spiegarlo secondo il progresso spirituale operato dal Paraclito sia negli annunziatori sia negli ascoltatori. Ciò che Egli dirà è ciò che il Cristo Risorto gli dà a comunicare, ed è anche ciò che il Cristo ha ricevuto dal Padre. Quindi l'opera dell'annunzio e della trasmissione coinvolge tutta la Trinità.

Lo Spirito guida la predicazione, lo sviluppo e l'intelligenza della parola per mezzo dei carismatici menzionati in *Rm* 12 e *1 Cor* 12, particolarmente per mezzo di apostoli (nel senso largo della parola), profeti, *didáscaloi* e evangelisti, cui è dato di trasmettere, esplicare e contestualizzare sia le parole e gesta di Gesù sia il kerigma originale. Abbiamo un esempio chiaro di come i profeti trasmettevano "ciò che lo Spirito dice alle chiese" nelle sette lettere dei cc. 2 e 3 dell'Apocalisse; essa è sì una rivelazione, ma in ultima analisi non è altro che l'applicazione al contesto storico dello scrittore di una tradizione ricevuta.

Una testimonianza così solida nel Nuovo Testamento sulla tradizione e la sua guida divina non poteva non essere accettata e sviluppata dai primi scrittori ecclesiastici e più tardi dai grandi Padri della Chiesa. Difatti, già nella *Didaché* (XI, 1-8), contemporanea agli scritti tardivi del Nuovo Testamento stesso, vengono stabiliti dei criteri per distinguere i veri dai falsi apostoli e profeti, e il primo criterio è quello di conformità alla dottrina ricevuta e insegnata nella prima parte del medesimo documento. Un profeta che parla *èn pnéumati* non deve essere sottoposto a prova per non commettere un peccato contro lo Spirito Santo, però, se i suoi costumi non sono conformi a quelli di Gesù lo si deve reputare come falso profeta.

Anche Clemente di Roma esorta i lettori a rimanere nelle tradizioni ricevute (*1 Clem.* 7, 2), mentre Ignazio d'Antiochia loda gli efesini per non aver dato ascolto a falsi maestri (cf. *Ef* 9, 1) e approva l'agire dei magnesi che si fanno distinguere dai giudei perché seguono la tradizione di celebrare la domenica piuttosto che il sabato (cf. *Magn.* 9, 1).

Il primo teologo della tradizione è senza dubbio Ireneo, che parla esplicitamente dell'opera dello Spirito nella conservazione della sana dottrina in tutte le chiese. Citiamo un passo per intero:

«La predicazione della Chiesa è, sotto ogni riguardo, costante e sempre uguale; le rendono testimonianza i profeti, gli apostoli e tutti i discepoli, all'inizio, alla metà e alla fine dei tempi; lo è in tutta l'economia di Dio e in quella concreta attività che tende alla salvezza dell'uomo: cioè, la nostra fede. Questa fede ricevuta dalla Chiesa noi custodiamo; essa dipende incessantemente dallo Spirito di Dio: è un deposito ricchissimo che, posto in un buon vaso, continuamente ringiovanisce e fa ringiovanire insieme lo stesso vaso in cui si trova. Dio ha affidato alla Chiesa questo dono, che è come il suo soffio plasmatore, dal quale tutte le membra che lo ricevono sono vivificate. Alla Chiesa è stata affidata la comunione con Cristo, che è lo Spirito Santo, caparra di immortalità, sigillo della nostra fede e scala per ascendere a Dio. "Nella Chiesa, infatti", è detto "Dio ha posto gli apostoli, e profeti, i maestri" (*1 Cor* 12, 28) e tutti gli altri uffici, operati dallo Spirito; ma di questo Spirito non partecipano certo coloro che non stanno uniti alla Chiesa e privano sé stessi della vita, per le loro dottrine perverse e le loro azioni malvagie. Dov'è la Chiesa, è lo Spirito di Dio; dov'è lo Spirito di Dio è la Chiesa e tutta la grazia. Lo Spirito poi, è verità. Perciò, coloro che non hanno parte con lui, non si nutrono alle mammelle della madre per mantenersi in vita, non attingono alla fonte limpidissima che sgorga dal corpo di Cristo; "si scavano invece delle fosse nella terra" (*Ger* 2, 13), vi bevono l'acqua torbida del fango. Sfuggono alla fede della Chiesa e non vengono conservati; rigettano lo Spirito, e non vengono istruiti; lontani dalla verità vengono travolti da ogni errore, ne sono sballottati, ogni momento cambiano pensiero sulla stessa realtà, non giungono mai a una nozione ferma, perché vogliono essere piuttosto maestri a parole che discepoli della verità. Non sono fondati sull'unica pietra, ma sull'acqua» (*AH* 3, 24).

Una testimonianza così chiara non ha bisogno di nessun commento.

È ben risaputo che Ireneo concentra la tradizione di tutte le chiese nella chiesa di Roma. Anche Tertulliano ripete la medesima cosa e attribuisce a questa Chiesa il dono dello Spirito: Egli scrive:

«Questa chiesa di Roma, quanto è beata! Furono gli apostoli stessi a versare a lei, col loro sangue, la dottrina tutta quanta: è la chiesa dove Pietro è parificato nella passione al Signore; dove Paolo è coronato del martirio di Giovanni (Battista);

dove l'apostolo Giovanni è immerso nell'olio bollente per uscire illeso e venire quindi relegato a un'isola. Vediamo perciò che cosa essa abbia appreso, che cosa abbia assegnato e che cosa attesti; e con lei che cosa attestino le chiese d'Africa. Orbene, la chiesa di Roma conosce un solo Dio, creatore del mondo, e Gesù Cristo, nato da Maria vergine, Figlio di Dio creatore; e la risurrezione della carne. Essa unisce la Legge e i Profeti ai Vangeli e alla lettere degli apostoli, e di lì attinge la sua fede: e la sigilla con l'acqua, la riveste delle Spirito Santo, la nutre dell'Eucaristia, e stimola al martirio, e non accoglie alcun avversario di questa dottrina» (*De paraesc. Haer.* 36).

Perché si insisteva tanto sulla tradizione nel secondo secolo? Evidentemente perché anche gli gnostici dicevano che la loro dottrina era stata ricevuta segretamente dai discepoli di Gesù. La controversia non era sul fatto che la tradizione fosse uno strumento di conoscenza del vangelo, ma su quale tradizione fosse autentica. Ireneo e i cristiani insistevano che quella autentica era la pubblica, ricevuta dagli apostoli pubblicamente e trasmessa dai vescovi. Tradizioni segrete e private non potevano essere né autentiche né guidate dallo Spirito.

In seguito quel nucleo di dottrina, che chiamiamo la regola della fede, riportato da Ireneo, Tertulliano, Origene e Ippolito, crebbe continuamente con l'approfondimento dell'autocoscienza della Chiesa. I fattori che contribuirono a questa crescita furono molti. Possiamo porre per primo la formazione del canone del Nuovo Testamento, in cui s'incontrano Scrittura e tradizione per formare la spina dorsale dell'insegnamento ecclesiale. Contribuiscono i martiri con le loro testimonianze di fronte ai tribunali, fortificati dall'ispirazione dello Spirito Santo, secondo la parola di Gesù in *Lc* 12, 12. La disciplina delle comunità veniva adattata alle circostanze sociali in cui i cristiani si trovavano: per esempio, la disciplina dell'assoluzione da certi peccati e la riammissione nella Chiesa di coloro che avevano rinnegato la fede durante le persecuzioni. Molto contribuirono le controversie teologiche nei primi tre secoli che portarono alle definizioni da parte di concili, come quello di Nicea contro gli ariani. La *regula fidei* abbastanza informale di Ireneo diventa un credo formale che incorpora il progresso teologico fino allora raggiunto. Ma anche il montanismo medesimo, che insisteva tanto sul carisma e l'opera dello Spirito Santo e la rigidità dei costumi, aiuta a chiarire certi punti come la relazione tra l'ufficio episcopale e i doni carismatici. In ultimo, non si deve dimenticare lo sviluppo liturgico. La *lex orandi* diventa la *lex credendi*. È proprio nella sua opera *De Spiritu Sancto* che Basilio deduce dalle formulazioni liturgiche, particolarmente quelle battesimali, la sua dottrina trinitaria. Anche Agostino insiste sulle formule di preghiera per confermare ciò che la Chiesa insegnava. Verso la fine del quarto secolo gli scrittori e dottori precedenti vengono chiamati *pateres* e considerati come trasmettitori ufficiali delle tradizioni ecclesiastiche. La Chiesa, guidata dallo Spirito, trasmette se stessa come casa in cui cresce organicamente il seme del vangelo di Gesù.

Concludiamo con un testo agostiniano che ci mostra come questo padre approfondisca la dottrina di Ireneo attribuendo tutti i sunnominati elementi e i vari carismi dei fedeli allo Spirito Santo:

> «Voi vedete cosa l'anima fa nel corpo. Dà vita a tutte le membra: vede per mezzo degli occhi, ode per mezzo delle orecchie […] . Così la Chiesa di Dio: in alcuni compie miracoli, in altri santi dice la verità, in altri custodisce la verginità, in altri ancora custodisce la pudicizia coniugale; in altri santi questo, in altri santi quello; ciascuno compie l'opera propria, ma tutti vivono parimenti. E quello che è l'anima per il corpo dell'uomo, lo è lo Spirito Santo per il corpo di Cristo che è la Chiesa: lo Spirito Santo opera in tutta la Chiesa ciò che l'anima opera in tutte le membra di un unico corpo […] . Se dunque volete vivere di Spirito Santo, conservate l'amore, amate la verità, desiderate l'unità, per raggiungere l'eternità» (*Serm.* 267, 4,4).

La tradizione che segna l'identità della Chiesa vive in questi carismi e trasmette ciò che la Chiesa crede, ciò che opera, ciò che essa è.

Teologia sistematica ed esegesi biblica

Fernando Ocáriz

La primaria e più radicale esigenza che la fede pone al metodo teologico è ovviamente riconoscere la natura stessa della teologia come *scientia fidei*. L'incontro tra la Parola di Dio e il logos umano, ossia la ragione considerata nella sua forza e capacità originarie, costituisce il presupposto di ogni discorso circa la scienza della fede.

Durante il suo percorso la teologia incontra oggi di nuovo pericoli già affrontati in epoche passate: un razionalismo senza dimensione sapienziale, e senza base autenticamente metafisica, e un biblicismo separato dalla Tradizione e senza profondità speculativa[1]. Tanto nell'uno come nell'altro caso, la ragione credente perderebbe il suo orientamento e la teologia non esisterebbe. Giovanni Paolo II, nell'enciclica *Fides et ratio*, ricorda che "la teologia si organizza come scienza della fede alla luce di un duplice principio metodologico: l'*auditus fidei* e l'*intellectus fidei*. Con il primo, essa entra in possesso dei contenuti della Rivelazione così come sono stati esplicitati progressivamente nella Sacra Tradizione, nella Sacra Scrittura e nel Magistero vivo della Chiesa. Con il secondo, la teologia vuole rispondere alle esigenze proprie del pensiero mediante la riflessione speculativa"[2].

1. *Auditus fidei* e *intellectus fidei*: distinzione e relazioni

Senza soffermarci qui in un'esposizione di carattere storico, sarà utile ricordare brevemente al riguardo alcuni aspetti del pensiero di due dei

---

[1] Cfr. GIOVANNI PAOLO II, Enc. *Fides et ratio*, n. 55.
[2] *Ib.*, n. 65.

più grandi Dottori della Chiesa: Sant'Agostino e San Tommaso d'Aquino. Ciò non tanto per analizzare le loro impostazioni, ma, assumendoli come orizzonte, per precisare il senso della distinzione tra *auditus fidei* e *intellectus fidei*.

Come è noto fu Sant'Agostino a introdurre l'espressione *intellectus fidei* nel linguaggio teologico, al fine di indicare non solo ciò che noi oggi definiamo come teologia, quanto, in senso più ampio, il moto dell'intelligenza quando si avverte situata dinanzi all'annunzio o proclamazione della Parola di Dio. Nella sua formula *intellige ut credas, crede ut intelligas*[3], il Vescovo di Ippona prende posizione di fronte all'atteggiamento razionalista di chi si chiude a ogni verità che non riesce a comprendere interamente.

La ferma accettazione della verità di quanto proclamato dalla Rivelazione – in ciò consiste il *credere* – non può che comportare un impegno per radicarsi ogni volta di più nella realtà creduta e conseguentemente per conoscerla meglio. Questo impegno, l'*intellectus* che prolunga il *credere*, è la teologia. Il *crede ut intelligas* implica insomma una connaturalità dell'intelligenza umana con la fede accolta come dono, dalla quale sgorga spontaneamente un movimento di progressiva penetrazione nella comprensione del creduto. L'*intellectus* agostiniano non comporta la riduzione di Dio a puro oggetto di conoscenza, ma è il frutto di una *fede piena di pietà* che afferma la verità di Dio nello stesso momento in cui l'ama.

Questo atteggiamento non implica in alcun modo che l'intelligenza credente si chiuda in se stessa. Al contrario, Sant'Agostino ricorre a tutti i saperi e le capacità dello spirito umano come mezzi o ausili per ottenere un'intelligenza più profonda del mistero di Dio. Così affermerà la legittimità e l'utilità del ricorso alle scienze profane per raggiungere una comprensione più profonda del contenuto della fede[4]. L'*intellectus* che Sant'Agostino propugna e sviluppa non solo presuppone il *credere*, del quale è frutto, ma si appoggia costantemente su di esso.

---

3 Cfr. S. AGOSTINO, *Sermo XLIII*, cc. VI-VII, nn. 7-9 (PL 38, 258).
4 Cfr. come riferimento classico, il libro II del *De doctrina christiana*, dove Sant'Agostino pone al servizio dell'*intellectus fidei* l'insieme delle scienze del suo tempo, dalla conoscenza delle lingue sacre e della dialettica fino alle scienze della natura, la matematica, la storia, il diritto, etc.

San Tommaso d'Aquino raccoglie l'eredità agostiniana, ponendosi al contempo in contatto col pensiero aristotelico. Il suo linguaggio diverge in più di un punto da quello impiegato dal Vescovo di Ippona, però i loro pensieri coincidono nella sostanza. La teologia è scienza – afferma l'Aquinate – perché si fonda sulla verità di Dio, più concretamente, sulla scienza stessa di Dio, sul sapere che Dio ha di sé e che ci ha trasmesso nella Rivelazione. La teologia presuppone pertanto la fede, intesa allo stesso tempo e inseparabilmente come virtù, come atto e come verità creduta (vale a dire come *fides qua* e come *fides quae*), sulla quale si appoggia interamente in modo che quando argomenta non lo fa per "dimostrare" i suoi principi, "che sono gli articoli di fede, ma partendo da essi procede nel dimostrare altre cose, come fa l'Apostolo, il quale dalla risurrezione di Cristo dimostra la risurrezione di tutti noi"[5].

La teologia per il Dottore di Aquino è allo stesso tempo dottrina e abito intellettuale, qualità, potenza dell'intelligenza che, illuminata dalla fede, si lancia con tutte le sue energie nella comprensione della verità creduta, manifestandone la ricchezza, la coerenza interna e le virtualità e, di conseguenza, la capacità di illuminare tutta la realtà. È per questo sapienza e sapienza per eccellenza[6].

A seguito dell'eco ottenuta dal saggio di Ambroise Gardeil su *Le donné révélé et la théologie*, a partire dalla sua seconda edizione, del 1932, la distinzione tra *auditus fidei* ed *intellectus fidei* venne ampiamente adoperata, data la chiarezza della sua formulazione e la sua utilità sia concettuale che pedagogica. L'*auditus fidei* cerca di rispondere alla domanda: che ha detto Dio? E all'altra in relazione con essa, ma diversa: come lo ha detto? In che modo i testi biblici e i documenti della tradizione ci trasmettono la Parola divina e ciò che questa Parola esprime? L'*intellectus fidei* riflette sul significato di ciò che Dio ha detto e aspira a mettere in rilievo tutto il suo contenuto intellettuale, manifestando anche la connessione tra i diversi contenuti del messaggio.

Le espressioni *auditus fidei* ed *intellectus fidei* riassumono in maniera semplice i diversi passi del percorso teologico, ma non vanno separate perché si integrano mutuamente. Il teologo non è uno storico o un filolo-

---

[5] S. Tommaso d'Aquino, *Summa Theologiae*, I, q.1, a. 8.
[6] Cfr. *ib.*, a. 6.

go che viene successivamente sostituito dal filosofo, ma sin dal primo momento è un credente che, fondandosi sulla fede, aspira a capirne con sempre maggiore profondità il contenuto. Perciò, in determinati momenti volge il suo sguardo alla storia, cercando di cogliere i particolari degli avvenimenti. In altri, fissa l'attenzione sui testi col desiderio di situarli nella congiuntura culturale nella quale furono scritti o di determinarne, mediante l'analisi, la struttura e il significato. In altri ancora, riflette, mettendo in relazione tra loro i contenuti della Rivelazione o ricorrendo alla comparazione o all'analogia con altre realtà. In questi passaggi, e in altri che potrebbero menzionarsi, il teologo sistematico dovrà essere attento alla concreta natura dell'itinerario che sta percorrendo, rispettando con rigore le norme e le regole proprie delle scienze con le quali entra in dialogo e di cui si serve. Però in tutti e in ciascuno di questi passaggi l'ispirazione, la luce e l'impulso intimi verranno non da queste scienze ma dalla fede. E la meta alla quale tutte si dirigono è di nuovo la fede, la comprensione del suo contenuto e raggiungere una connaturalità ogni volta maggiore con questo contenuto. Sant'Anselmo lo comprese bene quando affermò che la teologia viene a inserirsi, in un certo senso, *inter fidem et speciem*[7]; formula che, avendo certamente bisogno di essere sfumata dal momento che tende a identificare due processi – quello mistico e quello teologico – indica però una realtà profonda[8].

La distinzione tra *auditus fidei* e *intellectus fidei* è senz'altro valida e utile, anche a livello scientifico, ma conviene sottolineare che mediante l'*intellectus fidei* non si conferisce intelligibilità ad un *auditus fidei* che non avrebbe un contenuto intelligibile. L'*intellectus fidei* conduce a compimento il processo teologico, conferendogli unità, ma rivelandone anche la circolarità, ponendo la ragione credente in grado di approfondire di più quanto Dio ha rivelato, la cui verità è conosciuta già nell'ascolto della Parola accolta nella fede. Perciò l'intero processo teologico può anche essere definito con la formula anselmiana *fides quaerens intellectum*.

---

[7] S. ANSELMO, *De Fide Trinitatis et de Incarnatione Verbi*, Prologo (PL 158, 259).

[8] Su questo punto, in relazione con il passaggio dalla considerazione agostiniana a quella tomista sulla natura della teologia può vedersi J.L. ILLANES, *Sobre el saber teológico*, Madrid 1978, pp. 46 ss.

2. Dimensione credente e contemplativa dell'*intellectus fidei*

Rileggiamo un altro passaggio della *Fides et ratio*: "Per quanto riguarda l'*intellectus fidei*, si deve considerare, anzitutto, che la Verità divina, 'a noi proposta nelle Sacre Scritture, interpretate rettamente dalla dottrina della Chiesa' (*Summa theologiae* II-II, 5, 3 ad 2), gode di una propria intelligibilità così logicamente coerente da proporsi come un autentico sapere. L'*intellectus fidei* esplicita questa verità, non solo cogliendo le strutture logiche e concettuali delle proposizioni nelle quali si articola l'insegnamento della Chiesa, ma anche, e primariamente, nel far emergere il significato di salvezza che tali proposizioni contengono per il singolo e per l'umanità. È dall'insieme di queste proposizioni che il credente arriva a conoscere la storia della salvezza, la quale culmina nella persona di Gesù Cristo e nel suo mistero pasquale. A questo mistero egli partecipa con il suo assenso di fede"[9].

Come è ovvio, l'intelligenza della fede deve svilupparsi seguendo il ritmo che segna la struttura della fede nel suo essenziale rapporto con la Parola di Dio. Questa Parola è lo stesso Gesù Cristo "Via, Verità e Vita" (*Gv* 14,6). La Parola di Dio è *Via*: ciò deriva dal suo carattere incarnato, vale a dire, dalla sua realizzazione nella storia attraverso fatti e parole, consegnati nella Scrittura e nella Tradizione ed affidati, per la sua trasmissione, alla Chiesa. La parola è anche *Verità*: non è costituita da semplici affermazioni slegate dalla realtà, o da avvenimenti circostanziali o carenti di fondamento, ma risiede nella verità ultima e radicale delle cose. Infine, la parola è *Vita*, messaggio che dà risposta a tutte le domande ultime che l'uomo si pone.

Da questi presupposti derivano alcune dimensioni dell'attività teologica; innanzitutto la dimensione credente e contemplativa. Il ruolo della fede, nell'*intellectus fidei*, non riguarda solo il livello epistemologico (ovvio, nel senso che senza fede la teologia perderebbe il suo statuto proprio), ma anche il livello antropologico o esistenziale, come *fides in actu*. È accettando e vivendo la Parola di Dio che il teologo è in grado di comprenderla sempre meglio. Infatti, la teologia non è una riflessione sul mes-

---

[9] GIOVANNI PAOLO II, Enc. *Fides et ratio*, n. 66.

saggio cristiano come svolta all'esterno di esso e astraendosi dalla sua verità. Non è una riflessione su "ciò che pensano i cristiani", prescindendo
dal fatto che tale pensare corrisponda o meno alla verità delle cose. La
teologia così come l'ha intesa e la intende la Chiesa, e con essa tutti i grandi rappresentanti della tradizione teologica, è attività propria di
un'intelligenza credente e proprio in quanto credente.

Senza fede potrà esserci – e questo con limitazioni, poiché
l'atteggiamento soggettivo condiziona l'adeguata percezione dell'oggetto –
storia o analisi del pensare cristiano, ma non teologia. "Il teologo non è
un filosofo che lavora su una credenza, ma un credente, un uomo in
comunione di spirito, attraverso la fede, con Dio e i beati, che adopera la
pienezza delle conoscenze umane utilizzabili per rendersi conto, umanamente e scientificamente, di ciò che crede"[10]. Non siamo in presenza di
una mera pia considerazione, ma davanti a un dato fondamentale pieno di
conseguenze, giacché comporta non solo che la teologia riceve dalla fede
la verità sulla quale riflette, ma che deve essere intrinsecamente informa-
ta, anche in quanto atteggiamento soggettivo, dalla fede. E la fede – già lo
diceva San Tommaso d'Aquino – è profondamente inquadrata dal senso
della realtà di ciò che crede: *actus credentis non terminatur ad enuntiabile,
sed ad rem*[11]. Nel credere non solo affermiamo la verità del creduto, ma ci
orientiamo con tutte le forze del nostro essere verso questo Dio che la
fede ci ha fatto conoscere[12]. La teologia nasce da questo nucleo vitale e lo
presuppone. Per questo una teologia incredula è una *contradictio in ter-
minis* o, se si preferisce, un impossibile esistenziale.

Il teologo, in quanto credente che medita su ciò che crede, non può
che sentirsi abbagliato dallo splendore delle realtà su cui riflette, ed inter-
rogato e spronato personalmente da esse; in altre parole, interpellato dalla
grandezza del mistero di Dio e dal suo amore.

---

[10] Y.M. CONGAR, *La foi et la théologie*, Paris 1962, p. 175.

[11] S. TOMMASO D'AQUINO, *Summa Theologiae*, II-II, q. 1, a. 2.

[12] Tra gli autori del Novecento che più hanno sottolineato questo punto, si può ricordare J. MOUROUX, *Je crois en Toi. Structure personnelle de la foi*, Paris 1949. Un interessante studio al riguardo è quello di J. ALONSO, *Fe y experiencia cristiana: la teología de Jean
Mouroux*, Pamplona 2002.

3. Dimensione ecclesiale e missionaria dell'intelligenza della fede

La teologia è essenzialmente ecclesiale, come lo è la fede. La fede cristiana è la fede della Chiesa: nella Chiesa nasce e cresce la fede del credente. La conversione e la fede, che implicano sempre un atto di obbedienza ad una realtà che ci precede, non si inquadrano in riferimento ad un *egli* impersonale ma ad un *Tu*, quello di Dio rivelato in Cristo, che ci è accessibile nel *noi* della Chiesa[13]. Quando il credente dice "credo" lo dice nel "crediamo" di tutta la comunità ecclesiale. E di questo credo vive la teologia. Non può darsi, pertanto, un fare teologia autonomo, estraneo alla fede della Chiesa, come neppure può darsi un atto di fede esclusivamente individuale.

Il teologo deve restare in ascolto della Chiesa, riconoscendosi membro della comunità cristiana della cui fede partecipa. Nel riflettere sulla fede ricevuta procederà secondo ragione, entrando in dialogo con i più diversi saperi, e, pertanto, con rigore intellettuale, con libertà, con creatività. Però allo stesso tempo con la consapevolezza che la verità che approfondisce non gli appartiene; più ancora, che egli è in comunione con questa verità solo grazie alla Chiesa e nella Chiesa.

Tutto ciò, senza dimenticare che la Chiesa è comunità organicamente strutturata. E che, pertanto, il riconoscersi in relazione alla Chiesa implica riconoscersi in relazione a quanti in essa svolgono funzione di magistero. Certamente, il teologo approfondisce non limitandosi a glossare i testi magisteriali, ma inseparabilmente approfondendo la Sacra Scrittura e le testimonianze della Tradizione e della concreta vita ecclesiale, tenendo presente che la comunità cristiana gode della garanzia della fedeltà alla Parola di Cristo proprio "sotto la guida del Magistero vivo della Chiesa, che per l'autorità esercitata nel nome di Cristo, è il solo interprete autentico della Parola di Dio scritta o trasmessa"[14].

---

[13] Cfr. J. RATZINGER, *Natura e compito della teologia*, Milano 1993, pp. 55-56; R. FISICHELLA, *Noi crediamo. Per una teologia dell'atto di fede*, Roma 1993.

[14] CONGREGAZIONE PER LA DOTTRINA DELLA FEDE, Istr. *Donum veritatis*, 24 V 1990, n. 13. Per un commento all'istruzione, cfr. J.L. ILLANES, *Teología y Facultades de Teología*, Pamplona 1991, pp.160-178 e, soprattutto, J. RATZINGER, *Natura e compito della teologia*, o.c., pp. 89-106.

La dimensione ecclesiale sarà tema di altre relazioni di questo Forum. Tuttavia, vorrei sottolineare sia pur brevissimamente che questa dimensione ecclesiale della teologia comporta anche il suo essere una partecipazione alla missione della Chiesa. La Chiesa solca la storia al fine di far conoscere a tutti gli uomini l'amore del Padre e la redenzione operata da Cristo, e comunicargli la vita divina che si trasmette grazie all'azione incessante dello Spirito Santo. La teologia partecipa a questo dinamismo, in quanto coopera alla *traditio Evangelii*, alla diffusione e alla comprensione della Parola di Dio.

Tutto ciò suppone, innanzitutto, che la teologia si radichi in ciò che costituisce il suo centro: Dio e il disegno di salvezza in Gesù Cristo. Ma richiede pure che, partendo da questo nucleo, sviluppi la sua capacità sapienziale, vale a dire, la sua capacità di svelare il senso delle realtà e, di conseguenza, di giudicare a partire dalle cause ultime e, pertanto, di illuminare la totalità dell'esistenza umana, tanto individuale quanto collettiva. Opera che la teologia deve affrontare con coscienza della verità della quale vive e, allo stesso tempo, con atteggiamento di apertura e di servizio, rispettando pienamente le caratteristiche dei diversi ambiti della realtà e della varietà dei saperi.

4. Relazione tra teologia sistematica ed esegesi

L'approfondimento speculativo e sistematico della fede presuppone la ricezione del contenuto di questa fede stabilito anche con l'aiuto di un'esegesi biblica che renda possibile alla Sacra Scrittura essere veramente *anima della teologia*[15]. Specialmente dopo che il Vaticano II adoperò questa espressione – "anima della teologia" – riferita alla Scrittura, esiste una bibliografia molto ampia sui rapporti tra teologia sistematica ed esegesi biblica, dalla quale emerge una sempre più comune concezione dell'esegesi come momento intrinseco della teologia[16]. È ovvio che "la testimo-

---

[15] CONC. VATICANO II, Cost. *Dei Verbum*, n. 24. Gli esegeti "debbono praticare l'esegesi in modo tale che possa effettivamente essere 'come l'anima della teologia'" (A. VANHOYE, *Esegesi biblica e Teologia: la questione dei metodi*, in "Seminarium" 2 [1991] p. 268).

[16] Per una visione d'insieme, cfr. AA.Vv., *La Sacra Scrittura, anima della Teologia*, Lib. Ed. Vaticana 1999, specialmente il contributo di M.A. TABET, *Lo studio della Sacra Scrittura, anima della Teologia* (pp. 69-100).

nianza della Sacra Scrittura deve essere anche il punto di partenza e il fondamento della comprensione dei dogmi"[17], vale a dire dell'*intellectus fidei* nel senso più stretto.

A sua volta, la teologia sistematica esercita un influsso sulla precomprensione con la quale gli esegeti affrontano lo studio dei testi biblici. Una precomprensione che ha le sue radici nella Tradizione viva della Chiesa nella sua inseparabilità dalla Scrittura, e che, tra l'altro, comprende l'unità dei due Testamenti. Negli ultimi anni, dopo un significativo ridimensionamento della portata dei metodi storico-critici, hanno riacquistato attualità due prospettive di chiara valenza teologica: la rivalutazione dell'esegesi patristica[18], ed il criterio della canonicità (vale a dire, l'approccio al canone biblico come ad un oggetto unitario)[19]. Inoltre, in stretto rapporto con l'unità dei due Testamenti va sottolineata fortemente non soltanto l'interpretazione cristologica dell'Antico Testamento, ma la più generale centralità di Cristo nella Scrittura[20]. In questo senso si può considerare come uno dei contributi della riflessione teologico-sistematica all'esegesi biblica, l'assunzione della *lex incarnationis* a principio esegetico: l'Incarnazione vista non solo come pienezza e compimento, ma anche come *analogatum princeps* della Rivelazione, secondo l'accenno offertoci dalla *Dei Verbum*: "Le parole di Dio, infatti, espresse con lingue umane, si sono fatte simili al linguaggio degli uomini, come già il Verbo dell'eterno Padre, avendo assunto le debolezze della natura umana, si fece simile agli uomini"[21].

---

[17] COMMISSIONE TEOLOGICA INTERNAZIONALE, *L'interpretazione dei dogmi*, 1989: Enchiridium Biblicum, n. 1211.

[18] Questo aspetto va prendendo oggi sempre più spazio a livello di pubblicazioni e progetti editoriali; trova, ad esempio, una sua concretizzazione molto pregevole nella traduzione della Bibbia, in cinque volumi e con ampie note, preparata dalla Facoltà di Teologia dell'Università di Navarra (1997-2003). Da rilevare è anche la recente decisione dell'*Ecole Biblique* di procedere ad una nuova traduzione della Bibbia di Gerusalemme che tenga conto dell'esegesi dei Padri. Gli spunti programmatici che dovrebbero guidare questo nuovo lavoro sono presentati in J.M. POFFET (ed.), *L'autorité de l'Ecriture*, Paris 2002.

[19] Cfr. ad esempio, B. CHILDS, *Teologia Biblica*, Casale Monferrato 1998, cap. II ("La ricerca di un nuovo approccio").

[20] Cfr. M. BORDONI, *Cristo centro della Scrittura e pienezza della Rivelazione*, in AV. VV., *La Sacra Scrittura, anima della Teologia*, o.c., pp. 115-133.

[21] CONC. VATICANO II, Cost. *Dei Verbum*, n. 13; cfr. anche n. 4. Ci sono cenni di questo impiego della *lex incarnationis* come principio esegetico nel documento della PONTIFICIA

Si può ricordare pure un altro contributo importante della teologia sistematica all'esegesi biblica: concepire l'*analogia fidei* anche come *analogia mysteriorum*. Non si tratta, infatti, solo di leggere una specifica pagina biblica, di difficile comprensione, alla luce delle altre parti della Scrittura, ma di comprendere il contenuto dogmatico associato a quella pagina biblica alla luce dell'insieme dei misteri del cristianesimo[22].

Non mi soffermerò di più su questi aspetti della relazione tra esegesi e teologia sistematica. Invece, presupposto l'apporto dell'esegesi all'*auditus fidei*, tratterò di quello che la teologia sistematica le aggiunge, specialmente di quello che oggi mi sembra più necessario approfondire: la dimensione filosofica del teologare, il cui bisogno emerge come ulteriore sviluppo della questione ermeneutica[23].

5. Alcune riflessioni sulla questione ermeneutica

Nella misura in cui la fede e la ragione si esprimono e trasmettono attraverso il linguaggio, il linguaggio stesso e la sua interpretazione acquisiscono un'importanza decisiva nella teologia.

Ogni pensatore il cui lavoro scientifico si strutturi attraverso lo studio di documenti – questo è il caso, in parte, tanto del teologo quanto del filosofo – si è sempre confrontato con la questione ermeneutica; concretamente, e per quanto si riferisce al teologo, con l'ermeneutica dei testi biblici prima e con quella dei testi patristici e dei documenti magisteriali dopo. Benché ciò sia accaduto sin dall'antichità, la problematica in rela-

---

COMMISSIONE BIBLICA, *L'Interpretazione della Bibbia nella Chiesa*, del 1993, specie a proposito della luce che ne deriverebbe per evitare gli errori del fondamentalismo e del razionalismo. Esistono riflessioni interessanti in questo senso già nella teologia patristica e medievale, ma anche rinascimentale (ad esempio, Nicola Cusano): cfr. H. DE LUBAC, *Esegesi medievale*, Milano 1986, pp. 343-355; M.A. TABET, *Ispirazione, condiscendenza e Incarnazione nella teologia di questo secolo*, in *Annales teologici* 8 (1994) pp. 235-285.

[22] Non si può non ricordare, a questo proposito, M.J. SCHEEBEN, specialmente *I Misteri del cristianesimo* del 1865.

[23] Sarebbe anche interessante sviluppare – potrebbe essere tema di un'altra relazione – l'apporto che le scienze naturali possono dare alla teologia. Per un'esposizione sintetica dello *status quaestionis* di questo tema, ancora generalmente poco approfondito, cfr. ad esempio, G. TANZELLA-NITTI, *Scienze naturali, utilizzo in teologia*, in AA. Vv., *Dizionario interdisciplinare di Scienza e Fede*, Roma 2002, pp. 1273-1289.

zione con le questioni ermeneutiche si è acuta nell'epoca contemporanea come conseguenza di diversi fattori; tra questi, la crescita della conoscenza storica, che porta a considerare la diversità dei tempi e delle culture e, pertanto, della necessità di situare i testi nel contesto nel quale furono redatti; e anche lo sviluppo delle scienze relative al linguaggio, che permettono un'analisi ogni volta più precisa degli scritti e delle locuzioni. Si può menzionare inoltre un terzo fattore, che si trova su un piano molto diverso dai precedenti: l'influsso, esplicito o implicito a seconda dei casi, dell'agnosticismo kantiano che rompendo il nesso tra pensiero e realtà induce a presentare il linguaggio come realtà a sé stante e in fin dei conti ultima, dal momento che non esisterebbe più un referente dal quale giudicarlo e valutarlo.

Non è questo il momento di procedere a una considerazione delle diverse proposte, riguardanti l'ermeneutica, che segnano la storia della filosofia del linguaggio in epoca moderna; ma in ogni caso considero utile ricordare, sia pure molto brevemente, Schleiermacher e Heidegger.

Schleiermacher concepisce l'ermeneutica come interpretazione dei testi attraverso l'identificazione o la sintonia con il loro autore che permette di percepire l'intenzione con la quale li scrisse e pertanto il loro senso. Questa concezione, di chiara risonanza romantica, ha innegabili meriti e questo spiega la sua ampia diffusione, anche se non supera il soggettivismo. Il lettore entra in contatto con la mente dell'autore, ma qui termina il suo itinerario giacché questa mente non lo apre alla realtà.

Heidegger invece non pone l'accento né sul testo né sull'autore, ma sul lettore, il quale certamente in occasione del testo, ma con sostanziale indipendenza dal suo contenuto, si autointerpreta, prendendo conseguentemente posizione riguardo all'esistenza. La distinzione soggetto-oggetto è superata dal momento che lo svelamento della realtà e lo svelamento del soggetto si identificano, in modo che la verità, in quanto adeguamento di ciò che si dice nel testo con la realtà, sparisce dall'orizzonte per cedere il passo all'autenticità esistenziale considerata come atteggiamento portante.

Come è noto, l'influsso delle idee heideggeriane sulla teologia è stato importante, dando origine, prima, a un'ermeneutica esistenziale di segno antropologico-individualista con Bultmann e la sua scuola; poi, ad un'ermeneutica socio-politica con la teologia politica così come la intesero alcu-

ni autori tedeschi, specie Moltmann e successivamente con la teologia lati-
noamericana della liberazione, almeno nei suoi rappresentanti più radicali.

Le due posizioni appena descritte – e altre analoghe – hanno una
chiara conseguenza: la sparizione dell'*intellectus fidei*. In Bultmann e la
sua scuola c'è un riferimento a Gesù di Nazaret, ma visto come semplice nome dal quale si chiama e si invita alla conversione, senza pronunciarsi sui contenuti categoriali dell'attitudine esistenziale che da essa
risulta. In un secondo momento – a partire dalla famosa conferenza di
Käsemann, nella riunione di Marburg nel 1953 per i discepoli di
Bultmann – la scuola bultmanniana, o almeno gran parte di essa, rico-
nobbe, da una parte, che l'interpretazione appena descritta, è formale e
vuota e, d'altra parte, che nei Vangeli non è possibile stabilire un taglio
netto tra kerigma e narrazione; si ammette, conseguentemente, la possibilità di riferirsi alla vita concreta di Gesù di Nazareth, ma astraendo
completamente dal suo mistero. In questa linea si muove, in gran parte,
la teologia della liberazione, che assume il Vangelo in quanto chiamata
a vivere secondo il comportamento di Gesù nella sua preoccupazione
per i poveri, lasciando alle scienze sociali ogni determinazione di ciò
che questa preoccupazione implica e, più radicalmente ancora, la determinazione di ciò che sia la povertà e, di conseguenza, la totalità del-
l'antropologia[24]. Da qui – come indicherà l'Istruzione *Libertatis nuntius*
– nasce immediatamente il rischio di sboccare in "una nuova ermeneutica" che "conduce ad una rilettura essenzialmente politica della
Scrittura", che porta a disconoscere o sfigurare punti centrali del
dogma cristiano[25].

Il dibattito sulle relazioni tra teologia ed ermeneutica – più esattamente sul passaggio dalla teologia intesa come sapere alla teologia intesa
come ermeneutica – fu posto in termini generali da Claude Geffré nella

[24] Una sintesi più sviluppata di queste posizioni teologiche, in J.L. ILLANES, *El acceso
histórico a Jesús*, in *Ciencia tomista* 115 (1988) 49-75 e *Hermenéutica bíblica y praxis de
liberación*, in AA. VV., *Biblia y hermenéutica (Actas del VII Simposio Internacional de
Teología, Universidad de Navarra)*, Pamplona 1986, pp. 265-277.
[25] CONGREGAZIONE PER LA DOTTRINA DELLA FEDE, Istr. *Libertatis nuntius*, 6-VIII-84,
specialmente i paragrafi VI e X, intitolati "Una nuova interpretazione del cristianesimo" e
"Una nuova ermeneutica".

decade degli anni '80[26], dando origine ad un ampio dibattito, le cui conclusioni possiamo riassumere affermando che una concezione della funzione ermeneutica della teologia basata, come accade con diverse posizioni contemporanee, su una filosofia tendenzialmente antimetafisica, implica la caduta nel relativismo. Bisogna quindi nella ragione ermeneutica ricuperare l'orizzonte metafisico, con il conseguente superamento dell'agnosticismo[27].

Infatti, qualunque ermeneutica che si basi su una gnoseologia che, tagliando la relazione della mente con la realtà extramentale, prescinda dal concetto di verità, conduce necessariamente a ciò che, con espressione di Gadamer, può essere qualificato come ermeneutica assoluta o ermeneutica totale. Vale a dire con un succedersi illimitato di interpretazioni senza arrivare mai a un fondamento. Prescindendo dalla verità e limitando il pensiero e l'interpretazione al senso, si finisce col distruggere il senso in quanto tale. In altre parole, "l'abbandono della convinzione che si può passare con mezzi linguistici a contenuti extralinguistici equivale all'abbandono di un discorso in qualche modo pieno di senso"[28]. In ultimo termine si arriva, come già percepiva Heidegger, al nichilismo. Come scrisse P. Grech, a conclusione di una sua esposizione sintetica della storia dell'ermeneutica, la teologia "ha bisogno di una epistemologia che presuppone non soltanto un'ontologia ma anche una metafisica per uscire dalla intersoggettività e raggiungere qualche forma di oggettivismo nel senso che questo ha nella filosofia perenne"[29].

---

[26] Cfr. C. GEFFRÉ, *Le christianisme au risque de l'interprétation*, Paris 1987; anche, di data più recente, *Croire et interpréter. Le tournant herméneutique de la théologie*, Paris 2001.

[27] Cfr. P. CODA, *Il ruolo della ragione nei diversi modelli teologici: verso un modello ermeneutico di teologia?*, in I. SANNA (ed.), *Il sapere teologico e il suo metodo*, Bologna 1993, p. 131. Cfr. anche in questo stesso volume i contributi, riguardanti l'ermeneutica, di A. AMATO, B. FORTE e G. MURA.

[28] A. KREINER, *Ende der Wahrheit?*, Freiburg 1992, p. 116; citato e commentato da J. RATZINGER, *Glaube, Wahrheit und Kultur. Reflexionen in Anschluss an die Enzyklika "Fides et ratio"*, in J. PRADES e J.M. MAGAZ (edd.), *La razón creyente. Actas del Congreso Internacional sobre la Encíclica "Fides et ratio"* (Madrid 16-18 febbraio 2000), Madrid 2002, pp. 10-11 (il testo è pubblicato in tedesco e in spagnolo). Nello stesso senso F. INCIARTE, *Hermenéutica y sistemas filosóficos*, in AA. Vv., *Biblia y hermenéutica*, o.c., pp. 89 ss.

[29] P. GRECH, *Ermeneutica*, in AA.Vv., *Dizionario di Teologia Fondamentale*, Assisi 1990, p. 392. Cfr. anche F. RUSSO, *Temi dell'ermeneutica del XX secolo*, in *Acta Philosophica* 8 (1999) pp. 251-268.

L'Enciclica *Fides et ratio* si pone espressamente la questione dell'ermeneutica, in due punti del capitolo finale, dove si occupa di ciò che qualifica come "esigenze e compiti attuali". Nel primo, tratta del linguaggio umano in generale, per mettere in luce che la crisi di fiducia nel linguaggio, che si può notare attualmente, ha la sua radice in una previa crisi di fiducia nella capacità della ragione di cogliere la verità. Di fronte a questo fenomeno – afferma – è necessario ribadire che "il linguaggio umano sia capace di esprimere in modo universale – anche se in termini analogici, ma non per questo meno significativi – la realtà divina e trascendente. L'interpretazione di questa Parola (vale a dire la parola della Rivelazione) non può rimandarci soltanto da interpretazione a interpretazione, senza mai portarci ad attingere un'affermazione semplicemente vera; altrimenti non vi sarebbe Rivelazione di Dio, ma soltanto l'espressione di concezioni umane su di Lui e su ciò che presumibilmente Egli pensa di noi"[30].

Il secondo punto è posto nel contesto del dialogo interculturale e più concretamente in quello dell'annuncio della fede cristiana alle diverse culture. Certamente – ricorda Giovanni Paolo II – Dio si rivelò ad un solo popolo e in un'epoca determinata e gli enunciati dogmatici sono stati formulati in momenti storici e in linguaggi anche determinati. Ciò nonostante hanno un valore che trascende la loro epoca: "le tesi dello storicismo non sono difendibili". La posizione coerente con la verità delle cose è, in effetti, quella di "un ermeneutica aperta all'istanza metafisica", che "permette di mostrare come, a partire dalle circostanze storiche e contingenti in cui sono maturati i testi, si arriva alla verità espressa in essi che va più in là di detti condizionamenti". Insomma, "con il suo linguaggio storico e circoscritto l'uomo può esprimere verità che trascendono l'evento linguistico"[31].

Nei testi appena citati, Giovanni Paolo II riafferma una gnoseologia di carattere realista. Più concretamente e precisamente, il fatto che l'uomo, nell'atto di conoscere, non solo percepisce apparenze ma attinge, in qualche modo, l'essere delle cose. Di qui due conseguenze, entrambe in relazione con l'ermeneutica e con la teologia:

---

[30] GIOVANNI PAOLO II, Enc. *Fides et ratio*, n. 84.
[31] *Ib.*, n. 95.

1. Il linguaggio che trasmette il conoscere e il pensare umani è permeato di quella verità della quale sono capaci il conoscere e il pensare. L'analisi dei testi non solo permette di carpire il loro significato e il loro senso, ciò che l'autore ha voluto dire, ma la verità che l'autore percepiva e che intendeva trasmettere. Non solo c'è senso, ma anche verità che può essere espressa e capita. La teologia presuppone, pertanto, non solo dei testi e le loro successive interpretazioni, ma la verità che in questi testi si enuncia e contiene. Con questa verità lavora la teologia e questa verità aspira ad approfondire, realizzando così la sua funzione di *intellectus fidei*.

2. La teologia, che presuppone la conoscenza e l'interpretazione dei testi biblici e dei documenti della tradizione e, pertanto, l'ermeneutica, è essa stessa ermeneutica, o, meglio, ha una funzione ermeneutica, giacché interpreta l'uomo e il mondo. Ma ha questa funzione non a prescindere e meno ancora mettendo in dubbio l'*intellectus fidei*, ma proprio in quanto è approfondimento nel sapere che la fede implica. Più concretamente non a prescindere dalla dimensione metafisica di questa intelligenza della fede, ma proprio in dipendenza da questa dimensione, giacché proprio perché può andare più in là dell'immediato e del descrittivo, la teologia è in condizione di mettere in luce la profondità del messaggio cristiano.

6. L'orizzonte metafisico della fede e dell'intelligenza della fede

Parlare di orizzonte metafisico significa affrontare una questione cruciale, riguardante non solo la fede e la teologia ma la totalità del pensiero umano, come la *Fides et ratio* ha evidenziato con particolare forza: "Di che cosa tratta fondamentalmente l'enciclica *Fides et ratio*?", si domandava il Cardinale Ratzinger in una conferenza di presentazione di questo documento. Della verità, rispondeva, proseguendo subito dopo: "La questione della verità è la questione essenziale della fede cristiana, e, in questo senso, la fede ha a che vedere inevitabilmente con la filosofia. Se dovessi descrivere brevemente l'intenzione ultima dell'enciclica, direi questo: riabilitare la questione della verità in un mondo segnato dal relativismo. Nella situazione della scienza attuale, che certamente cerca la verità ma che qualifica come non scientifica la questione della verità, l'enciclica vuole porre tale questione come attività razionale e scientifica, perché in caso contrario la fede perde l'aria nella quale respira. L'enciclica vorrebbe semplicemente animare di nuovo all'avventura della verità. In questo modo parla di ciò che sta più in là dell'ambito della fede, ma anche di ciò che sta al centro del mondo della fede"[32].

Il relativismo può avere radici e manifestazioni molto diverse. Tra di esse va sottolineata la concezione che riduce la realtà a apparenza o, detto in termini più esatti, la considerazione secondo la quale l'essere umano non trascende l'apparenza, sì che il linguaggio è puramente descrittivo e il discorso del pensare e del vivere umano è soggetto all'incessante mutabilità di quanto appare. Giovanni Paolo II, formato nel seno della fenomenologia, conosce bene la ricchezza che può raggiungere un metodo basato sulla descrizione, ma anche il limite che questo metodo implica se lo si interpreta in modo esclusivo e riduttivo, e perciò afferma con nitidezza la portata metafisica della conoscenza umana. L'uomo all'aprirsi alla realtà non percepisce solo il suo apparire, il fenomeno, ma anche che esso abbraccia, per quanto imperfettamente, l'essere. L'uomo non solo percepisce, ma legge dentro (*intus-legit*) gli esseri. E questa valenza metafisica del conoscere deve conservarsi, ancora di più purificarsi, nel passare dal livello della conoscenza spontanea a quello del pensiero riflesso e del procedere scientifico. Di qui la frase che Giovanni Paolo II ha impiegato con frequenza e che ripete nella *Fides et ratio*: "è necessario andare dal fenomeno al fondamento"[33].

Concretamente, gli scritti biblici narrano degli avvenimenti, una storia, ma si tratta di una storia nella quale e attraverso la quale si fa conoscere la nostra salvezza; più radicalmente, Dio stesso, che è inseparabilmente nostro salvatore e nostra salvezza[34]. Verso questo nucleo deve, quindi, dirigersi la teologia in quanto scienza, in modo che "il vero centro della sua riflessione sarà la contemplazione stessa del mistero del Dio Trino"[35].

La teologia, per contribuire effettivamente all'approfondimento del contenuto della fede, deve ricorrere al livello della fondamentazione e per-

---

[32] J. RATZINGER, *Glaube, Wahrheit und Kultur*, o.c., pp. 2-4 e 3-5.
[33] GIOVANNI PAOLO II, Enc. *Fides et ratio*, n. 83.
[34] Cfr. *ib.*, n. 94.
[35] *Ib.*, n. 93.

tanto della metafisica: "La Parola di Dio fa continui riferimenti a ciò che oltrepassa l'esperienza e persino il pensiero dell'uomo; ma questo 'mistero' non potrebbe essere rivelato, né la teologia potrebbe renderlo in qualche modo intelligibile, se la conoscenza umana fosse rigorosamente limitata al mondo dell'esperienza sensibile. La metafisica, pertanto, si pone come mediazione privilegiata nella ricerca teologica. Una teologia priva dell'orizzonte metafisico non riuscirebbe ad approdare oltre l'analisi dell'esperienza religiosa e non permetterebbe all'*intellectus fidei* di esprimere con coerenza il valore universale e trascendente della verità rivelata"[36]. Affermare che la teologia possiede una dimensione metafisica non significa alludere ad una caratteristica periferica o accidentale, né optare per un'impostazione più o meno valida ma in fin dei conti opzionale, ma fare riferimento ad una delle sue dimensioni essenziali. La teologia si costituisce, in effetti, nella misura in cui, passando dai momenti descrittivi e analitici, si confronta decisamente e frontalmente con la verità basilare della quale l'atteggiamento credente vive – la verità di Dio manifestata in Cristo e comunicata alla Chiesa – e contribuisce, in questo modo, a manifestare la profondità dell'universo che svela la fede.

Certamente il linguaggio metafisico non esaurisce la ricchezza infinita della vita divina, e in questo senso una teologia narrativa che si pone dinanzi ai fatti, alle situazioni e alle esperienze, con la grande capacità evocativa che le realtà concrete possiedono, ha ragion d'essere, ma a condizione che questa narrazione si apra alla profondità del reale che attraverso quei fatti, quelle esperienze e quelle situazioni si manifesta. L'istanza metafisica, il riconoscimento della valenza metafisica del nostro conoscere e del nostro narrare, superando la tentazione dell'agnosticismo, situa la teologia dinanzi alla realtà considerata in tutta la sua ricchezza e, di conseguenza, dinanzi alla verità che implica l'annuncio della comunione tra Dio e l'uomo che informa tutto il cristianesimo.

---

[36] GIOVANNI PAOLO II, Enc. *Fides et ratio*, n. 83. "Se tanto insisto sulla componente metafisica – aggiunge Giovanni Paolo II – è perché sono convinto che questa è la strada obbligata per superare la situazione di crisi che pervade oggi grandi settori della filosofia" (*ib.*).

7. La mediazione metafisica nella teologia sistematica

La riflessione speculativa e sistematica sulla Parola di Dio accolta nella fede richiede necessariamente una mediazione filosofica: "ha bisogno della filosofia come interlocutrice per verificare l'intelligibilità e la verità universale dei suoi asserti"[37].

Il rapportarsi all'esperienza, proprio della teologia contemporanea, non deve significare l'abbandono della mediazione metafisica. E, allo stesso tempo, muoversi in una prospettiva metafisica non deve comportare nella teologia una rinuncia a quanto di esperienziale c'è nella fede e nella vita cristiana e neanche non tener conto del rapporto tra la fede e le culture[38], anche perché la stessa esperienza e ogni cultura hanno una dimensione metafisica.

L'apporto della filosofia, e, più concretamente, della metafisica, ha avuto nella storia un influsso decisivo non solo nell'*intellectus fidei* ma anche nella stessa *professio fidei*, mediante una progressiva precisazione di concetti e termini d'origine filosofica, fin dal magistero dei primi Concili ecumenici. Si ricordi, ad esempio, l'inclusione del termine *homoousios* nel Simbolo di Nicea e la posteriore storia della crisi ariana. Tuttavia tale incontro della fede cristiana con la filosofia greca non rappresentò quella *ellenizzazione del cristianesimo* ipotizzata da Harnack e ripetuta da alcuni anche ai nostri giorni. In realtà, come è ben noto, i Padri e i Concili operarono una profonda correzione del pensiero greco, per essere fedeli alla Rivelazione ed approfondirne la conoscenza.

L'orizzonte metafisico, proprio perché è connaturale alla ragione umana, è necessario per l'*auditus fidei* e di conseguenza per la *professio fidei*. Ma l'*intellectus fidei*, inteso come approfondimento speculativo e sistematico della fede accolta e professata, ha bisogno non solo dell'orizzonte metafisico ma anche della metafisica come scienza filosofica. Ma, di quale metafisica si tratta? La domanda non è superflua, anzi è del tutto necessaria, perché esiste un pluralismo assai radicale sul modo di intendere la filosofia e più concretamente la metafisica[39].

---

[37] *Ib.*, n. 77.

[38] Cfr. A. BLANCO – A. CIRILLO, *Cultura e teologia. La teologia come mediazione specifica tra fede e cultura*, Milano 2001.

[39] Cfr. A. RODRÍGUEZ LUÑO, *Pensiero filosofico e fede cristiana*, in *Acta Philosophica* 9 (2000) pp. 33-57.

La stessa natura della Rivelazione, in particolare le sue dimensioni storica e veritativa, ci mostra che lo sviluppo dell'*intellectus fidei*, inteso come teologia speculativa e sistematica, richiede una filosofia dell'essere che sia in continuità con la comune conoscenza umana; conoscenza che è presupposto necessario per accogliere la Parola di Dio (per l'*auditus fidei*) e che ha dimensione metafisica perché è costitutivamente aperta all'essere[40].

Come leggiamo nella *Fides et ratio*, "È necessario che la ragione del credente abbia una conoscenza naturale, vera e coerente delle cose create, del mondo e dell'uomo, che sono anche oggetto della Rivelazione divina; ancora di più, essa deve essere in grado di articolare tale conoscenza in modo concettuale e argomentativo. La teologia dogmatica speculativa, pertanto, presuppone ed implica una filosofia dell'uomo, del mondo e, più radicalmente, dell'essere, fondata sulla verità oggettiva"[41].

A queste esigenze risponde meglio di qualsiasi altra la metafisica di San Tommaso d'Aquino; da qui la raccomandazione che di essa ha fatto il Magistero della Chiesa, incluso il Vaticano II, e che è stata riproposta parecchie volte da Giovanni Paolo II, con ampiezza e profondità di trattazione[42]. San Tommaso, afferma Giovanni Paolo II, "proprio perché alla verità mirava senza riserve, nel suo realismo seppe riconoscerne l'oggetti-

---

[40] Cfr. C. CARDONA, *Metafísica de la opción intelectual*, Madrid 1973, pp. 261-283.

[41] GIOVANNI PAOLO II, Enc. *Fides et ratio*, n. 66. E più avanti: "Una filosofia radicalmente fenomenista o relativista risulterebbe inadeguata a recare questo aiuto nell'approfondimento della ricchezza contenuta nella Parola di Dio. La Sacra Scrittura, infatti, presuppone sempre che l'uomo, anche se colpevole di doppiezza e di menzogna, sia capace di conoscere e di afferrare la verità limpida e semplice. Nei Libri Sacri, e in particolare nel Nuovo Testamento, si trovano testi e affermazioni di portata propriamente ontologica. Gli autori ispirati, infatti, hanno inteso formulare affermazioni vere, tali cioè da esprimere la realtà oggettiva. Non si può dire che la tradizione cattolica abbia commesso un errore quando ha compreso alcuni testi di san Giovanni e di san Paolo come affermazioni sull'essere stesso di Cristo. La teologia, quando si applica a comprendere e spiegare queste affermazioni, ha bisogno pertanto dell'apporto di una filosofia che non rinneghi la possibilità di una conoscenza oggettivamente vera, per quanto sempre perfezionabile. Quanto detto vale anche per i giudizi della coscienza morale, che la Sacra Scrittura suppone poter essere oggettivamente veri" (*ib.*, n. 82; cfr. anche il n. 83).

[42] Cfr., specialmente, *Fides et ratio*, nn. 43-45 e 57-58. Molte altre volte prima dell'Enciclica *Fides et ratio*, Giovanni Paolo II aveva trattato della validità permanente della metafisica di San Tommaso: cfr. L. CLAVELL, *L'attualità della filosofia dell'essere: l'invito di Giovanni Paolo II a studiare Tommaso d'Aquino*, in *Acta Philosophica* 5 (1996) pp. 5-20.

vità. La sua è veramente la filosofia dell'essere e non del semplice apparire"[43]. Anche per questo, commenta lo stesso Pontefice, "nella sua riflessione (di San Tommaso), l'esigenza della ragione e la forza della fede hanno trovato la sintesi più alta che il pensiero abbia mai raggiunto, in quanto egli ha saputo difendere la radicale novità portata dalla Rivelazione senza mai umiliare il cammino proprio della ragione"[44].

Naturalmente, raccomandare i punti centrali di questa metafisica – e assecondare tale raccomandazione – non significa assumere *tutto* San Tommaso né *soltanto* San Tommaso[45]. Si tratta piuttosto di sviluppare un *tomismo essenziale*[46], di approfondimento della radicale apertura filosofica verso l'essere e, in conseguenza, alla verità, che San Tommaso realizzò nel capire il significato profondo dell'opposizione platonico-aristotelica e superarla, non mediante un semplice concordismo, ma attraverso una sintesi originale, che ha nella nozione metafisica di "atto di essere" (*esse*, *actus essendi*) la sua pietra angolare, il suo centro, e che, proprio per questo, è costitutivamente aperta a ogni altro apporto che conduca a conoscere meglio la realtà[47].

Per accennare brevemente ad alcuni aspetti di questa metafisica, possiamo ricordare che l'*atto di essere*, così come ci è presentato da San Tommaso, è l'atto di ogni altro atto, l'unico atto che s'impone nella sua realtà senza un proprio contenuto formale, e perciò senza limiti, perché l'*atto di essere* non ha un'essenza, ma è l'essenza ad avere l'*atto di essere*. "L'*esse* è l'atto, senz'aggiunta; nelle cose finite, nella natura e nell'anima, l'*esse* è l'atto attuante e quindi il sempre presente e presentificante. La 'presenza del presente' heideggeriana è una denominazione fenomenologica astratta, l'*esse* tomistico è il concreto atto metafisico di ogni concretez-

---

[43] GIOVANNI PAOLO II, Enc. *Fides et ratio*, n. 44.

[44] *Ib.*, n. 78.

[45] Così si esprimeva San Josemaría: cfr. F. OCÁRIZ, *Josemaría Escrivá de Balaguer y la teología*, en *Scripta Theologica* 26 (1994) p. 984.

[46] Secondo la nota espressione di Cornelio Fabro: cfr. C. FABRO, *San Tommaso di fronte al pensiero moderno*, in AA. Vv., *Le ragioni del tomismo*, Milano 1980, pp. 90-95.

[47] Si possono ricordare, in questo senso, gli studi rivolti ad assumere all'interno di una prospettiva metafisica tomista gli apporti validi della fenomenologia: cf. specialmente K. WOJTYŁA, *Persona e atto*, Città del Vaticano 1982 (originale polacco del 1969).

za"[48]. Infatti, "l'essere di Heidegger, come quello di San Tommaso, non è né fenomeno, né noumeno, né sostanza, né accidente, è atto semplicemente: ma mentre l'essere heideggeriano è dato nel fluire del tempo per la coscienza dell'uomo, l'essere tomistico esprime la pienezza dell'atto che si possiede per essenza (Dio) o che riposa (*quiescit*) nel fondo di ogni ente come l'energia primordiale partecipata che lo sostiene sul nulla"[49].

Dalla nozione di "atto di essere" nella sua reale distinzione dall'essenza, è inseparabile la nozione di partecipazione che comprende un'ampia gamma di realtà. Infatti, partecipare non è soltanto il *partem capere* suggerito dall'etimologia latina diretta, ma anche il *partialiter habere* e, inoltre, l'*habere cum alio*, il *communicare cum aliquo in aliqua re* che ci rimanda al greco *koinonía*, vale a dire comunione.

La fecondità filosofica di questa concezione metafisica è notevole, soprattutto nella teologia naturale e nell'antropologia. Si pensi, ad esempio, alla profondità con la quale viene percepita la libertà come proprietà radicale dello spirito, proprio perché avendo l'atto di essere da se stesso – e non dalla sua unione con la materia – è in grado di agire anche da se stesso, ed essere quindi libero, essere *causa sui*, secondo la forte espressione di San Tommaso ispirata ad Aristotele[50].

La fecondità teologica di questa metafisica non è minore della sua fecondità filosofica, sebbene sia ancora molto meno sviluppata. Ad esempio, possiamo ricordare due questioni di speciale importanza. L'una è l'approfondimento sul mistero dell'unità della Persona (e dell'essere) di Cristo, evitando tanto il monofisismo in una qualsiasi delle sue forme, quanto il nestorianesimo ancora oggi presente in talune "cristologie non-calcedoniane". Il secondo è l'approfondimento del mistero del soprannaturale, vale a dire la partecipazione della divinità nelle creature spirituali – *koinonoi* della natura divina (cfr. *2 Pt* 1, 4) –, con l'approfondimento che ciò comporta anche circa il mistero della Trinità nel suo donarsi a noi in Cristo per lo Spirito Santo[51].

---

[48] C. FABRO, *Partecipazione e causalità*, Torino 1960, p. 66.

[49] *Ib.*, p. 40.

[50] S. TOMMASO D'AQUINO, *De Malo*, q. 6, art. unico. Cfr. L. CLAVELL, *Metafisica e libertà*, Roma 1996, pp. 173-180.

[51] Sulla fecondità, nell'antropologia soprannaturale, delle nozioni tomiste di "atto di essere" e di "partecipazione", cfr. F. OCÁRIZ, *Natura, grazia e gloria*, Roma 2002, pp. 65-116.

La nozione di partecipazione, infatti, "è in grado di aiutare ad approfondire speculativamente lo studio della natura e della persona, della grazia e della gloria, perché permette di cogliere l'atto di essere della persona umana come partecipazione dell'Essere divino, come *mediante trascendentale* tra il finito e l'Infinito, e punto di comunicazione tra il naturale e
il soprannaturale"[52]. Questa "comunicazione" nell'essere, tra il naturale e
il soprannaturale – che non esclude la novità e gratuità della salvezza – è
radicata nel fatto che "la Parola che ha creato tutte le cose è la medesima
Parola che interpreta il significato della storia e ne guida il corso degli
eventi verso il suo compimento salvifico"[53].

Naturalmente, "un 'tomismo essenziale' trascende qualsiasi sistema
chiuso o 'figura storica' particolare, compresa quella stessa di san Tommaso nei punti in cui essa resta legata ai limiti della cultura del suo tempo"[54], e non va concepito come una dottrina ormai compiuta da applicare nella riflessione teologica. Si tratta piuttosto di un compito aperto, per
il quale San Tommaso ci offre punti di partenza di inestimabile valore.
Inoltre, questo compito mi sembra che non sia da intendere come esclusivo dei filosofi, come se la teologia dovesse attendere che i filosofi svilup-
pino questa metafisica, affinché sia poi adoperata come strumento dai teologi. Senza negare l'autonomia della filosofia come scienza, penso che sia
giusto e importante considerare che non si tratta tanto di adoperare uno
strumento elaborato fuori della teologia quanto della necessità di un "filo-
sofare nella teologia"[55]; infatti, è stata e continua ad essere la *fides quaerens intellectum* a dare l'impulso e porre le domande filosofiche che
potranno contribuire a sviluppare questa metafisica aperta ad ogni espressione dell'essere e quindi della verità.

In ogni caso, nell'impegno di approfondimento del contenuto della
fede, è necessario mantenere la viva coscienza del mistero, che costituisca
uno sprone permanente verso una contemplazione adorante: "La fede e la

---

[52] J. RATZINGER, *Prologo* a F. Ocáriz, *Natura, grazia e gloria*, o.c., p. 15.

[53] G. TANZELLA-NITTI, *La teologia, discorso su Dio e annuncio del mistero*, in *Annales Teologici* 10 (1996) p. 510.

[54] C. FABRO, *San Tommaso davanti al pensiero moderno*, o.c., p. 90.

[55] Cfr. R. FISICHELLA, *Oportet philosophari in theologia* (I-III), in *Gregorianum* 76 (1995) pp. 221-262, 503-534, 701-728.

ragione sono come le due ali con le quali lo spirito umano s'innalza verso la contemplazione della verità. È Dio ad aver posto nel cuore dell'uomo il desiderio di conoscere la verità e, in definitiva, di conoscere Lui perché, conoscendolo e amandolo, possa giungere anche alla piena verità su se stesso (cfr. *Es* 33,18; *Sal* 27 [26],8-9; 63 [62],2-3; *Gv* 14,8; *1 Gv* 3,2)"[56].

---

[56] GIOVANNI PAOLO II, Enc. *Fides et ratio*, n. 1.

Esegesi biblica e teologia

Prosper Grech

L'ascolto della Parola provoca nell'ascoltatore un assenso ovvero un dissenso. Per prestare un assenso razionale, però, bisogna che si capisca bene il senso del messaggio che si trasmette. Questo è il compito dell'esegesi. Inoltre bisogna valutare la ragionevolezza di un assenso e la sua rilevanza esistenziale. Una volta accettata la chiamata, diventa necessaria una riflessione per approfondirne l'intelligenza, perché si possa percepire sia la logica interna della Parola, sia il suo nesso con altre idee e presupposizioni già esistenti nella mente del credente. Questa è teologia. Fine di questo lavoro è studiare lo svolgimento di tale processo nella comunità primitiva cristiana, isolare i fattori che contribuirono a tale sviluppo, e quindi trarre dei corollari che possano essere utili per la metodologia teologica contemporanea.

La fede d'Israele riflessa nell'Antico Testamento era fondata sull'esperienza dei prodigi operati da Dio nella storia del popolo ebreo. La fede dei primi credenti cristiani aveva come fondamento la semplice narrazione di vita, opere, morte e risurrezione di Gesù di Nazaret. Questo non era un semplice racconto impersonale, proveniva da un'intima esperienza dei fatti che costituiva l'anima del *kerygma*; difatti, i Vangeli non sono un puro resoconto, ma l'interpretazione di un'esperienza: chiamiamoli una *haggada* cristiana. Un'esperienza è qualcosa di preconcettuale, e deve essere tradotta in linguaggio per essere comunicata. Nessuna meraviglia, dunque, che l'esperienza dei primi cristiani sia stata espressa nel linguaggio dell'Antico Testamento, dei rabbini, del giudaismo ellenistico e della cultura greca contemporanea, ma il suo contenuto completamente nuovo ruppe gli otri vecchi delle espressioni veterotestamentarie, poiché la nuova realtà oltrepassava anche l'immaginazione dei profeti.

La risposta al *kerygma* era la confessione di fede. Queste confessioni consistevano di formule brevi, come "Tu sei il Cristo" (Mc 8,29), "Gesù è il Signore" (1Cor 12,3), "Mio Signore e mio Dio" (Giov 20,28). Una professione di fede non è né una conclusione logica del pensiero umano, né una sintesi del pensiero teologico: da asserzioni neotestamentarie come Mt 10,19; 16,18 e 1Cor 12,3 esse risultano come dettate dallo Spirito Santo ovvero dal Padre. Inoltre, esse precedono, non seguono, la riflessione teologica. Le avremmo avute anche se non avessimo avuto il Nuovo Testamento, perché insieme, più tardi, costituiranno la *regula fidei* e poi il Credo; la regola della fede, infatti, vivrà nella tradizione e sarà uno dei criteri per l'ammissione di un libro nel canone del Nuovo Testamento. Seguendo l'ordine dell'argomentazione retorica classica, con le confessioni di fede si passa dalla *narratio* alla *propositio* per poi raggiungere la *argumentatio*.

Abbiamo chiamato i racconti dei Vangeli un'*haggada* cristiana. Ciò accadde perché molto presto la vita terrena di Gesù divenne un paradigma della persona e dell'attività del Cristo risorto. Infatti, la confessione di Pietro "Tu sei il Cristo" acquista un significato più ricco quando la comunità postpasquale la indirizza al Signore risorto; quindi, lo svolgimento stesso degli avvenimenti approfondisce l'esperienza della potenza di Cristo e, conseguentemente, anche la sua espressione teologica. Inoltre, nel passaggio dell'annuncio dall'ambito linguistico aramaico a quello greco, il vocabolario, sia del *kerygma* sia delle confessioni di fede, acquista risonanze nuove. Per un greco, *ho Kyrios* dice qualcosa più di *mar*; *christos,* l'unto, ha poco senso nel mondo greco e presto diventa un nome proprio; così *soter* richiama idee politiche e sociali non presenti nell'ebraico. Questa osmosi linguistica prelude all'inculturazione della teologia cristiana nelle diverse società, in un rapporto di arricchimento reciproco.

Inoltre, non è soltanto la storia di Gesù a diventare oggetto di riflessione nella Chiesa primitiva, ma anche gli avvenimenti nella medesima comunità sollecitano ad una meditazione più profonda. L'entrata dei gentili nella Chiesa, il rifiuto di credere da parte dei giudei, l'espansione del Vangelo e le reazioni dei giudeocristiani forniscono il materiale per la teologia degli Atti degli Apostoli. Ciò significa che la stessa storia della Chiesa diventa un *locus theologicus* per il pensiero teologico. Gli argomenti apportati da Pietro e Paolo nel cosiddetto Concilio di Gerusalemme sono basati sull'esperienza missionaria di questi stessi apostoli e sugli avvenimenti operati dallo Spirito, che guidava sia l'evangelizzazione sia lo svolgimento della storia della Chiesa.

La teologia dei primi cristiani sgorga quindi dall'autocoscienza della comunità. Nonostante la contestazione da parte dei giudei, la Chiesa non si è mai sentita distaccata da Israele, era convinta che essa ne fosse la continuazione e l'erede legittima delle promesse fatte ai patriarchi e ai profeti. La parola "compimento", usata così spesso nel Nuovo Testamento, significa il raggiungimento della perfezione della storia salvifica iniziata con Israele. Perciò, l'ecclesiologia presuppone una "israelogia", riletta alla luce dei recenti avvenimenti cristologici: i modelli del comportamento di Dio con Israele vengono elevati e reinterpretati per illustrare la relazione della nuova comunità con il Padre.

La risposta al *kerygma* non si limita alle professioni di fede, essa viene incarnata nella vita morale e nel culto dei cristiani. Il sunnominato incontro gerosolimitano aveva decretato che la Legge mosaica, nel senso delle pratiche dell'istituzione israelitica, non era più necessaria per i cristiani. Ciò non significa che questi erano esenti dalla legge morale: l'insistenza di Gesù sull'osservanza dei comandamenti non era stata dimenticata; però, come per l'antico Israele l'osservanza dei comandamenti esprimeva la risposta di gratitudine del popolo per il dono dell'alleanza, così, anche nel Nuovo Testamento, la rettitudine di vita morale è la risposta del credente alla grazia di Dio offertagli in Cristo. Le parabole di Gesù, difatti, avevano detto poco sulla natura del Regno di Dio, ma avevano illustrato bene la qualità di risposta richiesta da Dio per accogliere il Regno. La condotta esterna di un buon cristiano forse non differiva tanto da quella di un buon israelita ovvero di uno stoico serio, ma le motivazioni del suo comportamento erano ben diverse. Le ragioni offerte da Paolo per il comportamento dei cristiani, benché qualche volta abbastanza umane, sono principalmente cristologiche, ecclesiologiche ed escatologiche: basta ricordarsi degli argomenti che egli offre ai Corinzi in 1Cor 6 perché non frequentino le prostitute. Inoltre, se Gesù, nel sermone della montagna, aveva preteso dai suoi seguaci molto di più di ciò che era stato richiesto dalla legge,

ciò lo fece per la semplice ragione che, poiché l'opera salvifica di Dio
aveva raggiunto il suo culmine, la risposta doveva essere proporzionata
alla grazia. I problemi etici e pastorali che mano mano sorgevano nella
Chiesa, dunque, fornivano l'occasione per approfondire la teologia della
redenzione ed applicarla alla vita quotidiana.

Per quanto riguarda il culto, quello d'Israele era centrato sul tempio:
la legislazione israelitica era in gran parte di natura rituale, basata sulle
categorie del puro e dell'impuro. Il nuovo culto "in spirito e verità" ha
come centro il corpo di Cristo risorto (Giov 2,19; 4,23). Il nuovo tempio
è costruito da pietre vive (1Pt 2,4-9) e i cristiani devono offrire i loro
corpi come sacrificio vivente a Dio gradito insieme a quello di Cristo stesso (Rom 12,1ss). La Lettera agli ebrei offre un'ottima illustrazione della
trasformazione del culto cristiano per mezzo del sacerdozio eterno di
Cristo. Inoltre, gli inni cristologici del Nuovo Testamento provengono
dall'ambiente cultuale; era in queste circostanze che la *lex orandi* diventa
lex credendi, e viceversa. È interessante osservare, però, che se non fossero sorti gravi abusi a Corinto, non avremmo avuto alcuna testimonianza
che nelle comunità paoline si celebrava l'eucaristia; ciò dimostra la scar-
sezza delle nostre fonti per la conoscenza della vita dei primi cristiani e
invita alla prudenza nei nostri giudizi storici.

Fonte della teologia dei primi cristiani è anche la persecuzione da
parte degli ebrei e dei pagani, sofferta in nome di Cristo. Con la scomu-
nica dalla sinagoga per mezzo della *birkat ha-minim*, i cristiani si sentono
ripudiati dal giudaismo: la conseguente controversia tra Chiesa e sinagoga
riflessa in Giov 5,7,8 e 9, come quella di Paolo in Rom e Gal, sviluppa
l'aspetto apologetico della teologia cristiana.

La persecuzione da parte pagana ha inizio quando lo stato comincia
ad accorgersi che i cristiani non facevano più parte del giudaismo e quindi non godevano più dei privilegi concessi dagli imperatori ai giudei.
Gesù aveva già predetto tali persecuzioni e aveva esortato a portare la
croce dietro a lui, perciò Paolo si vanta di "completare nella sua carne
quello che manca ai patimenti di Cristo, a favore del suo corpo, che è la
Chiesa" (Col 1,24). Inoltre, se osserviamo il modo di raccontare i processi dei cristiani negli Atti degli Apostoli, constatiamo che Luca usa spesso
frasi che richiamano la passione di Gesù per indicare che la passione della
Chiesa è continuazione di quella del Maestro stesso.

In ultima analisi, i patimenti della Chiesa provenienti da giudei e
pagani contribuiscono a chiarirne l'autocoscienza. Più dolorose, invece,
sono le divisioni all'interno della comunità, divisioni che provengono
qualche volta da spirito di partito o, peggio, da errori dottrinali. In questo
periodo è difficile parlare di eresia nel senso odierno della parola. A
Corinto c'erano dei partiti e Paolo si appella all'unità di Cristo per ricom-
porli (1Cor 1,10-17); è in questa epistola che incontriamo la prima sco-
munica nella storia (1Cor 5,5). Nel capitolo 15, l'Apostolo si riferisce alla
sua predicazione originaria e ad argomenti *ab absurdo* per rimproverare
interpretazioni errate della risurrezione del corpo. Per correggere l'errore
in cui erano caduti i galati, Paolo deve fare appello, oltre che alla
Scrittura, alla sua autorità apostolica (1,8), all'autorità del concilio di
Gerusalemme (c.2) e alla testimonianza dello Spirito (3,2): tutto affinché il
kerygma della croce di Cristo non venga vanificato. Inni e confessioni di
fede sono citati nelle epistole ai colossesi e agli ebrei per combattere
l'errore in cui cadde qualcuno, e cioè che Cristo sarebbe stato soltanto un
sommo angelo. Nelle lettere pastorali è il *depositum fidei* che viene invocato (1Tim 6,20). In Giovanni, quando alcuni discepoli non vogliono camminare più con Gesù, è la confessione di Pietro che conferma la fede dei
discepoli (Giov 6,58-71), mentre nella sua prima lettera, Giovanni si
appella all'"unzione" (ciò che noi chiamiamo la testimonianza interna
dello Spirito Santo) o al *sensus fidelium*, per difendere i suoi lettori dalla
minaccia di uno scisma (1Giov 2,27). Inoltre, è interessante notare che
nella seconda lettera di Pietro è la tradizione petrina che riunisce insieme
la linea giudeocristiana, rappresentata dalla lettera di Giuda, con quella
paolina (3,14-15). Da tutto questo la Chiesa patristica trae la conclusione
che l'ortodossia si mantiene per mezzo della fedeltà al *kerygma*, all'autorità apostolica, alla Scrittura, alla *lex orandi*, al *depositum fidei,* ai concili e
alla tradizione petrina. Sono i medesimi criteri di cui fa uso anche la
Chiesa odierna per discernere la dottrina genuina cristiana da errori e da
eresie. L'eresia, però, non è un semplice errore nella fede, implica un elemento di ostinazione volontaria che spesso diventa la bandiera di un
gruppo che si distacca dalla comunità madre.

Per seguire ancora il modello retorico, dalla *propositio* siamo passati
all'*argumentatio* e alla *confutatio*, mentre abbiamo incontrato la *peroratio*
nelle sunnominate esortazioni morali e parenetiche.

Abbiamo accennato sopra all'osmosi linguistica intercorsa tra la formulazione del messaggio cristiano e l'ambiente culturale esterno, ebraico e greco. La teologia consiste nella riflessione della ragione sul dato rivelato. La teologia neotestamentaria, però, oggetto della nostra ricerca, è una riflessione di uomini la cui ragione è aiutata dallo Spirito, e il libro nel quale viene esposta presto diventerà esso stesso un dato rivelato e oggetto di riflessione presso teologi posteriori. Ciononostante, come il linguaggio kerigmatico è un linguaggio umano, così anche il modo di argomentare segue necessariamente la logica sia personale sia ambientale degli autori e degli ascoltatori, in modo da rendere intelligibile la comunicazione vicendevole. Non ci fa meraviglia, dunque, che qualche volta troviamo delle sequenze logiche difficilmente comprensibili nei discorsi sia di Gesù sia di Paolo, i quali facevano uso dell'*argumentatio* rabbinica da noi difficilmente comprensibile; anche i provenienti dalle cerchie essene o dalla sinagoga ellenistica avevano il loro modo di ragionare. In quanto al contenuto del discorso, il messaggio neotestamentario incorporava in sé stesso tutto ciò che con esso non era incompatibile. È difficile constatare influssi diretti della filosofia greca, eccetto quanto faceva già parte della mentalità popolare. Di conseguenza, certe espressioni protognostiche, che forse erano entrate nel discorso cristiano, devono essere filtrate e corrette più tardi quando cominciavano a causare delle ambiguità.

L'ultimo fattore che influenza lo sviluppo della teologia cristiana è l'escatologia, e in particolare il ritardo della parusia. Negli anni '40 Martin Werner scrisse che questo è stato l'unico fattore di sviluppo teologico, e più recentemente, anche Käsemann ha indicato nell'escatologia la madre della teologia cristiana. È vero che i primi discepoli di Gesù aspettavano un suo ritorno prossimo; ce ne sono cenni anche in Paolo, il quale si considerava tra coloro che sarebbero stati ancora vivi nella *parusia* (1Tess 4,17), ma con il passare del tempo si capisce che la Chiesa avrebbe dovuto prepararsi ad un lungo viaggio nella storia. La de-escatologizzazione che ha inizio in Luca e diventa chiara in Giovanni ne è testimone. Il libro degli Atti racconta sì la storia del passato, ma prepara i credenti anche per una lunga storia futura. Quando l'autore della seconda lettera di Pietro placa l'impazienza dei fedeli con l'argomento che mille anni per il Signore sono come un sol giorno (3,8), egli segna il termine dell'era apostolica, che è stata soltanto l'inizio, non la fine, del percorso della Chiesa nella storia.

Finora abbiamo perlustrato l'itinerario della teologia dei primi cristiani, per poter individuare i fattori che ne influenzarono lo sviluppo. Essi sono: l'annuncio del *kerygma*, le confessioni di fede, la traduzione dell'esperienza in un linguaggio ambientale, le prime riflessioni su questi formulari, ulteriori riflessioni sul percorso storico delle comunità, la risposta al Vangelo attraverso il comportamento morale e il culto, la presa di autocoscienza della Chiesa e il suo distacco dalla sinagoga, il confronto col mondo pagano, i conflitti dottrinali interni, i problemi pastorali delle singole chiese, l'osmosi linguistica nella inculturazione nel mondo del primo secolo e, in ultimo, la tensione escatologica.

Che ha a che fare tutto ciò col nostro tema: "esegesi e teologia"? Prima di rispondere a questa domanda bisogna chiarire certi elementi preliminari. Prima di tutto, il lavoro di riflessione teologica che hanno fatto gli autori del Nuovo Testamento sul *kerygma*, costituisce ora il nostro testo canonico, dunque, ispirato, del Nuovo Testamento. Abbiamo già accennato a questo fatto. L'elaborazione del dato rivelato compiuto dai primi cristiani, ora lo devono fare i teologi sul Nuovo Testamento, che presuppone tutto l'Antico. Ciò si fa partendo dall'esegesi del testo affinché, mediante quei fattori che abbiamo appena elencato, e altri che si sono aggiunti lungo la storia della teologia, possa emergere un pensiero teologico espresso in un linguaggio adatto alle circostanze attuali della comunità ecclesiale. Il progetto appare chiaro, ma l'attuazione incontra molte difficoltà, sia nella spiegazione del dato rivelato stesso, cioè nell'esegesi, sia nella storia della teologia così come si è sviluppata lungo i secoli.

Abbiamo detto che la teologia neotestamentaria è una riflessione sul *kerygma*. Molti autori moderni negano che ci sia stato un unico *kerygma* negli scritti del Nuovo Testamento, come aveva proposto C.H. Dodd. Anzi, Ernst Käsemann aggiunge che la pluralità di teologie nel Nuovo Testamento è il fondamento delle pluralità di confessioni nella Chiesa. Il problema è molto complesso e non si può discutere in questa sede. Possiamo dire però che spesso si confondono annuncio e teologia. È evidente che ci sono molte teologie nel Nuovo Testamento: quella paolina, giovannea, lucana, etc. Possiamo anche dire che l'annuncio fondamentale di Paolo, che troviamo in 1Cor 15, 1-11, differisce da quello di Atti 2 e da

Giov 3,11-21, e che le confessioni di fede in Giovanni sono più progredite di quelle che troviamo nei sinottici; ciononostante, non si può negare che tutti gli autori del Nuovo Testamento hanno come fondamento l'annuncio della persona, vita, morte e risurrezione di Gesù, e quello della necessità di credere che Egli è il Cristo, il Figlio di Dio, per conseguire il Regno. Le teologie dei diversi autori sorgono, oltre che dalle loro indoli personali, dalle circostanze delle loro chiese e dai problemi che vi si presentavano. Il fatto che col passare del tempo tutti questi scritti siano stati raccolti in un solo canone autorevole dotato di autorità apostolica, è dovuto al fatto che nessuno di questi libri conteneva niente che contraddicesse la *regula fidei,* la quale era non soltanto una sintesi della dottrina contenuta in questi documenti, ma la spina dorsale di una tradizione orale viva, proveniente dall'era apostolica e continuazione dell'unico *kerygma* di un'unica Chiesa.

Teologizzare, dunque, significa penetrare più a fondo nel significato della Parola ricevuta ed annunciata, per poter attuarla nella vita dei cristiani. I *loci teologici,* come nell'era apostolica, sono la Sacra Scrittura e la tradizione; questa tradizione si esplicita nella vita e nella vitalità della Chiesa stessa quando essa annuncia, insegna, prega, riflette sul suo passato, si santifica nei suoi fedeli e gode della presenza dello Spirito. La *Dei Verbum* ha chiarito abbastanza bene questo aspetto della tradizione. Il problema della teologia è come interpretare le fonti, perché nel corso dei secoli i metodi ermeneutici hanno avuto delle variazioni. I Padri della Chiesa usavano l'allegoria per le loro prediche, ma nelle loro discussioni teologiche interpretavano la Bibbia nel suo senso letterale. Oggi, però, parlare di senso letterale della Scrittura, con il metodo storico critico e altri metodi elencati nel documento della Commissione Biblica del 1993, è un processo assai differente. La stessa cosa vale per l'interpretazione dei dogmi, dei concili e del diritto: il problema sta nel fatto che l'ermeneutica si trova in continua evoluzione.

Spieghiamo meglio questo concetto. Già nell'Antico Testamento osserviamo un continuo processo di reinterpretazione. Un oracolo profetico viene riletto diverse volte, di tempo in tempo, per aggiornarlo alle circostanza del momento, affinché possa parlare ad ogni generazione. Chiave ermeneutica, dunque, sono le circostanze sociali, religiose e politiche di Israele in un certo momento storico; tale rilettura, però, richiede un altro profeta che dia un'interpretazione autentica dell'oracolo precedente. Quando il Nuovo Testamento rilegge l'Antico si attua lo stesso processo. Il primo testamento viene letto nella luce degli ultimi avvenimenti della storia della salvezza, cioè la venuta e l'opera di Cristo, e viene interpretato da uomini assistiti dallo Spirito Santo. Adesso, la storia salvifica si perpetua nella Chiesa, la quale, come ente storico, risente dei continui cambiamenti sociali, politici e ideologici dei tempi. Ciò non significa che la teologia o la dottrina della Chiesa debbano "adattarsi ai tempi" nel senso di un compromesso continuo con i *mores* e le idee contemporanei; significa, invece, che la società, in continua evoluzione, pone nuovi problemi alla Chiesa, i quali richiedono una risposta dal *depositum* ecclesiale, in modo che essa insegni senza tradire il senso autentico del dato tradizionale. L'ermeneutica ufficiale della Chiesa, dunque, viene portata avanti dai concili, dai sinodi e dai documenti del magistero, perché sono questi che hanno il "sigillo profetico" per la reinterpretazione delle fonti. Il lavoro preparatorio per questi documenti, però, spetta ai teologi; anche essi hanno un posto carismatico nella Chiesa, elencati come *didaskaloi* da Paolo. Inoltre, poiché un carisma deve essere gestito secondo lo Spirito che lo concede, fare teologia è inseparabile dalla vita di preghiera e dalla santità di chi conduce la ricerca: un concetto spesso sottolineato dalle Chiesa orientali. Ecco il senso del titolo di "dottore della Chiesa" concesso a tanti santi. Da ciò che abbiamo detto consta che la teologia è una continua esegesi della Scrittura, del dogma, della liturgia e della stessa storia della Chiesa: esegesi fondamentalmente letterale, ma principalmente ermeneutica nel senso che fa parlare i documenti del passato in un linguaggio comprensibile alla generazione presente.

Lo scopo di questo processo è il mantenimento dell'identità cristiana e cattolica della Chiesa. Essa è in uno stato di continua autodefinizione, così come lo era nei primi secoli. È ovvio che l'autocoscienza della Chiesa medievale in un'Europa prevalentemente cattolica differisce da quella odierna, in mezzo ad una società occidentale laica ed agnostica, ovvero da quella nei paesi musulmani, buddisti o indù. Ma l'autodefinizione non tocca l'essenza della Chiesa, bensì il suo compito in tempi e luoghi specifici. L'interrelazione tra ermeneutica teologica, magistero e *sensus fidelium* dà nuova vitalità ai testi della Scrittura e della tradizione, per far loro parlare il nuovo linguaggio inculturato in quelle comunità particolari.

Abbiamo detto che nella Chiesa apostolica compito della teologia è stato anche quello di correggere errori, dottrinali e morali, citandone alcuni esempi. Qualche volta Paolo e l'autore delle lettere giovannee intervennero con la loro autorità apostolica, ma per errori semplici correggevano i fedeli con argomenti teologici tratti, come abbiamo visto, dalla Scrittura, dalla ragione, dalla tradizione, dal *sensus fidelium*. Sarebbe auspicabile che anche oggi il magistero ecclesiale intervenisse il meno possibile nelle questioni teologiche e lasciasse spazio alla discussione tra teologi, che serve da mutua correzione.

Nel passato c'erano anche i corpi docenti delle università che agivano da censori, ma ciò richiede un senso maturo di responsabilità da una parte e di umiltà dall'altra. È capitato anche che è stato proprio il *sensus fidelium* e la pietà popolare a rimproverare e correggere i teologi: ricordiamo la controversia sulle icone, e l'agape sulla tomba dei martiri praticato da Monica e deriso da Agostino che più tardi invece se ne convinse! Ed è capitato anche che il costume liturgico abbia prevalso sulle opinioni teologiche, come nel caso della definizione dell'Immacolata Concezione.

Lo Spirito ha molti modi per additare la via che la Chiesa deve seguire. Da ciò risulta che il progresso teologico odierno è dovuto, oltre che ai teologi, qualche volta al magistero medesimo, come nel caso delle encicliche sociali, ma non di rado anche ai semplici fedeli in cui si manifesta lo Spirito.

Parola d'ordine nei nostri giorni è il dialogo, dialogo tra le differenti confessioni cristiane, tra la Chiesa e le religioni non cristiane e tra la Chiesa e il mondo. Non c'è bisogno di dire che nell'era apostolica non esistevano diverse confessioni nel senso odierno, e che tra Chiesa e paganesimo c'era opposizione, non dialogo. Possiamo parlare di controversia contro un giudaismo che non accettava il Cristo, anche se qualcuno la considera come una lunga discussione dentro il giudaismo medesimo. Il dialogo con la società contemporanea era di natura apologetica. È solo di recente che si è passato dalla controversia apologetica al dialogo, benché nella Chiesa Cattolica non lo si consideri come dialogo tra eguali. La nostra teologia del dialogo non è ancora chiara e bisogna che si approfondisca il concetto del *"give and take"* di un dialogo sincero.

L'ultimo fattore di sviluppo teologico che abbiamo menzionato, parlando della Chiesa apostolica, è stato la tensione escatologica. Con il ritar-

do della parusia comincia la de-escatologizzazione e, nonostante il fatto
che i Padri della Chiesa abbiano tutti sottolineato la fede nella risurrezione, poco a poco l'immortalità dell'anima le si è sovrapposta nella mente
dei fedeli. Oggi l'escatologia non include soltanto i novissimi. Essa
abbraccia tutto il senso della storia che la Chiesa è chiamata ad interpretare in modo profetico per condurlo ad un fine determinato, quello della
vittoria del Regno Dio sopra il male e la restaurazione di tutto il cosmo in
Cristo. Mi sembra che la lettera apostolica *Ecclesia in Europa* sia un gran
passo avanti in questo senso. È compito della teologia non soltanto elaborare più profondamente la natura della nostra speranza futura e della finalità della storia, ma anche, per mezzo di espressioni liturgiche e di una
catechesi continua, fissare questo concetto nella mente dei fedeli.

La comunità cristiana non può rimanere come una nave al largo, contemplando solamente la bellezza o la minaccia del mare circostante, deve
avere una chiara visione del porto d'arrivo e della rotta che deve seguire.
Una tale osservazione può sembrare fatua, ma la perdita della tensione
escatologica, del "già ma non ancora", nella coscienza dei credenti è una
delle principali ragioni per la mancanza di slancio di una Chiesa che forse
si è troppo accomodata a lasciarsi trascinare dalla storia invece di travol-
gerla con l'impeto della sua teleologia.

Abbiamo iniziato con la menzione del *kerygma*, come il dato rivelato
sul quale la riflessione elaborò la teologia protocristiana. Abbiamo anche
detto che questo *kerygma* è stato la base della *regula fidei*, e più tardi, del
Credo. Nell'era patristica la regola della fede era in continua crescita: conteneva non soltanto le nozioni bibliche ma anche la *lex orandi*, il *sensus
fidelium* e le decisioni dei concili. Possiamo dire che il *Catechismo della
Chiesa Cattolica* rappresenti lo stato odierno della regola della fede?
Questo catechismo, che ha captato benissimo lo spirito del Concilio
Vaticano II, è, come lo è ogni fotografia istantanea di un corpo in movimento, un'ottima base per la riflessione teologica, ma non dobbiamo
dimenticare che il dinamismo della Chiesa, particolarmente oggi che la
storia si muove con una velocità sconosciuta nel passato, richiederà dai
suoi scribi di trarre fuori continuamente *nova et vetera*.

Siamo arrivati al termine della nostra riflessione. Il nostro scopo è
stato quello di individuare i fattori che hanno spinto lo sviluppo della teologia o delle teologie del Nuovo Testamento e di domandarci quale rile-

vanza abbiano per lo sviluppo teologico odierno. Il presente tema, "esegesi e teologia", avrebbe potuto essere svolto in parecchi altri modi, come quello di studiare il problema della possibilità di una teologia del Nuovo Testamento, cosa che oggi viene negata da diversi esegeti. Ma non ho voluto parlare della teologia biblica, bensì della teologia delle prime comunità cristiane com'è riflessa negli scritti neotestamentari, con il suo continuo dinamismo, perché anche il Nuovo Testamento è una foto istantanea di un corpo in moto, che segna sia la direzione sia la metodologia della ricerca teologica odierna.

Chi dice che i manuali teologici sono la tomba della teologia non ha completamente torto. Spero di aver mostrato che la teologia è qualcosa di vivo, praticata costantemente da tutta la Chiesa, frutto di un continuo dialogo interno tra fede, ragione, santità, preghiera, pietà, insegnamento apostolico e confronto con la storia. Lo era dall'inizio e lo è ancora.

Impostazione metodologica
della teologia ortodossa

† Yannis Spiteris

È difficile parlare di una impostazione metodologica della teologia ortodossa. Non esiste "una" teologia ortodossa del ventesimo secolo, perché non esiste un'unica "Chiesa ortodossa", ma varie Chiese con le loro tradizioni e le loro specificità anche nella riflessione teologica e, specialmente, perché il metodo della teologia ortodossa è quello di non avere metodo. D'altra parte non esiste una teologia ortodossa *ufficiale* del periodo postconciliare, perché dai tempi dei grandi Concili ecumenici non esiste più nelle Chiese ortodosse un magistero vivo che proponga una dottrina ufficiale. Tuttavia possiamo intravedere alcuni principi che ispirano la teologia ortodossa nell'epoca di Bisanzio e nell'epoca contemporanea.

1. Ai tempi di Bisanzio

1.1. *Una teologia basata sull'autorità dei Padri*

La teologia bizantina ha una spiccata predilezione per i Padri, si basa soprattutto sulla loro *autorità*, l'elemento patristico ne domina tutte le controversie. Una dottrina è tanto più provata quanti più testi patristici si potranno addurre in suo favore, la discussione e la confutazione dialettica non assumono in questo contesto che un ruolo secondario. Di qui quell'abbondanza di testi patristici nei trattati teologici e soprattutto in quelli polemici. Per questa ragione intere opere teologiche si pubblicano sotto il nome di un padre illustre per dare ad esse più autorità, come pure testi autentici patristici sono dichiarati non autentici perché contrari alla propria tesi. Si citano pochissimo i Padri latini e si fa uso quasi esclusivo di quelli greci. Questo è dovuto, oltre al fatto che essi non sono conosciuti, anche all'orgoglio nazionalista dei greci, i quali si sentivano i diretti successori dei Padri, poiché essi appartenevano alla loro cultura, avendo scritto le loro opere nella lingua parlata da quei teologi. Il fatto che essi basino la loro teologia in prevalenza sull'autorità dei Padri, impedirà alla teologia bizantina di svilupparsi lungo i secoli e di presentare qualcosa di nuovo. Di qui proviene anche il famoso "tradizionalismo" della teologia bizantina: essa vuole essere tradizionalista a costo di copiare alla lettera i Padri senza che per questo si fosse considerati dei plagiari[1]. Si dovrà aspettare sino al XIV sec., con Gregorio Palamas, per incontrare qualcosa di nuovo in campo teologico, ma anche lui sentirà il bisogno di fare dire ai Padri le sue teorie teologiche. D'altra parte i teologi bizantini non intendevano mai "dire qualcosa di nuovo" anche quando, come è il caso di Palamas, effettivamente esiste in essi una "novità". Il loro sforzo sarà quello di provare che loro ripetono fedelmente l'insegnamento dei Padri della Chiesa.

1.2. *Una teologia fortemente polemica*

Si può affermare che gran parte della teologia bizantina nacque in occasione di eresie e di tentativi teologici considerati fuorvianti dalla ortodossia tradizionale. È questo il motivo per cui la teologia bizantina possiede un marcato taglio polemico. «Questa polemica, afferma H.-G. Beck, si delizia di un sistema riduttivo che subito riconduce ogni concetto originale ad un eresiarca, per esempio ad Ario, Sabellio od Eunomio, spingendolo così a priori vicino a quanto "per tradizione" andava rigettato. Il margine di manovra del pensiero teologico diviene in tal modo sempre

---

[1] «Il tradizionalismo era alla base della concezione bizantina del mondo e il pensiero umano non era orientato alla creatività ma alla sottomissione nei confronti dell'autorità. "Non amo nulla di ciò che è mio" era la parola d'ordine proclamata da Giovanni Damasceno, tipica non solo della sua ideologia, ma di quella di tutto il pensiero medioevale. L'appello all'autorità sembrava in quel periodo molto più importante dell'appello alla ragione; riprendere l'opera altrui e, se quest'opera era devota, raccontarla, non era considerato un plagio ma un notevole merito; le citazioni avevano il valore delle argomentazioni nelle discussioni». A.P. Kazhhdan, *Bisanzio e la sua civiltà*, Bari 1995, 86.

più ristretto ed il gusto di cimentarvisi viene mostruosamente strangolato, in quanto dietro ogni frase di polemica si cela non tanto la forza del pensiero, quanto piuttosto la minaccia dell'anatema della Chiesa e del bando da parte della società»[2]. È per questo motivo che la teologia bizantina, in genere, non ha quella forza interiore che troviamo nelle opere dei Padri greci dei primi secoli. In genere, i teologi bizantini sono talmente occupati ad ammassare argomenti contro i loro avversari da mettere in secondo piano la forza interna e vitale della verità cristiana, che non ha bisogno di essere affogata dentro un'atmosfera polemica e apologetica.

1.3. *Teologia tra speculazione ed esperienza*

La teologia bizantina ebbe spiccata preferenza per la speculazione trinitaria e cristologica e a questo fine non disdegna di fare uso anche di categorie filosofiche greche, "cristianizzandole". Tuttavia non è quasi mai una teologia di *scuola*, cioè una teologia *insegnata* come materia universitaria. Si dovrà aspettare la formazione degli stati ortodossi moderni perché la teologia diventi materia di insegnamento universitario. Sebbene verso la fine del medioevo bizantino ci siano stati dei tentativi di elaborare una teologia "scolastica", intendendo con questa parola l'accento messo sulla riflessione speculativa e sulla forte concettualizzazione dei dati rivelati, tuttavia a Bisanzio non si arrivò mai ad una "sistematizzazione" o "istituzionalizzazione" della teologia. È sintomatico il fatto che a Bisanzio, salvo qualche tentativo insignificante verso la fine dell'impero, non si produssero delle "Summae" teologiche[3].

Tuttavia una grande parte della teologia bizantina (specialmente quella vicina agli ambienti monastici) predilige una teologia ispirata all'esperienza religiosa, frutto cioè della preghiera, della liturgia, dell'ascesi, in una parola della "contemplazione di Dio". Va ricordato che per la tradizione orientale la "teologia" non è altro che la "visione (contemplazione)

---

2 BECK. *Il millennio bizantino*, 236-237.

3 «La nota più rilevante della teologia bizantina, afferma H.G. Beck, è il forte arretramento della sistematica teologica, o anche soltanto della monografia dogmatica, a favore della polemica. Di sicuro qui continua ad esercitare la sua influenza l'eredità ellenistica, la contesa sulla parola legata al gusto della parola. Così i "sommisti" sono a Bisanzio una merce estremamente rara». *Ib.*, 235.

della Trinità". In fondo per la teologia bizantina, specialmente quella di origine monastica, resterà sempre vero l'insegnamento di Evagrio Pontico per il quale la preghiera s'identifica con la *"teologia"*, e cioè con il grado più alto della contemplazione, con l'esperienza in sé della SS. Trinità. Per Evagrio pregare significa essere teologo, fare della teologia significa avere l'esperienza della Trinità. È rimasta famosa la sua sentenza in proposito: «Se sei teologo pregherai veramente, e se pregherai veramente, tu sei teologo»[4]. È durante la preghiera che la mente «vede la Santa Trinità»[5], che «è illuminata dalla luce della Trinità e che contempla il luogo di Dio»[6].

Possiamo affermare che Bisanzio avrà in teologia sempre due anime: quella che prediligerà la speculazione e quella che preferirà conoscere Dio nell'esperienza[7]. Spesso le due anime s'incontreranno nello stesso personaggio il quale, nel fare teologia, passerà dalla sottigliezza teologica all'inno e alla dossologia con cadenze quasi liturgiche.

2. Il metodo teologico di Gregorio Palamas

Gregorio Palamas (1296-1359)[8] rappresenta una sintesi del genio e dei difetti di Bisanzio in campo teologico. Si può dire che egli costituisce il ponte ideale tra l'ortodossia bizantina e quella dei giorni nostri, egli «è la proiezione creativa dell'antica tradizione»[9]. Gli ortodossi, specialmente

---

[4] *Trattato sull'Orazione*, 60. Cfr. I. HAUSHERR, *Les leçons d'un contemplatif: le traité de l'oraison d'Evagre le Pontique*, Beauchesne, Paris 1960, 90.

[5] *Cent.*, 7,4, ed. W. FRANKENBERG, Berlin 1912, p. 427; 7, 23, p. 443.

[6] *Practicos*, I, 71, PG 40 1244 B.

[7] Quando si tratta di Dio e delle cose di Dio – afferma lo Pseudo-Macario – parlare senza averne esperienza in maniera concreta, ma solo in maniera astratta ed intellettuale, sarebbe come parlare del sapore di un cibo senza averlo gustato prima: «... Quelli che parlano di spiritualità senza averla prima gustata rassomigliano ad un uomo che cammina in pieno calore del mezzogiorno attraverso il deserto, allora egli, spinto dalla violenza della sua sete, disegna una sorgente d'acqua e immagina che egli stia bevendo, nel mentre le sue labbra e la sua gola continuano ad essere arse per la sete. Rassomiglia ancora a qualcuno che parla della dolcezza del miele senza averlo mai gustato... In verità sono così quelli che parlano di perfezione, di soavità, e di libertà spirituale senza avere sperimentato la potenza di queste realtà e senza credervi con forza». *De Caritate*, XIII: PG 34, 629 B.

[8] Per la bibl. su questo teologo cfr. D. STIRNON, «Bulletin sur le palamisme», in *REB* 30 (1972) 231-337 e per una sintesi del suo pensiero Y. SPITERIS, *Palamas: La grazia e l'esperienza. Gregorio Palamas nella discussione teologica*, ed. Lipa, Roma 1996.

quelli di lingua greca e slava, vedono in questo teologo la loro identità quasi più che nei Padri classici. Si ha l'impressione che i Padri siano usati per confermare la dottrina palamita e combattere quella dei suoi avversari. Palamas, infatti, è considerato oggi dagli ortodossi il più importante teologo di Bisanzio ed uno dei più grandi dell'Ortodossia. Infatti, la sua dottrina segnò profondamente la coscienza religiosa ortodossa. «Il cammino della teologia ortodossa – afferma un noto teologo greco – almeno nel prossimo futuro, sarà scandito esclusivamente dalla tradizione palamita»[10].

Secondo P. Christou, Palamas è stato colui che, dopo secoli di staticità, ha rinnovato la teologia ortodossa, dando ad essa una notevole spinta, i cui effetti sono vivi oggi più che mai. La teologia acquista con Palamas tutto il suo significato di "visione di Dio", superando ogni forma di compiaciuto intellettualismo[11]. Un giudizio condiviso da quasi tutti gli ortodossi, ma messo in dubbio da parecchi cattolici. Il dibattito sulla dottrina teologica di Palamas non è terminato[12]. Il problema che si pone più di frequente è se il dottore esicasta continui la dottrina dei Padri oppure sia un innovatore. Già Acindino lo aveva accusato di essere «un nuovo teologo» in senso negativo e descrive il suo insegnamento come «nuova teologia», quindi estranea alla tradizione patristica: si tratterebbe di una vera e propria *kainotomia* (innovazione indebita)[13]. Questo giudizio è condiviso da diversi cattolici[14]. Per gli ortodossi, invece, Palamas rappresenta il teo-

---

[9] G. FLOROVSKY, «Gregorio Palamas e la tradizione patristica» (in greco), in *Tomo commemorativo per i 600 anni dalla morte di san Gregorio Palamas* (in greco), Tessalonica 1960, 157.

[10] G.I. MANTZARIDIS, *Studi palamiti* (in greco), Tessalonica 1983, 9.

[11] Christou, che secondo noi conosce meglio di ogni altro il pensiero di Palamas, formula questo suo giudizio in diversi scritti che riguardano il dottore esicasta. Cfr., tra l'altro, P. CHRISTOU, «Gregorio Palamas» (in greco), in *ERE* (in greco), IV, Atene 1964, 789; CHRISTOU, *Opere di Palamas*, VIII, 45.

[12] Cfr. K. WARE, «The Debate about Palamism», in *ECR* 9 (1977) 45-63.

[13] Cfr. *Grande Confutazione I, 1: Gregorii Acindyni Refutationes duae Opereis Gregorii Palamae cui titulus dialogus inter Orthodoxum et Barlaamitam*. A cura di J. NADAL CAÑELLAS, 3. Anche Giovanni Ciparissiota, conosciuto con il titolo di «Sapiente», a proposito della dottrina palamita fa notare che, prima di allora, non si era sentito niente di simile. Cfr. *Palamiticarum transgressionum*, PG 152, 669 A. Egli afferma anche che il Dio di Palamas non è il Dio della Rivelazione, ma un «nuovo e recente Dio chiamato energia e forza inventato da Palamas». *Ivi*, 681 C. Del resto tutto il cap. V è dedicato da Ciparissiota a dimostrare che l'errore di Palamas consiste nell'«aver costruito un Dio nuovo». Cfr. *Ib.*, 688-696.

logo che meglio interpreta i Padri; anzi, egli stesso è uno dei più grandi "Padri" della Chiesa accanto ai classici Padri greci[15]. Secondo il teologo greco Mantzaridis, Palamas è un continuatore della tradizione patristica greca, solo che non la ripete in modo meccanico, ma con grande libertà creativa. È per questo, afferma, che lo si accusa di innovatore nei confronti della tradizione antica. Invece, dice, esiste una continuità tra i Padri greci e il teologo del XIV secolo e tra questi e il neo-palamismo di oggi[16].

[14] Per M. JUGIE, Palamas avrebbe tentato di giustificare l'affermazione di alcuni suoi confratelli, che pretendevano di vedere Dio già fin d'ora nella luce taborica, inventando una teologia che negava ogni principio elementare di filosofia e teologia cristiana. Cfr. «Grégoire Palamas», in *DTC*, XI, 1742. Per S. GUICHARDAN, Palamas non rappresenterebbe non solo i Padri antichi, ma neppure la tradizione bizantina. Cfr. *Le problème de la simplicité divine en Orient et en Occident aux XIV et XV siècles*, Lyon 1933, 119.

[15] Filoteo Kokkinos, nell'ufficio composto in onore di Palamas, lo colloca accanto ai «Tre Gerarchi»: Basilio di Cesarea, Gregorio di Nazianzo e Giovanni Crisostomo. Anche l'iconografia del santo lo rappresenta accanto a questi grandi Padri della Chiesa: così in una grande icona che si trova nel monastero della Meghisti Lavra sul Monte Athos e sulla porta centrale del monastero di Vlatadon a Tessalonica, centro della pubblicazione delle sue opere, ed anche sulla cupola della cappella di quest'ultimo. «Il collegamento di Gregorio con il gruppo dei tre Gerarchi – fa notare Mantzaridis – mette l'accento soprattutto sulla sua fedeltà alla tradizione della Chiesa, mentre la sua evidenziazione come quarto teologo sottolinea la dinamicità e la libertà della sua teologia». *Tradizione e rinnovamento*, p. 216.

[16] Cfr. G. MANTZARIDIS, «Tradition and Renewal in the Theology of Saint Gregory Palamas», in *ECR* 9 (1977) 1-41. Lo stesso articolo in italiano: «Tradizione e rinnovamento della Teologia di Gregorio Palamas», in *Simposio Cristiano*, Edizione dell'Istituto di Studi Teologici ortodossi "Gregorio Palamas", Milano 1978-79, 215-235. Tra l'altro Mantzaridis scrive: «San Gregorio Palamas è stato accusato di essere un innovatore, ma è stato anche considerato un teologo tradizionale. I concetti della tradizione e della innovazione si collegano con il concetto del tempo e non possono essere studiati senza di esso. La tradizione manifestata dinamicamente, cioè nel suo scorrere temporale, può essere caratterizzata come innovazione. E l'innovazione realizzata staticamente, cioè all'infuori dell'ordine del tempo, può avere il carattere della tradizionalità eterna, vale a dire della conservazione sterile. Tutto questo significa che la tradizionalità e l'innovazione non sono forzatamente incompatibili. Al contrario, questi due concetti, sono per di più complementari. La tradizione si rinnova. E le più autentiche innovazioni furono frutto della tradizione. Gregorio Palamas come teologo tradizionale è stato un innovatore. La sua innovazione è stata autentica tradizione. Per questo egli può essere definito un innovatore tradizionale». *Tradizione e rinnovamento*, p. 215.

2.1. *Sfiducia verso la filosofia e vero significato della teologia*

Si afferma che all'origine della polemica tra Palamas e Barlaam il Calabro (c. 1290-1348/1350), suo principale avversario, ci fu un problema di ermeneutica e di semantica teologica[17]. Essi si sarebbero scontrati sul significato da dare alla parola "apodittico", sul problema se gli argomenti teologici possano condurre ad una "dimostrazione" delle realtà divine e quindi se la teologia si riduca ad una dialettica razionale.

Benché lo stesso Palamas faccia largo uso di concetti filosofici, anche se "cristianizzati", quali "essenza", "energie", "ipostasi"[18], tuttavia egli vede nella forte dialettica di Barlaam il pericolo proveniente dall'Occidente d'introdurre nella teologia una logica filosofica che non ha niente a che vedere con l'esperienza dei monaci esicasti. Aristotele, affermava, non può costituire una "prova" di autorità nella definizione del dogma e i neoplatonici non possono aver avuto l'esperienza dell'illuminazione, poiché solo in Cristo l'uomo acquista la vera conoscenza di Dio[19]. Il pericolo era più che evidente, perché, oltre ai precedenti di Psellos, Giovanni Italo ed altri, all'incirca in quel periodo emergeva una forma di umanesimo bizantino con uomini quali Teodoro Metochita e Niceforo Gregoras, che riscoprivano la filosofia aristotelica e platonica.

---

[17] Cfr. J. MEYENDORFF, «L'hésichasme, problème de sémantique», in *Mélanges H. Ch. Puech*, Paris 1973, 543-547; G. PODSKALSKY, «Zur Bedeutung des Methodenproblems für die byzantinische Theologie», in ZKTh 98 (1976) 391-393; N.A. MATSOUKAS, *Teologia dogmatica e simbolica ortodossa*, I, ED, Roma 1995, 106-117.

[18] Cfr. R.D. WILLIAMS, «The Philosophical Structures of Palamism», in *ECR* 9 (1977) 27-44.

[19] Afferma J. Meyendorff: «Questa discussione non era nuova nel contesto bizantino. La cultura bizantina, infatti, non aveva risolto completamente il problema della relazione tra l'Accademia e il Vangelo. I Bizantini, a differenza del mondo intellettuale latino della stessa epoca, non avevano bisogno di scoprire il mondo della filosofia greca: essi potevano ad ogni momento accedere agli scritti dei filosofi Greci di cui erano piene le loro biblioteche, ma essi erano diffidenti nei loro riguardi, perché già i Padri denunciavano il pensiero filosofico greco come pagano. Non parliamo degli ambienti monastici che erano stati sempre ostili alla filosofia. La stessa Chiesa, nei suoi documenti, condannava il platonismo come sistema. Per esempio, nell'anatema antiorigeniano del V concilio ecumenico (Costantinopoli, 553) l'imperatore Giustiniano a proposito di Origene si domandava: "Che cosa faceva egli se non presentare la dottrina di Platone"? (cfr. *Acta conciliorum oecumenicorum*, III, ed. E. Schwartz, 391)». «Palamas», in *DThC*, XII, 91.

Palamas non proibisce di accedere alla scienza profana, se non ai monaci; questi devono evitare ogni scienza che non sia quella divina della preghiera, perché la scienza umana è falsa.

«Noi, afferma, non proibiamo a nessuno, se qualcuno lo desidera, di iniziarsi all'educazione profana, a meno che non abbia abbracciato la vita monastica. Però non consigliamo nemmeno di dedicarvisi sino alla fine e con fermezza proibiamo di trarne una qualsiasi certezza riguardo alla conoscenza delle cose divine, perché è impossibile ricavare qualche insegnamento su Dio [...] La saggezza dei Greci è falsa saggezza»[20].

Nelle *Triadi* egli si riferisce spesso a *Rm* 1,22 e a 1 *Cor* 1,19-23, dove si legge che la saggezza dei pagani è "follia" per i credenti. Per lui la filosofia greca non ha nessun valore fino a quando rifiuta di "rinascere" attraverso il battesimo[21].

Secondo Palamas compito della filosofia è la conoscenza degli esseri, la teologia invece si occupa della conoscenza di Dio. Egli non è contrario allo studio della filosofia, ma vi si oppone, chiamandola «saggezza demoniaca», quando essa non conduce al Dio della rivelazione:

«Quanto abbiamo contestato finora non riguarda la filosofia in genere, ma la loro filosofia [dei Greci pagani]. Infatti, come dice san Paolo, non si può contemporaneamente *bere la coppa del Signore e quella dei demoni* (1 *Cor* 10,21); come si può possedere la saggezza di Dio, essendo ispirati ai demoni? Colui che ha intravisto nella vera sapienza un mezzo di Dio, ha conosciuto Dio[22]. [...] Se si afferma che la filosofia, in quanto naturale, è un dono di Dio, si dice il vero e non ci si contraddice, però questo non toglie l'accusa che pesa su coloro che l'hanno usata male, abbassandola a fini contro natura»[23].

La vera conoscenza di Dio non proviene dalla filosofia, ma dalla preghiera continua e nel compimento dei comandamenti di Dio. Palamas pone il desiderio bramoso della conoscenza accanto alla tentazione delle ricchezze e dei piaceri[24]. I sapienti di questo mondo, dice, sono dei folli –

---

[20] *Triadi*, I, 1,12: ed. J. MEYENDORFF, *Triades pour la Défense des saints hésychastes*, I-II, Louvain 1959², 37.
[21] Cfr. *Triadi* I, 1,20: ed. MEYENDORFF, 56-57.
[22] *Triadi*, I, 1,16: ed. MEYENDORFF, p. 71.
[23] *Ib.*, I, 1, 19: p. 55-57.
[24] *Ib.*, I, 1, 7: p. 23.

come afferma Paolo – e ciò vale anche per Platone. Per quanto riguarda Socrate, poi, un demone lo accompagnava nelle sue iniziazioni[25]. Il teologo Athonita ripete l'affermazione di Ippolito secondo cui tutte le eresie hanno la loro radice nella filosofia[26]. Ma anche quando essa è usata bene, quando non conduce verso l'inganno, non si può dire che sia dono di Dio, perché i doni di Dio provengono dall'alto, mentre la filosofia proviene dall'ordine della natura[27].

Come ci si può rendere conto da questi accenni, Palamas non ha nessuna fiducia nel ragionamento umano, come se la ragione fosse solo "naturale" e non fosse anch'essa un dono di Dio. Per lui solo la conoscenza di Dio attraverso Gesù Cristo è "soprannaturale". Questa parola non si riferisce ad una distinzione tra natura e soprannatura, ma significa solamente che «ogni conoscenza è una partecipazione vera e reale della presenza di Dio»[28]. Per il dottore esicasta non esiste un unico sapere umano che ora si indirizza alle cose create (scienza umana) ed ora alle cose divine (teologia). Per lui esistono due modi di conoscere, due "sapienze": quella che cerca di soddisfare i bisogni della vita sociale e la curiosità intellettuale, e quella che conduce alla salvezza[29]. Questa differenziazione è giustificata dal fatto che i doni di Dio sono duplici, alcuni sono naturali e sono concessi a tutti, altri sono soprannaturali e spirituali sono dati ai puri e ai santi[30]. La filosofia introduce alla conoscenza degli esseri solo in modo parziale, perché il peccato ha oscurato anche la ragione naturale: è questo il motivo per cui esistono tante contraddizioni nel ragionamento umano e tante differenti opinioni. La teologia ha come oggetto le cose di Dio ed è infinitamente superiore ad ogni altra forma di conoscenza e questo è vero non solo quando si rivolge allo stesso Dio, ma anche quando aiuta, per mezzo della fede, ad avere esperienza della propria debolezza e a cercare di guarirla con l'ascesi :

«È scienza più alta di quella naturale e dell'astronomia e di ogni altra filosofia che le riguardi, non solo il fatto che l'uomo conosca Dio, se stesso, il proprio ordine

---

[25] *Ib.*, I, 1, 15: p. 45-47.

[26] *Ib.*, I, 1, 20: p. 57-59.

[27] *Ib.*, I, 1, 21: p. 59-61.

[28] J. MEYENDORFF, «Palamas Grégoire», in *DS*, XII, 92.

[29] Cfr. *Triadi* II, 2,5.

[30] *Triadi*, II, 1,25.

(cosa che ora sono familiari anche ai cosiddetti idioti, che siano cristiani), ma anche è incomparabilmente meglio che il nostro intelletto conosca la propria debolezza e cerchi di guarirla, piuttosto che sapere e investigare la grandezza degli astri, le ragioni naturali, le generazioni degli esseri inferiori...»[31].

La filosofia per Palamas, quindi, è "scienza" nel senso che *vede* le *realtà* nella loro dimensione terrena e coglie *l'essere* di cui si ha esperienza diretta. Al contrario, la teologia è contemplazione delle cose divine, soprannaturali; è *theoptìa*: visione di Dio attraverso la grazia delle energie increate[32]. Di qui l'insistente discorso palamita secondo cui Dio, di per sé inconoscibile ed ineffabile, può essere conosciuto attraverso il dono della comunione e quindi dell'esperienza. È per questo che Palamas, anche da parte cattolica, è chiamato «dottore dell'esperienza»[33].

2.2. *Dio, ineffabile, è conosciuto nell'esperienza religiosa*

Mentre Barlaam era sostenitore di un apofatismo nei riguardi di Dio, tanto che lo si è accusato di agnosticismo, Palamas riprende l'apofatismo dei Cappadoci e dello Pseudo-Dionigi[34] e lo costituisce quale principio ispiratore della sua teologia. Bisogna, però, subito costatare che per lui l'apofatismo non consiste in una semplice teologia negativa. Infatti, la

---

[31] *Capitoli*, 29: *Filocalia*, IV, tr. it. a cura di M.B. ARTIOLI – M.F. LOVATO, Torino 1987, IV, 78.

[32] «Gregorio Palamas – afferma il teologo greco N. Matsoukas – è a questo proposito radicale: la teologia si fonda sulle "opere" e sulla "vita"; queste sono cose vere e sicure. Si tratta di un'esperienza di vita che solo la Chiesa possiede. Il fondamento teologico degli esicasti è la visione di Dio, la visione della luce divina e delle energie increate... In questo senso, i dogmi sono, in primo luogo, cose e non "detti" o concetti oppure "parole". Di conseguenza, la metodologia dei Padri ortodossi ha come fondamento l'esperienza e le cose; il teologo vede, descrive, approfondisce e interpreta queste cose e non incomincerà mai dai concetti e dai sillogismi, come facevano gli scolastici, per trovare la verità». N.A. MATSOUKAS, *Teologia dogmatica e simbolica ortodossa*, Roma 1995, I, 110-111.

[33] Cfr. P. MIQUEL, «Grégoire Palamas, Docteur de l'Expérience», in *Irénikon* 37 (1964) 227-237.

[34] Per Palamas lo Pseudo-Dionigi è il teologo per eccellenza, egli è il «contemplatore ineffabile delle cose ispirate» (*De Hesychasti*, PG 150, 1109 A), «il più eccellente teologo dopo i divini apostoli» (*Capitula*, PG 150, 1181 A). Per quanto riguarda l'influsso dei Cappadoci e dello Pseudo-Dionigi sull'apofatismo palamita cfr. P. SCAZZOSO, *La teologia di S. Gregorio Palamas*, Milano 1970, 81-118.

semplice via negativa non sarebbe altro che «un salire dell'intelligenza verso Dio per negazione»[35], quindi si tratterebbe di semplici parole che si riferiscono a Dio. Non si tratta di «dire ciò che Dio non è», poiché «Dio non è solo al di sopra della conoscenza, ma anche della inconoscenza»[36].

«La natura di Dio oltre ogni essenza, vita, divinità e bontà, se supera bontà e divinità e altre cose, non può essere né detta né pensata né in alcun modo contemplata, perché trascendente il tutto, oltrepassa la conoscenza, e posta al di sopra degli intelletti celesti per una potenza incomprensibile, è assolutamente incomprensibile per tutti e sempre ineffabile. Non vi è nome per nominarla né in questo secolo né nel secolo futuro, né una parola trovata nell'anima e proferita dalla lingua, né un contatto sensibile o intelligibile, né un'immagine per dare una qualsiasi conoscenza a suo riguardo, se non l'inconoscibilità perfetta che si professa negando tutto ciò che è e può essere nominato. Nessuno può chiamarla essenza o natura in modo proprio, se ricerca veramente la verità che sta al di sopra di ogni verità»[37].

Egli distingue Dio in sé e Dio nelle sue azioni. L'inconoscibilità di Dio riguarda la sua natura, «Dio-in-sé» (*kat'auton*). Invece Dio-nelle-sue-azioni o operazioni (*peri auton*) può essere conosciuto con «gli occhi spirituali». Ma anche questa conoscenza non può essere concettualizzata:

«Ma ecco ciò che è più divino e più straordinario di questa incomprensibilità: se uno possiede la comprensione, la possiede in modo incomprensibile. Infatti, i veggenti [i santi] non conoscono ciò che permette loro di scrutare, di percepire, né con che cosa vengono iniziati e non comprendono la conoscenza di quelle che non sono ancora le realtà eterne, perché lo Spirito, attraverso cui vedono, rimane incomprensibile»[38].

---

[35] *Triadi*, II, 1, 42: ed. Meyendorff, 282.

[36] *Triadi*, I, 3,4: ed. Meyendorff, 114-115. Esistono due specie di apofatismo. L'uno è collegato con la *limitazione dell'essere creato*. Dio è incomprensibile, perché l'uomo, essendo un essere creato e legato agli esseri, non può comprendere Dio. Basta, però, che egli "si autosuperi", che "si spogli degli esseri", che compia in sé un'operazione di "unificazione", per conoscere l'Essere divino. L'altra specie di apofatismo è quella che afferma che la trascendenza assoluta di Dio è una *proprietà dell'essere divino* e perciò nessuna forma di spogliamento, nessun autosuperamento può fare scomparire l'inconoscibilità di Dio: il Dio della Bibbia è un Dio "nascosto", che si rivela quando lo desidera e nelle condizioni che Egli stesso stabilisce. Palamas professa quest'ultima forma di apofatismo.

[37] *Cento cinquanta Capitoli*, 106, V, a cura di P. Christou, 92-93.

[38] *Triadi* I, 3, 17: ed. Meyendorff, p. 145-147.

Per Palamas, quindi, esiste un'antinomia nel tentativo dell'uomo di avvicinarsi a Dio, poiché questi è inconoscibile e conoscibile, dicibile e indicibile e pur tuttavia è "visto" nello Spirito. Ciò significa che il teologo Athonita rifiuta ogni forma di agnosticismo nei confronti di Dio, mentre riafferma la sua assoluta trascendenza. Potremmo affermare che, in pratica, proprio in questo consiste l'apofatismo palamita[39].

Infatti, Palamas supera l'antinomia conoscitiva di Dio, distinguendo tra conoscenza intellettiva ed astratta di Dio ed esperienza nello Spirito Santo, che diventa possibile solo a quelle anime che si sono purificate, come è avvenuto nel caso del protomartire Stefano:

> «Stefano, primo martire, mentre moriva, fissando i suoi occhi in alto, vide i cieli che si aprivano e contemplò la gloria di Dio e Cristo in piedi alla destra del Padre. Per mezzo delle nostre facoltà sensitive è possibile giungere alle realtà sovracelesti? Questo uomo le vedeva pur rimanendo sulla terra e quello che è ancora più straordinario è che non vedeva solamente Cristo, ma anche suo Padre. Come avrebbe potuto, infatti, vedere il Figlio alla destra se non avesse visto anche il Padre? Vedi, l'invisibile si lascia contemplare da coloro che hanno il cuore purificato, in una maniera, però, né sensibile, né invisibile, né per via negativa, bensì attraverso un'invisibile potenza, poiché la maestà sublime e la gloria del Padre non possono essere in nessuna maniera accessibili ai sensi [...] Per via di negazione non è possibile né vedere né concepire niente, mentre Stefano vide la gloria di Dio. Se questa visione fosse intellettuale, o se fosse derivata da una visione o da un'analogia, significherebbe che noi vedremmo come lui, perché pure noi potremmo, per analogia, rappresentare Dio divenuto uomo [...]. In che modo il protomartire ha avuto questa visione [...] ? Te lo dirò, spiritualmente [nello Spirito santo]. [...] Anche tu, se sei ripieno di Spirito Santo, puoi contemplare spiritualmente le cose invisibili"[40].

---

[39] L'apofatismo, afferma V. Lossky, è «una disposizione di spirito che si rifiuta di formulare dei concetti su Dio ed esclude decisamente ogni teologia astratta e puramente intellettuale, che vorrebbe adattare al pensiero umano i misteri di Dio. È un atteggiamento esistenziale, che impegna l'uomo tutto intero; non vi è teologia al di fuori dell'esperienza: bisogna cambiare, divenire un uomo nuovo. Per conoscere Dio bisogna avvicinarsi a Lui; non vi è teologia se non segue la via dell'unione con Dio. La via della conoscenza di Dio è necessariamente quella della deificazione e colui che nel seguire questa via s'immagina a un certo momento di aver conosciuto ciò che è Dio, ha lo spirito corrotto, dice San Gregorio Nazianzeno». V. LOSSKY, La teologia mistica della Chiesa d'Oriente, Bologna 1985, 34.

[40] Triadi, I, 3, 30: ed. MEYENDORFF, 177.

Siamo nella piena spiritualità ascetico-mistica orientale: si può conoscere Dio solo "contemplandolo": si tratta di "vedere Dio" (*theoría*). Questa "contemplazione" della "gloria" divina è il risultato di una *synergia* (collaborazione) tra la grazia di Dio, che si manifesta all'uomo per comunicare con lui, e lo spogliamento da parte dell'uomo, che presuppone l'ascesi e la pratica dei comandamenti. Si tratta di un incontro tra due persone, un incontro basato sull'*amore*.

In questo contesto, quindi, "vedere Dio" significa avere l'*esperienza di Dio*. Per lui *l'esperienza spirituale si oppone alla conoscenza razionale come la realtà all'idea*. Egli oppone due modi di conoscenza di Dio: uno come fruizione e uno libresco. Colui che non possiede l'esperienza dei doni dello Spirito «non può neppure immaginarli»; è come qualcuno che non vede né possiede sensibilmente l'oro, anche se vi pensa diecimila volte. Scrive Palamas:

> «Quando odi parlare degli occhi dell'anima che hanno esperienza dei tesori celesti, non devi far riferimento alla ragione. Questa, infatti, si esercita in maniera soddisfacente sia sulle cose sensibili sia sulle idee. Se tu immagini una città che non hai mai veduto, certamente non hai acquisito un'esperienza solo per il fatto di averla pensata; allo stesso modo non puoi acquistare l'esperienza di Dio solo perché tu lo pensi o ne parli. Se tu non possiedi materialmente dell'oro, se non lo vedi con i tuoi occhi sensibili, se non lo stringi tra le tue mani, significa che non ce l'hai, anche se l'idea dell'oro passa mille volte per la tua testa. Allo stesso modo se tu pensi migliaia di volte ai tesori divini, senza provarli con l'esperienza e gli occhi spirituali che trascendono la ragione, non vedi nulla e non possiedi alcuna cosa divina. Ho parlato di occhi spirituali, perché in essi sopravviene la potenza dello Spirito che permette di vedere: tuttavia tutta questa santa visione della divinissima luce che illumina trascende gli stessi occhi spirituali»[41].

La differenza che passa tra la teologia razionale e la visione di Dio è la stessa di quella che esiste tra la conoscenza e il possesso. «Dire qualcosa di Dio, afferma il nostro teologo, non significa incontrare Dio»[42].

Questa conoscenza esperienziale di Dio, benché presupponga la collaborazione dell'uomo, resta una pura grazia da parte di Dio e dello Spirito. Infatti: «la grazia di Dio e dello Spirito onnipotente ci dona la

---

41 *Triadi*, I, 3, 34: ed. MEYENDORFF, 184.
42 *Triade*, I, 3, 42: ed. MEYENDORFF, 200.

possibilità di vedere "ciò che l'occhio non ha visto e l'orecchio non ha udito"»[43]. Il processo di tale "conoscenza" del Dio inconoscibile è legato alla dottrina della divinizzazione dell'uomo. Poiché l'uomo partecipa alle energie increate di Dio, è realmente divinizzato: avere esperienza della propria divinizzazione in un cuore purificato significa "conoscere" Dio. Il teologo è colui che racconta agli altri questa sua esperienza divina. La teologia quindi è concepita come storia narrativa della propria esperienza mistica.

3. Il metodo teologico nella teologia ortodossa contemporanea

Nel 1936, in occasione del *I Congresso Internazionale delle Scuole Teologiche Ortodosse*[44], che rappresentò una pietra miliare per la teologia ortodossa del XX secolo[45], il presidente del Congresso A. Alivizatos, nel *Discorso introduttivo* sottolineava:

> «Dopo lo scisma, la Chiesa ortodossa e la sua Teologia furono totalmente assorbite dalla polemica. Dopo secoli, quando alcuni valorosi teologi vollero riprendere dei lavori teologici, essi furono costretti a cercare la loro ispirazione negli ambienti cattolici o protestanti dell'Occidente, dove la vita intellettuale era rimasta viva... Occorre ritornare alla dottrina dei Santi Padri. Lavoro minuzioso e penoso è questo ritorno alle fonti, allo scopo di purificare la teologia ortodossa dagli elementi occidentali stranieri penetrati a poco a poco, se non nella sostanza, almeno nella sua presentazione. Soltanto allora si potrà dire che la teologia ortodossa possiede una forza vivente, rappresentativa dello Spirito di Cristo, continuazione ininterrotta dell'antica Chiesa»[46].

Compito quindi della teologia ortodossa sarebbe stato quello di purificarsi dall'influsso occidentale. Questo tentativo portò la teologia ortodossa del XX secolo a caratterizzarsi spesso per una forte impronta pole-

---

[43] *Triade*, II, 3, 49: ed. MEYENDORFF, 486.

[44] Cfr. *Procès – Verbaux du Premier Congrés de Theologie Orthodoxe à Athènes, 29 Novembre – 6 Dicembre 1936*, Atene 1939.

[45] In questo Congresso era rappresentata quasi tutta l'ortodossia con 33 delegati provenienti da varie Facoltà teologiche. Si è dovuto aspettare quarant'anni per avere nel 1976 un II Congresso, che non ha superato per qualità e partecipanti il precedente.

[46] *Procès - Verbaux.*, 63-64.

mica nei confronti della teologia occidentale. La riscoperta dei Padri, quasi esclusivamente di quelli greci, si poneva come scopo prioritario.

Un anno più tardi, Florovskij pubblicava la sua opera più nota: *Vie della teologia russa*[47]. La via della teologia russa, e quindi ortodossa, viene indicata nei «Padri orientali» e nei «Padri bizantini» dei secoli V-VIII, dei quali si era già occupato in precedenza con due opere corrispondenti[48]. A questi Padri bizantini, in seguito, si doveva aggiungere, anche ad opera degli altri teologi ortodossi, Gregorio Palamas (sec. XIV), il pensiero del quale avrebbe assorbito la quasi totalità della teologia ortodossa contemporanea.

Posti questi criteri di ermeneutica, si può affermare che pochi dei teologi ortodossi dell'Ottocento e Novecento abbiano fatto una "vera" teologia ortodossa, tanto che Nikolaj Berdjaev è giunto a dire che il titolo del libro di Florovskij avrebbe dovuto essere *La mancanza di vie della teologia russa*. In effetti, secondo questi criteri, soltanto pochi degli innumerevoli scrittori e pensatori, presi in esame da Florovskij, ricevono una valutazione positiva[49].

4. Teologia come «dossologia»

Il superamento della scolastica ortodossa si è operato attraverso la riscoperta del palamismo in cui si opera un'identificazione tra la mistica o esperienza di Dio e la teologia. Il ben noto teologo russo della diaspora, Vladimir Lossky, per sottolineare questo rapporto tra teologia ed esperienza di Dio intitolò il suo trattato sulla teologia ortodossa: *La teologia*

---

[47] Originale G. FLOROVSKIJ, *Puti russkago bogoslovija*, Parigi 1937 (tr. it. *Vie della teologia russa*, Genova 1987.

[48] Ne *I Padri orientali del IV secolo*, Parigi 1933, 5, egli scriveva: «La letteratura patristica non rappresenta solo l'integrità della tradizione... Le opere dei Padri sono per noi sorgente di viva ispirazione ed esempio di coraggio e saggezza cristiana, la via verso una nuova sintesi religiosa, nella cui ricerca si tormenta l'epoca contemporanea. È giunta l'ora di ecclesializzare la propria ragione e riportare in vita, per se stessi, i principi santi e beati del pensiero ecclesiastico».

[49] Cfr. *Vie della teologia russa*, Introduzione all'edizione russa fatta da J. MEYENDORFF, p. XXXVIII.

mistica della Chiesa d'Oriente[50], in cui si sottolineava il fatto che «la teologia mistica appartiene all'essenza della teologia della Chiesa».

Per Nikos Nissiotis (1925-1986) "conoscenza" significa comunione di persone e non – come insegnavano gli scolastici – *«adequatio rei cum intellectu»*[51]. Egli critica la "teologia naturale" della tradizione occidentale. Questa, secondo Nissiotis, è basata sulla convinzione che la mente umana, in quanto punto di contatto della Creazione con il Logos creatore, abbia la possibilità di conoscere Dio come Essere metafisico, non solo attraverso la fede, ma anche – grazie al pensiero analogico – attraverso le sue creature che portano impressa l'impronta del Logos creatore[52]. Dio non è concepito dalla fede come Essere, ma come Persona con la quale si è in comunione attraverso la divinizzazione. In questa prospettiva il principio dell'analogia dell'essere non può essere applicato alla teologia. Quel che conta in teologia è il *principio di comunione* tra le persone.

Non è, perciò, una conoscenza intesa come possesso di notizie intorno a Dio o una partecipazione al suo sapere, ma, dal momento che Dio è inconoscibile nella sua essenza, si tratta di una coesistenza, di un'unione con il suo dono e il suo carisma che diventa risposta di vita, attuazione del volere di Dio[53].

Non si tratta, dunque, di una conoscenza teorica, «da lontano», dell'«Essere assoluto», ma di un'unione mistica con il Dio di Gesù Cristo e attuata dallo Spirito. Questa conoscenza è un'unione intima in senso biblico (*Gen* 4,1), è un'intima compenetrazione dell'uomo da parte delle energie divine, per cui la creatura umana è divinizzata per grazia.

Per lui la teologia non può essere un "oggetto" e perciò non può essere "scienza": la teologia sistematica, coronamento del pensiero teologico, non si deve inquietare per il fatto che non è considerata una scienza,

---

[50] Il volume era apparso in francese nel 1944. La traduzione italiana (EDB, Bologna 1985) giustamente abbina a quest'opera l'altro lavoro di V. LOSSKY, *La visione di Dio,* dove la visione intellettuale di Dio si sostituisce con l'esperienza di Dio secondo l'insegnamento palamita.

[51] Di questo argomento NISSIOTIS si era occupato in *Prolegomeni alla gnoseologia teologica. L'incomprensibilità di Dio e la possibilità della sua conoscenza* (in greco), Atene 1965, 21986; «La Théologie en tant que science et en tant que doxologie», in *Irénikon* 33 (1966) 296.

[52] N. NISSIOTIS, *Prolegomena alla gnoseologia teologica,* 177.

[53] *Ib.,* 158.

poiché essa non ha come finalità quella di difendere il prestigio del pensiero umano, della scienza e delle categorie gnoseologiche; essa si sviluppa nello Spirito Santo, nella santità della vita e per la gloria di Dio[54]. La teologia non è altro che la riflessione orante sulla manifestazione dell'amore di Dio per gli uomini, che coinvolge personalmente sia il teologo che colui che si accosta alla teologia.

La teologia dossologica è la somma del pensiero umano che vuole seguire il Verbo divino, che tenta di identificarsi con la gloria rivelata in Cristo e si manifesta come presenza reale nella vita del teologo. La teologia è un pensiero di vita e una vita pensata. Non si tratta di una saggezza astratta, ma di un Verbo incarnato nella forma vivente della trasformazione esistenziale del teologo. Incarnazione significa rivelazione della gloriosa coesistenza di Dio e dell'uomo; la teologia è l'espressione dell'energia divina come gloria, glorificata nella persona di Gesù, completata e accettata dalla fede, e interpretata dal pensiero, sul piano ontologico[55].

Il teologo non fa altro che balbettare qualcosa intorno a questa *doxa* divina. Sul piano umano esiste un limite nell'espressione del Logos di questa *doxa*, perché i mezzi di cui l'uomo dispone non riescono ad esprimere pienamente il mistero reale che dipende da una via che sorpassa le possibilità umane e che si ritrova sempre nelle mani di Dio. Allora la teologia dossologica, nella sua fase finale, diventa poesia, innografia, iconografia[56].

Bisogna subito affermare che questa teologia apofatica ed esperienziale è molto rara presso gli ortodossi, almeno noi non ne abbiamo diretta conoscenza.

Al contrario la teologia che si insegna nelle facoltà teologiche ortodosse è ancora abbastanza polemica, ricca di citazioni patristiche, ma poco nutrita di teologia biblica.

Ci sono certo dei teologi che fanno teologia a partire dalla loro esperienza ecclesiale nutrita dalla liturgia, dalle tradizioni popolari, dalla vita monastica, dalla tradizione artistica (vedi icone, architettura del tempio, tradizioni popolari...).

---

[54] N. NISSIOTIS, *Théologie en tant que science*, 292.
[55] Cfr. *Ib.,* 297.
[56] Cfr. *Ib.,* 306.

Si tratta di una teologia in grado di arricchire quella latina perché si tratta di esperienze autenticamente cristiane. Però, credo che anche la nuova teologia occidentale possa arricchire quella ortodossa per quel che riguarda il metodo, la serietà della ricerca.

Proprio nel campo della teologia è vero più che mai l'invito dell'attuale pontefice a «respirare con due polmoni». Questo è anche autentico dialogo ecumenico, dialogo tra le diverse tradizione, dialogo che arricchisce, esperienza dell'uno che diventa esperienza dell'altro, così da "vedere Dio" (*theoptia*) attraverso gli occhi spirituali dell'altro.

Fare teologia nelle Comunità della Riforma

Ermanno Genre

Tratterò l'argomento che mi è stato assegnato in un'ottica di teologia pratica. Mi piace ricordare che per la generazione della Riforma prote-stante del XVI secolo la teologia è essenzialmente "teologia pratica". Lutero per primo ha ripetutamente affermato che *"vera theologia est pra-tica"*[1], prendendo le distanze dal metodo teologico della scolastica che assegnava il primato del "fare teologia" alla via speculativa, rivendicando di conseguenza la "praticità" di ogni disciplina teologica.

La dimensione speculativa della teologia medievale, strutturatasi nella scia della filosofia aristotelica, e che aveva trovato nella *Summa* di Tommaso d'Aquino il suo apice, fu abbandonata dai Riformatori a favore di una visione della teologia come *scientia eminens practica*. *"Sola expe-rientia facit theologum"* dirà Lutero, e ancora: *"Vivendo, immo moriendo et damnando fit theologus, non intelligendo, legendo aut speculando"*. Gli scritti di Lutero come quelli degli altri Riformatori sono essenzialmente degli scritti di teologia pratica: i temi che vengono affrontati alla luce della giustificazione per fede che rifonda l'agire umano sono i temi del giorno, le grandi questioni che fanno problema nella relazione chiesa-mondo: la

---

[1] Affermazione polemica nei confronti della teologia speculativa, della teologia scola-stica globalmente considerata, più che una critica diretta rivolta alla *Summa theologica* di San Tommaso. La frase completa dei *Tischreden* è la seguente: *"Vera theologia est practica, et fundamentum eius est Christus, cuius mors fide apprehenditur. Omnes autem hodie, qui non sentium nobiscum, et non habent doctrinam nostram, faciunt eam speculativam"*, cit. in G. EBELING, *Evangelische Evangelienauslegung. Eine Untersuchung zu Luthers Hermeneutik*, Darmstadt, 1962, 344, nota 310; cfr. anche R. MARLÉ, *Le projet de théologie pratique*, Parigi, 1979, 50s.

vocazione del cristiano e la sua responsabilità nel mondo, l'esercizio dei ministeri nella chiesa e nella città, l'autonomia del potere civile da quello religioso, l'organizzazione della vita civile, i temi della giustizia, della povertà, della diaconia. Con ciò non intendo dire che i Riformatori abbiano abbandonato del tutto il terreno della riflessione speculativa, è certo però che è stato ridimensionato fortemente e subordinato al criterio pratico di un fare teologia nella e per la comunità cristiana.

Ciò che qui esporrò non sarà dunque una trattazione sistematica[2], ma un approccio pratico-pastorale. Un tempo una tale affermazione sarebbe stata accolta con distacco o con un sentimento di sufficienza, come se si trattasse di una rinuncia ad affrontare le vere questioni di fondo, quelle che contano, nel senso che la teologia pratica[3] aveva poca udienza e poca considerazione nell'ambito delle altre discipline teologiche; soprattutto le si attribuiva poca scientificità, quasi non fosse altro che metodologia applicativa dei principi elaborati negli altri campi delle discipline teologiche a cui la teologia pratica doveva attenersi. La teologia protestante si è liberata da alcuni decenni ormai da questo marchio poco onorevole e credo che anche in ambito cattolico le cose siano notevolmente cambiate. Oggi la teologia pratica affronta, con la sua ottica particolare, le grandi questioni della teologia fondamentale, rivendicando una pari dignità, un suo proprio statuto epistemologico ed una sua propria ermeneutica. In particolare, la teologia pratica mette in campo un metodo di indagine *induttivo* più che deduttivo, pur non contrapponendoli. È in questa prospettiva che intendo affrontare alcuni temi e problemi che caratterizzano oggi la ricerca teologica nell'ambito delle chiese protestanti (riformate in particolare). Mi limiterò – nel tempo che mi è consentito – a prendere in esame due campi di ricerca: l'ambito catechetico, che situerò in relazione con l'insegnamento religioso nella scuola di stato e l'ambito liturgico-sacramentale.

---

[2] Per un approccio sistematico (e biografico) alla questione, si veda J. MOLTMANN, *Erfahrungen theologischen Denkens. Wege und Formen christlicher Teologie*, Gütersloh, 1999, tr. it. *Esperienze di pensiero teologico. Vie e forme della vita cristiana*, Queriniana, 2001.

[3] Nel contesto italiano prevale ancora la dizione "teologia pastorale", mentre negli altri paesi europei ed extraeuropei si usa normalmente la dizione "teologia pratica" (Practical theology, Praktische Teologie, Théologie pratique).

1. La catechesi cristiana di fronte alle sfide della modernità

1.1. *La ricerca di senso come metodo e come finalità*

Le chiese cristiane hanno faticato ad uscire da una concezione della catechesi di tipo dottrinale, strutturata in domande e risposte sin dall'epoca della Riforma protestante e della Controriforma. Questo esodo è stato possibile grazie soprattutto al contributo decisivo delle scienze umane e delle scienze dell'educazione[4] in particolare, anche se qua e là vi è ancora chi guarda indietro con nostalgia alle pignatte di carne egiziana (cfr. *Es*.16,3). Questo esodo della catechesi dall'atrofia di una dottrina fine a se stessa ha permesso un vero e proprio salto di qualità nell'educazione e formazione delle nuove generazioni. Le chiese cristiane si sono così confrontate con l'inculturazione della fede all'interno di un permanente processo di secolarizzazione. Ciò ha creato notevoli problemi, soprattutto nella riformulazione dei testi di catechesi. In ambito protestante è fuori di dubbio che dopo la svolta culturale del '68, che grossomodo ha coinciso con il rinnovamento operato dal concilio Vaticano II per il mondo cattolico, l'orientamento della catechesi e della pedagogia della religione si è spostato dall'unilateralità dottrinale alla soggettività esistenziale del catecumeno, dell'adolescente, ed attorno a questa nuova centralità si sono ricostruiti i percorsi di catechesi. Ricostruzione che, in ambito protestante, ha messo in scacco i tradizionali riferimenti ereditati dalla Riforma; non tanto in relazione ai contenuti, in quanto i catechismi erano tutti centrati sulla conoscenza delle Scritture, quanto nella loro forma e nella loro dinamica interna che non teneva conto, se non in minima misura, della *persona* del catecumeno. Questo spostamento sui destinatari della catechesi ha però avuto come conseguenza, per lunghi anni, una tipologia di catechesi che il teologo cattolico Daniel Hameline ha definito, con felice intuizione, "la gestione dell'impossibile". L'approccio esistenziale alla catechesi che si è imposto con la pedagogia della religione non ha sempre saputo mantenere un equilibrio o non ha saputo intrecciare in modo costruttivo e dinamico i problemi esistenziali dei soggetti, quelli che venivano indicati come i 'bisogni' degli adolescenti, con una mediazione scrit-

---

[4] Cfr. *Dizionario di scienze dell'educazione*, a cura di J.M. PRELLEZO, C. NANNI, G. MALIZIA, Leumann, 1997, voci *catechesi* (E. Alberich), *catechismo* (U. Gianetto).

turale che facesse emergere il profilo della fede biblica. È successo in catechesi ciò che parallelamente accadeva, su larga scala, nell'insegnamento
della religione in ambito scolastico, vale a dire un sostanziale disinteresse
ed una scarsa o nulla incisività sull'orientamento di vita degli adolescenti[5].
L'indifferenza ha avuto la meglio rispetto alla ricerca di un senso per la
vita nonostante tutti gli sforzi, le innovazioni metodologiche e didattiche:
sono mancate le figure di riferimento che nessun testo né alcuna dottrina
possono sostituire.

Oggi ci troviamo di fronte ad un nuovo cambiamento epocale che
rimescola ancora le carte in gioco. La sociologia della religione ci rende
attenti alla nuova configurazione del religioso nelle società europee. Da un
lato si assiste ad un prepotente ritorno del religioso e del sacro, contro
ogni previsione, ed anche nomi rinomati della sociologia della religione
come Peter Berger hanno dovuto fare autocritica: il religioso non scompare, non abbandona il terreno ma si reinveste in nuove forme[6]. E soltanto chi non ha occhi da vedere ed orecchi per udire può rallegrarsi di questa religiosità epidermica che si diffonde ovunque[7]. Questo improvviso ed
inatteso rigonfiamento del religioso non porta vita nuova al cristianesimo
ma lo corrode, lo svuota, lo banalizza. Da un altro lato le società moderne prendono consapevolezza di un reale pluralismo religioso, presa di
coscienza più difficile per un paese come l'Italia, abitato da una cultura
cattolica che ha difficoltà a confrontarsi con un mondo religioso plurale e
con la laicità delle istituzioni pubbliche[8]. Come impostare un percorso di
catechesi che tenga conto dei mutamenti avvenuti? La crisi in cui si trova
oggi la catechesi è uguale alla crisi della chiesa. In altre parole si è spezza-
to quel "circolo ermeneutico" costituito dalla relazione fondatrice tra
testo biblico-comunità credente-esperienza di vita nella quotidianità. La
vita è ormai segmentata in tempi e spazi che vivono di autonomia propria

---

[5] Lo psichiatra Paolo Crepet ha messo in evidenza queste difficoltà circa la trasmissione di un senso e di un orientamento nella famiglia e nella scuola, tra generazioni diverse; cfr. *Non siamo capaci di ascoltarli. Riflessioni sull'infanzia e l'adolescenza*, Torino, 2001;
Voi, noi. Sull'indifferenza di giovani e adulti, Torino, 2003.

[6] Cfr. D. HERVIEU-LÉGER, *Le pèlerin et le converti*, Parigi, 1999.

[7] Cfr. D. LYON, *Gesù a Disneyland. La religione nell'Era postmoderna*, Roma, 2002.

[8] Cfr. E. GENRE, "Il nostro mondo sfida la catechesi cristiana", in S. CURRÒ (ed.),
Alterità e catechesi, Elledici, 2003, 35-49.

e che rendono difficile se non impossibile una visione d'insieme, una crescita ordinata in cui ritrovare un senso.

In ambito cattolico si è voluto accentuare, con il Concilio vaticano II, la formula secondo cui la liturgia (e la partecipazione al momento celebrativo), pur non esaurendo tutta l'azione della Chiesa, è "il culmine verso cui tende l'azione della Chiesa e, al tempo stesso, la fonte da cui promana tutta la sua energia"[9]. Ciò ha provocato ampia discussione tra liturgisti e studiosi di catechesi[10] e la questione resta aperta perché l'equilibrio fra liturgia e catechesi è questione vitale. Liturgia e catechesi infatti non si possono confondere né identificare, e pertanto non ha molto senso duellare per stabilire a chi spetti il primato. In ambito protestante la tendenza è stata quella di una grande sperimentazione catechetica assai poco relazionata alla realtà liturgica; per questo si cerca oggi di ricostruire questa relazione cercando un nuovo equilibrio. In ambito protestante italiano l'attenzione dedicata alla catechesi è motivata soprattutto dal fatto che la chiesa locale resta l'unico luogo della formazione cristiana, mentre in altri paesi europei (per esempio la Germania) accanto ad essa esiste il supporto dell'insegnamento religioso scolastico.

1.2. *Verso un insegnamento del fatto religioso oltre i confessionalismi e i fondamentalismi*

Quest'ultima considerazione ci porta così ad interrogarci sulla relazione catechesi-insegnamento religioso nella scuola di stato, una relazione problematica in molti paesi europei e tuttora soggetta a cambiamenti: valga per tutti la ricerca ed i mutamenti in atto nella laica Francia in seguito al noto "Rapporto Debray" ed il superamento dell'insegnamento religioso confessionale di tutti i paesi luterani del Nord Europa, ormai da parecchi anni.

La posizione della Chiesa valdese relativa al rapporto chiesa-stato è stata definita 20 anni orsono nel testo dell'Intesa con lo Stato (art. 9 e 10). Nell'accordo si affermano due principi fondamentali: *a)* l'educazione e la

---

[9] *Sacrosanctum concilium*, § 10.
[10] Cfr. E. ALBERICH, *La catechesi oggi. Manuale di catechetica fondamentale*, Leumann, 2001, 257ss.

formazione religiosa dei bambini e dei giovani spetta alle famiglie e alle Chiese e non allo Stato; *b)* lo studio del fatto religioso nei suoi diversi aspetti e nelle sue implicazioni è talmente importante per la formazione dei giovani da dover trovare spazio nella scuola pubblica; esso non deve però avere carattere confessionale. Già nel 1985 il Sinodo valdese, in occasione della pubblicazione dei nuovi programmi delle scuole elementari, ribadì la propria convinzione che "la scuola nel suo progetto culturale complessivo debba affrontare anche il fatto religioso e lo debba fare con la necessaria autonomia da ogni dogmatismo confessionale o ideologico"[11].

Ora è chiaro che questo accordo del 1984 non corrisponde più ai tempi in cui viviamo. In questi venti anni infatti non solo è cresciuta una nuova visione ecumenica del problema ma, soprattutto, accanto al dialogo ecumenico si è imposta all'attenzione di tutti una realtà di pluralismo religioso che non può più essere nascosta né passata sotto silenzio. Il nocciolo della questione non è più *intra-cristiano* ma è diventato *inter-religioso*. A venti anni di distanza le Intese non corrispondono più alla realtà che si è andata sviluppando e richiede oggi una nuova risoluzione di questo rapporto con lo stato, che tenga conto del reale pluralismo religioso che si è andato affermando con la crescita di altri gruppi religiosi che pur essendo minoranze, costituiscono però una realtà che uno stato moderno non può più trascurare e tanto meno marginalizzare. Occorre un salto di qualità nell'affrontare il problema e ciò spetta naturalmente in primo luogo alla Chiesa cattolica, che ha in mano la possibilità di operare questa svolta. La Chiesa valdese oggi – e con essa le Chiese storiche che fanno riferimento alla Riforma protestante – è disponibile per una nuova impostazione della questione religiosa che superi il confessionalismo dell'IRC e si apra ad un discorso interreligioso. Nell'Italia che è parte importante della nuova Europa l'insegnamento religioso confessionale per gli "avvalentisi" è diventato un anacronismo, mentre tutti gli studenti che "non si avvalgono" di tale insegnamento si trovano confrontati con un pericoloso vuoto formativo in un tempo in cui la conoscenza delle religioni si dimostra fattore di capitale importanza per la cultura in generale e per la costruzione di relazioni di pace fra le religioni.

---

[11] Atti del Sinodo 1985, art. 58.

Nelle mutate condizioni culturali del paese e tenendo conto del contesto di un'Europa che si allarga verso est e verso sud, i protestanti italiani – e con essi larga parte del mondo cattolico – ritengono che sia giunto il momento di promuovere un insegnamento curriculare del fatto religioso nella scuola pubblica, così come avviene in molti paesi europei[12].

Nei paesi a maggioranza protestante – Gran Bretagna, Danimarca, Svezia, Norvegia, Finlandia, si è da tempo abbandonato il terreno del confessionalismo e pur con formule diverse si è organizzato in accordo con lo stato un insegnamento del fatto religioso nella pluralità delle sue espressioni.

L'ignoranza religiosa è un fatto negativo così come lo sono le forme di fondamentalismo presenti nelle diverse religioni e ciò che è successo nel mondo, soprattutto dopo l'11 settembre 2001, dovrebbe invogliarci a cercare nuovi sbocchi e nuove prospettive per una conoscenza del fatto religioso al di là dei sentieri sin qui seguiti.

Questa nuova prospettiva è ben espressa nella *Charta oecumenica* sottoscritta dalle Chiese europee cattoliche, ortodosse e protestanti in cui si afferma: "Ci impegniamo – a superare l'autosufficienza e a mettere da parte i pregiudizi, a ricercare l'incontro reciproco e ad essere gli uni per gli altri; – a promuovere l'apertura ecumenica e la collaborazione nel campo dell'educazione cristiana, nella formazione teologica iniziale e permanente, come pure nell'ambito della ricerca... – a difendere i diritti delle minoranze e ad aiutare a sgombrare il campo da equivoci e pregiudizi tra chiese maggioritarie e minoritarie nei nostri paesi"[13]. L'ambito dell'educazione e della formazione religiosa è certamente il luogo privilegiato per mettere alla prova questi impegni che le chiese si sono assunti.

---

12 Cfr. E. GENRE, E. ALBERICH, R. LAPORTA, "Religione e religioni in Europa. Il compito educativo della scuola e delle chiese", in *Protestantesimo*, 1998/3. Un quadro aggiornato della situazione europea è offerto da F. PAJER, "Nuova cittadinanza europea", in *Il Regno-attualità*, 22/2002.

13 *Charta oecumenica. Linee guida per la crescita della collaborazione tra le Chiese in Europa*, Strasburgo, 22 aprile 2001, § 3, 4.

2. Liturgia e sacramenti nella postmodernità

2.1. *Convergenze e attese*

L'ambito del culto e la prassi sacramentale (battesimo e Cena del Signore o eucaristia) sono tuttora al centro della riflessione teologica delle Chiese protestanti, ovunque. A livello ecumenico ha fatto notizia l'incontro tenutosi a Berlino nel maggio-giugno 2003, in cui per la prima volta nella storia, si sono radunati insieme il Kirchentag protestante ed il Katholichentag. Come è noto l'idea programmata in un primo tempo di avere dei momenti di ospitalità eucaristica (pratica usuale in numerose occasioni in Germania fra cattolici e protestanti) è stata abbandonata per evitare delle inutili polemiche. Non bisogna però dimenticare l'esito positivo di tale incontro. La presidente del Kirchentag protestante, Elisabeth Raiser, ha definito l'incontro "un avvenimento straordinario", mentre il presidente di parte cattolica Hans-Joachim Meyer ha parlato di "un grande passo innanzi sulla via dell'ecumene cristiana"ed il cardinale Lehmann, alla domanda postagli se il Kirchentag fosse stato un successo, ha risposto: "Sì. È valsa la pena 'osare' il Kirchentag. È stato un avvenimento riuscito"[14]. Vi sono naturalmente state anche delle critiche, ma queste ultime erano indirizzate sostanzialmente alle iniziative collaterali organizzate dai movimenti "Noi siamo Chiesa" e "Chiesa dal basso".

In una prospettiva di teologia pratica penso che sia importante rilevare questo fatto, e cioè che ovunque, anche in Italia, è cresciuta e maturata una consapevolezza ecumenica (penso in particolare alle iniziative del Segretariato per le attività ecumeniche, SAE) che non ha difficoltà a sostenere che "l'ospitalità eucaristica è possibile", come afferma il documento dei tre Istituti ecumenici di Tubinga, Bensheim e Strasburgo, e conseguentemente che "occorre motivare non l'ammissione dei cristiani battezzati alla Cena/eucaristia comune, bensì il suo rifiuto"[15]. L'argomento è di grande importanza ed è anche assai delicato, importanza e delicatezza che dovranno trovare momenti di analisi e di studio teologico comune. E proprio in questa prospettiva ritengo che l'accordo cattolico-luterano sul

---

[14] Cfr. *Materialdienst des Konfessionskundlichen Instituts Benshiem*, 5/2003, 100.
[15] Cfr. *Il Regno-documenti*, 11/2003, 351ss.

tema della giustificazione per fede (ricordato anche da Mons Ouellet) meriti di essere ripreso e portato avanti anche nella direzione dell'ospitalità eucaristica. In una prospettiva pratica e pastorale, sono convinto che soltanto una comune condivisione eucaristica che accoglie l'invito di Gesù: "Fate questo in mia memoria", potrà condurci a superare quegli ostacoli di ordine dottrinale oggi ancora considerati insormontabili. Certamente l'approccio induttivo proprio dell'ermeneutica della teologia pratica è parziale ed ha bisogno anche di altre letture, ma al tempo stesso ricorda alle altre discipline teologiche, che hanno a cuore la "difesa" della vera dottrina, che la liturgia porta in sé questa forza dell'azione che merita oggi di essere rivalutata in tutti i suoi aspetti.

Bisogna riconoscere che, se vi è un campo di ricerca teologica in cui in questi anni vi sono stati dei grandi avvicinamenti e progressi, questo è precisamente l'ambito liturgico e sacramentale. La ricchezza di testi e di posizioni esistenti nel mondo cattolico è stata anche di stimolo per la ricerca protestante e riformata in particolare che, come è noto, non ha nutrito, nel corso della sua storia, un grande interesse per questo ambito della ricerca teologica, essendo il baricentro spostato unilateralmente sull'omiletica.

In campo riformato la ricerca teologica recente non si è fermata all'accademia, ma ha coinvolto la prassi concreta delle chiese locali ed ha portato a modifiche significative della prassi liturgica nella relazione tradizione-innovazione. Per la brevità di questo mio intervento mi limiterò a segnalare tre novità che hanno caratterizzato questi ultimi decenni: *a)* il crescente uso di lezionari; *b)* l'intensificazione della celebrazione della Cena del Signore e la sua apertura ai bambini; *c)* la riscoperta della ritualità.

2.2. *L'uso di lezionari*

È noto che i Riformatori non sono stati teneri con la prassi del lezionario (neppure Lutero che lo ha mantenuto). I riformati, in particolare, hanno preferito riprendere l'antico uso patristico della *lectio continua*, reagendo così ad una tradizione che frammentava e disperdeva la conoscenza biblica. L'uso della *lectio continua*, sia in vista della lettura durante il culto, sia per la predicazione (omelia) assumeva un significato al tempo stesso teologico (difesa della Scrittura nella sua integrità) e pedagogico (educazione alla conoscenza delle Scritture), che nel culto si completava con la lettura programmata di alcune parti del catechismo (in particolare il catechismo di Heidelberg).

Oggi nella grande maggioranza delle Chiese protestanti (così è anche nella Chiesa valdese) pastori e pastore seguono un lezionario: in Italia si usano sia *Un giorno una parola* che viene pubblicato a cura della Federazione delle Chiese evangeliche in Italia, sia il lezionario ecumenico pubblicato negli USA, il *Revised Common Lectionary*, i cui testi sono pubblicati in appendice al lezionario sopra citato. Naturalmente va ricordato che l'uso del lezionario non è imposto a nessuno ma è proposto e consigliato e, il fatto che in pochi anni questa prassi si sia stabilizzata è un segno positivo che ha, fra le altre cose, anche un indubbio valore ecumenico[16].

2.3. *La celebrazione della Cena eucaristia: parola e sacramento*

Anche su questo terreno la grande maggioranza delle Chiese luterane e riformate ha modificato i tempi della celebrazione eucaristica, in passato limitata a 4-5 volte l'anno. Da alcuni decenni ormai la cadenza è mensile ed in alcuni casi (pochi) settimanale. È noto che i Riformatori avrebbero voluto che la Cena del Signore assumesse un ritmo settimanale (mentre nella Chiesa medievale il popolo vi accedeva una o due volte l'anno); purtroppo questo non fu possibile perché il Magistrato non lo consentì per timore che si ricadesse in pratiche superstiziose, e di conseguenza la Cena venne limitata alle grandi festività del calendario liturgico (Pasqua, Pentecoste, Natale ed una domenica d'autunno). L'intensificazione della frequenza della celebrazione della Cena ha senza dubbio rafforzato il legame tra parola e sacramento che, pur non essendo mai stato confutato in sé, non ha però sempre avuto la sottolineatura che oggi gli viene riconosciuta. Si può dire che in questi ultimi decenni si è corretto quel vizio che Paul Tillich aveva evidenziato nella teologia protestante che, definendo la chiesa come chiesa della parola, poteva illudersi di risolvere in questa prospettiva unidimensionale la problematica sacramentale[17]. Certamente resta

---

[16] Per maggiori dettagli cfr. E. GENRE, "I lezionari delle Chiese della Riforma. Rapporto tra Bibbia e liturgia", in *Rivista Liturgica* 88/6 (2001) 947-959.

[17] Cfr. *Der Protestantismus als Kritik und Getsaltung*, Ges. Werke, Band VII, Stoccarda, 1962, 109s. Cfr. anche E. GENRE, "Parola e sacramento: una questione tradizionale", in A. GRILLO, M. PERRONI, P.R. TRAGAN, *Corso di teologia sacramentarla 1*, Brescia, 2000, 417ss.

vero oggi ancora, per riprendere un altro pensiero di Tillich, che il protestantesimo incarna soprattutto la visione profetica del cristianesimo mentre il cattolicesimo la visione sacerdotale; si tratta però di visioni che non devono essere contrapposte bensì tenute insieme in una dialettica permanente perché l'una è necessaria all'altra. La rivalutazione protestante della teologia sacramentale (legata ai due sacramenti del battesimo e della Cena eucaristica) corrisponde alla rivalutazione cattolica della dimensione della parola che si è fatta luce progressivamente dopo il Concilio Vaticano II. Nel tempo della postmodernità sia il sacramento sia la predicazione si trovano sotto lo scacco di un comune destino, l'irrilevanza. Entrambi hanno bisogno di essere risituati nel contesto della vita delle comunità cristiane. In questa ricerca di senso e di credibilità del cristianesimo contemporaneo, le Chiese riformate sono impegnate nella riscoperta liturgica del rito, della corporeità, del gesto, e in questo più ampio contesto la specificità dei sacramento del Battesimo e della Cena del Signore[18].

2.4. *La rivalutazione del rito in una visione semiotica*

La tradizionale avversione al rito ed alla ritualità che si è insediata nella cultura protestante non è riscontrabile nel pensiero teologico dei Riformatori; la diffidenza protestante verso il rito è piuttosto la conseguenza e la reazione del protestantesimo storico alla Controriforma cattolica, che ha enfatizzato la dimensione rituale in ambito liturgico e sacramentale. Ormai lontani da questo clima polemico le Chiese riformate hanno rivisitato e corretto, in questi ultimi decenni, questa lettura negativa del rito e della ritualità, in ciò aiutati dall'apporto significativo delle scienze umane (antropologia, psicologia, sociologia, linguistica, ecc.), risalendo alle origini dell'atteggiamento dei Riformatori che avevano sì posto dei paletti, come si dice in gergo moderno, allo straripamento della ritualità ereditata dalla Chiesa medievale, riconducendo il rito alla sua dimensione evangelica costitutiva, senza però mai pensare di poter eliminare il rito dalla vita liturgica e sacramentale. Per dirla con Calvino, la finalità del

---

[18] Cfr. H. Mottu, *Le geste prophétique. Pour une pratique protestante des sacrements*, Ginevra, 1998.

rito non è altra se non di "condurre a Cristo"[19]. Questa rivalutazione del rito e della ritualità ha naturalmente richiesto una critica serrata nei confronti di quell'eredità antiritualistica che la teologia protestante ha nel sangue[20].

Oggi la ricerca teologica in ambito liturgico-sacramentale, ma anche in ambito omiletico, è fortemente segnata da una rilettura della ritualità in una prospettiva semiotica, che apre a nuove prospettive e situa il problema in un orizzonte ampio di ricerca in cui i fronti confessionali sono sempre meno importanti[21]. In questa nuova cornice semiotica, anche i codici confessionali devono essere riletti in modo critico ed autocritico; e ciò porta a considerare la tensione che si manifesta nella relazione unità-pluralismo in una nuova dimensione, capace di situarsi nella modernità in cui le ritualità sfuggono ad ogni controllo ed hanno la tendenza ad uscire dai binari della razionalità.

3. Conclusione

Riprendo, in conclusione, la domanda: che cosa significa per una Chiesa riformata fare teologia?

È noto che la Riforma ha definito la Chiesa una *ecclesia sempre reformanda*, affermazione che si trova oggi sulla bocca di protestanti e cattolici. Certamente la Chiesa cattolica, per la sua natura dogmatico-sacramentale ha la tendenza a privilegiare il polo della tradizione, mentre le Chiese protestanti si situano preferibilmente sull'altro polo, quello dell'innovazione[22]. Ma sarebbe superficiale attenersi a queste definizioni che permettono di scorgere soltanto una parte della realtà, e penso che non

---

[19] Cfr. E. GENRE, S. ROSTAGNO, G. TOURN, *Le Chiese della Riforma. Storia, teologia, prassi*, Cinisello Balsamo, 2001, 112.

[20] Così si è espresso W. JETTER, autore di un testo significativo e che ha segnato questa svolta soprattutto nel mondo tedesco; cfr. *Symbol und Ritual. Anthropologische Elemente im Gottesdienst*, Gottinga, 1978, 111.

[21] La ricerca è particolarmente ricca in ambito tedesco; mi limito qui a segnalare il recente ampio volume di R. KUNZ, *Gottesdienst evangelisch reformiert. Liiturgik und Liturgie in der Kirche Zwinglis*, Zurigo, 2001, in cui l'A. passa al vaglio critico la tradizione zwingliana fino alla contemporaneità, con l'uso di un impianto ermeneutico semiotico.

[22] Significativo il titolo dato ad uno dei suoi libri dal noto liturgista metodista J. WHITE, *Protestant Worship. Traditions in Transitions*, Louisville, 1989.

sarebbe oggi difficile proporre degli esempi che vanno nella direzione opposta: molte chiese protestanti sono terribilmente tradizionaliste! In ogni caso anche il protestantesimo ha a cuore la tradizione, la memoria, non ne può fare a meno, così come il cattolicesimo non può prescindere dall'innovazione, ed il Concilio Vaticano II ne è stata una dimostrazione evidente. Le voci che oggi si odono nel mondo cattolico a favore di un nuovo Concilio vanno in questa direzione. Si avverte oggi, a distanza di oltre 40 anni dalla svolta epocale del Concilio vaticano II, l'urgenza di ridefinire il ruolo della chiesa in un mondo che ha subito dei cambiamenti radicali, mentre le chiese, tutte le chiese, sono sempre lente e pesanti nel rinnovare la propria prassi.

Nel mondo protestante il fare teologia resta costantemente situato nell'orizzonte del sacerdozio universale dei credenti ed il fatto di non avere un Magistero che esercita una funzione di orientamento e di controllo come nella Chiesa cattolica non significa naturalmente – anche se talvolta può essere questa l'impressione – che regni una sorta di 'far west teologico ed ecclesiale' in cui più o meno tutto è possibile.

Non sempre la riforma della Chiesa parte dall'alto, essa si realizza anche dal basso, e talvolta senza grandi proclami ma prendendo semplicemente sul serio la vocazione a cui ogni cristiano è chiamato, mettendo al servizio tutti i carismi che lo Spirito crea nella Chiesa. Ogni chiesa locale è chiamata ad esercitare il proprio carisma teologico, nella pluralità dei doni che lo Spirito dona ai suoi figli e figlie, nel dialogo, talvolta anche nel dissenso, in uno spirito di libertà che sempre richiede la carità cristiana e l'umiltà, nella consapevolezza che nessuno, neppure il teologo più brillante o il sinodo più illuminato possiedono la verità.

L'unità della fede come del fare teologia risiedono nell'unico Signore del mondo e della chiesa di cui lo Spirito è testimone attraverso i molti doni che dona ai suoi figli e figlie.

Questa consapevolezza esige da ogni chiesa cristiana, prima di ogni altra cosa, *la pratica dell'umiltà*. Proprio in questo punto potrebbe risiedere l'autentico metodo teologico per ogni generazione che pratica la teologia cristiana! Karl Barth lo ha ricordato in molte pagine della sua *Dogmatica ecclesiale,* in cui ha affermato il fatto che il "fare teologia" è possibile soltanto se vi è una comunità: "È a partire dal servizio stesso della comunità e non in uno spazio vuoto che si pone alla teologia il problema centrale a motivo del quale essa si trova costituita come una scienza accanto ad altre scienze"[23].

Ma ha ricordato anche che la teologia in quanto tale e in ognuna delle sue discipline "è un'impresa pericolosa e in pericolo, perché minacciata da ogni specie di forme dell'*hybris* umana", soprattutto quando ha la tendenza a porsi come un "assoluto".

Ed è proprio nel mezzo di queste considerazioni critiche ed autocritiche che Barth situa i due concetti di *saggezza* e di *prudenza*, l'invito ad un fare teologia in modo critico, a porre dei correttivi, l'invito ad una riforma sempre necessaria[24].

Ma fare teologia è sempre anche un fare *nel segno della gioia,* e Barth ci ha lasciato questa eredità che è anche una sfida: "La teologia è la più bella di tutte le scienze… si può essere teologo soltanto con piacere e con gioia o non lo si è affatto"[25]. Un'eredità che riceviamo nel segno di una benedizione.

---

[23] *Die Kirchliche Dogmatik*, IV/III, 2, 1007.
[24] *Ib.*, 1009.
[25] *Die Kirchliche Dogmatik*, II/I, 740.

PARTE II

IN CONTESTO ECCLESIALE

El método teológico
y sus presupuestos eclesiológicos y existenciales

José Luis Illanes

En esta sesión no se trata de elaborar una síntesis propiamente dicha, tarea imposible de realizar en un breve espacio de tiempo dada la riqueza de las intervenciones que se han sucedido.

Ni tampoco de esbozar una reacción o valoración personal. Sino de ofrecer algunas consideraciones que puedan contribuir a mantener viva la reflexión iniciada durante estas jornadas.

En su explicación del esquema del Forum el Prof. Coda glosó el subtítulo (*Comunione con Cristo tra memoria e dialogo*) y señaló que las dos primeras sesiones estaban orientadas más hacia la memora que hacia el diálogo, del que se trataría en cambio en la tercera.

Teniendo en cuenta ese dato, y el hecho de que mi atención debe dirigirse preferentemente hacia la primera sesión, me parece útil evocar la obra publicada por Juan Pablo II poco semanas antes de su fallecimiento: *Memoria e identità*.

Más concretamente, la hondura con que a lo largo de ese ensayo el Romano Pontífice subraya el papel que juega la memoria en la conciencia de la propia identidad por parte tanto de los pueblos como de cada uno de los seres humanos.

Entronca así con una convicción y una experiencia que, percibidas desde antiguo, han sido objeto de particular consideración por la antropología y la sociología contemporáneas. Afirmarse como un ser humano singular o como una colectividad determinada, dotados en uno y en otro caso de identidad, está en íntima conexión con la sedimentación que la historia concretamente vivida ha ido dejando en la conciencia individual o en la colectiva.

Richard Schaeffler, a fin de glosar esta realidad, acude en una de sus obras de filosofía del lenguaje[1] a una experiencia bastante habitual: el encuentro, después de años de separación, entre dos amigos. Surge espontánea en esas situaciones la tendencia a evocar sucesos del pasado y a interrogarse mutuamente sobre los propios recuerdos, como queriendo encontrar en el otro la confirmación de lo que cada uno ha vivido y, en consecuencia, de lo que actualmente es.

Al discurrir la conversación se manifestarán recuerdos comunes o complementarios, contribuyendo así al enriquecerse de los respectivos mundos interiores. Pero puede también suceder que ante la evocación, incluso apasionada, de un cierto suceso por parte de uno de los protagonistas, el otro responda con un sencillo: "no me acuerdo". Cuando esto acontece – prosigue Schaeffler – el que evocaba ese recuerdo corre el riesgo de experimentar la sensación, con una conmoción proporcional a la hondura con que el recuerdo estaba vivenciado en su conciencia, de verse desposeído de su propia historia. «¿Son mis recuerdos fieles a la realidad?»; «¿Acontecieron realmente los sucesos que yo recordaba?»; «¿Tuvieron la importancia que yo les venía atribuyendo?»; «¿La imagen que yo tenía de mí mismo corresponde a la verdad de mi historia?».

El análisis de Schaeffler constituye, en la obra a la que estamos acudiendo, el punto de partida para una reflexión sobre la oración del creyente. En el trasfondo de las diversas manifestaciones de la vida de oración, desde la petición de perdón o de ayuda hasta la adoración y la acción de gracias, está siempre presente la convicción de que Dios es Aquel cuya mirada penetra a fondo en la propia vida. La persona que reza no pretende informar a Dios de realidades o actitudes que Dios no conociera, sino colocar, de una u otra forma, con unas u otras palabras, en manos de Dios la propia existencia. Y ello con conciencia de que Dios es quien realmente conoce lo que ha contribuido a conformar esa existencia y lo que esa existencia vale. Dios conserva la memoria de la totalidad de nuestras vidas, y ello no de modo frío y menos aún acusato-

---

[1] Cfr. R. SCHAEFFLER, *Das Gebet und das Argument: zwei Weisen des Sprechens von Gott. Eine Einfurung im die Theorie der religiosen Sprache*, Dusserldorf 1989.

rio, sino, al contrario, envolviéndola en su amor. Situarse ante Dios, hacer memoria ante Dios de la propia vida y desde esa memoria proyectarse hacia el futuro, es fundamentarse, con tanta más hondura cuanto más sincera sea la oración, en esa memoria y, por tanto, en el amor que Dios ha manifestado.

Las reflexiones que preceden hacen referencia a la oración y por tanto a ese desarrollo de la fe al que solemos designar como vida espiritual. Cabe así preguntarse: ¿qué sentido tiene evocarlas en el contexto de este Forum? Dicho positivamente: ¿en qué sentido se aplican, si es que se aplican, a la teología y a su método, tema de nuestra reunión?

A decir verdad, aunque no han faltado intentos, incluso amplios, de precisar los contornos de la noción y el *status* de la teología, uno y otro punto no han sido analizados sistemáticamente, ya que el discurso versaba, al menos formalmente, sobre el método, o, más exactamente, sobre los principios de los que el método, o los métodos, dependen.

No es mi intención proceder ahora a esbozar una síntesis de los diversos modos de entender la teología que a lo largo de estas sesiones se han puesto de manifiesto. Me parece, no obstante, que, en términos generales, todos los presentes participamos de una de las convicciones propias de la teología contemporánea, que se concibe a sí misma, con más decisión que en épocas pasadas, como saber que, sin renunciar al rigor científico, aspira no sólo a perfilar los rasgos conceptuales de la realidad sobre la que versa sino además a entrar, de algún modo, en comunión con ella. Mejor, que considera que se constituye como saber precisamente en la medida en que se abre – sin instrumentalizar el nivel intelectual que le es proprio – a lo que es el núcleo central de la realidad cristiana: la comunicación entre Dios y el hombre. De ahí que las consideraciones sobre la oración que acabamos de esbozar no sean, a nuestro juicio, ajenas al discurso teológico, sino que ofrecen el contexto en el que ese discurso se sitúa, ya que el proceder teológico implica siempre un interrogarse y un reflexionar sobre el sentido.

El modo de entender la teología que, a decir verdad de modo muy esquemático, acabamos de describir trae consigo un deslizamiento de la atención – ciertamente no absoluto, pero sí significativo – desde el método teológico al teólogo, desde las reglas y procedimientos para el análisis y la investigación a la actitud de la persona que, investigando, aspira a profundizar en el conocimiento de la verdad.

Esto implica colocar en primer plano algunas de las consideraciones clásicas sobre el saber, como es el caso – por citar sólo algunas de las más conocidas – de la comprensión platónica del filosofar como acto de toda la persona, o la descripción aristotélica de la ciencia no sólo como una sistema estructurado de premisas y conclusiones, sino también – e incluso sobre todo – como un hábito intelectual, como una cualidad que implica un perfeccionamiento de la inteligencia y de su capacidad cognoscitiva. Y, a nivel teológico, la consideración de la fe no como simple impulso a asentir a las verdades contenidas en la revelación y propuestas por la Iglesia, sino como virtud que, iluminando y elevando la inteligencia, no sólo fundamenta el acto de asentir sino que provoca, además, un dinamismo de conocimiento y amor que conduce a una progresiva connaturalidad con lo creído – es decir, en última instancia, con Dios – , de donde proceden esas dos realidades, diversas entre sí pero no absolutamente heterogéneas, que son la teología y la contemplación.

La referencia al sujeto de la teología y, en general, del saber tiene resonancias no sólo individuales, sino también colectivas. Ningún pensador piensa solo, y ningún científico trabaja en el vacío. El pensamiento y la investigación presuponen una cultura y, más concretamente, una comunidad científica dispuesta a la interconexión y al diálogo; lo que presupone confianza en la racionalidad de lo real y en la capacidad humana para captar esa racionalidad, con las actitudes éticas que todo ello implica: honestidad intelectual, sinceridad, disponibilidad […] . En el caso de la teología, hay mucho más. Nos encontramos no sólo ante una tradición cultural y una colectividad científica, sino ante una Iglesia, es decir, ante una comunidad constituida por Cristo como continuadora de su misión y asistida por el Espíritu en orden a la efectiva transmisión de la palabra de la que es depositaria.

El teólogo no reflexiona sobre su personal experiencia reduplicativamente considerada, sino sobre la fe de la Iglesia. Más aún, su reflexión no sólo presupone a la Iglesia como a una realidad que le antecede y de la que recibe un mensaje, sino que la connota en todo instante. Dicho con otras palabras, está llamado a pensar no ya partiendo de la fe de la Iglesia, sino en la Iglesia, estando en comunión con la Iglesia, participando del vivir eclesial. Y ello hasta el punto de que si esa comunión faltara su teologizar se vería progresivamente privado de substancia hasta acabar por desvanecerse.

El Prof. Seckler, que desde los inicios de su dedicación académica, ha prestado especial atención a la reflexión epistemológica, no sólo conoce bien las perspectivas que hemos esbozado, sino que ha explicitado algunas de las implicaciones en relación con el método teológico que de ahí se derivan. Así lo hizo en el importante artículo sobre *Il significato teologico del sistema dei "loci theologici"*, que publicó en 1987[2], y así ha vuelto a hacerlo, dando un paso más, en la relación, que, con título emblemático (*L'ecclesiologia di comunione e il metodo teologico*), ha presentado en este Forum.

En ambos escritos, manteniendo un estilo expositivo de naturaleza historiográfica – una relectura de la doctrina de Melchor Cano sobre los *loci* – , el Prof. Seckler plantea una tesis teorética de fondo. La existencia de una conexión profunda entre enumeración y presentación de los *loci theologici* y visión o comprensión de la Iglesia. Desde la perspectiva de la historia del método teológico, me parece claro que Max Seckler aspira a poner de relieve la importancia del planteamiento de Cano y su superioridad frente al modo de proceder de la llamada "teología del magisterio" o *Denziger Theologie*, es decir, la teología que predominó en los manuales – y no sólo en ellos – durante los siglos XVIII y XIX y parte del XX.

Esta teología implicaba, en última instancia, la reconducción del método teológico a tres lugares propios, por utilizar la terminología de Cano, concretamente Magisterio, Escritura y Tradición, atribuyendo una particular función hermenéutica al primero. Este planteamiento metodológico presupone una eclesiología decididamente jerarcológica. No es por eso extraño que entrara en crisis a medida que a lo largo del siglo XIX y a comienzos del XX se fueron consolidando sea los estudios bíblicos, partrísticos y litúrgicos, sea la fuerte renovación eclesiológica impulsada, entre otros, por la escuela de Tubinga. Como fruto de ese conjunto de factores, saltaba a la vista la necesidad de una reconsideración del méto-

---

[2]   *Die ekklesiologische Bedeutung des Systems der "loci theologici". Erkenntnistheoretische Katolizitat und strukturale Weisheit,* en AA. Vv., *Weisheit Gottes – Weisheit der Welt (Festschrift Kardinal Josef Ratzinger),* St. Ottilien 1987 (recogido en M. SECKLER, *Teologia, Scienza, Chiesa. Saggi di teologia fondamentale,* Brescia 1988).

do teológico, empresa para la que – sostiene el Prof. Seckler – resulta útil acudir al sistema de Cano, considerado en sus líneas de fondo.

Cano ofrece – como es bien sabido – un elenco de diez *loci*, siete propios y tres comunes. Más allá de la diferencia numérica, lo que importa es el modo como el teólogo dominico concibe la función de los diversos *loci* y su conexión. Más concretamente el hecho de que atribuya a todos y cada uno de los *loci* una substantividad, rechazando todo intento de subsumirlos unos en otros. Ciertamente hay entre ellos una jerarquía – particularmente por lo que se refiere a los dos primeros: la Escritura y las Tradiciones apostólicas – , pero todos y cada uno de ellos tienen su propia razón de ser y están llamados a aportar un testimonio que no puede ser sustituido por el de los otros. Ninguno de los lugares teológicos enumerados por Cano es eliminable, sino que cada uno de ellos está llamado a dar de forma original y autónoma su propia y peculiar contribución al trabajo teológico. Toda metología teológica que aspire a ser adecuada debe respetar esa realidad y proceder de manera que se evidencie lo que cada uno de los *loci* está llamado a aportar en la cuestón concreta de que en cada caso se trate, integrando el resultado en un una totalidad que sea fruto de la cooperación entre todos ellos.

El proceder teológico implica pues, siempre, una interacción de fuentes, que connotará de ordinario una interacción de perspectivas y una colaboración entre especialistas. De ahí que entre los términos que permiten describir y cualificar el trabajo teológico deban estar la comunión y el diálogo. No es por eso extraño que sea el artículo de 1987 sea la ponencia presentada en este Forum terminen con una cita de Johann Adam Möhler en la que el gran teológo tubingense pone de manifiesto que la unidad católica es la unidad propia de una realidad no monista, sino múltiple en la que todos contribuyen armónicamente a conformar el todo.

Como es obvio, y el Prof. Seckler insiste en ello, este planteamiento metodológico refleja una comprensión de la Iglesia en la que, sin negar la singularidad de la jerarquía y de su magisterio, se afirma la capacidad testificante de la totalidad del cuerpo eclesial. En otras palabras, una eclesiología de comunión, es decir, una visión de la Iglesia como cuerpo que, animado por el Espíritu, transmite, a través de todos los elementos que la estructuran, la palabra de la revelación recibida en la fe.

A llegar a este punto, me parece oportuno hacer referencia a la intervención de Mons. Fisichella, y a su amplia referencia a la doctrina de Cano sobre la tradición. Más concretamente a la fuerza o valor de la tradición resumida en unas palabras del teólogo dominico que Mons. Fisichella citó reiteradamente: «tanta vis in traditio est [...]». La tradición posee una fuerza singular sitúa al creyente no ya ante un texto que se proclama, ciertamente, inspirado por el Espíritu Santo, pero que ahora se presenta ante nosotros ante todo y sobre todo como texto, sino ante el mismo Espíritu Santo, que, habiendo inspirado la Escritura, asiste hoy y ahora a la Iglesia a la largo de la historia, a fin de que la palabra de Dios resuene hasta el fin de los tiempos.

Todo ello, a la vez que fundamenta las consideraciones epistemológicas que preceden, invita a ir más allá, puesto que hablar de eclesiología de comunión es hablar primariamente y ante todo no de un método sino de personas y de la comunidad de la que esas personas forman parte. Seckler no ha dejado, por lo demás, de señalarlo. Las consideraciones desarrolladas en referencia a los *loci* tienen implicaciones – afirma expresamente – «no sólo respecto a la coexistencia y a la concordancia entre las fuentes del conocimiento teológico, sino también a la de sus portadores, sean de naturaleza personal o institucional».

La diversidad y armonía entre las fuentes connota la diversidad y armonía entre los sujetos. La Iglesia, presente desde una perspectiva objetiva en el constituirse del trabajo teológico, puesto que ese trabajo presupone la totalidad de los *loci*, lo está también desde una perspectiva subjetiva. La convicción intelectual que lleva al teólogo a prestar atención a los diversos *loci* – es decir, la conciencia de pertenecer a un cuerpo animado todo él por el Espíritu – le impulsa a la vez a la comunión vital con la comunidad integrada por quienes han recibido en la fe la palabra de Dios.

De ahí que, dejando constancia de la individualidad y de la personalidad de cada teólogo, puede decirse, como la ha hecho Mons. Bordoni, que, en última instancia, el sujeto de la teología es la Iglesia como comunidad de cristianos, como comunidad de creyentes en Cristo, llamados todos ellos a profundizar, por una u otra vía, en la fe, y a testimoniarla, de nuevo cada uno según su peculiar vocación, ante el mundo. Reencontramos así, a un nuevo nivel de profundidad, las consideraciones que esbozábamos anteriormente al referirnos al teólogo como pensador que puede ser calificado como teólogo precisamente en cuanto que es personalmente creyente, es decir, en cuanto miembro de una comunidad de cuya fe participa.

Es claro por lo demás que al referirme al teólogo como creyente lo hago connotando la limitación que implica todo existir humano, pero también la realidad de una fe viva, con todas las exigencias que el Prof. Koerner ha descrito en su ponencia. La fe que da vida a la teología es una fe confesada, que implica una conexión vital con la Iglesia. En este sentido me parece que las consideraciones expuestas en la tercera sesión se mueven en esa misma dirección, ya que el testimonio no es simple reiteración de un mensaje previamente escuchado, sino manifestación de ese mensaje desde la autenticidad del propio vivir. El dicho de Pascal («sono disposto a credere soltanto a coloro che si lasciano tagliare la gola») alegado por el Prof. O'Callaghan y la importancia concedida al martirio en la literatura teológica y magisterial de nuestros días lo indican con claridad.

Como decía al principio es imposible sintetizar en pocos minutos una reunión como la que estamos a punto de terminar. Sin embargo, si no he interpretado mal las diversas intervenciones y diálogos, me atrevo a decir que el conjunto de estas jornadas ha puesto de relieve dos perspectivas de fondo – una reafirmación decidida de la fe como participación viva en una palabra que es vida, y una comprensión de la Iglesia como comunidad animada toda ella por el Espíritu – que conducen a un enfoque a la vez no sólo cristológico, pneumatológico y eclesiológico, sino además – y como consecuencia de lo anterior – también personalista del configurarse y proceder de la teología.

Metodo teologico e magistero della Chiesa

J. Augustine Di Noia

È oggi possibile aggiungere qualcosa di veramente nuovo al tema del "Magistero e teologia"? Fin dalla pubblicazione della Lettera Enciclica *Humanae vitae* (1968), l'argomento ha ricevuto tale attenzione e studio da ritenere che ormai l'unica cosa possibile sia quella di riassumere e ripetere ciò che è stato già detto da altri[1].

In realtà si verifica questo: che gran parte della discussione contemporanea si focalizza sul problema del dissenso teologico nei confronti della dottrina della Chiesa, in particolare circa la sessualità. Nel mio intervento intendo dire poco riguardo al dissenso come tale: vorrei solo notare in apertura che la generalizzata tensione fra Magistero e teologi che caratterizza la situazione negli ultimi trentacinque anni non ha precedenti ed è anomala. La situazione normale è che i teologi cattolici debbano riconoscere l'autorità del Magistero per il loro lavoro. Una delle conclusioni che mi auguro sarà accolta dalla mia relazione è che il permettere a una condizione di dissenso di assumere una posizione di dominio nella discussione del rapporto teologia/Magistero è causa di gravi conseguenze[2].

Prescindendo dal problema del dissenso come tale, ritengo che ci sia qualcosa di nuovo da dire per quanto riguarda il rapporto Magistero/teo-

---

[1] Cfr. A.J. FIGUEREIDO, *The Magisterium-Theology Relationship: Contemporary Theological Conceptions in the Light of Universal Church Teaching since 1835 and the Pronouncements of the Bishops of the United States*, Tesi Gregoriana, Serie Teologia 75, Pontificia Università Gregoriana, Roma 2001.

[2] J.A. DI NOIA, O.P., "Authority, Dissent and the Nature of Theological Thinking", in *The Thomist* 52 (1988), 185-207.

logia. Se è vero che la formulazione della dottrina cattolica circa il Magistero è stata sviluppata nella contestazione della cultura moderna – tesi che ho già proposto in altra occasione[3] – allora ci può essere l'aspettativa che i nuovi sviluppi nella comprensione del rapporto fra Magistero e teologia emergeranno in quei luoghi dove la preoccupazione moderna con la ragione autonoma si ritira davanti alla riscoperta postmoderna dei contesti comunitari e tradizionali di ogni attività razionale. Credo fermamente che sia così e nel tempo che mi è concesso cercherò di delineare quelli che mi sembrano gli elementi più significativi per un approfondimento del rapporto fra Magistero e teologia.

Un modo semplice di visualizzare la nuova situazione può essere fatto con un'analogia realistica e concreta. Immaginate di andare al campo di calcio per una partita (forse per alcuni di noi sarebbe consigliabile solo stare in panchina!). Immaginate che dopo aver scelto i capitani e dopo esserci divisi in due squadre, qualcuno facesse una domanda circa le regole che saranno seguite nella nostra partita, dicendo "a Napoli, da dove vengo io, si gioca così". Un altro potrebbe obiettare "ma a Padova si fa così", mentre io direi "a New York si è fatto sempre così", e così via. Detto questo, ciò che voglio mostrare è che un dibattito circa le regole della partita potrebbe vanificare tutto il tempo assegnato alla partita stessa. Può risultare, in altre parole, che il nostro disaccordo circa le regole ci potrebbe impedire di giocare la partita stessa, mentre il nostro accordo e la nostra accoglienza delle regole renderebbero subito possibile questa ipotetica partita di calcio.

Forse alcuni di voi hanno potuto percepire un'eco di Wittgenstein in questa analogia molto semplice. Ma non è necessario invocare e neppure difendere tutto il sistema della filosofia di Wittgenstein circa le forme di vita ed i giochi linguistici per scoprire nella nostra umile analogia una profonda ed importante verità riguardo a tutte le attività umane. Le regole, lungi dall'essere una forma di coercizione e di costrizione, creano invece lo spazio nel quale una particolare attività umana può procedere. Certo le regole implicano i limiti. Però tali limiti definiscono le differenziate possibilità nel calcio come nel rugby, negli scacchi come nel bridge – per men-

---

[3] J.A. Di Noia, O.P., "Communion and Magisterium: Teaching Authority and the Culture of Grace", in *Modern Theology* 9 (1993), 403-18.

zionare alcune attività umane più ordinarie –, rese possibili solo attraverso l'accordo sulle regole. Da questa prospettiva, le regole sono fondamentali in quanto rendono possibile il gioco. Una totale mancanza di accordi circa le regole, come l'esperienza umana dimostra molto chiaramente, blocca il gioco, mentre il presupposto che tutti i giocatori accettino le regole è una condizione necessaria per poterlo praticare.

Questa suggestiva analogia ci aiuta in modo parziale a capire perché – a mio avviso – sia sbagliato acconsentire a che la discussione teologica circa il Magistero sia soggiogata e formulata mediante categorie proposte dai teologi del dissenso. Tale dissenso sulla questione del grado di autorità con la quale una dottrina viene insegnata (analogamente al disaccordo circa le regole della partita di calcio) ci distoglie dalla questione della *verità* stessa di ciò che viene insegnato, che è sempre molto più importante (cioè, giocare la partita). Ad esempio, per quanto riguarda la dottrina della Chiesa circa l'immoralità dell'uso dei contraccettivi, i teologi dissenzienti ci costringono a difendere l'infallibilità del Magistero ordinario come esso viene impegnato nella dottrina dell'Enciclica *Humanae vitae,* invece di focalizzarci sulla vera questione della dottrina cattolica sulla sessualità. Un altro esempio sarebbe il fatto che solo gli uomini possono essere ordinati al sacerdozio; qui ci troviamo intrappolati nelle controversie circa l'autorità della Lettera Apostolica *Ordinatio sacerdotalis,* trascurando così il compito più importante di sviluppare la teologia del significato naturale della mascolinità del sacerdote, che rappresenta sia la vittima sia chi offre il sacrificio. Quando lavoravo come Segretario della Commissione Dottrinale della Conferenza Episcopale degli Stati Uniti mi sono accorto di come inevitabilmente la prima domanda formulata dai giornalisti davanti ai nuovi documenti del Magistero come *Veritatis Splendor* e *Evangelium vitae* fosse sempre la stessa: il documento è infallibile? Io rispondevo facendo rilevare che la domanda più pertinente avrebbe dovuto essere: "il documento è vero?" Non è il fatto che il Magistero insegni qualcosa che la rende vera; invece il Magistero insegna qualcosa proprio perché è vera.

La propensione a dare la precedenza alla questione del grado di autorità con il quale è stata proposta una dottrina in relazione alla questione della propria verità non è limitata solo ai teologi del dissenso. È caratteristica della cultura moderna stessa, espressa anche nella preoccupazione moderna per le questioni di epistemologia e di metodologia nella disciplina filosofica. Un nuovo e positivo elemento però è stato il rifiuto di permettere che il dibattito circa i fondamenti della verità distogliesse l'attenzione dalle questioni più sostanziali della verità stessa. Negli ultimi anni la rinnovata sottolineatura del ruolo del Magistero ordinario rappresenta un tipo di risposta postmoderna alla riduttiva limitazione dell'autorità dottrinale da doversi applicare solo alle affermazioni esplicitamente infallibili del Magistero straordinario. Tale mutazione di priorità, caratteristica del postmodernismo, ci aiuta a capire e ad interpretare la storia della formulazione della dottrina circa il Magistero come si è evoluta dopo il diciannovesimo secolo[4].

Essenzialmente, la dottrina della Chiesa ha lo scopo di condurci alla santità, all'esperienza presente e futura di piena comunione con la Santa Trinità e con gli altri attraverso una vita di sempre crescente carità. Attraverso tutte le attività didattiche della Chiesa – l'insegnamento del Magistero, la predicazione, la catechesi, la teologia, la famiglia – la Chiesa cerca di coltivare le disposizioni intellettuali e morali necessarie per entrare in questa comunione piena con Dio Uno e Trino, per far crescere l'intelligenza del profondo significato di questo fine e di comunicarla ad altri. L'insieme della dottrina cattolica – il *depositum fidei* – raccoglie tutte le dottrine che hanno lo scopo di formare la nostra vita e di condurci verso la santità. Come dimostrato nel *Catechismo della Chiesa Cattolica,* tali dottrine rispondono a ciò che si deve credere, a quali azioni si devono compiere e quali evitare, quali disposizioni interiori si devono coltivare e quali stroncare e così via, per godere la vita di comunione nella sua pienezza. Una grande parte della dottrina della Chiesa, compreso l'insegnamento autorevole del Magistero, riguarda questioni di tale genere.

Ma si possono sollevare molte altre questioni. Esse riguardano non quello che si deve credere e fare per crescere nella vita della grazia e della carità, ma riguardano invece il modo in cui una persona può sapere che queste cose devono essere credute e messe in atto. Negli ultimi anni

---

[4] Cfr. *The Cambridge Companion to Postmodern Theology*, a cura di K.J. Vanhoozer, Cambridge University Press, 2003; J.A. Di Noia, O.P., "La teologia americana della fine del secolo: post-conciliare, post-moderna, post-tomista", in *La virtù e il bene dell'uomo: il pensiero tomista nella teologia post-moderna*, a cura di E. Kaczynski e F. Compagnoni, Edizioni Dehoniane, Bologna 1993, 13-30.

l'analisi filosofica della natura delle dottrine religiose ci ha aiutato a distinguere fra questi due tipi di questioni e a capire anche il modo in cui la preoccupazione moderna, con le questioni dell'autorità e delle fonti di verità, ha costretto la Chiesa, nel corso degli ultimi due secoli, a formulare in modo esplicito la dottrina del Magistero, fino allora in gran parte implicita. Il filosofo della religione, William A. Christian, propone che, per rispondere alle due questioni sopra menzionate, le attività didattiche delle religioni debbano produrre due tipi di dottrine: *dottrine primarie*, con le quali una religione asserisce le credenze e le prassi che costituiscono il suo distintivo programma di vita; e *dottrine governanti*, con le quali la comunità afferma le fonti di tali dottrine primarie[5]. Secondo l'analisi di Christian, le dottrine governanti rispondono a domande come: questa è veramente una dottrina della nostra comunità? Quali criteri ci sono per decidere? È più importante una particolare dottrina invece di un'altra? Questa è coerente con le altre dottrine? È opportuno sviluppare i significati che sembrano impliciti nelle nostre dottrine? Anch'essi dovrebbero essere considerati come dottrine? Chi nella comunità è autorizzato a decidere tali questioni? Nell'esaminare diverse religioni come il Cristianesimo, il Buddismo, l'Islamismo ed altre, egli studia le diverse questioni che danno avvio a ciò che egli chiama "le dottrine circa le dottrine", oppure più semplicemente: le dottrine governanti.

Nella storia della Chiesa Cattolica ci sono state molte occasioni per sviluppare e invocare dottrine governanti. Molto rilevante è il fatto che le questioni circa l'autenticità delle dottrine primarie sono state affrontate senza interruzione negli ultimi due secoli della storia della Chiesa. Per esempio, in questo periodo è stata dedicata alla dottrina della rivelazione un'attenzione più esplicita rispetto a tutti i precedenti secoli nel loro insieme. Durante questo periodo, la Chiesa ha gradualmente formulato una gamma di dottrine governanti che precedentemente erano state implicite, allo scopo di comunicare che le sue dottrine primarie esprimono autenticamente quanto contenuto nella Sacra Scrittura e nella Tradizione, che la Scrittura e la Tradizione insieme costituiscono l'unica fonte della rivela-

---

[5] W.A. CHRISTIAN, Sr., *Doctrines of Religious Communities: A Philosophical Study*, Yale University Press, New Haven 1987.

zione, che la rivelazione significa una vera comunicazione divina mediata da Cristo, dai profeti e dagli apostoli, che ciò che è contenuto nelle Sacre Scritture circa la rivelazione è stato ispirato da Dio, che la tradizione liturgica e dottrinale concretizza le interpretazioni comunemente autorizzate delle Scritture e che la Chiesa sotto il Successore di Pietro viene guidata da Dio nella formulazione delle dottrine primarie circa la fede e la morale.

La formulazione sempre più esplicita della dottrina del Magistero nel corso degli ultimi due secoli fa parte dell'evoluzione che risponde alla sempre crescente necessità di una chiara formulazione delle dottrine governanti della fede cattolica[6]. Nelle circostanze in cui l'autenticità delle dottrine cattoliche è stata oggetto di perdurante e ininterrotta controversia, gli sviluppi dottrinali in merito a tale questione si sono mossi simultaneamente su diversi fronti: la natura della rivelazione, l'interpretazione delle Sacre Scritture, l'autorità della Tradizione e lo scopo del compito dottrinale della Chiesa. Tutti questi temi sono stati il nucleo centrale del programma del Concilio Ecumenico Vaticano I e – con qualche cambiamento di enfasi – sono rimasti finora centrali. Nelle Costituzioni *Dei Verbum* e *Lumen Gentium*, il Concilio Ecumenico Vaticano II è giunto ad un nuovo livello in tale formulazione. Nell'esporre le dottrine centrali del Concilio Vaticano I, queste due Costituzioni hanno collocato il *munus docendi* della Chiesa nel contesto più ampio delle sue dottrine governanti, che esplicitano la propria convinzione che la verità posseduta e trasmessa è un dono da ricevere nella fede, nella speranza e nella carità.

Dal punto di vista dell'inizio del terzo millennio, sembra chiaro che la definizione dell'infallibilità del Romano Pontefice è stata un primo passo nel tentativo, sempre presente da parte della Chiesa, di formulare la sua dottrina governante nei riguardi delle sfide contemporanee. Vista in questo contesto, la focalizzazione del Magistero ufficiale, tipica del diciannovesimo secolo, e la rilevanza, nel ventesimo secolo, del Magistero pontificio appaiono non come un'ingiusta crescita del potere del Vescovo di Roma a scapito delle altre autorità dottrinali nella Chiesa, ma come

---

6 Cfr. A. DULLES, "The Magisterium in History: Theological Considerations", in *A Church to Believe In*, Crossroad, New York 1982, 103-117.

7 A. MAC INTYRE, *Three Rival Versions of Moral Theology*, University of Notre Dame Press, 1990; cfr. A. MAC INTYRE, a cura di M.C. MURPHY, Cambridge University Press, 2003.

l'aspetto necessario nello sviluppo della formulazione delle sue dottrine governanti in risposta alle sfide causate dal rifiuto della tradizione da parte della cultura moderna e dall'esaltazione della ragione autonoma. Davanti ad una tale sfida, la Chiesa deve affermare la sua fede secondo la quale gli uomini non possono creare la verità, ma la devono ricevere come dono. Malgrado l'influsso permanente dei presupposti della cultura moderna, l'atmosfera creata dalle correnti culturali e intellettuali postmoderne può essere più accogliente di fronte alle convinzioni culturali riguardo alle fonti della fede elaborate e comprese nella tradizione.

La strategia postmoderna fondamentale, sviluppata da pensatori come Alasdair MacIntyre ed altri, è quella di riscoprire una verità che è stata soppressa dalla cultura moderna e cioè che la tradizione non è nemica della ragione, ma è invece figlia[7]. In tutte le aree – dalla scienza naturale alla filosofia, all'arte e alla letteratura – le attività del sapere non sono limitate o impedite, ma al contrario rese possibili e guidate da una grande gamma di tradizioni e dalle comunità che le sviluppano e le trasmettono. Secondo questa visione, la ricerca fatta dalla ragione dipende sempre dalla tradizione e dalla comunità. Tali comunità di specialisti di scienze, di filosofia, di teologia, ecc., custodiscono e trasformano le tradizioni della ricerca che allargano e approfondiscono le diverse branche del sapere, e allo stesso tempo esse iniziano ed attirano le nuove generazioni di studenti a seguire le loro orme. Nella teologia, il luterano George Linbeck ha utilizzato questa prospettiva nel suo controverso libro in cui propone una teoria culturale-linguistica di dottrina[8].

Questa prospettiva del postmodernismo aiuta a capire il rapporto fra Magistero e teologia. Da questo punto di vista, il Magistero esiste non per costringere, ma per aiutare il progresso della ricerca teologica. Assieme alle Sacre Scritture e alla Tradizione, il Magistero appare come una delle stesse condizioni che rendono possibile la teologia. Ciò viene riconosciuto ed affermato nel più rilevante documento ufficiale circa il rapporto fra la

---

8 G.A. LINDBECK, *The Nature of Doctrine*, Westminster Press, Philadelphia 1984; *The Church in a Postliberal Age*, Erdmans Press, Grand Rapids 2002; cfr. A. ECKERSTORFER, *Kirche in der postmodern Welt: der Beitrag George Lindbecks zu einer neuen Verhältnisbestimmung*, Salzburger Theologische Studien 16, Tyrolia-Verlag, Innsbruck-Wien 2001.

teologia e il Magistero: l'*Istruzione* della Congregazione per la Dottrina della Fede sulla vocazione ecclesiale del teologo, pubblicata nel 1990.

Anche se tutti i documenti del Concilio Ecumenico Vaticano II fanno riferimento alla teologia ed ai teologi – in particolare la Costituzione sulla divina Rivelazione (*Dei verbum* 23-24), la Costituzione sulla Chiesa (*Lumen gentium* 23) ed il Decreto sulla formazione sacerdotale (*Optatam totius* 12, 14-16), – il Concilio non ha sviluppato molto questo tema. Considerati gli effetti del Concilio sulla ricerca dei teologi, questo fatto può sembrare alquanto sorprendente, soprattutto quando si ricorda ciò che ha affermato il Card. Ratzinger: "è stata la grande fioritura della teologia nel periodo fra le due guerre mondiali che ha reso possibile il Concilio Vaticano II"[9]. Riprendendo elementi importanti della tradizione cattolica, come formulati nei documenti conciliari e postconciliari, l'*Istruzione* della Congregazione per la Dottrina della Fede sulla vocazione ecclesiale del teologo afferma con forza che la vocazione del teologo è proprio ecclesiale e che i legami di comunione ecclesiale impliciti in questo rapporto possono essere espressi in modo anche giuridico. Come è noto, l'*Istruzione* tratta successivamente il dono divino della verità, la vocazione del teologo e il ruolo del Magistero. Nell'affrontare la questione del ruolo del Magistero, il testo presta abbastanza attenzione al problema del dissenso teologico.

Ma ciò che è particolarmente rilevante, secondo il Card. Ratzinger, è che l'*Istruzione* non comincia con il Magistero, ma con il dono della verità. Infatti il titolo latino dell'Istruzione è *Donum veritatis*. Dal momento che la teologia non è solo una funzione ancillare del Magistero, occorre collocare il teologo e il compito della teologia nel contesto più ampio della vita della Chiesa, proprio in quanto depositaria di una verità che ella non ha generato, ma che ha ricevuto come dono. Al centro di questa verità si trova la persona di Gesù Cristo che rivela il desiderio di Dio di attirarci nella comunione dell'amore trinitario e che ci rende capaci per tale comunione. La funzione del Magistero è di custodire e propagare nella sua integrità questa verità, che è stata accolta dalla Chiesa come dono che deve essere trasmesso. Per questo motivo, secondo il Card. Ratzinger,

---

[9] J. RATZINGER, *Nature and Mission of Theology,* Ignatius Press, San Francisco 1995, 66.

l'*Istruzione* "presenta la missione ecclesiale del teologo non nel dualismo Magistero/teologia, ma nella inquadratura tripartita impostata dal Popolo di Dio, portatore del *sensus fidei,* il Magistero e la teologia"[10]. In modi differenziati perciò tutti e due, il Magistero e la teologia, sono servi di una verità antecedente, ricevuta nella Chiesa come dono[11].

Forse il contributo più importante dell'*Istruzione* è di aver stabilito in questo modo ciò che il Card. Ratzinger denomina "l'identità ecclesiale della teologia" e, in modo corrispondente, la vocazione ecclesiale del teologo[12]. Lo rileviamo dalle parole stesse dell'*Istruzione:* "Fra le vocazioni suscitate dallo Spirito nella Chiesa si distingue quella del teologo, che in modo particolare ha la funzione di acquistare, in comunione con il Magistero, un'intelligenza sempre più profonda della Parola di Dio contenuta nella Scrittura ispirata e trasmessa dalla Tradizione viva della Chiesa" (*Donum veritatis,* 6). La vocazione del teologo risponde alla dinamica intrinseca della fede, che "fa appello all'intelligenza"; la verità invita la ragione ad "entrare nella sua luce, diventando così capace di comprendere in una certa misura quanto ha creduto" (*Donum veritatis,* 6). Ma la vocazione del teologo risponde anche alla dinamica dell'amore, perché "nell'atto della fede l'uomo conosce la bontà di Dio e comincia ad amarlo, ma l'amore desidera conoscere sempre meglio colui che ama" (*Donum veritatis,* 7).

Il dono della verità ricevuta nella Chiesa stabilisce così sia il contesto per la vocazione e la missione del teologo, sia l'inquadratura per l'effettiva prassi della disciplina della teologia. Questa verità affidata alla Chiesa – formulata nel *depositum fidei* e trasmessa dal Magistero – non costituisce un'autorità *estrinseca* che impone limiti odiosi su una ricerca che altrimenti sarebbe libera, ma costituisce una fonte *intrinseca,* un criterio interno, che dà alla teologia la sua identità e la sua finalità come attività intellettuale. Quindi, come aggiunge il Card. Ratzinger, "una teologia per la quale la Chiesa non è più significativa, è veramente una teologia nel senso proprio della parola?"[13]. Esaminati senza l'assenso di fede e senza la

---

[10] RATZINGER, *Nature and Method of Theology,* 104-105.
[11] Cfr. DI NOIA, "Communion and Magisterium".
[12] RATZINGER, *Nature and Method of Theology,* 105.
[13] J. RATZINGER, *Principles of Catholic Theology,* Ignatius Press, San Francisco 1987, 323.

mediazione della comunità credente, i testi, le istituzioni, i riti e le credenze della Chiesa cattolica possono essere l'oggetto della ricerca umanistica, filosofica e sociologica che costituisce la disciplina dello studio delle religioni. Ma la teologia cristiana si colloca in una diversa prospettiva. Staccata dall'accoglienza della verità, che costituisce il suo oggetto di ricerca e che indica i metodi idonei per tale studio, la teologia, come sempre intesa nella Chiesa, perderebbe il suo carattere speciale che la distingue come ricerca scientifica di un certo tipo. Il suo scopo primario è di cercare l'intelligenza di una verità accolta nella fede da parte di un teologo che è anche membro della comunità ecclesiale, la quale, nelle parole del Card. Kasper, è "il luogo di verità"[14].

Il teologo è libero quindi di cercare la verità entro i limiti imposti non da un'intrusiva autorità esterna, ma a causa della natura della sua disciplina come tale. Come dice l'*Istruzione*: "la libertà di ricerca, che giustamente sta a cuore alla comunità degli uomini di scienza come uno dei suoi beni più preziosi, significa disponibilità ad accogliere la verità così come essa si presenta al termine di una ricerca, nella quale non sia intervenuto alcun elemento estraneo alle esigenze di un metodo che corrisponda all'oggetto studiato" (*Donum veritatis,* 12). Nelle parole del Card. Dulles, la teologia non può "negare i propri fondamenti"; l'accettazione dell'autorità della Scrittura e delle dottrine nella teologia "non è una limitazione, ma invece l'atto costitutivo della sua esistenza e della sua libertà ad essere se stessa"[15]. Secondo l'*Istruzione* della Congregazione per la Dottrina della Fede, la libertà di ricerca che appartiene alla teologia "si iscrive all'interno di un sapere razionale il cui oggetto è dato dalla Rivelazione, trasmessa ed interpretata nella Chiesa sotto l'autorità del Magistero, ed accolta dalla fede. Trascurare questi dati, che hanno un valore di principio, equivarrebbe a smettere a fare teologia" (*Donum veritatis,* 12). I principi della teologia derivano dalla rivelazione e costituiscono la disciplina come tale. Nell'accettarli il teologo non fa niente altro che rimanere fedele alla natura della sua ricerca e alla sua vocazione come studioso nella sua disciplina.

---

[14] W. KASPER, *Theology and Church,* Crossroad, New York 1989, 129-47.
[15] A. DULLES, *The Craft of Theology*, Crossroad, New York 1992, 168.

Tali elementi dell'*Istruzione* circa la teologia e il suo rapporto con il Magistero si scontrano dovunque incomba ciò che George Linbeck chiamava "l'individualistico razionalismo di fondo" della cultura moderna[16]. Ma, come viene spiegato nell'*Istruzione,* la Chiesa possiede una salda, ben compaginata e storicamente fondata ragione per la sua presentazione della natura della teologia come disciplina intellettuale particolare e del legame interno fra tale disciplina e l'insegnamento magisteriale. Favorire una razionalità teonoma sopra una razionalità autonoma è il cuore delle convinzioni della Chiesa Cattolica ed anzi della tradizione cristiana come tale. Mentre è vero che il fondamento per tale intuizione è proprio teologico, radicato nella convinzione cristiana riguardo al dono della verità e alla sua accoglienza nella comunità ecclesiale come abbiamo visto, alla luce di certe correnti intellettuale postmoderne, le affermazioni della Chiesa circa la collocazione della teologia non sono ben comprensibili. L'*Istruzione* in realtà costituisce un esteso ragionamento a favore del carattere della teologia come assoggettata alla comunità e alla tradizione. Qualunque siano le altre sfide presentate dalla cultura moderna, il clima intellettuale postmoderno è in qualche misura più favorevole alla difesa del principio della razionalità teonoma che è cruciale per la comprensione cattolica della teologia.

Si potrebbe notare che questa conclusione è appoggiata anche da recenti studi filosofici sulla natura dell'autorità[17]. Mentre è vero che la teologia cattolica è molto dipendente dall'autorità del Magistero, sarebbe un errore esagerare la singolarità della teologia in questo aspetto. Criteri autorevoli ed enti professionali esistono in quasi tutte le discipline intellettuali. Tali autorità si impegnano per garantire la qualità ed i metri di giudizio in tante discipline. Secondo una recente analisi filosofica dell'autorità, "l'accettazione di un certo grado di autorità, considerata, da parte di quelli che le sono subordinati, come più o meno legittima, e che viene accettata più o meno senza difficoltà e rifiutata solo in casi eccezionali: questo è lo stato normale della situazione"[18]. In questo senso, il modo in

---

[16] LINDBECK, *The Church in a Postliberal Age*, 7.

[17] Cfr. J. BOCHENSKI, *Autorität, Freiheit, Glaube*, Philosophia Verlag, München 1988; Y. SIMON, *A General Theory of Authority,* University of Notre Dame Press, 1980; R.T. DE GEORGE, *The Nature and Limits of Authority,* University Press of Kansas, 1985.

[18] DE GEORGE, *The Nature and Limits of Authority*, 1.

cui la Chiesa concepisce il rapporto fra la teologia e il Magistero evidenzia i paralleli formali con altre discipline accademiche, nelle quali l'autorità aiuta a favorire e non a minare l'integrità ricercatrice ed intellettuale.

L'arrivo del postmodernismo, come dimostrato nella *Fides et ratio,* non è semplice benedizione. Forse il rischio più significativo nelle correnti intellettuali postmoderne è che, proprio nel sottolineare il contesto culturale e sociale della verità, esse possano condurre ad un relativismo sopra ogni verità[19]. Questo è un vero pericolo, ma per esaminarlo in modo adeguato ci vorrebbe un'ulteriore relazione. Nel nostro incontro odierno il mio intento era quello di mostrare come certi elementi, nella nuova situazione costituita dalla condizione postmoderna, possano essere utili per capire e per difendere la visione cattolica del rapporto fra la teologia e il Magistero.

---

[19] Cfr. *Restoring Faith in Reason,* a cura di L.P. HEMMING e S.F. PARSONS, SCM Press, London 2004.

Ecclesialità della teologia:
fra tradizione e innovazione

Bruno Forte

L'idea che ispira le riflessioni qui proposte – e che ovviamente merita una giustificazione ben più ampia di quella che si potrà fornire in questa sede[1] – è che la teologia sia il pensiero critico dell'incontro fra l'umano andare e il divino venire, fra l'"esodo" della condizione umana e l'"avvento" della rivelazione divina. In tal senso, la teologia nasce nella storia, ma non si risolve in essa: assumendo la vicenda storica, la interpreta e la orienta nell'incontro trasformante con la Parola di Dio, venuta ad abitare nelle parole degli uomini. Pensiero esodale, inevitabilmente segnato dalle stagioni degli uomini, la teologia è non di meno pensiero dell'avvento, della vita che viene dall'alto, dalle sorgenti eterne: carica della prassi, della storia e delle azioni degli abitatori del tempo, essa ne è inseparabilmente momento riflesso e critico alla luce della rivelazione divina, "teoria critica della prassi cristiana ed ecclesiale"[2]. Coscienza del presente e memoria dell'Eterno, entrato nel tempo, la teologia viene ad essere una sorta di profezia nella speranza, coscienza evangelicamente critica che la Chiesa ha di sé nel suo peregrinare da questo mondo al Padre.

---

[1] Rimando in proposito al mio volume *La teologia come compagnia, memoria e profezia. Introduzione al senso e al metodo della teologia come storia*, Edizioni San Paolo, Cinisello Balsamo 1996[2] (secondo degli otto che costituiscono la mia *Simbolica Ecclesiale*, 1981-1996).

[2] W. KASPER, *La funzione della teologia della Chiesa*, in *Avvenire della Chiesa. Il libro del Congresso di Bruxelles*, Queriniana, Brescia 1970, 72. Cfr. pure ID., *Per un rinnovamento del metodo teologico*, Queriniana, Brescia 1969.

Il dinamismo intrinseco dell'elaborazione teologica sta pertanto propriamente nel confronto fra la complessità della prassi attuale, ecclesiale e mondana, e la forza inquietante della rivelazione compiutasi nel tempo, per discernere la Parola divina per i giorni degli uomini e proclamare il domani della speranza. Perciò la teologia vive nel solco vivo della tradizione della Chiesa, recependone la vita del tempo presente con le sue aperture e le sue resistenze, per verificarla alla luce dell'avvento del Dio vivo e stimolarla in vista del futuro della promessa. Ascolto del tempo, ricordo rischioso e orientamento anticipante dell'avvenire sono i momenti, profondamente connessi ed implicantisi, della teologia vissuta come storia, nella storia e per essa: parola dell'uomo a Dio nella compagnia dell'esistenza in esodo; parola di Dio all'uomo nella memoria potente dell'avvento accolta nella comunione memorante narrativa della fede, che è la tradizione vivente della Chiesa; parola su Dio e sull'uomo, di Dio con l'uomo e dell'uomo con Dio nella profezia della vita veniente e nuova.

1. Il soggetto trascendente e il soggetto storico della teologia

In questa luce si comprende come il soggetto della teologia, in senso proprio e fontale, non possa essere che Colui, che ha l'iniziativa assoluta nell'incontro fra l'esodo e l'avvento: il Dio vivente e santo. È Lui che, venendo all'uomo, suscita anche l'aprirsi della creatura al Mistero: è Lui che amando ci rende capaci di amare e apre gli occhi della mente di chi si sforza di conoscerLo nella intelligenza della fede. Anche nella riflessione teologica "Deus semper prior et semper maior!": Dio viene sempre prima ed è sempre incatturabile nella Sua trascendenza. È Lui l'eterna presupposizione di ogni possibile iniziativa dell'esodo umano, di ogni via che, dalla morte, si apra verso la vita: è Lui il creatore e il redentore dell'uomo. Per pura gratuità, senza essere in alcun modo costretta, la Sua Parola è uscita dall'eterno silenzio del dialogo senza fine dell'Amore: essa "si è fatta carne" (Gv 1,14) per rendersi accessibile e comunicabile all'uomo. E quanto in essa ci è stato donato di invisibile, di inaudito e di impensabile, è lo Spirito che lo rende presente per noi: "Quelle cose che occhio non vide, né orecchio udì, né mai entrarono in cuore di uomo, queste ha preparato Dio per coloro che lo amano. Ma a noi Dio le ha rivelate per mezzo dello Spirito; lo Spirito infatti scruta ogni cosa, anche le profondità di Dio...

Ora, noi non abbiamo ricevuto lo spirito del mondo, ma lo Spirito di Dio per conoscere tutto ciò che Dio ci ha donato" (1 Cor 2,9s. 12).

Si può dire, allora, che *lo Spirito è il soggetto trascendente della conoscenza del Mistero*, comunicata all'uomo e fedelmente trasmessa nella vivente "traditio fidei": Egli, che "ha parlato per mezzo dei profeti" ed è disceso in pienezza sul Cristo, che è stato promesso e donato agli apostoli e in essi alla Chiesa, per renderli testimoni del Signore risorto fino ai confini della terra e della storia (cfr. At 1,8), è vivo e presente nel cuore dei credenti, per ricordare loro le parole della vita (cfr. Gv 14,26), attualizzandole in loro e conducendoli verso la verità tutta intera e le cose future (cf. Gv 16,12s.). È Lui il testimone di Cristo (cfr. Gv 15,26), che corrobora e sostiene la testimonianza apostolica (cfr. Gv 15,27 e At 5,32). È Lui che suscita, nutre e vivifica la comunione di coloro, che hanno creduto all'avvento, arricchendoli di doni vari e meravigliosi (cfr. 1 Cor 12; Ef 4,3-6; etc.): "Poiché là dov'è la Chiesa, vi è anche lo Spirito di Dio, e dove è lo Spirito di Dio, là è la Chiesa e tutta la sua grazia. E lo Spirito è verità"[3]. È dunque il Paraclito che rende presente nel tempo la verità dell'avvento, nella continuità, da Lui assicurata, della tradizione ecclesiale: "Lo Spirito di verità, il Paraclito, è il Soggetto trascendente della Tradizione. Nella Tradizione lo Spirito è l'esegeta del Verbo, come il Verbo, in Gesù Cristo, è stato l'esegeta del Padre"[4].

Se lo Spirito è il soggetto trascendente della conoscenza del Mistero, perché è Lui ad attualizzare l'iniziativa dell'avvento in ogni ora del tempo e in ogni luogo della storia, *la Chiesa*, che lo Spirito suscita e raccoglie, ne è in certo senso *il soggetto visibile e storico*: essa è il popolo di Dio, da Lui convocato e voluto, comunione in Lui radicata e verso di Lui pellegrina nel cammino del tempo. Tutti i cristiani, in quanto raggiunti e contagiati dalla Parola nella forza del Paraclito, formano un "edificio spirituale, un sacerdozio santo" (1 Pt 2,5), chiamati a "rispondere a chiunque domandi ragione della speranza che è in loro" (1 Pt 3,15). Tutti ricevono il dono della verità e della vita e tutti devono trasmetterlo: c'è una tradizione apostolica della Chiesa, che coinvolge nella recezione, come nell'attiva tra-

---

[3] S. IRENEO, *Adversus Haereses* 111, 24, 1: *PG* 7, 966.

[4] Y.M.-J. CONGAR, *La Tradizione e la vita della Chiesa*, Paoline, Roma 1983[2], 172: cfr. pure 60-66.

smissione della testimonianza dell'avvento divino, l'intero popolo dei pellegrini di Dio. È quanto esprime la dottrina antichissima del "sensus catholicus" o "sensus fidelium" o "consensus Ecclesiae"[5], che sottolinea la profonda convergenza dell'istinto della fede nel cuore dei credenti e del contenuto oggettivo di essa sotto l'azione dell'unico e medesimo Spirito.

Grazie a questa visione, che corrisponde al recupero operato dal Vaticano II dell'"ecclesiologia totale", della dignità cioè di ciascun battezzato in quanto segnato dall'esperienza della Grazia donata dall'alto, si può affermare che tutti nella comunione ecclesiale sono chiamati ad approfondire la conoscenza del Mistero, sia pure in forma ed in misura diverse: "La comprensione tanto delle cose, quanto delle parole trasmesse, cresce sia con la riflessione e lo studio dei credenti, i quali le meditano in cuor loro (cfr. Lc 2,19 e 51), sia con la profonda intelligenza che essi provano delle cose spirituali, sia con la predicazione di coloro i quali con la successione episcopale hanno ricevuto un carisma certo di verità" (*Dei Verbum* 8). Questo testo richiama le diverse vie attraverso le quali il pensiero dell'incontro fra esodo ed avvento si sviluppa nella comunità ecclesiale: esso indurrebbe a dire che ogni battezzato che crede e riflette sulla propria fede è in certo qual modo teologo, anche se è necessario distinguere un livello "popolare", un livello "professionale" e un livello "pastorale" della riflessione critica dell'esistenza credente.

2. I livelli e i soggetti storici della riflessione critica della fede

La via della contemplazione soprannaturale, sulla base di un'unione affettiva a Dio per modo di esperienza, è quella in cui non è tanto il soggetto umano che contempla il Mistero, quanto l'iniziativa dello Spirito che lavora interiormente in lui: essa non richiede tanto strumenti concettuali o conoscenze particolari, quanto un'attitudine di ascolto credente, speranzoso e innamorato di Dio. Essa non disprezza certamente la conoscenza scientifica: per quanto possibile, anzi, la valorizza e ne fa uso. Il primato è

---

[5] Cfr. *ib.*, 83ss. e ID., *La Tradizione e le tradizioni. Saggio teologico,* Paoline, Roma 1965, cap. III. Sul "sensus fidelium" cfr. anche la documentata ricerca di D. VITALI, *"Sensus fidelium". Una funzione ecclesiale di intelligenza della fede,* Morcelliana, Brescia 1993.

dato tuttavia alla Parola accolta nella frammentarietà del momento, senza preoccupazioni di compiutezza e organicità. Questa via contemplativa, ricca e nutriente soprattutto se vissuta nel dialogo della fede e nella comunicazione dei doni, è aperta a tutti, nella diversità delle condizioni e delle situazioni di vita, e si offre talora come il luogo di intuizioni splendide e di attualizzazioni efficaci: è da essa che nasce la forma della teologia che – in riferimento al popolo santo di Dio – può essere detta *popolare*, espressione del sacerdozio comune o universale partecipato dal battesimo.

Ad essa si collega – nel senso che da essa parte ed al suo servizio si pone – quella forma teologica, che può essere detta *professionale*: è la via della riflessione di fede, elaborata attraverso un'attività critica, analitica ed esaminatrice, per modo di una ricerca attiva, intenzionale, mossa dall'amore, ma articolata secondo le forme proprie del comprendere. Il teologo è colui che – grazie a un carisma ricevuto dallo Spirito e per un riconoscimento ed una recezione della comunità – si sforza di portare alla parola in maniera organicamente e compiutamente riflessa il vissuto personale e collettivo dell'esperienza dell'avvento divino. Come tanti altri, chi fa teologia è un credente che ha sperimentato il dono dell'incontro, che gli ha cambiato la vita; con questi altri – popolo della Parola ascoltata, proclamata e creduta – egli si sa legato da vincoli di profondissima e concreta comunione, articolata nel tempo e nello spazio; al loro servizio egli pone la sua intelligenza e il suo cuore, ben consapevole dei limiti che gli sono propri[6]. Come Tommaso egli confessa: "Sono convinto che fare teologia è la missione, la vocazione principale della mia vita"[7]. Ed insieme, come essere umano egli avverte la solidarietà ampia e profonda non solo con l'universale condizione esodale della vita, ma anche concretamente con la storia in cui è posto: nell'ascolto e nel rispetto di tutti, per tutti egli osa sperare di essere richiamo dell'Eterno, sentinella e artefice della giustizia del Regno, con la parola e con la vita, per la vita di tutti, in dialogo con tutti. E questo non nella sicurezza di un possesso raggiunto, ma nel permanente e aperto pellegrinare del pensiero e dell'intera sua esistenza incontro all'avvento del Dio vivo.

---

6 Cfr. anche per quanto segue l'Istruzione della CONGREGAZIONE PER LA DOTTRINA DELLA FEDE, *La vocazione ecclesiale del teologo*, del 24 Maggio 1990.

7 *Summa contra Gentiles* 1,2.

Questa esistenza teologica non è priva di rischi: in rapporto alle relazioni vitali in cui è posto, il teologo sperimenta la solitudine rispetto alla comunità, il dubbio rispetto a se stesso e la prova da parte di Dio[8]; in rapporto al divenire della storia, in cui si situa, egli conosce la tentazione della paura, dell'evasione e dell'impazienza. Come l'Apostolo ci sono momenti in cui anche il teologo può dire: "Da ogni parte siamo tribolati: battaglie all'esterno, timori al di dentro" (2 Cor 7,5). Dall'esterno lo colpisce anzitutto la prova di sentirsi a volte isolato e perfino incompreso e giudicato non solo dal cosiddetto "mondo", ma anche dalla Chiesa, che egli ama e vuole servire con spirito e cuore: è l'ora della *solitudine*, ora tanto più dolorosa per chi, come il teologo, è chiamato a pensare l'alleanza e a testimoniare Colui, che ha per noi "progetti di pace e non di sventura, per concederci un futuro pieno di speranza" (Ger 29,11). Eppure, c'è una solitudine inevitabile per chi deve fedelmente evocare l'alterità di Dio: "La teologia non può vergognarsi della solitudine in cui versa la comunità della fine dei tempi proprio nello svolgere il suo compito missionario – può solo condividerla con lei: sospirando oppure sorridendo tra le lacrime. Non può dunque sbarazzarsi della propria solitudine. Dovrà sostenerla e sopportarla con fattiva dignità e serenità, come un aspetto dei rischi non casuali cui si trova esposta"[9]. Tanto più che la fede esige il vaglio della solitudine di chi rischia tutto in prima persona, lasciandosi catturare dall'invisibile Dio: solo davanti a Lui solo.

Questa solitudine non deve mai diventare, tuttavia, presunzione di possesso o orgoglio: è qui che il teologo riconosce il valore del *dubbio* riguardo a se stesso, del timore di essersi sbagliato o di poter sbagliare, nella convinzione di non dover mai assolutizzare quanto è meno di Dio, a cominciare da se stesso. L'assolutezza del Mistero è tale che in teologia niente è scontato, niente a buon mercato: tutto esige un prezzo. Il teologo deve sempre più imparare a relativizzarsi, a misurarsi sull'avvento divino, ed anche a relativizzare e turbare le false sicurezze, da cui possono essere tentati così facilmente tutti i figli di Abramo. Facendo questo, imparerà a relativizzare anche il dubbio, ad abbandonarlo alla fine, non senza timore

---

8 Su questi "rischi della teologia" cfr. K. BARTH, *Introduzione alla teologia evangelica*, Nuova versione a cura di G. BOF, Paoline, Cinisello Balsamo 1990, 149ss.

9 *Ib.*, 157.

e tremore, nelle mani di Dio: "Il teologo alle prese col dubbio, fosse anche il più radicale, non deve disperare... perché il dubbio ha sì un suo spazio – l'eone presente – entro il quale nessuno può sfuggire al dubbio stesso, ma questo spazio è limitato, e al di là di esso il teologo può sempre spingersi con la preghiera"[10]. È conforto al teologo in questa prova la comunione della Chiesa che lo ha generato alla fede e di essa lo nutre e la verifica dei Pastori, custodi del "depositum" della rivelazione.

Ed infine è lo stesso Signore dell'avvento che viene a costituire un rischio per la teologia: "La *prova* alla quale la teologia si trova esposta è semplicemente l'evento con cui Dio si ritira da quest'opera intrapresa e avviata da uomini, nasconde il proprio volto dinanzi a questa loro attività e si volge lontano da essa... poiché accade che proprio Dio stesso, di cui si pretende qui esser questione, mantiene il silenzio a proposito di tutto ciò che qui si pensa e si dice – purtroppo non a partire da Lui, ma soltanto su di Lui"[11]. Quest'ora del silenzio di Dio è certamente per il teologo, uomo di fede che si sforza di pensare l'esperienza dell'avvento, il tempo più doloroso: eppure, proprio il teologo deve sapere che, se il silenzio è di Dio, Dio stesso saprà colmarlo della Parola al tempo opportuno per la consolazione. La solitudine, il dubbio e la contestazione divina spingono allora l'esistenza teologica a un radicale atto di fede e d'amore, a un "resistere e sopportare" tutto nutrito e vivificato dalla speranza: "'Che cos'è un professore di teologia?', si è chiesto con amara ironia Kierkegaard, e in tono altrettanto amaro si è dato questa risposta: 'È uno che è professore di teologia per il fatto che un altro è stato crocifisso per lui'. Ora, appunto per questo suo modo di essere professore di teologia egli deve pagare un prezzo. Se si rifiutasse di pagarlo, se cercasse di sottrarsi al tormento causato dalla solitudine, dal dubbio e dalla prova, che cosa avrebbe mai a che fare con Gesù Cristo?... Come potrebbe allora la teologia non accettare di sopportare il proprio rischio – così modesto rispetto a quello sopportato da Gesù Cristo – di prendere su di sé la propria piccola croce e di sostenere e sopportare la sofferenza, che ciò comporta, in comunione con lui e dunque senza brontolare e senza ribellarsi? Se la teologia si attiene a ciò, allora può e deve essere, appunto 'in quan-

---

[10] *Ib.*, 171.
[11] *Ib.*, 174s.

to' *theologia crucis*, anche *theologia gloriae*: teologia della speranza nella gloria dei figli di Dio"[12].

Fra questi rischi e tentazioni il teologo esercita il ministero, che gli è stato affidato nella Chiesa: la sua esistenza, carica di intensità e di passione, deve sapersi conquistare ogni giorno il cammino della verità e della libertà, cui il Signore la chiama. Ma è in questa conquista, che è insieme grazia da invocare e dono da accogliere, che la sua vita gli appare degna di essere vissuta, nonostante tutto e, talora, contro tutto. Fino a che non si penserà così la vita del teologo, egli apparirà un freddo specialista, un asettico ragionatore del Mistero: senza questo spessore esistenziale, nutrito di fede, di speranza e di amore nella comunione vivente della Chiesa, la "rabies" della presunzione intellettuale, gelosa e priva di compassione, sembrerà veramente la caratteristica propria dell'"ordo theologorum"! Al contrario, alla luce di questa densità vitale, ognuno potrà guardare al teologo con fiducia e simpatia cordiale, come al credente, che si sforza di pensare e trasmettere criticamente l'indicibile esperienza dell'avvento per la gioia e la libertà, la significatività e la pienezza della vita di tutti.

La terza via di accesso alla conoscenza del Mistero è quella del ministero *pastorale* della Chiesa: nel suo aspetto di ministero di unità, al servizio della testimonianza fedele della verità divina, esso si offre come "magistero", i cui atti possono essere definiti come quelli "di custodire fedelmente, giudicare autenticamente e dichiarare infallibilmente il contenuto del deposito apostolico"[13]. I pastori devono essere anzitutto dei testimoni della Parola di Dio, alla quale sono sottoposti come all'autorità ultima: se essi pervengono all'atto supremo di "definire", lo fanno, forti del conforto dello Spirito Santo, per preservare l'unità della fede e proclamare la verità della rivelazione in situazioni di conflitto o di dolorosa ambiguità. Il dogma – sentenza normativa offerta autorevolmente dal magistero della Chiesa all'assenso dei credenti – nasce dall'urgenza della carità, che deve essere sempre "caritas discreta", attenta e vigile nel discernimento, e vive per il servizio della carità, pagato a caro prezzo: "A causa dei blasfemi errori degli eretici – scrive significativamente Ilario di Poitiers – noi siamo

---

12 *Ib.*, 190-192.
13 Y. CONGAR, *La Tradizione e la vita della Chiesa, o.c.*, 71ss. Cfr. ad esempio del Vaticano I: DS 3020; 3069; 3070; e del Vaticano II: LG 20 e 25.

costretti a fare ciò che non è permesso fare: scalare le cime, esprimere l'ineffabile, osar toccare l'intoccabile... Siamo costretti a racchiudere cose inenarrabili nella pochezza del nostro linguaggio... e ad abbandonare ai pericoli d'una parola umana, esprimendolo, quel che avremmo dovuto custodire nell'adorazione dei nostri cuori..."[14].

Il dogma sta dunque "sotto la Parola di Dio", cui rimanda come alla sorgente e all'orizzonte più grande, di cui è servo, per favorirne l'interpretazione fedele e l'attualizzazione autentica ed efficace[15]: esso è definitivo, in quanto segno e strumento della fedeltà all'avvento divino, e provvisorio, in quanto "risultato di un rapporto storico della Chiesa con il Vangelo che è attestato nella Scrittura e diviene presente nella celebrazione liturgica nella parola e nel segno", quel Vangelo che "non è mai pienamente esprimibile né nella Scrittura né nel dogma"[16]. Il magistero – nel suo servizio ordinario di custode e testimone della Parola della fede e nella straordinarietà dei suoi atti solenni di definizione ed intervento dogmatico – è dunque "soltanto il servo, il trasmettitore della regola (della fede), ma è tale per un'autorità venuta da Dio ed, eventualmente, nel fare uso di questa autorità"[17]. Nell'esercizio concreto del suo carisma al servizio della verità, il magistero dovrà anzitutto ascoltare la Chiesa, alla ricerca del segno dell'unanimità, in cui si è sempre vista l'impronta dello Spirito Santo: bisogna ritenere ciò che è stato creduto dovunque, sempre e da tutti ("quod ubique, quod semper, quod ab omnibus creditum est")[18].

Insieme, però, i pastori dovranno essere attenti alle inesauribili ricchezze del rivelato e alle istanze sempre nuove del movimento esodale dell'umano: a tal fine dovranno avvalersi della competenza degli esperti delle varie scienze umane e della riflessione credente, che li aiuteranno nella conoscenza del passato, nella lettura del presente e nel discernimento dell'avvenire. È così che il magistero ha bisogno dei teologi, pur senza essere

---

[14] S. ILARIO, *De Trinitate*, lib. II, c. 2: *PL* 10,51.

[15] Cfr. W. KASPER, *Il dogma sotto la Parola di Dio*, Queriniana, Brescia 1968, specie 127ss.

[16] *Ib.*, 153.

[17] Y. CONGAR, *La Tradizione e la vita della Chiesa*, o.c., 77.

[18] S. VINCENZO DI LERINS, *Commonitorium*, c. 2: *PL* 50, 639s.

vincolato o soggetto ad essi: consultandoli ed ascoltandoli, esso si apre alla maniera più adeguata per dire agli uomini del proprio tempo l'esperienza dell'incontro trasformante e realizzante col Risorto. Ed insieme i teologi hanno bisogno del magistero come termine di confronto nella comunione ecclesiale, che li aiuta ad oggettivizzare le loro ricerche ed a metterle al servizio della comunità per evitare di essere avventurieri dell'intelligenza o navigatori solitari e stare insieme a tutti gli altri "nella barca di Pietro", evitando così di "correre o di aver corso invano" (Gal 2,2). Entrambi, poi, teologi e pastori, devono continuamente misurarsi sulle esigenze reali e le attese necessarie alla crescita della comunità degli uomini e del popolo di Dio in essa, che essi – in forma diversa, ma convergente – sono chiamati a servire.

3. I rapporti fra i vari soggetti della teologia nella crescita comune: per una pluralità sinfonica

Perché queste relazioni di comunione siano effettivamente vissute, occorre che tutti abbiano ben chiaro il duplice rapporto di testimonianza e di servizio, che la teologia e la comunità hanno l'una nei confronti dell'altra. *Dalla comunità* il teologo riceve il dono della fede: *alla comunità* egli dona il suo servizio di pensiero e il suo stimolo critico. "Il luogo della teologia in rapporto alla Parola di Dio e ai suoi testimoni non si trova in un qualche spazio vuoto, bensì, molto concretamente, nella comunità"[19]. Se è ai piccoli che è dato conoscere i misteri del Regno (cfr. Mt 11,25), da essi, dal popolo umile e povero dei credenti, la teologia impara le cose di Dio: la teologia si nutre del "senso della fede", che lo Spirito Santo effonde nel cuore di tutti i battezzati, e dal loro linguaggio, dal loro dirsi le meraviglie del Signore, essa apprende a sua volta a parlare di Dio. Prima di essere parola, la teologia deve essere ascolto e silenzio soprattutto davanti alla vita dei santi, dove meno infedelmente l'amore, narrato nell'evento pasquale, si rende presente e continua a dirsi nel tempo degli uomini. Alla scuola della carità vissuta il pensiero della fede conosce il suo oggetto e se ne lascia contagiare e pervadere.

---

[19] K. BARTH, *Introduzione alla teologia evangelica*, o.c., 87.

Prima di parlare al popolo di Dio, allora, la teologia se ne deve far voce, accogliendone la vita e le sfide con profondo rispetto: "La teologia di null'altro ha maggior bisogno che dell'esperienza religiosa della gente, concretatesi in simboli e racconti; se ha questa, non le necessita più niente altro, purché non voglia perire d'inedia ruminando i suoi propri concetti"[20]. In quanto il linguaggio nasce dalla comunione e tende a stabilirla, la teologia ha bisogno della comunione: il mondo soprannaturale del linguaggio di fede si apre, e in modo ancor più evidente che il mondo linguistico naturale, soltanto in ed attraverso la comunione con gli altri uomini. Senza la vivente e nutriente compagnia della fede, senza il comune proclamare, celebrare e sperimentare il Mistero, la teologia sarebbe parola vuota, "flatus vocis" senza forma e senza storia. Veramente, "la comunicazione del senso della fede non può essere che l'auto-testimonianza, storicamente responsabile e quindi razionale, della fede stessa concretamente esistente. La comunicazione del senso della fede è espansione del vissuto della fede stessa dentro le maglie del senso che la storia umana tesse incessantemente. La teologia qui non è che esplicitazione razionale della santità"[21]. La "communio sanctorum" nutre il suo pensiero riflesso: la teologia non è che comunione portata alla parola per essere comunicata e vissuta, pensiero che nasce dall'esperienza del dono dall'alto ed è diffusivo della carità.

Come riceve dalla compagnia della fede le sue radici e la sua linfa, così la teologia è chiamata a servire la comunione: gratuitamente deve donare quanto gratuitamente le è stato donato. Essa è un ministero al servizio del popolo santo di Dio: alla comunità essa rende il duplice servizio di rigorizzare il vissuto, esprimendolo, chiarendolo e purificandolo alla luce della Parola di Dio nella trasmissione vivente ed autorevole della fede, e di renderlo comunicativo con altri vissuti di fede, determinati da situazioni storiche differenti e da differenti segni dell'avvento. Al primo compito la teologia risponde con la sua scientificità: lungi dall'opporsi, scientificità ed ecclesialità vanno insieme. Si può affermare che la teologia è ecclesiale non malgrado sia scientifica, ma appunto perché è scientifica, e che essa è scientifica non malgrado sia ecclesiale, ma appunto perché è ecclesiale. Una teologia legata alla comunità non viene elaborata a buon

---

[20] J.B. METZ, *La fede, nella storia e nella società*, Queriniana, Brescia 1978, 145.
[21] G. RUGGIERI, *La compagnia della fede*, Marietti, Torino 1980, 35.

mercato, con parole scontate o con facili mezzi: essa è vissuta a caro prezzo, con una critica rigorosamente esegetica, storica e sistematica. Alla teologia non si chiede di assecondare le mode del momento o gli "slogans" dei comodi entusiasmi: essa deve avere il coraggio della critica motivata, il rigore della veracità, che le deriva da una conoscenza onesta e da un'obbedienza fedele alla Parola di Dio. Anche per il teologo vale che la forza di uno spirito si misura dal grado di verità che esso è capace di sopportare! La scientificità della teologia sta nella sua capacità di discernimento, umile e coraggioso nell'assumere la complessità del vissuto ecclesiale e mondano, nel verificarla sulla rivelazione, trasmessa nella vivente tradizione della fede, e nell'orientare nuovi vissuti, nutriti dall'avvento e contagiosi per il cammino esodale del vivere e del morire umano.

Insieme al rigore con cui porta alla parola la vita, perché la vita stia fedelmente sotto il giudizio della Parola di Dio, la teologia serve poi la comunione in quanto educa a un linguaggio che consenta la comunicazione fra le più diverse situazioni storiche della fede, nel rispetto della loro originalità e dignità: in quanto "la vera radice e il vero fondamento dell'unità è l'essere innamorati di Dio", la teologia mostra come la vera minaccia alla comunione ecclesiale stia "nell'assenza di conversione intellettuale o morale o religiosa"[22], sforzandosi di elaborare un linguaggio e un pensiero della fede che riflettano questa conversione e che siano aperti a tutte le possibili, differenti espressioni di essa. La teologia non dovrà mortificare la diversità, ma tendere a radicarla nell'alveo vitale in cui solo essa si offre come feconda: la comunione della speranza, della carità e della fede ecclesiali, la realtà del popolo dei pellegrini, che nella varietà dei luoghi e dei tempi non cessa di stare sotto il giudizio e la consolazione dell'unica Parola del Dio vivente e santo.

Dal punto di vista esistenziale il rapporto fra teologi, comunità credente e magistero esige allora due attitudini fondamentali, che sole lo rendono veramente possibile e fecondo al servizio della continuità nella tradizione e dell'innovazione autentica e necessaria: l'umiltà di cuore e il fermo coraggio. La prima consente al teologo di porsi docilmente in ascolto dell'esodo e dell'avvento, per poter discernere nella complessità della storia ecclesiale e mondana i segni del Mistero: questa umiltà libera da

---

22 B. LONERGAN, *Il metodo in teologia*, Queriniana, Brescia 1975, 344-348.

ogni presunzione di possesso e dispone a percepire la verità nell'amore. Ad essa deve unirsi il fermo coraggio, che sa opporsi alla seduzione alienante tanto di fuggire dal mondo, quanto di fuggire dalle esigenze di Dio: questo coraggio è radicale serietà della vita, confronto onesto dell'esodo e dell'avvento, che libera da ogni cedimento possibile di servilismo o di complice silenzio. Le due attitudini hanno bisogno l'una dell'altra: l'umiltà senza coraggio potrebbe cedere al compromesso servile; il coraggio senza umiltà potrebbe trasformarsi nella temeraria impazienza. Insieme esse danno al teologo la vigile pazienza, che lo rende strumento della profezia del Regno nel cuore della comunità e della storia.

In maniera analoga deve configurarsi l'atteggiamento della Chiesa – e in particolare del magistero – nei confronti del teologo: l'umiltà di cuore le consentirà di essere aperta e docile agli impulsi, che lo Spirito può suscitare attraverso di lui; il fermo coraggio le darà quella vigilanza critica, che impedirà di assolutizzare quanto è meno di Dio, fossero pure le parole di una teologia influente ed ammaliante. Anche verso i teologi vale il comportamento suggerito dall'Apostolo: "Non spegnete lo Spirito, non disprezzate le profezie; esaminate ogni cosa, tenete ciò che è buono" (1 Ts 5,19-21). Quando una parola teologica sarà stata recepita dalla comunità credente al punto da diventare suo linguaggio, suo nutrimento e stile di vita, quando il teologo sarà scomparso dietro la Verità, sempre più grande di lui, che egli annuncia, allora quella teologia avrà dimostrato, in Spirito e con potenza, di essere luogo d'avvento[23]. Ma tutto questo esige tempo e pazienza ed esclude la possibilità di assolutizzare una qualunque proposta presente. Occorre, allora, la vigilanza di tutti, vissuta nel costante riferimento alla totalità del mistero proclamato, celebrato e creduto: in tal modo, la Chiesa vive in autentico ascolto del Signore e, mentre rifiuta il "franco tiratore" o il profeta a buon mercato, recepisce l'umile e coraggioso pioniere dello Spirito, che in essa, con essa e per essa ha lavorato, amato, pensato e sofferto, perché la verità di Dio possegga sempre di più la Sposa e l'esodo dell'uomo sempre di più si coniughi all'avvento, già compiuto ed insieme promesso.

---

[23] È questa la via in cui si attua la "recezione" come processo di crescita nell'unità della fede: cfr. Y. CONGAR, *La recezione come realtà ecclesiologica*, in *Concilium* 8 (1972) 1305-1336 e, con più ampia documentazione, *La "réception" comme réalité ecclésiologique*, in *Revue des Sciences Philosophiques et Théologiques* 56 (1972) 369-403.

L'ecclesiologia della *communio*.
Il metodo teologico e la dottrina
dei *loci theologici* di Melchior Cano

Max Seckler

Il tema della *communio*, nella pienezza del suo significato neotestamentario, fa parte delle grandi idee-guida del cristianesimo. Si tratta infatti di un concetto centrale sia per la comprensione del mistero della salvezza sia per la prassi che tende a realizzare tale salvezza. Sono molte le dimensioni cui rimanda l'idea fondamentale della *communio*: essa riguarda l'essenza trinitaria di Dio come pure il modo in cui, partendo da essa, si deve impostare il rapporto dell'uomo con questo Dio e le relazioni degli uomini fra di loro. La *communio* tocca la profonda dimensione personale dell'esistenza religiosa e conduce sotto questo aspetto fino agli abissi della mistica, ma la sua portata si estende non di meno anche sulle strutture istituzionali della società e della chiesa e sull'ordinamento giuridico di tali rapporti. In quanto idea-guida nello stesso tempo teologica, antropologica, sociologica ed ecclesiologica, essa possiede sempre anche un potenziale di riforma e non raramente di sovversione. Nella storia della chiesa molti movimenti di rinnovamento sono andati di pari passo con il recupero del modo di pensare la *communio* proprio della Bibbia e della chiesa primitiva, traendone spesso ispirazione e stimolo. Ciò è accaduto anche nel concilio Vaticano II: durante il suo svolgimento e nel corso della storia della sua ricezione, l'idea della *communio* è divenuta precisamente la base su cui costruire una nuova o rinnovata immagine di chiesa.

Di fronte a questa nuova valorizzazione del tema della *communio*, sorge la domanda se ciò non riguardi anche la teologia, non soltanto nei suoi contenuti, ma anche nelle sue strutture e modi di procedere, e quindi in ciò che si riferisce alla dottrina della conoscenza e del metodo teologico in senso tecnico. Il contributo è diviso in due parti: la prima è dedicata all'esposizione del problema; nella seconda, sulla base di una rilettura della dottrina dei *loci theologici* di Melchior Cano, vengono abbozzati i lineamenti di una teoria della conoscenza e del metodo teologico orientata sul pensiero del Vaticano II circa la *communio* e sulla ecclesiologia di comunione post-conciliare. Tale teoria si potrebbe chiamare, dato il suo genere, una *teologia epistemologica della communio*.

1. Osservazioni sull'impostazione della problematica e sulla sua attuale situazione

Diversamente dalla *teologia filosofica* (Theologik) nel senso della metafisica aristotelica, e diversamente dalla *filosofia della religione* nella sua concezione moderna, che dal punto di vista teoretico sono una autorealizzazione del pensare filosofico e quindi non hanno come premessa alcun rapporto identificativo con qualche determinata religione, la *teologia* di cui trattiamo in questo saggio deve essere considerata come una funzione della religione che sta al suo fondamento. Essa fa parte della vita spirituale, che la *communio fidelium* fa scaturire dal suo intimo secondo le leggi del proprio essere e della propria missione. Fin dal suo fondamento è il progetto del pensare proprio della fede cristiana. In ciò si fonda anche lo *status* ecclesiale di questa teologia, che si può convalidare dal punto di vista della teoria della scienza[1]. Il suo compito è la «conoscenza teologica»[2] alla luce della fede cristiana sulla base delle testimonianze e della comprensione del *credo* della chiesa, le quali, a loro volta, hanno la parola di Dio come fonte, come regola direttiva e come contenuto.

---

[1] Cfr. in proposito J.S. DREY, *Breve Introduzione allo studio della Teologia con particolare riguardo al punto di vista scientifico e al sistema cattolico* (1819), Morcelliana, Brescia 2002, in particolare § 54 e § 55. Drey, fondatore della scuola di teologia cattolica a Tubinga, fu il primo studioso cattolico che, nel confronto con il concetto di autonomia proprio della filosofia illuministica, ha indicato la strada per far valere, secondo il modo di pensare proprio della modernità, il radicamento della teologia nell'essere e nella vita della chiesa, sia dal punto di vista della teoria scientifica, sia da quello della prassi concreta.

[2] Su questo concetto (e sul triplice significato dei concetti di *conoscenza teologica* e di *dottrina teologica della conoscenza*) cf. M. SECKLER, "Erkenntnislehre, theologische", in W. KASPER et Al. (ed.), *Lexikon für Theologie und Kirche*, vol. IV, Herder, Freiburg i. Br. ³1995, pp. 786-791, specialmente. 786-788.

Nella dottrina sui principi e sulla conoscenza teologica vengono elaborati e descritti tali presupposti fondamentali nel loro rapporto sia con la conoscenza di fede della chiesa in generale come pure con la teologia in particolare. Di conseguenza la conoscenza teologica in senso tecnico, in quanto conoscenza scientifica della fede, è soltanto una funzione particolare della conoscenza di fede ecclesiale, che si deve considerare più vasta, ma la conoscenza teologica, nel suo ambito di lavoro, deve tener conto dell'intera conoscenza di fede del popolo di Dio. E se nella chiesa non c'è soltanto un *solo* soggetto portatore della conoscenza di fede, bensì c'è una molteplicità di soggetti legittimati in forza della costituzione ecclesiale oppure rilevanti di fatto - c'è quindi una molteplicità di «luoghi» di tale conoscenza -, allora queste strutture devono conseguentemente trovare uno spazio anche nelle strutture della teologia e nella dottrina del metodo teologico. Anche per la dottrina della conoscenza teologica vale dunque il principio fondamentale: come la chiesa, così è la sua teologia. Vale anche il corollario: come le immagini di chiesa sono soggette al cambiamento del tempo, così lo sono anche le forme e le impostazioni della teologia dipendente da tali immagini. Ecclesiologie monolitiche tendono a dottrine monolitiche della conoscenza e del metodo, e così via.

A questo riguardo, l'ecclesiologia di comunione diventa interessante per il nostro argomento. Infatti, se essa pone in luce nuovi tratti nella concezione della chiesa, o se insegna a vedere in modo nuovo antiche caratteristiche della sua costituzione, allora ci si deve aspettare che anche la dottrina della conoscenza teologica ne sarà toccata. L'interpretazione della dottrina dei *loci theologici* di Melchior Cano, che sarà analizzata nella seconda parte di questo contributo, è quindi posta a tema.

L'ecclesiologia di comunione, per quanto io possa vedere, non ha finora prodotto una metodologia teologica corrispondente al suo spirito e alle sue intenzioni, nella quale il motivo della *communio* dovrebbe diventare portante in forma adeguata. Questa lacuna non si deve certo imputare soltanto ad essa. Mentre da lungo tempo nei trattati della dogmatica contenutistica il punto di vista della *communio* è oggetto di molteplici riflessioni e viene esposto in modo specifico, ciò avviene molto meno negli ambiti della dottrina sulla costituzione della chiesa e ancor più su quella del metodo teologico. Così, ad esempio, negli indici analitici dei trattati specifici sulla conoscenza teologica e sulla dottrina del metodo, si cerca quasi sempre invano il concetto di *communio*. In ogni caso esso non fa parte dei concetti fondamentali di questo genere di letteratura. Questo rilievo non significa certo necessariamente che l'argomento stesso debba essere totalmente assente. Anche dove l'idea della *communio* non funge esplicitamente come motivo dominante per l'impostazione della dottrina sul metodo, può tuttavia essere operante in incognito sia nella teoria come pure nella prassi del lavoro teologico. Per la prima, ci viene offerto un esempio stupefacente proprio dalla dottrina dei *loci theologici* di Cano, se la si esamina nella prospettiva attuale; per la seconda, abbiamo la testimonianza del costume del *commercium scientificum*. Si era naturalmente consapevoli del fatto che la ricerca teologica e la dottrina sono un processo comunicativo, in cui le persone interessate, unite fra loro dal vincolo della fede o più o meno anche da quello dell'amore, lavorano insieme in molteplici modalità. C'era anche un lavoro regolare, metodologicamente accertabile, della formazione della conoscenza tra diversi soggetti e della interazione dialogica, e quindi l'oggettivazione diventata struttura dell'evento comunicativo nella teologia e tra i teologi. Per questo il motivo della *communio* era del tutto presente, come pure metodologicamente efficace. Similmente si potrebbe dire, anche dal punto di vista della teoria della conoscenza, circa il pluralismo delle fonti e sui «luoghi» della conoscenza teologica nonché sul loro comune funzionamento integrativo e metodologicamente ordinato.

Se, tenendo presenti queste premesse, si guarda al pensiero del Concilio e del periodo post-conciliare sulla *communio*, viene naturale mettere al centro dell'interesse la cosiddetta ecclesiologia di comunione. Negli ultimi decenni, questo concetto è diventato un termine fisso per designare un genere di letteratura ecclesiologica circoscrivibile in modo relativamente ristretto, ma c'è e ci deve essere anche un uso più largo di questo concetto, se si evitano strettoie ideologiche e si vuol dare al motivo della *communio* la sua forza e ampiezza originarie.

Il segnale più evidente della fortuna post-conciliare di questo concetto fu senza dubbio quello dato da Antonio Acerbi nel 1975 col suo libro sulle «due ecclesiologie» del Concilio, in cui egli pose a confronto, a mo' di manifesto, l'«ecclesiologia giuridica» tradizionale con la nuova «ecclesiologia di comunione»[3]. Dieci anni dopo, i Padri del secondo Sinodo straordinario dei

---

[3] A. ACERBI, *Due ecclesiologie. Ecclesiologia giuridica ed ecclesiologia di comunione nella "Lumen Gentium"* (Nuovi saggi teologici 4), Dehoniane, Bologna 1975.

vescovi, riuniti a Roma nel 1985, furono concordi che si dovesse considerare l'idea ecclesiologica della *communio* come «l'idea centrale e fondamentale dei documenti del Concilio»[4]. Detto Sinodo tracciò anche nel suo documento finale i tratti fondamentali di una ecclesiologia di comunione secondo la loro comprensione, che è diventata di orientamento per molti teologi[5].

Se si considera questo documento finale (e la letteratura che *su di esso* si fonda), si può giungere alla convinzione che per quanto riguarda l'ecclesiologia post-conciliare della *communio* si tratti di un fenomeno unitario. Ma nella realtà della letteratura specialistica la situazione appare diversa. Certamente il motivo ecclesiologico della *communio* è diventato qui un contrassegno carico di simpatia per indicare la riforma della chiesa, ma nello stesso tempo è uno slogan di lotta nella discussione circa l'esegesi del Concilio e della sua utilizzazione per scopi estremamente eterogenei. Pertanto, sotto l'etichetta della ecclesiologia di comunione si nasconde un vero pandemonio di concezioni ecclesiologiche. In un certo senso, l'idea

---

[4] Cfr. SYNODUS EPISCOPORUM, Relatio finalis *Ecclesia sub Verbo Dei mysteria Christi celebrans pro salute mundi*, parte C, n. 1, in EV, vol. 9, Dehoniane, Bologna 1987, n. 1800.

[5] Si può trovare un'esposizione integrativa e una valutazione di questo filone teologico della *communio* in W. KASPER, *Kirche als Communio. Überlegungen zur ekklesiologischen Leitidee des II. Vatikanischen Konzils*, in ID., *Theologie und Kirche*, Matthias-Grünewald-Verlag, Mainz 1987, pp. 272-289 (con bibliografia; cfr. trad. it. *Teologia e chiesa*, Queriniana, Brescia). Cfr. anche J. RIGAL, *L'ecclésiologie de communion. Son évolution historique et ses fondements* (Cogitatio fidei 202), Cerf, Paris 1997; D.M. DOYLE, *Communion Ecclesiology. Vision and Versions*, Orbis Books, Maryknoll NY, 2000; CH. SCHWÖBEL, *Kirche als Communio*, in "Marburger Jahrbuch Theologie", 8 (1996), pp.11-46; I. RIEDEL-SPANGENBERGER, *Die Communio als Strukturprinzip der Kirche und ihre Rezeption im CIC/1983*, in "Trierer theologische Zeitschrift", 97 (1988), pp. 217-238; H. MÜLLER, *Kirchliche Communio und Strukturen der Mitverantwortung in der Kirche. Vom Zweiten Vatikanischen Konzil bis zum Codex Iuris Canonici*, in "Archiv für katholisches Kirchenrecht", 159 (1990), pp. 117-131; G. GRESHAKE, *Communio – Schlüsselbegriff der Dogmatik*, in G. BIEMER (ed.), *Gemeinsam Kirche sein. Theorie und Praxis der Communio* (Festschrift für Erzbischof Oskar Saier), Herder, Freiburg i. Br. 1992, pp. 90-121; P.J. CORDES, *Communio – Utopie oder Programm?* (Quaestiones disputatae 148), Herder, Freiburg i. Br. 1993; B.J. HILBERATH, *Kirche als Communio – Beschwörungsformel oder Projektbeschreibung?* in "Theologische Quartalschrift" 174 (1994), pp. 45-65; ID., *Schwerpunkte und Tendenzen in der Ekklesiologie* (Forschungsbericht), in "Theologische Quartalschrift" 181 (2001), 238-246; 184 (2004), 287-303; SEKRETARIAT DER DEUTSCHEN BISCHOFSKONFERENZ (ed.), *Kongregation für die Glaubenslehre: Schreiben an die Bischöfe der katholischen Kirche über einige Aspekte der Kirche als Communio* (Verlautbarungen des Apostolischen Stuhls 107), Bonn 1992 (trad. it. CONGREGAZIONE PER LA DOTTRINA DELLA FEDE, *Alcuni aspetti della chiesa come comunione* [28.05.1922], in EV 13, 1774-1807.

di *communio* del Concilio è simile al vaso di Pandora, dal quale escono
«tutti i doni».

Anche per quanto riguarda il nostro problema, cioè la correlazione tra
ecclesiologia di comunione e metodo teologico, il quadro non è unitario.
Nel fondo esiste sempre, come abbiamo visto, l'interdipendenza tra chiesa
e teologia, tra ecclesiologia e metodologia; ma proprio per questo le diverse concezioni della ecclesiologia di comunione traggono di conseguenza le
loro specifiche conclusioni anche per la metodologia teologica. Il cardine
della discussione è sempre la questione del soggetto, poiché i titolari della
communio fungono anche da titolari del dialogo teologico: sono essi che
determinano nel modo loro proprio le strutture dell'evento. Quindi è molto
importante, nella questione del metodo, chi o che cosa si deve definire come
titolare dell'evento della *communio*. Su questo ci sono diverse concezioni
con punti di aggancio differenziati, di cui per il momento vorrei esporre
due esempi.

La prima concezione sottolinea nella comprensione della chiesa la
communio fidelium ed è orientata personalisticamente; la seconda riferisce
il concetto di *communio* nel problema del soggetto alle entità corporative ecclesiali (ad es. la *communio ecclesiarum* nell'ambito intraecclesiale, interconfessionale ed ecumenico, oppure la *communio hierarchica* come comunione
dei ministeri o uffici ecclesiali). In entrambi questi casi ci sono dunque punti
di aggancio molto diversi rispetto all'idea di comunione, rispettivamente di
carattere interpersonale o interistituzionale, che possono ripercuotersi anche nella dottrina della conoscenza teologica (di cui soltanto ci dobbiamo
occupare in questo articolo).

Ritorniamo anzitutto al *primo* modello. In esso viene riconosciuta una
fondamentale uguaglianza e fraternità a tutte le persone nella chiesa, in forza
della loro partecipazione ai beni della salvezza (*communio sanctorum*), cioè
all'evento salvifico costituito in modo trinitario, alla parola di Dio e ai sacramenti, all'unica fede, che per tutti è soggettivamente e oggettivamente la
stessa, ma anche per la partecipazione ai carsimi e ai ministeri nella chiesa,
cui tutti sono chiamati, sia pure a loro modo. Tutti i cristiani sono pertanto
soggetti maggiorenni, cioè adulti capaci di dare testimonianza della fede, di
promuoverne la conoscenza e di intessere il dialogo teologico. Questa impostazione, per quanto bella e vera essa sia in sé e per sé, può tuttavia provocare
ripercussioni problematiche per il concetto e lo status della teologia. In una

teologia del popolo di Dio, in cui ogni partecipante ha senz'altro un posto e un voto, ottengono grande peso la razionalità scientifica fondata sulla fede, la competenza specialistica e l'epistemologia del metodo. Una pragmatica della conoscenza teologica o della formazione del consenso, concepite secondo idee-guida democratiche, possono cambiare il concetto di verità oppure spalancare le porte al populismo. Se si aggiungono poi mentalità postmoderne, ciò può condurre a un metodologico «anything goes» («qualsiasi cosa va bene»), che, come noto, è interpretabile anche pneumatologicamente, se lo Spirito soffia dove e come vuole anche in Teologia. L'impostazione personalistica, l'interpretazione personalistica dell'idea della *communio* hanno inoltre la caratteristica di tendere a personalizzare le relazioni intraecclesiali e anche quelle intrateologiche, il che, contro ogni buona intenzione, può condurre a costellazioni del tutto sgradevoli. E nel caso estremo il motivo della *communio* viene ancora deformato in una categoria soltanto emozionale.

Non da ultimo in riferimento a simili tendenze, ben presto ci fu una messa in guardia circa l'interpretazione personalistica dell'idea di comunione. Il motivo ecclesiologico della *communio* dev'essere invece riferito all'articolazione corporativa della chiesa, quindi all'insieme delle chiese, alle chiese particolari e agli altri rappresentanti della pluralità di istituzioni della chiesa[6]. In tal modo si è toccato già il *secondo* orientamento nell'utilizzazione post-conciliare dell'idea di comunione. Mentre nel primo caso lo stato di soggetto delle persone (e quindi anche delle forme di associazione personale) forma il fondamento, nel secondo caso, come si è detto, viene attribuito lo stato di soggetto alle entità corporative (ad es. le chiese locali, le conferenze episcopali, le varie confessioni, ecc.); in forza di tale status esse possono diventare anche istanze autonome della teologia e titolari del processo comunicativo.

Che si deve dire su questi modelli? Essi mostrano anzitutto che l'ecclesiologia di comunione è molto lontana anche nel nostro problema dal designare un fenomeno unitario o dal condurre a conclusioni finali concordi. E quando raggiungono un momento di verità, è molto limitata la possibilità

---

[6] Cfr. per esempio, H.M. LEGRAND, *Die Entwicklung der Kirchen als verantwortliche Subjekte: Eine Anfrage an das II. Vatikanum*, in G. ALBERIGO, Y. CONGAR, H.J. POTTMEYER (edd.), *Kirche im Wandel. Eine kritische Zwischenbilanz nach dem 2. Vatikanum*, Patmos, Düsseldorf 1982, pp. 141-174 (trad. it. *Lo sviluppo di chiese-soggetto: un'istanza del Vaticano II*, in G. ALBERIGO (ed.), *L'ecclesiologia del Vaticano II: dinamismi e prospettive*, Dehoniane, Bologna 1981, pp. 129-163).

di utilizzare tali modelli per l'utilizzo della idea di *communio* nei principi teologici e nella dottrina della conoscenza. Essi toccano la teologia piuttosto solo dall'esterno e nel modo in cui applicano direttamente l'idea della *communio* tengono in poco conto lo status della teologia, come si è sviluppato nei secoli.

Se, data tale situazione di fatto, si cercano alternative migliori, ci si trova subito rinviati alla tradizionale dottrina teologica dei principi e del metodo, che bisogna certamente sottoporre a indagine per vedere se in essa si ritrovino o si possano utilizzare le intenzioni della ecclesiologia di comunione. Penso che a tale scopo la dottrina dei *loci theologici* di Melchior Cano rappresenti in maniera sorprendente un buon paradigma e vorrei perciò concentrarmi su di essa nelle mie ulteriori argomentazioni.

Chi ha una qualche familiarità con la classica dottrina dei *loci theologici* e con il progetto del sistema di Melchior Cano, reagirà di fronte a questa scelta con un certo scetticismo. Cano, con la sua opera *De locis theologicis*, pubblicata postuma nel 1563, tre anni dopo la sua morte[7], si è acquistato la fama di fondatore della moderna dottrina del metodo teologico, ma la comprensione usuale e soprattutto la storia dell'influsso finora avuto da questa opera sono difficilmente adatte a far sorgere grandi attese al riguardo. Cano stesso ha concepito la sua opera *a prima vista* solo come una introduzione alla tecnica della dimostrazione teologica. I *loci theologici* sarebbero quindi dei luoghi dove trovare il materiale per la dimostrazione teologica; i dieci *loci* sarebbero l'arsenale, suddiviso in dieci sementi, per fornire le armi della dimostrazione teologica, e la dottrina del metodo teologico dovrebbe regolare il retto uso di queste armi.

Più o meno in questo senso Albert Lang ha interpretato l'opera di Cano con il suo saggio del 1925, intitolato *Die loci theologici des Melchior Cano*

---

[7] MELCHIOR CANO, *De locis theologicis libri XII*. Prima edizione di Roderich VADILAERUS, Salamanca 1563, in seguito più di 30 ristampe ed edizioni. La più diffusa è quella di Hyacinth SERRY, Padova 1714, che nel 1840 fu accolta in MIGNE, *Cursus theologicus completus I*. Il testo edito da SERRY è invariato anche nell'edizione contenuta nell' *Opera omnia* di M. Cano, pubblicate a cura di T. M. CUCCHI (3 voll., Roma 1890). Per la storia del testo e delle edizioni cfr. A. LANG, *Die loci theologici des Melchior Cano und die Methode des dogmatischen Beweises. Ein Beitrag zur theologischen Methodologie und ihrer Geschichte* (Münchener Studien zur historischen Theologie 6), Kösel & Pustet, München 1925, pp. 17 ss; B. KÖRNER, *Melchior Cano. De locis theologicis. Ein Beitrag zur theologischen Erkenntnislehre*, Styria Medienservice Moser, Graz 1994, pp. 69 ss.

und die Methode des dogmatischen Beweises[8]. L'interpretazione di Lang corrisponde in gran parte alla comprensione di Cano fino ad allora usuale. Una revisione di questo modello interpretativo comparve solamente verso la fine del XX secolo. In particolare fu Bernhard Körner che nel suo *Opus magnum* del 1995, dal titolo *Melchior Cano – De locis theologicis*[9] ha mostrato in dettaglio gli errori e la funesta unilateralità di Lang e ha posto le fondamenta per una interpretazione di Cano storicamente corretta. In tale contesto mi sia consentito rinviare anche al contributo da me pubblicato nel 1987 con il titolo *Die ekklesiologische Bedeutung des Systems der "loci theologici". Erkenntnistheoretische Katholizität und strukturale Weisheit*[10], poiché in esso sono contenute le linee fondamentali di quanto sto per esporre qui.

Il miscredito in cui, nella teologia più recente, è venuta a trovarsi la dottrina dei *loci theologici* di Cano, ha soprattutto due motivazioni. La prima è la focalizzazione dell'intera concezione dei *loci theologici* sulla *dimostrazione* o prova teologica. Questa focalizzazione fu intrapresa da Cano stesso. La sua opera *De locis theologicis* è orientata direttamente agli interessi e necessità della teologia controversistica a metà del secolo XVI. Nelle dispute dei «partiti religiosi», svolgeva un ruolo primario la dimostrazione teologica, e quindi anche la riflessione sui principi e sui metodi della corretta procedura della dimostrazione. In tale contesto è sorta l'opera di Cano. Certamente non è soltanto un filo conduttore per la tecnica della dimostrazione, ma ha la caratteristica di un'opera che vuol porre i fondamenti della dottrina della conoscenza teologica. Ma l'orientamento sulla problematica della dimostrazione ha fatto sì che in seguito la sua opera fu vista e recepita, oppure criticata, praticamente solo in questa prospettiva.

---

[8] Cfr. le indicazioni bibliografiche alla nota 7.

[9] Cfr. per la bibliografia la nota 7. Per la discussione della dottrina di M. Cano sui *Loci theologici* nel XX secolo rimando a Körner (v. nota 7), pp. 19-46; ulteriori contributi: B.J.F. Lonergan, *Method in theology*, Darton, Longman & Todd, London 1972 (trad. it. *Il metodo in teologia*, Queriniana, Brescia 1985²); A. Scola, *Chiesa e metodo teologico in M. Cano*, in Id., *Avvenimento e tradizione. Questioni di ecclesiologia teologica*, Ed. Ares, Milano 1987, pp. 57-92; P. Coda, *Theo-logia. La Parola di Dio nelle parole dell' uomo* (1997), Città Nuova, Roma ²2004, pp. 212-222.

[10] In: W. Baier et Al. (ed.), *Weisheit Gottes – Weisheit der Welt. Festschrift für Joseph Kardinal Ratzinger*, 2 Bde., EOS-Verlag, St. Ottilien 1987, I, 37-65 (trad. it.: *Il significato ecclesiologico del sistema dei "loci theologici". Cattolicità gnoseologica e sapienza strutturale*, in M. Seckler, *Teologia Scienza Chiesa. Saggi di teologia fondamentale*. A cura e con introduzione di G. Coffele, Morcelliana, Berscia 1988, pp. 171-206.

La seconda motivazione per la limitata considerazione della dottrina dei *loci theologici* di Cano consiste nel fatto che essa sembrava riguardare soltanto la dimostrazione *dogmatica*. Cano stesso in realtà non parla tanto della dimostrazione dogmatica, bensì di quella teologica. Ma dopo che, nel corso della suddivisione della teologia in differenti discipline specialistiche avvenuta nel XVII e XVIII secolo, la dogmatica si fu costituita come la disciplina teologica autentica e centrale, la dottrina dei *loci theologici* fu riferita soltanto ad essa. Così la dimostrazione *teologica* divenne la dimostrazione *dogmatica*. La dottrina di Cano avrebbe potuto essere designata ancora come teoria della conoscenza *teologica*, ma in pratica fu interpretata come teoria gnoseologica della *dogmatica*. L'opera di Albert Lang si muove ancora completamente entro questa terminologia e forma di pensiero, come si ricava già dal titolo o dal sottotitolo della sua ricerca (vedi nota 7). Da tutto ciò si comprende facilmente che le altre discipline non potevano avere alcun interesse nel riferire a sé (o alla teologia nel suo insieme) la teoria della conoscenza di Melchior Cano.

Se noi siamo in grado oggi di riconoscere queste interpretazioni restrittive, ci troviamo in una posizione favorevole per compiere una rilettura dell'opera di Cano e una nuova valutazione della sua teoria della conoscenza teologica. La guida per intraprendere la rilettura qui proposta sono stati, come si è detto, gli impulsi provenienti dalla ecclesiologia della *communio*. Il mio scopo non è di ricostruire il contesto storico della dottrina dei *loci theologici* di Cano, ma di vedere tale dottrina nella prospettiva odierna. Le intenzioni controversistiche e di tecnica dimostrativa, per le quali Cano ha concepito la sua opera, sono *una* cosa, ma lo spirito del progetto del suo sistema e la sua portata strutturologica raggiungono una maggiore profondità e ampiezza. Spero di poter mostrare che il concetto di *topos* e le articolazioni della topica elaborata da Cano possiedono un potenziale che merita di essere recuperato a vita nuova. Con questa aspettativa ci rivolgiamo ora a al pensiero di Cano.

2. «Teologia della *communio*»? Il potenziale metodologico della dottrina dei *loci theologici* di Melchior Cano

Nella letteratura specialistica i dieci *loci* vengono spesso riportati in modo impreciso o falso oppure tendente al falso. Nel testo di Cano essi sono così formulati nel loro nucleo essenziale (cfr. *De locis theologicis* I 3/2 a):

1. *Auctoritas Sacrae Scripturae*, quae libris canonicis continetur.

2. *Auctoritas Traditionum Christi et Apostolorum*, quas, quoniam scriptae non sunt, sed de aure in aurem ad nos pervenerunt, vivae vocis oracula rectissime dixeris.

3. *Auctoritas Ecclesiae Catholicae*

4. *Auctoritas Conciliorum* praesertim generalium, in quibus Ecclesiae catholicae auctoritas residet.

5. *Auctoritas Ecclesiae Romanae*, quae divino privilegio et est et vocatur Apostolica.

6. *Auctoritas Sanctorum Veterum*

7. *Auctoritas Theologorum scholasticorum*

8. *Ratio naturalis*

9. *Auctoritas Philosophorum*

10. *Humanae Auctoritas Historiae*

Su ciò vorrei fare dapprima alcune spiegazioni e precisazioni, per esporre poi in forma di tesi alcuni punti che mi sembrano più rilevanti.

2.1. *Osservazioni sullo schema di Melchior Cano*

1. Tutti i *loci*, che Cano ha inserito nel suo schema di dieci elementi sono *loci theologici*. Soltanto all'interno di questa comune qualificazione fondamentale, che vale per tutti dieci dieci, c'è una distinzione tra due classi di *loci*. I primi sette hanno il carattere di autentici luoghi teologici (loci theologici *proprii*); gli ultimi tre vengono designati da Cano come «affiancati» (loci theologici *adscriptitii*). Nella letteratura specialistica soltanto i primi sette vengono elencati come loci *theologici* (oppure così vengono tacitamente considerati), mentre gli altri tre vengono chiamati «loci *alieni*», il che non rende giustizia al pensiero di Cano. Per lui ragione, filosofia e storia sono invece *theologici*, anche se di fronte ai «loci proprii» lo sono in forma diminuita.

2. È sorprendente che Cano attribuisca alla *ragione* e alla *filosofia* uno statuto indipendente per ciascuna. Tuttavia ciò è perfettamente sensato, se si riflette che la ragione è certo l'organo del pensare filosofico e che la filosofia stessa si comprende come conoscenza della pura ragione, ma i sistemi

filosofici non rappresentano sempre in alcun modo la pura ragione, ma abbastanza spesso anche il contrario[11].

Di fonte all'uso strumentale della ragione, che esiste anche nella teologia, ed è per essa del tutto rilevante dal punto di vista della conoscenza, la *filosofia* e le *filosofie* possiedono un valore aggiunto contenutistico, che rappresenta per la conoscenza teologica una postazione irrinunciabile. Per la teoria della conoscenza teologica, l'integrazione dei «loci adscriptitii» nel sistema del complesso dei «loci theologici» significa un enorme ampliamento di orizzonte.

3. Se ragione, filosofia e storia valgono come fonti effettive della conoscenza teologica – sia pure con la specificazione prima menzionata -, forse non è errato, secondo l'odierna concezione, metterle in relazione anche con la rivelazione trascendentale, il che contribuirebbe a rafforzare la loro rilevanza teologica. Anche se Cano non ha tematizzato esplicitamente questa concezione, tuttavia tale assunto, che cioè il Dio della rivelazione cristiana si manifesti anche nel *medium* della ragione, della filosofia e della storia (extrabiblica), appartiene già da sempre al patrimonio del grande pensiero teologico. In questa prospettiva si potrebbe designare il gruppo dei primi sette *loci theologici* come gli ambiti *categoriali* propri della tradizione di fede cristiano-ecclesiale, mentre si potrebbe fondare il carattere teologico e la rilevanza epistemologica dei tre «loci adscriptitii» dal punto di vista teologico-trascendentale.

4. I dieci *loci* sono elencati numericamente uno accanto all'altro senza alcuna ulteriore articolazione (cosa che nella teologia scolastica successiva spesso fu criticata come un difetto[12]). Ci sono però buoni motivi per sostene-

---

[11] La consapevolezza di una differenza tra la pura ragione (che solo con l'aiuto della rivelazione viene portata alla sua pienezza) e le filosofie (come realizzazioni più o meno deficitarie della conoscenza razionale) è presente fin dall'epoca patristica. Così è testimoniato anche in TOMMASO D'AQUINO (cfr. ad es.. *Summa theologiae*. I, q. 1, a. 1 corp. art., capov. 2).

[12] Vedasi al riguardo E. KLINGER, *Ekklesiologie der Neuzeit. Grundlegung bei Melchior Cano und Entwicklung bis zum Zweiten Vatikanischen Konzil*, Herder, Freiburg i. Br. 1978. Klinger rinvia qui anche all'importanza della forma dogmatica di pensiero, nello sviluppo ulteriore della dottrina dei *loci theologici*, che si è verificata nella teologia moderna, in cui la potestà di magistero della chiesa e in particolare quella del magistero papale fu configurata come principio dominante della conoscenza teologica. Ma che Klinger ponga l'inizio di questa evoluzione in Cano, potrebbe essere attribuito a una errata interpretazione del concetto di *auctoritas* proprio di Cano.

re che Cano, nell'ordine da lui scelto, volesse esprimere una certa gerarchia. In tal senso parla tra l'altro il fatto che al primo posto sia nominata la Sacra Scrittura. Ma colpisce il fatto che l'*Auctoritas Ecclesiae Romanae* (e quindi il magistero di Pietro) sia elencato soltanto al quinto posto. Ciò significherebbe che l'*Auctoritas Ecclesiae Catholicae* (= nr. 3) e l'*Auctoritas Conciliorum* (= nr. 4)occupano una posizione superiore, almeno nella *toponomia del sistema dei loci*. Inoltre è sorprendente che Cano, tra i *loci* del magistero ecclesiale (numeri 4 e 5), ai quali forse è da aggiungere anche il nr. 3, e i *loci* dei teologi (nr. 6 e 7) non annota alcuna differenza di classe. Questo è un problema particolare sul quale bisogna ritornare.

5. Degno di nota è anche il fatto che Cano introduce l'*Auctoritas Ecclesiae Catholicae* come particolare «locus theologicus» accanto alla *Auctoritas Conciliorum* e alla *Auctoritas Ecclesiae Romanae*, quindi in aggiunta a queste. Da ciò si è concluso che nel concetto qui utilizzato di *Ecclesia Catholica* si tratti di un tipo di «concetto residuo» che rimane quando si tolgono entrambi i due loci del magistero ecclesiale (numeri 4 e 5). Ma questa logica di sottrazione è lontana dal pensiero di Cano. Entrambi i *loci* del magistero ecclesiale vengono presentati separatamente, poiché si tratta in essi di funzioni e istanze che hanno *topologicamente* una posizione particolare. Ma nel concetto della *Ecclesia Catholica,* che precede le altre istanze, sono pensati insieme come un tutt'uno il popolo di Dio e i pastori, la comunità e il ministero, la realtà della costtituzione e della vita della chiesa. Qui Cano non pone, ad esempio, il popolo di Dio oppure il *sensus fidelium* accanto o contro le strutture istituzionali, ma non la testimonianza di fede della *Ecclesia catholica* non è assorbita nei ministeri ufficiali. Tutti e tutto insieme, tutti e tutto ciò che fa parte del concetto di *Ecclesia catholica* sono una fonte propria (e quindi da indicare separatamente) e un principio della conoscenza teologica, parimenti anche nella prospettiva della pluriforme totalità della chiesa[13].

---

[13] Questa concezione corrisponde anche alle riflessioni che Joseph Ratzinger ha esposto nel suo commento all'articolo 10 della *Dei Verbum* circa il significato della *chiesa universale* nella sua funzione di soggetto titolare e testimone dell'evento della tradizione: «Esso (= art. 10) mette anzitutto in risalto che il mantenere fedelmente e mettere in pratica la Parola [di Dio] è cosa che riguarda l'intero popolo di Dio e non puramente la gerarchia. L'ecclesialità della Parola, dalla quale qui abbiamo preso le mosse, non rappresenta dunque solo la funzione magisteriale, bensì comprende la comunità dei credenti nel loro insieme» (in K. RAHNER et Al. [edd.], *Lexikon für Theologie und Kirche*, Ergänzungsband III, Herder, Freiburg i. Br. ²1967, p. 526). La modalità concreta di realizzare la tradizione nella chiesa viene «ancorata

6. Va messo in risalto anche il fatto che, con l'eccezione della ragione (= nr. 8), tutti i *loci* sono riportati sotto la voce di *auctoritas*, quindi anche la filosofia e la storia. Ne consegue che il concetto di *auctoritas* nel sistema dei *loci* non si deve riferire (o in ogni caso non primariamente) alle norme canoniche e ai ministeri ecclesiastici, ma alla caratteristica topologica dei *loci* indicati, che hanno il carattere di «*auctoritates*». Nell'uso linguistico della scolastica, il termine *auctoritates* indica testi o sentenze oppure anche repertori dove trovare argomenti che da soli, a causa della loro *validità consensuale*, sono istanze per la formazione della conoscenza. Ciò non è uno specifico della teologia, bensì un principio fondamentale della topica e della dialettica filosofica in quanto tali. Ma va incontro alle esigenze della teologia proprio in quanto l'oggetto della conoscenza della fede cristiana può essere trasmesso solo sotto forma di testimonianze (*fides ex auditu*), quindi, nel linguaggio della topica, sotto la forma delle *auctoritates*. Ma nello stesso tempo la concezione della topica filosofica permette alla teologia di considerare, fino a un certo grado, l'autorità della parola di Dio nello schema teorico del *topos*[14]. E se Cano nel numero 8 contrappone la pura ragione al gruppo dei *loci* che figurano sotto la voce di *auctoritas*, anche qui naturalmente mantiene la sua efficacia lo schema duale della scolastica: *ratio - auctoritas*[15].

nell'insieme della vita vissuta della chiesa» (p. 520), anche se qui giustamente il Concilio non menziona in modo esplicito il *sensus fidelium* (p. 527).

[14] Questa interferenza si nota anche nella teoria della scienza in Tommaso d'Aquino. Egli discute nella *Quaestio* I della *Summa theologiae* il problema della ammissione, del peso e della peculiarità dell'argomento di autorità in teologia. Dal punto di vista delle scienze probanti, le istanze argomentative desunte dalle autorità (*loci ab auctoritate*) sono le più deboli. Ma nella teologia avviene il contrario: per essa *argumentari ex auctoritate* è perfino il metodo più adeguato (S.Th. I, q. 1. a. 8, ad 2). Perciò, nel suo lavoro, la teologia dipende fondamentalmente dalle testimonianze in cui la parola di Dio con l'autorità sua propria le va incontro *storicamente*. Visti *teologicamente*, sono «luoghi» in cui la parola di Dio dà testimonianza di se stessa con la sua autorità, ma nello stesso tempo sono anche *loci*, ossia *auctoritates* nel senso della *topica filosofica*. Ciò vuol dire: dal punto di vista fenotipico, i *loci* della teologia sono nella forma di *auctoritates* come tutti gli altri *loci*, che si chiamano così nel linguaggio della topica; ma visti teologicamente in tali *auctoritates* può essere trasmessa l'autorità della parola di Dio. Questa ambivalenza del concetto di *topos* o di *auctoritas* ha sempre indotto a interpretazioni errate (cfr. ad es. in LANG [nota 7] e KLINGER [nota 12]; vedi al riguardo SECKLER [nota 10] e alla nota 26).

[15] Cfr. in proposito M. GRABMANN, *Die Geschichte der scholastischen Methode nach den gedruckten und ungedruckten Quellen bearbeitet*, 2 voll., Herder, Freiburg i. Br. 1909-1911; M.-D. CHENU, *Das Werk des hl. Thomas von Aquin* (1950), Kerle, Heidelberg 1960; Styria, Graz 1982²; U. KÖPF, *Die Anfänge der theologischen Wissenschaftstheorie im 13. Jahrhundert*

7. Nel suo schema dei dieci *loci*, Cano non designa singoli *testi* o *senten-ze* come «luoghi», ma come «ambiti di testimonianza», in cui la teologia può incontrare l'oggetto della sua conoscenza[16]. Così compresi, i *loci theologici* sono nello stesso tempo i luoghi (*domicilia*), in cui «abitano» le prove teolo-giche. Se più tardi tali *loci* furono equiparati ai cosiddetti «dicta probantia», ciò non corrisponde al concetto di *topos* che aveva Cano. Per lui dunque la Sacra Scrittura *nella sua totalità* o la testimonianza dei Padri *nel loro insieme* erano «locus theologicus», il che comporta conseguenze ermeneutiche cor-rispondenti.

(Beiträge zur historischen Theologie 49), Mohr, Tübingen 1974; R. Schönberger, "Schola-stik", in R. Auty et Al. (edd.) *Lexikon des Mittelalters*, vol. VII, DTV, München, Zürich 1995, coll. 1521-1526; L.J. Elders, "Scholastische Methode", *ivi,* coll. 1526-1528; F. Quadlbauer, "Topik", *ib.*, vol. VIII, 1997, coll. 864-867 (con bibliografia).

[16] È molto importante oggettivamente, e in fondo anche indispensabile per la discussione attuale, in cui vengono messi in gioco continuamente nuovi *loci*, precisare con chiarezza il concetto di *topos* o di *locus*, se non si vuole parlare senza capirsi. Si riscontra questo concetto in una molteplicità di significati, che si possono suddividere in tre gruppi. Nella tradizione topologica, il concetto poteva designare: (1). *Frasi, sentenze, proposizioni*, quindi dichiara-zioni dal contenuto ben formulato, come ad es. regole di vita o principi fondamentali di una scienza, o luoghi comuni della retorica; (2) Il concetto poteva essere utilizzato nel senso di *rubriche formali*, oppure di *griglia tematica* o di concetti fondamentali con funzione ordina-tiva; (3) infine poteva servire a designare *scritti qualificati epistemologicamente, testi* o *gruppi di testi*, come *repertori* (nel senso di giacimenti dove trovare qualcosa) che permettevano una ricerca della conoscenza topologicamente orientata.

Nella teologia del XVI secolo, per *loci theologici* si intendevano in parte i passi princi-pali di un'opera (ad es. frasi della Sacra Scrittura); in parte punti principali del contenuto o concetti fondamentali del cristianeismo (ad es. *Deus, creatio, gratia, beatitudo*), oppure punti principali delle dottrine che differenziavano le confessioni. Cano percorse qui una via origi-nale (appoggiandosi espressamente su Aristotele). Per lui, però (a differenza di Aristotele) i *loci* non sono sentenze utilizzabili in modo argomentativo, ma *domicilia*, cioè *luoghi dove abita* tutta la conoscenza teologica e quindi anche *ambiti di conoscenza della ragione teologi-ca argomentativa*. Nel caso di Aristotele, l'argomento «siede» nella *frase* rappresentata dal *topos*, che vale come parte riconosciuta dell'argomentazione; in Cano invece gli argomenti «abitano» in *ambiti* riconosciuti di testimonianze e di documentazione, dai quali soltanto si devono ricavare delle proposizioni, mediante *inventio* e *iudicium*. Per Cano quindi valeva-no in definitiva come *loci theologici* non soltanto, ad esempio, determinate frasi della Sacra Scrittura, bensì la Sacra Scrittura nel suo insieme è *un* «locus theologicus», e similmente la testimonianza dei concili, ecc. Le esigenze ermeneutiche, che si richiedono nel mettere in ri-lievo la testimonianza dei rispettivi *loci theologici*, sono dunque di un genere del tutto diverso da quello che viene utilizzato per elaborare i «dicta probantia». Cfr. al riguardo Seckler (nota 10), pp. 44 ss; Körner (nota 7), pp. 93 ss; 19 ss.

8. Si deve supporre che i dieci *loci*, enumerati da Cano, coprissero completamente ai suoi occhi l'intero ambito delle fonti della conoscenza teologica. Pertanto il suo schema articolato in dieci punti ha il carattere di una sistematizzazione globale delle fonti della conoscenza teologica. Egli ammetteva in verità che non era assolutamente necessario stabilire proprio dieci *loci* e che si potevano introdurre o aggiungere ancora altri *loci*, ma egli non lo fece. Pensava invece che il suo schema era un progetto di un sistema olistico, in cui era collocato tutto ciò che in una visione meno sistematica forse avrebbe potuto essere considerato ancora come *locus theologicus*. Così, per esempio, la liturgia, che oggi viene vista come un *locus theologicus* dimenticato da Cano, è contenuta almeno nel numero 3, in fondo però in tutti i *loci theologici proprii*. Così la Sacra Scrittura, per fare un altro esempio, contiene sia affermazioni dottrinali sulla liturgia, sia testimonianze di atti liturgici.

D'altra parte Cano, date le premesse del suo concetto di *topos*, non avrebbe mai potuto riconoscere che i «segni del tempo» potessero avere il grado di un *locus theologicus* indipendente. Riconoscerli è certo importante, come giustamente ha messo in rilievo il Concilio Vaticano II, e a ciò non si opporrebbe naturalmente neppure Cano, che aveva concepito la sua opera *De locis theologicis* con una enorme attenzione alla situazione del XVI secolo a lui contemporanea. Nel riconoscere i segni del tempo, la teologia raccoglie la sfida che il suo tempo pone ad essa e al suo lavoro. Riconoscere tali segni e confrontarsi con essi non è soltanto una condizione per la sua vitalità, bensì da essi la teologia ricava anche impulsi contenutistici per impostare i propri compiti in modo adeguato al tempo. Ma dove potrebbe riconoscere i segni del tempo, se non nell'ambito della *storia* (= «locus theologicus» nr. 10), cioè nel presente storico, e nella sfera della *filosofia* (= nr. 9), se questa, per dirla con Hegel, «coglie il proprio tempo in pensieri»?[17]. Così anche i «segni dei tempi» sono certamente una *fonte* della conoscenza teologica, ma sarebbe insensato attribuire loro un particolare *locus theologicus* accanto alla filosofia e alla storia.

---

[17] Cfr. G.W.F. HEGEL, *Grundlinien der Philosophie des Rechts* (1821), Jub.-Ausg. 7, p. 35 (trad. it. *Lineamenti di Filosofia del Diritto*, a cura di V. CICERO, Rusconi, Milano 1998², p. 61).

2.2. *Tesi sulla rilevanza della dottrina dei* loci theologici *di Cano per la struttura comunionale del metodo teologico*

1. La suddivisione della teologia in una molteplicità di discipline specialistiche, che si è verificata nel corso della modernità sulla scia della crescita esponenziale e della differenziazione del mondo scientifico in generale e di cui non si riesce a vedere la fine, ha condotto a una situazione che oggi non senza ragione è stata definita come «frammentazione»[18]. In tal modo anche l'unità interiore della teologia si è dissolta e perfino l'unità della conoscenza teologica si è perduta nel groviglio delle parcellizzazioni. Questa diagnosi è tanto più allarmante, in quanto non riguarda soltanto la teologia in senso tecnico-scientifico, ma vale anche per altri ambiti, forme e soggetti della conoscenza teologica nella chiesa. A questo riguardo le condizioni all'interno della sfera teologica sono soltanto il sintomo di una crisi molto più vasta. Il concetto di «frammentazione» viene usato qui come contrassegno di un pluralismo disordinato, che non ha ancora ritrovato la sua unità. Se in questa situazione si rivolge lo sguardo alla dottrina dei *loci theologici* di Melchior Cano, lo si fa perché tale dottrina, in forza della concezione che la anima in profondità, mostra una direzione in cui muoversi per risolvere il problema del rapporto tra unità e pluralismo; tale direzione, tenuto conto della sua *caratteristica strutturale* e del suo *taglio teoretico-sistematico*, può essere caratterizzata come «cattolica» nel senso di una cattolicità teoretico-cognitiva[19].

2. Nella ecclesiologia di comunione, che presuppone l'accettazione di un pluralismo all'interno della chiesa, si delineano tendenze che, per quanto riguarda il nostro problema, vanno nella stessa direzione, cosicché anche

---

[18] E. FARLEY, *Theologia. The Fragmentation and Unity of Theological Education*, Fortress Press, Philadelphia 1983, 1989² (cfr. anche J.S. DREY, *Breve Introduzione* [nota 1], p. 44 ss, e nota 44); G. LORIZIO, S. MURATORE (ed.), *La frammentazione del sapere teologico*, San Paolo, Cinisello Balsamo 1998. – Vedasi anche PH. DELHAYE, *Unité de la foi et pluralisme des théologies dans les récents documents pontificaux*, in «Esprit et vie» [1], 9. Ser., 82 (1972), pp. 561-569; 593-600.

[19] A tale caratteritica rimanda il sottotitolo «Cattolicità teoretico-cognitiva e sapienza strutturale» della mia trattazione citata alla nota 10. Si veda anche L. SCHEFFCZYK, *Katholische Glaubenswelt. Wahrheit und Gestalt*, Pattloch, Aschaffenburg 1977. In quest'opera, rimasta purtroppo poco conosciuta, e nella quale mi sono imbattuto da poco, Scheffczyk ricostruisce un concetto di cattolicità orientato in forma teorica, nel cui orizzonte si può inserire la caratteristica prima proposta di *cattolicità teoretico-cognitiva*.

da ciò si offre la possibilità di ritornare a Cano, a meno che l'idea di *communio* non debba far le spese del livellamento emozionale o appellativo dei problemi del pluralismo epistemologico. Per far risaltare la direzione verso cui mirare e distinguerla da altri modelli di soluzione, vorrei esporre anzitutto due esempi. Nell'opera citata in precedenza di Farley, nella quale viene giustamente deprecata la frammentazione della teologia e dello studio teologico, l'autore si orienta alla concezione pre-moderna della teologia e auspica che si ritorni all'unità di pensiero di quell'epoca. La sottolineatura di tale unità di pensiero risuona però nostalgicamente e il modello di unità appare anacronistico. Esso può servire certo agli scopi di una formazione teologica globale, nella forma dei corsi fondamentali, che sono previsti nei nuovi programmi di studio, ma poco contribuisce a risolvere il problema del superamento teorico del rapporto tra unità e pluralismo.

Il secondo esempio riguarda direttamente il pluralismo delle diverse discipline in teologia, per cui esse divergono una dall'altra sia nelle loro metodologie, sia nell'oggetto e nei contenuti da conoscere. Si parla di materie marginali e di materie centrali. Questa distinzione può essere sotto certi aspetti giustificata, ma tendenzialmente finisce con l'attribuire il ruolo di autentica teologia - e di rappresentarne l'unità – soltanto a una materia centrale preposta a tale scopo, per superare o per eludere in questo modo la problematica del pluralismo realmente esistente. Negli ultimi secoli si è cercato di percorrere tale via, assegnando alla dogmatica questo posto e funzione. Con il monopolio assunto da *una sola* disciplina, alle rimanenti venne sottratta la dignità e la competenza di poter essere soggetti teologici indipendenti e istituzionali (sia pur particolari), capaci potenzialmente in egual modo di prestazioni scientifiche in rapporto a una conoscenza teologica strutturata pluralisticamente nella sua sostanza. Non dipende forse da questo, sia detto per inciso, cioè dalla logica di questo «modello», che nelle altre discipline s è spento l'interesse per la riflessione teoretico-scientifica sul carattere *teologico* delle proprie materie e dei loro metodi, oppure si è cercato il loro progresso fuori dalla dogmatica e dai suoi metodi? Frammentazione come conseguenza in certo modo del monismo? Se non causa prima, è il monismo un indizio di un problema irrisolto circa il pluralismo? (Si ricordi: il problema del pluralismo delle discipline teologiche si pone qui in modo paradigmatico di fronte al pluralismo dei soggetti della conoscenza teologica come tale nella chiesa).

3. Se ci fosse soltanto una sola disciplina teologica propriamente detta e accanto ad essa una certa quantità di discipline (ausiliarie) non teologiche, la questione dell'unità della teologia di fronte al pluralismo delle materie sarebbe facile da risolvere. Ma la cosa è diversa, se nel processo della conoscenza teologica è coinvolta una molteplicità di discipline (o di altre istanze cognitive), le quali, nonostante la diversa concezione metodologica, hanno o dovrebbero avere egualmente un carattere *teologico*. Sorge quindi la domanda, se si possa risolvere il problema di un simile pluralismo epistemologico sul piano *metodologico*. Di un metodo della teologia al singolare, si poteva ancora discutere prima della suddivisione della teologia in discipline autonome, se si guarda alle cose da lontano. In seguito ciò divenne più difficile. Per il fatto che a una sola disciplina, cioè la dogmatica, fu riconosciuto il privilegio di rappresentare da sola la teologia vera e propria, il metodo *dogmatico* fu equiparato sic et simpliciter al metodo *teologico*, come fece ancora in modo ingenuo Albert Lang. L'ipotesi che in Lang si trattasse soltanto di un errore di linguaggio inavvertito, non renderebbe ragione della realtà del lavoro teologico del periodo tardo moderno, in cui l'equiparazione tra teologia vera e propria e dogmatica è del tutto caratteristica. E anche se la posizione monarchica di questa disciplina si deve ricondurre ad una difettosa distinzione tra dogma e dogmatica – in definitiva tutte le discipline teologiche sono vincolate alla fede cristiana testimoniata nel credo della chiesa –, tuttavia questa evoluzione favorì l'idea che l'unità della teologia non si fondasse sul principio di fede, ma sulla dogmatica e sul suo metodo.

Dato che nel frattempo si è affermata largamente l'emancipazione delle altre discipline, ciò è avvenuto spesso in conflitto con la dogmatica, ma, guardando maggiormente in profondità, si tratta di una liberazione dal soffocamento causato dal monismo metodologico in teologia, e quindi di un cambio di paradigma che non riguarda soltanto il rapporto con la dogmatica. L'oggetto della conoscenza teologica è in se stesso pluriforme, cosicché, a lungo andare, non permette nessun monismo metodologico.

Anche dal punto di vista della teoria della scienza, il problema dell'unità della conoscenza teologica non si può risolvere sul piano metodologico e non sotto forma di un metodo unitario, bensì soltanto partendo dai *principi*, che precedono i metodi e li generano. *Principium est id, a quo aliquid procedit*. Il *principium essendi et cognoscendi* della conoscenza teologica, delle sue metodologie e dei suoi soggetti personali, corporativi, istituzionali e specialistici, è la fede cristiana professata dalla chiesa. Questo è anche epistemologicamente il principio della sua unità. Al contrario, il concetto del metodo, se si vuol essere fedeli al significato della parola, si riferisce soltanto alle modalità della procedura. Per questi motivi, è fuori discussione cercare il bene dell'unità nell'uso di questo concetto al singolare.

La dottrina dei *loci theologici* di Melchior Cano, nei punti della sua impostazione, mette a disposizione un modello che può rendere ragione sistematicamente del pluralismo topologico e metodologico della conoscenza teologica, senza rinunciare al fondamento e alla meta dell'unità. Quest'ultima non va ricercata in un monismo metodologico, ma nella *communio* delle persone coinvolte e nella concorde collaborazione dei loro carismi e ministeri.

4. Dal punto di vista empirico, l'unità e la totalità della conoscenza teologica non è qualcosa che si possa trovare realmente. Non lo è mai stato, neppure nei sogni totalitari. Ogni teologia, ogni opera teologica, ogni disciplina o scuola o istituzione, che avanzasse questa pretesa per sé, avrebbe inevitabilmente una molteplicità di concorrenti e di correttivi accanto e contro di sé. Nella ricerca dell'unità e della totalità della teologia, ci si vede sempre rinviati a biblioteche e intenzioni. Ma anche a questo aspetto della questione può rendere giustizia la dottrina dei *loci theologici* sul modello di Cano, in cui gli ambiti (*loci*) della conoscenza teologica, nella salvaguardia del loro oggetto epistemologico, sono collegati sistematicamente in una costruzione interattiva, che strutturalmente è impostata verso l'uno e il tutto nella collaborazione reciproca delle forze e delle prestazioni.

5. Si è già fatto notare che nella ecclesiologia post-conciliare della *communio* sono entrati in gioco nuove impostazioni per il pluralismo dei soggetti ecclesiali (particolari) in ordine alla conoscenza teologica e per il superamento del problema del pluralismo secondo il criterio dell'idea della comunione. Tuttavia, né qui, né nel dibattito sul pluralismo che negli ultimi decenni si sta sviluppando ancor più[20], si è giunti a una proposta globale di soluzione, che

---

[20] Nel frattempo la letteratura specialistica sul pluralismo è sterminata, ma in essa predomina negli ultimi tempi la tematica del pluralismo interreligioso e interculturale, che per la nostra problematica è poco pertinente. Su ciò viene spesso tirata in campo l'opera di Karl Rahner, il che però non corrisponde alla sua impostazione originale. Rahner si è occupato molto più con le questioni del pluralismo *intrateologico* e con la frammentazione della conoscenza teologica. Cfr. in proposito W. WERNER, *Fundamentaltheologie bei Karl Rahner. Denkwege und Paradigmen* (Tübinger Studien zur Theologie und Philosophie 21), Francke,

raggiunga il livello dei principi teologici classici e della relativa conoscenza, tenendo conto in modo costruttivo dei dati del Concilio Vaticano II.

Il Concilio stesso, per citare soltanto un esempio particolarmente significativo, ha posto negli articoli 8-10 della *Dei Verbum* delle indicazioni e formulato precise affermazioni circa il pluralismo irriducibile come pure circa la collaborazione armoniosa dei diversi soggetti che devono interagire nella vita intellettuale e spirituale della chiesa: Allargamento del soggetto dell'evento della tradizione alla totalità della chiesa e delle sue realtà vitali («tota plebs sancta pastoribus suis adunata in doctrina apostolorum et communione»), ma con l'esplicita menzione e riconoscimento almeno di alcuni soggetti titolari, ossia «luoghi» e istanze di tale evento (vengono citati tra gli altri la Sacra Scrittura, la tradizione del «depositum fidei», i Padri della chiesa, i fedeli con i loro pastori e il magistero nella *communio* hierchica, la

Tübingen 2003, pp. 269-298; G. Perini, *Pluralismo teologico e unità della fede. A proposito della teoria di K. Rahner*, in: «Doctor communis» 22 (1979), pp. 135-188; M. Seckler, *Das Eine Ganze und die Theologie. Fundamentaltheologische Überlegungen zum wissenschaftstheoretischen Status der Grundkurs-Idee Karl Rahners*, in E. Klinger, K. Wittstatt (edd.), *Glaube im Prozeß. Christsein nach dem II. Vatikanum*, Herder, Freiburg i. Br. 1984, pp. 826-852. – Istruttivo per l'ulteriore ampio scenario del dibattito sul pluralismo sono specialmente i seguenti articoli, in cui viene toccato anche il tema del pluralismo della conoscenza teologica: K. Rahner, *Pluralismus"*, in Id. et Al. [edd.], *Lexikon für Theologie und Kirche*, vol. VIII, Herder, Freiburg i. Br. ²1963, coll. 566-567; L. Samson, *Pluralismus*, in J. Ritter, K. Gründer (edd.), *Historisches Wörterbuch der Philosophie*, vol. VII, Schwabe, Basel 1989, coll. 988-995 (Bibliografia); Ch. Schwöbel, *Pluralismus II. Systematisch-theologisch*, in G. Krause, G. Müller (edd.), *Theologische Realenzyklopädie*, vol. XXVI, Walter de Gruyter, Berlin 1996, coll. 724-739 (bibliografia). Vedasi anche H.J. Münk et Al. (edd.), *Christliche Identität in pluraler Gesellschaft. Reflexionen zu einer Lebensfrage von Theologie und Kirche heute* (Theologische Berichte 28), Paulusverlag, Freiburg (Schweiz) 2005; W. Weirer, R. Esterbauer (ed.), *Theologie im Umbruch - zwischen Ganzheit und Spezialisierung* (Theologie im kulturellen Dialog 6), Styria, Graz 2000; P.G. Crowley, *Rahner, Doctrine and Ecclesial Pluralism*, in «Philosophy and theology» 12 (2000), pp. 131-154; J.I. Muya, *L' expérience de la pluralité. Un lieu théologique* (Begegnung 9), Borengässer, Bonn 2000; R.J. Schreiter, *Die neue Katholizität. Globalisierung und die Theologie* (Theologie interkulturell 9), Verlag für Interkulturelle Kommunikation, Frankfurt a. M. 1997; Ch. Gillis, *Pluralism - a New Paradigm for Theology* (Louvain theological & pastoral monographs 12), Peeters, Louvain 1993; G.A. McCool, *From Unity to Pluralism. The Internal Evolution of Thomism*, Fordham Univ. Pr., New York 1989; P.C. Phan, *Cultural pluralism and the Unity of Science. Karl Rahner's Transcendental Theology as a Test Case*, in «Salesianum» 51 (1989), pp. 785-809; D. Tracy, *Blessed Rage for Order. The New Pluralism in Theology*, Seabury Press, New York 1975; Commissione Teologica Internazionale, *L'unità della fede e il pluralismo teologico*, in EV, vol. 4, Dehoniane, Bologna 1978, nn. 1801-1815; Ch. Boyer, *Sur le pluralisme théologique*, in «Doctor communis» 23 (1970), pp. 185-191.

vita sacramentale – e altro ancora se si esaminano i documenti conciliari nel loro complesso), tra i quali esiste una «singolare unità di spirito («singularis conspiratio») nelle forme della *communio*. Nell'ultimo capoverso del capitolo 2, si parla dell'indissolubile diritto all'esistenza dei soggetti chiamati ad interagire fra loro (vengono nominati in forma succinta la sacra tradizione, la Sacra Scrittura e il magistero della chiesa), e dipendenti reciprocamente uno dall'altro: essi sono «tra loro talmente connessi e congiunti che non possono indipendentemente sussistere, e tutti insieme, ciascuno secondo il proprio modo, sotto l'azione di un solo Spirito Santo contribuiscono efficacemente alla salvezza delle anime» («ita inter se connecti et consociari, ut unum sine aliis non consistat, omniaque simul, singula suo modo», ecc.). Queste affermazioni non sono indirizzate specificamente alla conoscenza teologica, ma in esse è soggiacente un modello di concezione che fa pensare a una costruzione unitaria e insieme pluralistica, in cui le varie parti interagisocno fra loro. Questo modello è quindi esportabile e si armonizza in modo sorprendente con la dottrina dei *loci theologici* di Melchior Cano.

6. Nel modello di Cano, i *loci* indicati come ambiti della conoscenza teologica sono chiaramente delimitati fra di loro. Hanno nomi propri, che rinviano al loro statuto epistemologico[21]. Sono anche fonti materiali e formali della conoscenza teologica. Il loro contrassegno come «*auctoritates*» indica il fatto che in se stesse hanno il carattere di istanze capaci di testimoniare, ognuna secondo la sua specifica natura e ruolo, che a ognuna dev'essere attribuito dalla dottrina dei principi teologici. È necessario rispettare la loro specifica natura e competenza, se devono avere anche l'opportunità di poter dire effettivamente quello che hanno da dire. Hanno quindi anche il diritto di ermeneutica adeguata alla loro natura. Sottoporre la loro interpretazione ad un unico metodo o assegnarli ad un'unica istanza interpretativa, oppure tenerli premurosamente nella «custodia precauzionale» della correttezza dogmatica, finirebbe con il provocare la loro «interdizione»[22]. Per questi motivi sarebbe anche contraddire allo spirito della dottrina di Cano sui *loci theologici*, se si volesse ridurre i sette *loci proprii* a uno schema ternario[23] oppure limitare i tre *loci adscriptitii* alla ragione, come spesso è accaduto in

---

[21] Cfr. KÖRNER, *Melchior Cano* (nota 7), pp. 400 ss; 420 ss.

[22] Cfr. RATZINGER, *Kommentar* (nota 13) III, col. 527.

[23] Cfr. SECKLER, *Die ekklesiologische Bedeutung* (nota 10), p. 39ss; W. KASPER, *Die Methoden der Dogmatik*, Kösel, München 1967.

passato. Da tutto ciò si ricava che il sistema di pensiero di Melchior Cano può fornire qualche elemento per la soluzione del complesso problema della pluralità e dell'unità epistemologica, sul quale ci siamo ripetutamente soffermati in precedenza.

7. I *loci theologici* garantiscono che la conoscenza teologica nella chiesa non è solo rivolta all'indietro e in questo senso non è semplicemente un oggetto di «antiquariato», come l'ha chiamata Drey[24], e non è neppure rivolta solo al presente, ma congiunge insieme entrambe queste dimensioni. Non è un procedere privo di memoria, ma neppure solo la memoria del passato. I *loci proprii* sono istanze testimoniali, nelle quali si manifesta che la conoscenza teologica richiede il concetto di una *tradizione vivente* (oppure corrispondente a esso), per il fatto che passato e presente sono collegati tra loro anche epistemologicamente, senza che Kronos divori i suoi figli.

8. La topografia dei *loci proprii* è riferita chiaramente alle strutture dell'evento della Tradizione. Questa non è una corrente vitale amorfa, ma un organismo strutturato, al quale cerca di corrispondere il numero, la caratteristica e l'ordine dei *loci*. Si può dire pertanto che nel «progetto di costruzione» del sistema dei sette *loci proprii* si rispecchiano le «leggi di costruzione» dell'evento della tradizione. Essi corrispondono ai «principi che costruiscono il tutto»[25]. Quindi il sistema dei *loci theologici* deve essere visto come una configurazione epistemolgica del principio di tradizione. Così si garantisce che nessuno dei singoli *loci* può essere assolutizzato monisticamente come fonte o principio di conoscenza (ad es. secondo il modello *sola ratio*, *sola Scriptura*, *solum Magisterium*, *sola disciplina dogmatica*). Qui si conferma del resto l'ipotesi di una interdipendenza tra ecclesiologia e dottrina della conoscenza teologica, dalla quale abbiamo preso l'avvio.

---

[24] J.S. DREY, *Vom Geist und Wesen des Katholizismus*, in «Theologische Quartalschrift» 1 (1819), pp. 8-23; 193-210; 369-391; 559-574, riprodotto in J.R. GEISELMANN (ed.), *Geist des Christentums und des Katholizismus. Ausgewählte Schriften katholischer Theologie im Zeitalter des Deutschen Idealismus und der Romantik*, Matthias-Grünewald, Mainz 1940, pp. 193-234, qui p. 202.

[25] Cfr. J. RATZINGER, *Theologische Prinzipienlehre. Bausteine zur Fundamentaltheologie*, Wewel, München 1982, Prefazione. [trad. it. *Elementi di teologia fondamentale. Saggi sulla fede e sul ministero*, Morcelliana, Brescia 1986]. Nei 29 paragrafi di quest'opera vengono trattati estesamente problemi strutturali del cristianesimo, del cattolicesimo e della cattolicità, alla luce dei quali il sistema dei *loci theologici* di Cano acquista particolare forza espressiva.

9. Nel sistema dei *loci theologici*, la conoscenza teologica non ha due fonti, come nella teologia scolastica post-tridentina fin quasi alle soglie del Concilio Vaticano II fu spesso sostenuto, bensì essa ha dieci «luoghi» (*loci* nel senso di ambiti di ricerca o di istanze probanti), nei quali, dai quali e con il loro sostegno si forma la conoscenza teologica. In caso di necessità i *loci theologici* si possono quindi designare anche come «fonti».

Si è già detto, per quanto riguarda l'ampliamento del modello dalle due fonti ai dieci *loci*, che non si tratta di una differenziazione numerica secondo una visuale rubricistica, bensì di una strutturazione dell'evento della Tradizione, in cui i singoli *loci* acquistano nello stesso tempo lo status e il rango di ambiti di ricerca e di istanze probanti epistemologicamente indipendenti. Ma questo è solo un lato della medaglia. In questa strutturazione non è in gioco solo un imperativo della logica dei *topoi*, ma della loro ulteriore trasposizione nell'evento della Tradizione in quanto processo storico graduato. Il *Verbum incarnatum*, la «realtà originaria» del cristianesimo[26], che nell'evento della Tradizione trasmette se stesso continuamente come presenza vivente, ha creato e si crea lungo la sua strada attraverso la storia i testimoni e le attestazioni, che nel sistema dei *loci theologici* mantengono il loro posto e la loro voce. Anche se il concetto di Tradizione di Melchior Cano non mostra ancora la maturità che fu raggiunta nel secolo XIX nella comprensione

---

[26] Su questo concetto cfr. DREY, *Vom Geist und Wesen des Katholizismus* (nota 24) passim. – Non si può mai rinviare abbastanza esplicitamente a questa trattazione, che da tutti gli esperti viene considerata come lo scritto programmatico fondamentale della scuola cattolica di Tubinga e più ampiamente come la determinazione strutturologica della caratteristica teologica del cattolicesimo. Drey fonda qui lo «spirito» e «l'essenza» del cattolicesimo anche dal punto di vista dello studio delle altre confessioni cristiane, ponendo elementari distinzioni nel concetto della Tradizione. Su ciò cfr.: W. KASPER, *Vom Geist und Wesen des Katholizismus. Bedeutung, Wirkungsgeschichte und Aktualität von Johann Sebastian Dreys und Johann Adam Möhlers Wesensbestimmung des Katholizismus*, in M. KESSLER, M. SECKLER (edd.), *Theologie, Kirche, Katholizismus, Beiträge zur Programmatik der Tübinger Schule von J. Ratzinger, W. Kasper und M. Seckler. Mit reprographischem Nachdruck der Programmschrift Johann Sebastian Dreys von 1819 über das Studium der Theologie*, Francke, Tübingen 2003, pp. 61-83 (anche in «Theologische Quartalschrift» 183 [2003], pp. 196-212); M. SECKLER, *Johann Sebastian Dreys Programmschrift "Vom Geist und Wesen des Katholizismus" neu gelesen, oder: Die kultisch-liturgische Dimension in der theologischen Architektur des Christentums*, in P. WALTER, K. KRÄMER, G. AUGUSTIN (edd.), *Kirche in ökumenischer Perspektive. Kardinal Walter Kasper zum 70. Geburtstag*, Herder, Freiburg i. Br. 2003, pp. 115-132 (anche in KESSLER, SECKLER, *Theologie, Kirche, Katholizismus* [v. sopra], pp. 37-59).

che la scuola cattolica di Tubinga ebbe al riguardo[27], tuttavia si può dire che l'idea del sistema da lui elaborato si può totalmente inserire in tale pensiero organico-storico e ne rispetta i criteri.

10. I dieci *loci* dormano insieme, come abbiamo visto, il *sistema* dei *loci theologici*. Questo modo sistematico di pensare afferma anche che la conoscenza e la conferma della fede cristiana non avviene soltanto in *un solo* luogo, in *una sola* disciplina, in *un solo* ceto, in *un solo* soggetto particolare della chiesa, in breve in *un solo* principio conoscitivo, ma in molti »luoghi«. Non c'è nessuno dei *loci* che, preso separatamente, sia predisposto per la sua entelechia a comprovare il tutto e a rappresentarlo cognitivamente, ma che nello stesso tempo costituisca solo un momento particolare in un tutto che si estende ben oltre. La sacra Scrittura attesta nella molteplicità dei suoi testimoni e testimonianze la realtà della fede cristiana secondo la propria modalità e competenza canonica; i Padri della chiesa a loro modo, e così via. Ciò che possono fornire è sempre soltanto «il tutto nel frammento». Nel sistema dei *loci theologici* la diversità delle categorie e la specifica capacità di prestazione dei singoli *loci* viene trasportata nel modo di pensare sistematico della *cattolicità teorico-cognitiva*, il quale sostiene che c'è un irriducibile pluralismo delle modalità di attestazione e di istanze, che la *veritas catholica* si può far risaltare solo *come un tutto* nell'integrazione armonica dei vari fattori in reciproca collaborazione.

11. Se nessuno dei *loci theologici* è eliminabile (quale potrebbe o dovrebbe essere tolto e da chi?), e se ognuno è chiamato in modo imprescindibile a contribuire per la sua parte alla costruzione del tutto in una armoniosa e vitale collaborazione, che si oppone a ogni monismo o solipsismo, allora ciò significa che *communio* e dialogo sono i concetti appropriati per connotare adeguatamente l'interazione epistemologica. Ciò che viene significato nel singolo «luogo», dovrebbe venir approfondito alla luce della ecclesiologia di comunione. La cosa non riguarda soltanto la coesistenza e la collaborazione delle fonti della conoscenza teologica, ma anche tutti i suoi soggetti, siano essi di natura personale o istituzionale. Ciò vale anche per la reciproca

---

[27] Vedasi in proposito J.R. GEISELMANN, *Lebendiger Glaube aus geheiligter Überlieferung. Der Grundgedanke der Theologie Johann Adam Möhlers und der katholischen Tübinger Schule* (1942), Herder, Freiburg i. Br. 1966²; ID., *Die Katholische Tübinger Schule. Ihre theologische Eigenart*, Herder, Freiburg i. Br. 1964.

relazione tra le singole discipline teologiche in vista della totalità e dell'unità della teologia.

12. Su questo aspetto vorrei aggiungere una particolare osservazione. I *loci theologici*, per mezzo dei loro organi e in forza della loro coesistenza, esercitano anche delle funzioni di vicendevole fecondazione e di complementarità, nonché di controllo e di critica. Ciascuno di essi ha costantemente altri nove *loci* accanto a sé (e in certe situazioni anche contro di sé). Se compito specifico della teologia è di elaborare la testimonianza di tutti i *loci* e di riunirli insieme, vale anche per essa il principio che la teologia è soltanto *un* «locus theologicus», il quale sottostà ai criteri e al giudizio degli altri nove. Pertanto nessun *locus theologicus* è l'unico sovrano sopra tutti gli altri.

13. Come ci si comporta con il *magistero dei pastori* (= numeri 4 e 5) nel sistema dei *loci theologici*? Dato che il concetto di *auctoritas* viene utilizzato per tutti (ad eccezione del n. 8), sembra che esso non possa rendere giustizia della specifica autorità dei numeri 4 e 5. Si deve forse ritenere che la concezione topica non permetta di tener nel debito conto la competenza di questi *loci*? Se fosse così, con i debiti mutamenti, la cosa dovrebbe valere anche per la particolare posizione canonica dei numeri 1 e 2, il che non corrisponderebbe certamente all'opinione di Cano. Egli procede ovviamente dalla convinzione che ogni *locus theologicus* porta il proprio *particolare carattere e la sua specifica competenza* nel processo di testimonianza e di integrazione. Se al magistero ufficiale della chiesa e ai suoi organi spetta «dopo un accurato esame, mettere sotto forma di decisione l'evidenza propria della fede»[28], ciò significa che la loro speciale competenza di insegnamento e di decisione fa parte del carattere dei *loci theologici* ad essi assegnati. Il sistema dei *loci theologici* non conduce in alcun modo a un livellamento delle norme.

3. In conclusione

Come parola-guida per l'elaborazione e lo sviluppo ulteriore di una dottrina dei principi e della conoscenza teologica nello spirito del Concilio Vaticano II, mi sembra opportuno riportare alla fine una citazion dall'opera di Johann Adam Möhler sulla *Unità della chiesa (Die Einheit der Kirche)*, che

---

[28] J. RATZINGER, *Theologie und Kirche*, in «Internationale katholische Zeitschrift Communio» 15 (1986), pp. 515-533, 530.

si può comprendere anche come avviamento alla rilettura della dottrina di Melchior Cano sui *loci theologici*:

«Due estremi sono possibili nella vita ecclesiale: essi sono quando *ciascuno* oppure *uno solo* vuol essere tutto; in quest'ultimo caso il vincolo dell'unità diventa così stretto e l'amore così caldo, che non ci si può più difendere dal soffocamento; nel primo caso tutto si sgretola e diventa così freddo che si gela; l'egoismo di uno genera l'egoismo dell'altro; ma né uno solo né ciascuno deve voler essere tutto; solo *tutti* possono essere *tutto*, e l'unità di tutti può essere solo una totalità. Questa è l'idea della chiesa cattolica»[29].

---

[29] J.A. MÖHLER, *Die Einheit in der Kirche oder das Prinzip des Katholizismus. Dargestellt im Geiste der Kirchenväter der drei ersten Jahrhunderte*, Laupp, Tübingen 1825, § 70, p. 271 (edizione critica di J.R. GEISELMANN, Wissenschaftliche Buchgesellschaft, Darmstadt 1957, p. 237).

L'ecclesiologia di comunione e il metodo teologico

† Rino Fisichella

1. *Communio quaerens intellectum*

«L'essenza della comunione ecclesiale, l'elemento che la lega, che le conferisce struttura sociale, che la unisce più profondamente di ogni altra comunione della terra e della carne, profluisce dalla solitudine estrema, la più abissale possibile, in cui l'uno divenne "per amore di molti" l'assolutamente Unico, l'Abbandonato da Dio e dagli uomini. Come non dovrebbe rimanere per sempre attaccato a tale comunione il marchio d'origine»[1].

L'espressione di von Balthasar manifesta nello stesso tempo la paradossalità e la verità del concetto di *communio* nella Chiesa e nella conseguente riflessione teologica. Difficile vedere che la *communio* nasce proprio là dove Gesù di Nazareth vive una volta per tutte l'abbandono da parte del Padre come espressione ultima e definitiva del suo essere Figlio all'interno della Trinità d'amore. L'apostolo, d'altronde, non è meno tenero nel momento in cui scrive che Cristo Gesù «è stato messo a morte per i nostri peccati ed è stato risuscitato per la nostra glorificazione» (*Rm* 4, 25). Certo, si può sempre obiettare che il momento culminante non è l'abbandono e la morte, ma la gloria della risurrezione; eppure, la teologia non può depistare facilmente il sacrificio dell'abbandono e della solitudine. Il mistero profondo della morte del Figlio di Dio permette di

---

[1] H.U. VON BALTHASAR, "Solitudine nella Chiesa", in *Lo Spirito e l'Istituzione*. Saggi teologici IV, Brescia 1979, 225.

comprendere il senso più genuino della *communio* ecclesiale nonostante il paradosso che si presenta dinanzi ai nostri occhi.

La lettera agli Ebrei parla con evidente realismo di questa condizione quando attesta:

> «Perciò anche Gesù, per santificare il popolo con il proprio sangue, patì fuori dalla porta della città. Usciamo dunque anche noi dall'accampamento e andiamo verso di lui, portando il suo obbrobrio, perché non abbiamo quaggiù una città stabile, ma cerchiamo quella futura» (*Eb* 13, 12-14).

Il sacrificio di Gesù viene presentato dall'autore sacro come un porsi dinanzi al Padre con il proprio sangue e, nello stesso tempo, come un morire staccato da Dio, fuori dall'accampamento. Prendere su di sé il peccato del mondo, che è di fatto la separazione da Dio, è possibile solo per chi vive con il Padre la piena e più profonda unità. Il grido di abbandono di Gesù sulla croce: «Dio mio, Dio mio, perché mi hai abbandonato» (*Mt* 27, 46) viene attenuato e quasi contraddetto dall'evangelista quando, proprio nei discorsi di addio, riporta la parola del Signore:

> «Ecco verrà l'ora, anzi è già venuta, in cui vi disperderete ciascuno per conto proprio e mi lascerete solo; ma io non sono solo, perché il Padre è con me» (*Gv* 16, 32).

La *communio* della Chiesa e nella Chiesa trova riscontro in questo paradosso vero: la dispersione dei discepoli, che tende alla solitudine, viene ricomposta nella solitudine della morte di Gesù Cristo che vive la pienezza della comunione con il Padre. L'abbandono sulla croce può avere solo un carattere trinitario e, pertanto, sarà sempre e solo un evento di comunione. Il Figlio viene dal Padre e ritorna a lui per essere con lui capace di donare insieme tutto se stesso e rendere così visibile lo Spirito che è Amore.

Questo scenario ci pareva utile nel momento in cui si è chiamati a corrispondere a un'esigenza teologica che chiede di coniugare *communio* e metodo teologico. Termini apparentemente estranei che convergono, invece, verso una prospettiva che tende a rendere visibile la *res* stessa della fede e il suo modo di essere partecipata e compresa. Se si prendesse solo il primo termine (*communio*), non sarebbe peregrino il rischio di lasciarlo relegato nel cerchio soggettivo di quanti lo possono percepire, perché limitato alla sola sfera esperienziale. Unirlo a quello di *metodo*, invece, impone di trovare delle ragioni capaci di comunicarlo con coerenza e, quindi, forti della sfera dell'oggettività. Se si vuole, coniugare *communio* e metodo teologico diventa una nuova provocazione per ritrovare lo spazio teologico entro cui riportare la fede della Chiesa. In questo modo, diventa più conforme elaborare una riflessione in grado di prospettare sia l'intelligenza dei contenuti sia i principi fondamentali da cui scaturisce la stessa vita della Chiesa e quella di ogni credente.

2. La Tradizione nei *loci theologici*

Questa ultima indicazione riporta al tema del convegno e più direttamente si ricollega con l'intervento di Max Seckler e alla peculiarità dei *loci theologici*. Il tema dei *loci* è un problema di gnoseologia teologica di assoluta rilevanza. Senza di essi diventerebbe pressoché impossibile per la teologia costruire una sua epistemologia e dare spessore scientifico ai suoi contenuti e alla sua riflessione. Non è indolore per il teologo tralasciare il tema dei principi di riferimento. Da diverse parti è dato osservare che là dove viene meno la riflessione epistemologica o dove, purtroppo, non si conoscono i principi fondamentali che fanno essere la teologia "scienza della salvezza", ne deriva una patologia seria che attenta al carattere scientifico e riduce ogni produzione a una pia meditazione senza particolare spessore.

Quanto verremo a esporre è frutto di una duplice provocazione. All'inizio vi è la proposta di J. Ratzinger perché la *Theologische Prinzipienlehre* non sia limitata alla sola sfera delle questioni strutturali, ma possa essere estesa ai principi che costituiscono il tutto della fede e della vita cristiana[2]. Questa proposta venne accolta da M. Seckler che ha riletto i *loci theologici* di M. Cano proprio in questa prospettiva più ampia[3]. Il suo studio ha riportato in attualità non solo la questione dei

---

[2] «Diese Situation der Theologie bringt es mit sich, dass bei aller sich immer noch ausweitenden Vielfalt ihrer Themen die Strukturfragen, die Fragen nach den Konstruktionprinzipien des Ganzen, unabweislich in den Vordergrund drängen», J. Ratzinger, *Theologische Prinzipienlehre. Bausteine zur Fundamentaltheologie*, München 1982, 5.

[3] M. Seckler, "Il significato ecclesiologico del sistema dei *loci teologici*", in *Teologia, scienza, Chiesa. Saggi di teologia fondamentale*, Brescia 1988, 171-206.

loci del Cano in uno spazio storico più coerente, ma soprattutto l'intenzionalità del teologo domenicano di Salamanca che nei *loci* identificava

> «un sistema di regole non solo del metodo teologico dogmatico e non solo della conoscenza teologica in senso stretto, ma più in generale della stessa tradizione come svolgimento storico nella Chiesa e della vita spirituale di quest'ultima, quindi di una pragmatica orientata topologicamente, per così dire toponomica»[4].

Il sottotitolo che M. Seckler ha dato a questo suo saggio, d'altronde, già manifestava l'intenzione di fondo della sua tesi nella rilettura dei *loci* di M. Cano alla luce della richiesta di J. Ratzinger: *Cattolicità gnoseologica e sapienza strutturale*; come dire, appunto, riflessione sui principi che toccano la vita della Chiesa e capacità di farne diventare una riflessione sui temi portanti del sapere teologico.

Da parte nostra, forti di questa duplice lettura, siamo ritornati ai *loci* del teologo di Salamanca in riferimento al tema particolare della Tradizione. Ci siamo soffermati, pertanto, ai sette capitoli che compongono il terzo libro del *De locis theologicis*[5]. La cosa non era senza particolare interesse; anzi, l'intenzione è proprio quella di mostrare come nella Tradizione permangono attivi quei principi che permettono di rinvenire l'intera azione della Chiesa e il metodo peculiare che serve al teologo per fare della Parola di Dio la fonte dell'intero sapere teologico[6].

Il carattere controversistico della teologia del domenicano di Salamanca non altera il valore della sua riflessione sui *loci*. Il contesto, evidentemente, rimane quello apologetico, ma le considerazioni e argomentazioni che egli porta vanno al di là e toccano le ragioni stesse della dinamica storica del cristianesimo. Ciò che ha colpito maggiormente la nostra lettura è stata l'attualità del testo di M. Cano che, per alcuni versi, sembra ripetersi quasi testualmente in *Dei Verbum*. Certamente la cosa non meraviglia, vista la dipendenza spesso letterale che *Dei Verbum* mostra in diversi passaggi dal Tridentino, dove il Cano svolse un ruolo da protagonista. Ciò che, tuttavia, emerge è il carattere eminentemente

---

⁴ *Ib.*, 177.

⁵ M. CANO, *Opera Theologica* vol. I, Roma 1900, 151-187: «De traditionibus apostolicis quae secondo loco posite sunt».

⁶ Sul tema dell'unità profonda della Parola di Dio soprattutto in *Dei Verbum*, cfr. il mio saggio *La via della verità*, Milano 2003, 84-95.

cristologico e trinitario che M. Cano applica alla Tradizione come un principio coestensivo alla vita della Chiesa. Non è qui il caso di verificare la sua concezione del principio materiale della Tradizione in riferimento alla Sacra Scrittura che risente dei limiti storici dell'epoca e che si ritrova esplicitamente condensata nella teoria del "partim", lasciata come *quaestio disputata* dal tridentino fino al Vaticano II:

> «Nunc fundamentum illud confirmandum est ostendendumque, apostolos Evangelii doctrinam *partim* scripto, *partim* etiam verbo tradidisse»[7].

Ciò che merita interesse, invece, è verificare l'applicazione del principio di Tradizione che riveste un'interessante nota per la vita della Chiesa e nel processo di trasmissione che coinvolge i credenti.

«Tanta vis in traditione est»[8]. L'espressione, nella sua essenzialità, contiene l'intero costrutto dell'argomentazione del Cano. La tradizione possiede una forza tale che si impone da sé perché, in primo luogo, appartiene alla vita stessa degli uomini e al loro modo di trasmettere quanto hanno ricevuto. Prima ancora di avere dei contenuti da trasmettere, si evidenzia l'atto stesso della tradizione come un luogo normativo mediante il quale si ha conoscenza e si giudica il grado di credibilità della conoscenza stessa. Cano non ha timore di mostrare un vero processo storico mediante il quale gli uomini insieme trasmettono la conoscenza. Per lui è del tutto indifferente, in questo stadio, fare i nomi dei Padri: da Ilario a Agostino, da Gerolamo a Erasmo, da Papia a Eusebio; egli può tranquillamente affermare che la stessa cosa fu compiuta da Pitagora e altri filosofi, così come da Cicerone e Giulio Cesare[9].

La Tradizione, quindi, è per se stessa un'autorità perché non è sottoposta all'ambiguità del testo, ma fa riferimento all'autorevolezza di Cristo e degli apostoli come fonte originaria:

---

[7] *Ib.*, 166; cfr. pure: «Consentiamus igitur, quod negari non potest, fidei doctrinam non scripto totam, sed ex parte verbo ab apostolis esse traditum» 167. Cf. il Concilio Tridentino nel suo *Decretum de libris sacris et de traditionibus recipiendis* (DS 1501-1508). Per un'analisi particolare del decreto in riferimento a questo tema, cf. M. MIDALI, *Rivelazione, Chiesa, Scrittura e Tradizione alla IV sessione del concilio di Trento*, Roma 1974.

[8] *Ib.*, 174.

[9] «Morem porro hunc tradendi quaedam discipulis non scripto sed verbo olim quoque scimus a philosophis observatum», *ib.*, 161.

«Scripturae enim in varios sensus facile trahuntur, traditiones non item [...] . Sensus enim Scripturarum Apostolicarum non erat ab apostolis Scripturiis aliis explicandus, nisi ipsi in opera sua ederent commentarios, quod a viris gravissimis semper alienum fuit. Intelligentiam ergo Scripturae Sacrae discipulis suis viva voce tradiderunt, ut illud Deus omni tempore in suis Ecclesiis impleret: *Dabo legem meam in visceribus eorum*»[10].

La forza del carattere orale che richiede la trasmissione fedele, è spesso riportata dal Cano come l'elemento essenziale che risale a Cristo stesso e agli apostoli perché la parola possa rimanere viva e continuare ad operare non per la potenza dello scritto, ma per l'azione della Chiesa nella sua fedeltà allo Spirito[11]. La forza della Tradizione, inoltre, diventa criterio per l'*ortodossia* e l'*ortoprassi* della vita dei credenti:

«Tanta vis in traditione est, ut quos nec Scripturae nec naturae ratio movisset, eos Paulus existimarit Ecclesiarum more et istituto refellendos. In priore rursum ad Timotheum epistola (6, 3), *Si quis*, ait, *aliter docet, et non acquiescit sanis sermonibus*: non dicit scripturis. Et ad Galatas (1, 9), *Si quis*, inquit, *vobis evangelizaverit praeter id quod accepistis, anathema sit*. Quibus ex locis recte Origenes in commentariis epistolae ad Titum definit haereticum eum qui se Christo credere profitetur et aliud de veritate fidei christianae credit quam habeat traditio ecclesiastica»[12].

3. La Tradizione, spazio fecondo per la Chiesa

Se si vuole, nella rilettura del testo del *De locis* si possono ritrovare facilmente gli elementi che la teologia del Vaticano II ha recuperato nel formulare una visione viva ed efficace della Tradizione. Penso, in primo luogo, al concetto stesso dell'*atto* del trasmettere come una consegna di sé, prima ancora che della trasmissione di un contenuto. La cosa è verificabile se si analizza, ad esempio, il "testamento" di Paolo in *Atti* 20, 17-38[13].

---

[10] *Ib.*, 165.

[11] Cfr. Caput V: *De variis generibus traditionum apostolicarum*, Ivi, 172-173.

[12] *Ib.*, 175.

[13] «Voi sapete come mi sono comportato con voi fin dal primo giorno in cui arrivai in Asia e per tutto questo tempo: ho servito il Signore con tutta umiltà, tra le lacrime e le prove che mi hanno procurato le insidie dei Giudei. Sapete come non mi sono mai sottratto a ciò che poteva essere utile, al fine di predicare a voi e di istruirvi in pubblico e nelle vostre case, scongiurando Giudei e Greci di convertirsi a Dio e di credere nel Signore nostro Gesù [...] . Non ritengo tuttavia la mia vita meritevole di nulla purché conduca a

Si nota subito che non parla di ciò che egli ha trasmesso – come ha fatto, ad esempio in altri due casi parlando dell'eucaristia (*1 Cor* 11, 23-25) e della risurrezione del Signore (*1 Cor* 15, 1-5) – ma di come egli si è *comportato* da apostolo e da maestro della fede con il compito di trasmettere il vangelo ricevuto. Tutti i verbi che egli usa indicano un'azione concreta, uno stato d'animo, una decisione di vita e un impegno che si è assunto: «come mi sono comportato», «ho servito», «non mi sono mai sottratto», «predicare», «istruire», «condurre a termine», «rendere testimonianza», «dichiarare», «affidare», «pregare» [...]; la prima impressione che si ricava è quella dell'apostolo che nel momento in cui sa che sta *trasmettendo, sta consegnando se stesso e la sua vita*. L'atto del trasmettere è, quindi, un atto mediante il quale ci si *consegna*. Non si consegna primariamente un contenuto; si consegna se stessi e tutto ciò che si è. Questo è l'impegno della fede che si raccoglie proprio nella indissolubilità del credere come un atto con il quale ci si abbandona alla grazia di Dio che agisce in noi e mediante il quale si accoglie il Vangelo di Gesù Cristo. Non potrà sfuggire che l'atto della trasmissione, così concepita, comporta una nota di *libertà* che permette di verificare la verità e la certezza della propria scelta. Se per tutta la vita si dovesse rincorre un'ipotesi, senza mai arrivare a mostrare la sua affidabilità, sarebbe difficile poter comprendere che la si lascia come eredità.

Queste considerazioni, comunque, devono avere un loro fondamento che si ritrova nella *traditio Christi*. Un genitivo che facilmente può essere interpretato *soggettivo* e *oggettivo*. È la trasmissione che il Padre compie del Figlio ed è quanto Gesù di Nazareth adempie e promulga di persona «tamquam fontem omnis et salutaris veritatis et morum disciplinae» (*DV* 7). La prima vera trasmissione è l'atto con il quale il Padre dona se stesso

termine la mia corsa e il servizio che mi fu affidato dal Signore Gesù, di rendere testimonianza al messaggio della grazia di Dio. Ecco, ora so che non vedrete più il mio volto, voi tutti tra i quali sono passato annunziando il regno di Dio. Per questo io dichiaro solennemente oggi davanti a voi che io sono senza colpa riguardo a coloro che si perdessero, perché non mi sono sottratto al compito di annunziarvi tutta la volontà di Dio [...] . Io so che dopo la mia partenza entreranno fra voi lupi rapaci, che non risparmieranno il gregge; perfino di mezzo a voi sorgeranno alcuni ad insegnare dottrine perverse per attirare discepoli dietro di sé. Per questo vigilate, ricordando che per tre anni, notte e giorno, io non ho cessato di esortare tra le lacrime ciascuno di voi. E ora vi affido al Signore e alla parola della sua grazia che ha il potere di edificare e di concedere l'eredità per tutti i santificati [...] . Detto questo, si inginocchiò con tutti loro e pregò [...] » (*At* 20, 17-38).

nel proprio Figlio. È una generazione che non conosce tramonto perché permane come l'espressione massima dell'amore che sa donare senza nulla chiedere in cambio. Gesù Cristo, nelle parole di Giovanni all'inizio del suo vangelo, viene proprio presentato come il Verbo che è nel «grembo del Padre», cioè l'Unigenito, colui che è l'unico amato e che in questo amore, unico e immutabile perché eterno, egli genera continuamente come espressione culminante del suo amore. «Nessuno ha mai visto il Padre, l'Unigenito che è Dio nel grembo del Padre, lui lo ha rivelato e interpretato» (*Gv* 1, 18): un amore, quindi, che si dona e offre nel generare, nel trasmettere se stesso. E l'evangelista è ancora più esplicito, quando afferma: «Dio ha così amato il mondo da consegnare il suo unico Figlio» (*Gv* 3, 16). Un amore che crea comunione perché sta all'origine della *communio personarum* che costituisce l'essenza stessa del Dio cristiano.

La trasmissione entra nella storia e non rimane una pura teoria sulla vita di Dio in se stesso; al contrario, viene esplicitato il modo della consegna e viene detto che è un donare tutto quanto egli possiede ed è: l'amore che si consuma e offre fino alla fine senza nulla chiedere in cambio, perché nessuno potrebbe corrispondere pienamente all'amore di Dio.

L'atto della trasmissione e della consegna del Figlio da parte del Padre è un atto che dice semplicemente amore. E la cosa diventa ancora più impressionante nel momento in cui il Figlio stesso è chiamato alla consegna suprema. Prima di consegnare e trasmettere qualcosa, egli consegna se stesso al Padre in un atto che dice puro amore di obbedienza alla sua volontà.

È sempre l'evangelista Giovanni che coglie immediatamente la portata di questo fatto quando sottolinea che nel momento della sua morte Gesù «tradidit Spiritum» (*Gv* 19, 30): consegna lo Spirito. Lo fa, anzitutto, in riferimento al Padre portando così a compimento quella visibilità dell'amore nella storia dell'umanità che si fa concreto e visibile nella morte stessa assunta come forma di amore e comunione.

Egli lo fa, comunque, anche nei confronti della sua Chiesa e di quanti crederanno in lui formando una cosa sola (*Gv* 17, 6-23). A questi egli consegna lo Spirito come presenza visibile e creatrice di un cammino che attraverserà i tempi e i mondi per restituire poi al Padre il popolo dei redenti.

Da ogni parte si volge lo sguardo, permane questa condizione che assorbe e avvolge completamente. Trasmettere è un *atto fecondo* che si fa forte della presenza del *creator Spiritus*. D'altronde, non potrebbe essere altrimenti; anche una semplice verifica storica mostra che la Chiesa, quando deve avere la coerente comprensione della fede e quando la trasmette e spiega, sente l'esigenza di invocare il *creator Spiritus* perché visiti la mente dei credenti.

Si deve considerare per sommi capi, infine, l'espressione storica permanente del trasmettere da parte di Gesù. Egli lo fa con i suoi discepoli nell'ultima cena, offrendo ancora una volta se stesso. Il pane e il vino sono segno della *communio* dei fratelli che rinvia a colui che in essi è rappresentato e significato. Il Crocifisso e Risorto rimane veramente presente nel segno del pane e del vivo perché lui così ha voluto imprimere nella storia il dono totale di sé. Dove c'è vera tradizione, là vi è una fecondità di vita comunionale che non termina e alla quale non si può rinunciare.

Se si vuole seguire Giovanni anche in questo caso, allora si deve comprendere il cammino che egli invita a compiere. Come si sa, l'evangelista non racconta l'istituzione dell'eucaristia, ma trasmette il testamento del Signore.

I discorsi di addio di Gesù (cf. *Gv* 13-17) non sono altro che l'atto della trasmissione di sé; anche qui si ritrovano i punti salienti della sua esistenza: il servizio che si esprime nel lavare i piedi (13, 1-15), l'amore al più lontano che si manifesta nell'atto di donare a Giuda il boccone prelibato del banchetto (13, 26-30), la reciprocità dell'amore tra i fratelli come segno concreto della sua presenza in mezzo ai suoi (13, 34-35; 14, 14-21), l'invito a non disperdersi, ma a "rimanere in lui" in un'unità profonda e radicale come quella dei tralci alla vite (15, 1-7), il cammino verso la verità intera su di lui e su di noi che sarà data per la presenza dello Spirito (16, 13) e la sua preghiera come protezione perenne per quanti saranno nel mondo a rendere testimonianza alla sua verità (17, 1-26).

L'eucaristia, in una parola, è insieme atto e contenuto con il quale Cristo trasmette se stesso alla sua Chiesa. A noi viene dato così non solo il segno ultimo e supremo della vita ecclesiale, ma anche il criterio su cui giudicare ogni forma della vita della Chiesa e di ogni credente. L'eucaristia dice nello stesso tempo: *koinonia* – comunità e comunione –, trasmissione feconda dell'amore e principio vitale a cui tutto deve essere riportato. Il *locus theologicus* per eccellenza afferma la presenza di una vita vera e reale che permane intatta e feconda fino alla fine dei tempi. Qui i credenti vedono realizzato ciò che credono e da qui si dipana ogni intelligenza che sa porre il mistero di Dio e dell'uomo come centro della propria riflessione.

Metodo teologico e *lex orandi*.
La teologia liturgica fra tradizione e innovazione

Manlio Sodi

«... la Chiesa, nella sua dottrina,
nella sua vita e nel suo culto,
perpetua e trasmette a tutte le generazioni
tutto ciò che essa è, tutto ciò che essa crede»
(*Dei Verbum* 8).

Il presente contributo ha una collocazione specifica nell'ambito della riflessione prospettata nel *II Forum internazionale* della Pontificia Accademia di Teologia. Qui la proposta interagisce nell'ottica delle esigenze della fede a confronto con il metodo teologico. All'interno però di una riflessione più vasta, il discorso sul metodo in ambito di teologia liturgica si impone sia in sé sia in ordine alle numerose e dense conseguenze che interpellano i diversi ambiti della teologia come pure della prassi della Comunità di fede. Si può affermare che il discorso sul metodo in ambito di teologia liturgica viene a coinvolgere vari contesti, tanto della scienza teologica quanto della prassi ecclesiale.

Il sottotitolo posto al presente intervento spinge a presentare un percorso che aiuti a leggere la problematica nell'oggi, in una dialettica *fra tradizione e innovazione*, soprattutto alla luce di due documenti del Concilio Vaticano II: la *Sacrosanctum concilium* (= SC) e l'*Optatam totius* (= OT)[1].

---

[1] L'attenzione si concentra in particolare sul n. 16 di ambedue i documenti; per la SC è da tenere in considerazione il contenuto dell'intero cap. I. Dal 1964 in poi abbondante è la bibliografia sul primo documento conciliare; si vedano in particolare le due rassegne di M. SODI, *Vent'anni di studi e commenti sulla "Sacrosanctum Concilium"*, in CONGREGAZIONE PER IL CULTO DIVINO (ed.), *Costituzione liturgica "Sacrosanctum*

Una dialettica che dice il riferimento ad un cammino che è stato realizzato nel tempo, pur con alterne vicende, e che in tempi recenti ha dimostrato di aver saputo realizzare traguardi – frutto di ricerca prolungata e coraggiosa – purtroppo non ancora tanto conosciuti nell'ambito della letteratura teologica. E questo è dovuto ad un diffuso concetto di liturgia che ancora oggi, in ambito di riflessione teologica, continua talvolta ad accostare l'*actio* liturgica come un rito e non come un evento considerabile anche attraverso una lettura teologica dei suoi più diversificati elementi e linguaggi. In questa linea, la prospettiva con cui si è mossa la SC nei suoi primi paragrafi – in successivo dialogo con OT 16 – rimane notevolmente disattesa circa le conseguenze che si delineano in ordine alla riflessione teologica.

Ed è proprio a partire da questo *status* che il termine *innovazione* viene a bussare alla porta del teologo, ponendo di fronte alla sua attenzione la realtà della *teologia liturgica* quale spazio di riflessione teologica e quale elemento che, di fatto, può contribuire ad una prospettiva di sintesi nell'ampio panorama della ricerca teologica e della prassi ecclesiale. Tradizione e innovazione, pertanto, vengono a trovarsi oggi dinanzi ad una sfida che interpella ed è interpellata.

Come impostare allora la riflessione? Si tratta di compiere alcune opzioni immediate ma in un'ottica molto ampia, in quanto varie sono le prospettive di approccio alla liturgia, e tutte hanno una metodologia propria (si pensi alla storia, alla spiritualità, all'antropologia, all'inculturazione, alla teologia, ecc.). Nel contesto, pertanto, la riflessione si muove dalla precisazione della *lex orandi* vista come momento "simbolico" tra *lex credendi* e *lex vivendi*, per ricordare – in sintesi – lo *status quaestionis* della teologia liturgica. Il passaggio successivo consiste nell'evidenziare alcune

Concilium". *Studi* = Bibliotheca "Ephemerides Liturgicae", Subsidia [= BELS] 38, Clv – Ed. Liturgiche 1986, pp. 525-570; e di F.M. AROCENA, *Sacrosanctum Concilium: bibliografía (1963 - 2003),* in *La liturgia en los inicios del tercer milenio – A los 40 años de la Sacrosanctum Concilium,* Grafite Ediciones, Bilbao 2004, 757-776. Per una comprensione più adeguata del documento conciliare cfr. l'edizione a cura di F. GIL HELLÍN, *Constitutio de sacra liturgia Sacrosanctum Concilium* = Concilii Vaticani II synopsis in ordinem redigens schemata cum relationibus nec non Patrum orationes atque animadversiones 5, Lev, Città del Vaticano 2003, pp. XXX+1109.

principali conseguenze del metodo in vista di un metodo teologico integrale. La conclusione è un ritorno alla prospettiva conciliare di OT 16 per verificare se la sua visione merita attenta considerazione o meno, e per rilanciare un dialogo più aperto e coerente tra la teologia del culto e le altre discipline teologiche.

Non nascondo le difficoltà inerenti ad una simile impostazione. Problemi di terminologia si accostano a quelli della individuazione dei diversi piani di riflessione; e nello specifico, il rapporto tra una riflessione noetica sull'esperienza culturale e lo specifico della stessa esperienza cultuale come momento in cui la Comunità "fa teologia", nel senso che compie un discorso su Dio Trinità, ma a partire dal linguaggio dei santi segni attraverso cui si attua la celebrazione del memoriale.

1. *Lex orandi*: momento "simbolico" tra *lex credendi* e *lex vivendi*

Nella letteratura teologica e soprattutto sacramentaria il rapporto tra *lex credendi*, *lex orandi* e *lex vivendi* è tornato di forte attualità, soprattutto in seguito al primo documento conciliare e in seguito ad alcuni documenti di attuazione di quei dettati. I principi teologici che sono all'origine della *Sacrosanctum Concilium* hanno fatto sì che questo peculiare aspetto della tradizione fosse recuperato in tutta la sua valenza sia teologica che formativa.

Ritengo opportuno in questo ambito proporre in estrema sintesi un percorso storico per cogliere una linea teologica non sempre omogenea, ma tale comunque che lascia intravedere come l'oggi del dopo Concilio Vaticano II abbia potuto recuperare, pur in termini rinnovati, una linea teologica quanto mai unitaria. È in questa prospettiva, pertanto, che si offrono alcuni cenni per giungere alle acquisizioni della teologia liturgica.

1.1. *Fede – culto – vita: trilogia perenne nella prassi e nella riflessione ecclesiale?*

Il rapporto tra fede, culto e vita costituisce una trilogia che lungo la storia ha avuto alterne situazioni nella declinazione della loro dialettica. Gli elementi che hanno interagito sono i più vari, e complesso sarebbe delinearne le cause in questo ambito. Una qualunque storia della teologia, comunque, è – in genere – in grado di offrire aspetti giustificativi di quanto è avvenuto. Qui se ne fa un cenno, ma solo come momento di passaggio verso la riflessione circa la teologia liturgica e il suo metodo[2].

– *Tempo dei Padri.* Quando accostiamo il contesto dei Padri della Chiesa osserviamo che la liturgia non è un aspetto separato, quasi una parentesi, della riflessione oltre che della prassi ecclesiale. *Lex credendi, lex orandi* e *lex vivendi* costituiscono una sintesi che viene rilanciata dall'operare dei Padri come maestri, come pastori, come liturgisti, come predicatori, come catecheti. Le varie prospettive trovano la loro sintesi nella celebrazione dei santi misteri; in essi parola e rito annunciano e fanno fare esperienza del Mistero. Un riflesso eloquente di tale sintesi è quello che si constata – in particolare, ma non esclusivamente – nei *sermones*: qui il contenuto lascia trasparire un messaggio che, partendo dall'esperienza della celebrazione dei santi misteri, viene rilanciato come linea di azione in base ad una prospettiva teologica unitaria. In sintesi è possibile affermare che nell'antichità cristiana la liturgia è teologia.

---

[2] Su questo tema sono già stati elaborati numerosi studi; si vedano i volumi della collana *Anàmnesis*, in particolare il primo, a cura di B. NEUNHEUSER et ALII, *La Liturgia, momento nella storia della salvezza*, Marietti, Torino 1974. Inoltre S. MARSILI – D. SARTORE, *Teologia liturgica*, in D. SARTORE – A.M. TRIACCA – C. CIBIEN (edd.), *Liturgia* = Dizionari San Paolo 2, San Paolo, Cinisello B. 2001 [= DdL], 2001-2019; un'ampia e significativa rivisitazione del pensiero di Marsili è stata compiuta a dieci anni dalla sua morte in *Rivista Liturgica* 80 (1993) con il fascicolo n. 3 dedicato alla *Teologia liturgica* (con studi di A.M. TRIACCA, M. SODI, S. MAGGIANI, G. PICCINNO, e nel fascicolo n. 3 (2008) in occasione del XXV della morte, con la pubblicazione di inediti (questo secondo fascicolo riporta la *bibliografia* completa di Marsili). Sono ancora da tener presenti i numerosi studi di A.M. TRIACCA la cui bibliografia completa appare in *Rivista Liturgica* 91/4 (2004) nel fascicolo dedicato alla *Letteratura liturgica* * 7; l'opera di J.J. FLORES, *Introducción a la teología litúrgica* = Biblioteca Litúrgica 20, Centre de Pastoral Litúrgica, Barcelona 2003; gli "Atti" del Congresso organizzato dal Pontificio Istituto Liturgico "S. Anselmo" nel 2001: E. CARR (ed.), *Liturgia opus Trinitatis. Epistemologia liturgica* = Analecta liturgica 24, Pontificio Ateneo S. Anselmo, Roma 2002 (i lavori si sono concentrati attorno a questi tre momenti: *cosa è liturgia, come studiarla e come insegnarla*). Nel contesto si devono infine segnalare gli "Atti" di due Settimane di studio a Saint-Serge a Parigi: A.M. TRIACCA – A. PISTOIA (edd.), *La liturgie expression de la foi* = BELS 16, Clv – Ed. Liturgiche, Roma 1979; e soprattutto IID. (edd.), *La liturgie: son sens, son ésprit, sa méthode. Liturgie et théologie* = BELS 27, Clv – Ed. Liturgiche, Roma 1982.

– *Nel Medio Evo fino al Concilio di Trento*. L'allontanamento dalla centralità della Parola nel culto, il sorgere di forme di pietà popolare, la progressiva clericalizzazione della liturgia, la incomprensione dei linguaggi liturgici, la privatizzazione della messa, ecc. sono alla base di una visione non più corretta della liturgia, come al tempo dei Padri. La liturgia è il rito, e per capire il rito bisogna ricorrere all'allegoria per decifrarne il senso[3]. Di conseguenza la teologia guarderà al rito solo per cogliere e spiegare la modalità di presenza del *Cristus passus*. In sintesi si può constatare come la teologia si allontani dalla liturgia ormai considerata non come *actio* ma come rito.

– *Dal Concilio di Trento al "movimento liturgico"*. Con il trattato *De locis theologicis* di Melchior Canus la liturgia ri-assume un ruolo e riprende progressivamente significato[4]. Sulla linea di altri elementi come la Scrittura, alla liturgia si dà il beneficio di essere fonte riconosciuta per convalidare una tesi teologica. Il percorso del dopo concilio di Trento fino alla *Mediator Dei*, pur caratterizzato da rubricismo e cerimonialismo, comincia ad essere testimone dei primi seri studi sulle fonti liturgiche[5] (e patristiche) e, con l'inizio del XX secolo, testimone della prima parte del *movimento liturgico*[6]: è qui che si pongono le basi per una rinnovata visione teologica della liturgia e per iniziare un discorso anche circa la «liturgia considerata come scienza»[7].

---

[3] Cfr. ad esempio la significativa opera di INNOCENZO III, *Il sacrosanto mistero dell'altare (De sacro Altaris Mysterio)*. Prima edizione italiana a cura di S. FIORAMONTI = MSIL 15, Lev, Città del Vaticano 2002 (l'opera costituì il vero manuale di formazione anche dei cerimonieri fin dopo il Concilio di Trento; l'*editio princeps* del *Caeremoniale Episcoporum* [1600] la considera tra i volumi da conoscere); di Innocenzo III è stato pubblicato nella stessa collana l'insieme dei *Sermones* (= MSIL 44, Lev, Città del Vaticano 2006).

[4] Cfr. MELCHIORIS CANI [...] *Opera* [...], Patavii, Typis Seminarii, MDCCXXXIV. I dodici libri che trattano dei *loci theologici* hanno caratterizzato un metodo di fare teologia; in esso la liturgia è apparsa progressivamente come un *locus theologicus*.

[5] Si consideri l'opera del card. Tommasi († 1713), del Mabillon († 1707), del Martène († 1739), del Bianchini († 1764), del Muratori († 1750).

[6] Per gli studi sul movimento liturgico cfr. B. NEUNHEUSER (- A.M. TRIACCA), *Movimento liturgico*, in DdL 1279-1293; A. CATELLA, *Movimento liturgico in Italia*, in DdL 1293-1300.

[7] Cfr. C. MOHLBERG, *La liturgia considerata come scienza*, in *La Scuola Cattolica* 54 (1926) 401-421. L'A. si pone in una prospettiva storica, ma lo studio – apparso in pieno

1.2. *Dalla centralità del culto alla riflessione sui suoi contenuti ed elementi*

Il rinnovato concetto di "liturgia" emerge nella SC. La visione teologica della liturgia appare in tutta evidenza, in particolare nei primi paragrafi del primo capitolo. Come il Concilio di Trento riprende le categorie bibliche per fondare la teologia del sacrificio, così si nota come il Vaticano II faccia un discorso di teologia biblica per presentare la liturgia come storia di salvezza in atto, e dunque come teologia in senso pieno.

È da questo punto di partenza che scaturiscono quei principi fondamentali che poi saranno l'anima sia della riforma liturgica che del rinnovamento teologico: *la liturgia come* storia di salvezza in atto (cfr. SC 5-6); opera della Ss.ma Trinità[8]; attuazione della presenza di Cristo (cfr. SC 7); epifania della Chiesa (cfr. SC 9); luogo e mezzo della partecipazione attiva al mistero di Cristo (cfr. SC 10, 14, ecc.); luogo privilegiato attraverso cui Dio parla al suo popolo[9]; luogo in cui il popolo risponde a Dio con una pluralità di linguaggi (cfr. SC 30); pedagogia della Chiesa (cfr. SC 33); cuore della Chiesa e di tutta la vita cristiana (cfr. SC 9, 10, ecc.).

I principi racchiusi in SC si aprono, poi, in rapida conseguenza, sui vari aspetti che contribuiscono a rendere la celebrazione vera esperienza del mistero mentre simboleggia una vita cristiana vissuta *in mysterio* nelle sfide del quotidiano[10].

---

evolversi del "movimento liturgico", anche alla luce di una ricca documentazione bibliografica – apre un cammino nel considerare la liturgia «come scienza»; in una delle affermazioni iniziali si legge: «Non può revocarsi in dubbio che la liturgia sia una di quelle grandi forze chiamate a collaborare alla costruzione del nuovo mondo dello spirito e della fede [...]. Se volessimo formulare in una sintesi le sorgenti della vita spirituale e le leggi fondamentali dell'essere, non potremmo far di meglio che racchiuderle nelle parole: *Fontes et ordo*; le fonti della vita spirituale e le norme fondamentali dell'essere. La liturgia dovrebbe essere ambedue di queste cose: la fonte e la norma di vita» (*ib.*, 401-402).

[8] Cfr. SC *passim* e soprattutto nel *Catechismo della Chiesa Cattolica*, all'inizio della II parte (cap. I, art. 1), quando si introduce tutto il discorso della *lex orandi*.

[9] Cfr. SC 24, 33; ma si osservi che la *Dei Verbum* accenna al ruolo della liturgia almeno in 17 paragrafi (tra riferimenti diretti e indiretti) su un totale di 25.

[10] Il termine *participatio* è emblematico di una *mens*, come si può osservare anche dai termini che lo caratterizzano nei vari documenti ufficiali, dove si trovano questi termini: *plene, pie, actuose, conscie, frequenter, vive, vere, active, efficaciter, debite, genuine, fructuose, plenarie, devote*. Un'ampia riflessione a partire da questo termine è stata realizzata nell'opera a cura di A. MONTAN – M. SODI, *Actuosa participatio. Conoscere, comprendere e vivere la Liturgia. Studi in onore del Prof. Domenico Sartore* = MSIL 18, Lev, Città del Vaticano 2002.

2. Lo *status quaestionis* della Teologia liturgica: fra tradizione e innovazione

In tempi recenti si è già prodotto abbastanza a questo proposito. L'attenzione che la Chiesa, attraverso l'evento conciliare, ha espresso con prospettive nuove nei confronti della liturgia ha fatto sì che la riflessione teologica riprendesse uno sviluppo prima impensato.

Bisogna ricordare, al riguardo, quanto è stato operato non solo dal Vaticano II in poi, ma tutto ciò che – attraverso il movimento liturgico e lo studio-riscoperta delle fonti – è stato realizzato soprattutto durante il secolo XX.

Gli studi sul movimento liturgico, ormai numerosi e ben documentati, permettono di cogliere che – al di là dell'obiettivo della partecipazione attiva dei fedeli alla liturgia – sta alla base un nuovo modo di accostare l'azione liturgica. Una *actio* non più vista come un insieme di riti da osservare *ad validitatem*, ma come un momento di incontro tra la Trinità Ss.ma e il fedele nell'assemblea celebrante, attraverso il linguaggio dei santi segni.

La conoscenza più approfondita e più documentata delle fonti liturgiche ha fatto sì che il patrimonio della tradizione, soprattutto quello del primo millennio, fosse meglio conosciuto non solo quanto ai testi ma anche e soprattutto quanto ai contenuti teologici degli stessi. È in questa linea che vanno viste le edizioni critiche o comunque documentarie di opere liturgiche che testimoniano una visione teologica del culto[11].

A tutta questa realtà – certamente dai risvolti ben più complessi di quanto non sia possibile qui anche solo accennare – si deve aggiungere un capitolo nuovo che è costituito da due versanti tra loro strettamente correlati. Da una parte lo sviluppo della riflessione teologica cui accennerò

---

[11] In questa linea appare urgente continuare nello studio delle fonti del secondo millennio, sia per quanto concerne il tempo prima del Concilio di Trento sia per il periodo che dal Concilio di Trento si dipana fino quasi alla vigilia del Concilio Vaticano II. L'edizione di testi e documenti del tempo prima di Trento ha offerto già possibilità di peculiari approfondimenti. Si veda ad esempio, al di là delle fonti liturgiche, l'opera di Innocenzo III, sopra citata, che è stato il testo che è servito da base per la formazione del clero e dei cerimonieri! Per il periodo da Trento in poi si osservi la pubblicazione dei sei libri liturgici post-tridentini nella collana «Monumenta Liturgica Concilii Tridentini» (Lev, Città del Vaticano 1997-2005), con lo scopo di far conoscere quelle fonti che hanno improntato di sé la vita della Chiesa per ben quattro secoli, ma anche per conoscerne i contenuti a livello teologico, come ricordato nelle ampie *Introduzioni* che li caratterizzano.

tra breve, dall'altra i nuovi contenuti della liturgia offerti dai libri liturgici rinnovati dopo il Concilio Vaticano II. La letteratura che è fiorita, e che continua ancora a svilupparsi, a partire proprio da questi documenti, offre una pagina molto eloquente di uno sviluppo della teologia liturgica prima impensato.

Ma per giungere a presentare le linee essenziali di questa riflessione è necessario tracciare un percorso che pur nella sua essenzialità rilanci il senso e il contenuto di un fare teologia a partire dalla *lex orandi*. Il percorso qui delineato traccia una riflessione *in progress*; ciò non significa che essa si muova all'insegna della provvisorietà; al contrario, essa non fa altro che rilanciare – pur con categorie rinnovate – quanto già evidenziato al tempo dei Padri e quanto codificato nelle fonti liturgiche.

2.1. *La liturgia come "theologia prima"*

Con questa terminologia si intende una riflessione a livello speculativo-vitale del dato di fede celebrato[12]. È la linea secondo cui una vera scienza teologica è costituita da due componenti chiamate a integrarsi a vicenda: la "Parola in rivelazione" e la "Parola in attuazione"[13]. La "parola in rivelazione" è quella che costituisce l'oggetto della teologia biblica, la quale ci presenta le linee di articolazione di una "storia di salvezza". La "Parola in attuazione" è ciò che propriamente costituisce l'oggetto della teologia liturgica in quanto si tratta di una riflessione non tanto e solo a livello speculativo, quanto a livello speculativo-vitale su ciò che questa Parola di Dio attua nell'oggi della Chiesa in chi la ascolta e vi si lascia coinvolgere. La "Parola in attuazione" è il momento liturgico-celebrativo nel quale la comunità celebrante entra in contatto con i Misteri della salvezza, attuati una volta in Cristo e riattualizzati ogni volta che la comunità ne celebra il memoriale.

---

[12] Il principale esponente che ha riflettuto in questa linea e che poi l'ha rilanciata è stato in particolare S. Marsili. La sua linea, in stretta dipendenza da O. Casel, e in dialettica con «il senso teologico della liturgia» elaborato da C. Vagaggini, ha dato un'impronta notevole nel panorama teologico post-conciliare.

[13] La terminologia e la sintesi del pensiero sono ripresi da S. MARSILI, *Liturgia e teologia. Proposta teoretica*, in *Rivista Liturgica* 59 (1972) 455-473 (tale contenuto è poi ampiamente ripreso e sviluppato sia nel primo volume di *Anàmnesis*, sia nella voce *Teologia liturgica* del NdL).

È per questo che possiamo affermare che una riflessione su questi dati è anzitutto una *teologia* in quanto considera l'azione di Dio, il *mysterion*, *ad intra* e *ad extra*. Inoltre è una teologia *liturgica* in quanto l'azione di Dio è considerata in quanto azione contemplata, celebrata, vissuta *nella* azione liturgica. Per questo si può parlare di una teologia speculativa sì, ma insieme vitale, in quanto coinvolge tutta la persona nel suo modo di essere e di agire.

«Una vera teologia [...] che voglia dare [...] il primato al mistero di Cristo e alla storia della salvezza non può essere che una teologia liturgica»[14]. Partendo allora da questi due elementi – "Parola in rivelazione" e "Parola in attuazione" – si pongono le basi di quella riflessione sistematica che affronta il problema della sintesi: problema che in passato è stato svolto dalla teologia dogmatica e oggi rivendicato, secondo alcuni, dalla teologia liturgica.

Un'altra prospettiva teologica, sempre in questo ambito, è quella che propone una distinzione tra *theologia prima* e *theologia secunda*[15]. Con la prima si intende una riflessione su Dio, sul suo *mysterion* così come appare nella prassi della fede della Chiesa, nella vita cristiana e soprattutto nella celebrazione. Con la seconda si intende una riflessione su Dio, sul suo *mysterion*, che si esprime e si manifesta nel pensiero del Magistero e nella riflessione dei Teologi. Ambedue i momenti di riflessione sono importanti e inscindibili, in quanto se la *theologia secunda* trascura o dimentica la *theologia prima*, tralascia la via più sicura per penetrare il mistero della fede. Utile al riguardo il confronto con le affermazioni di D. Power:

> «Quando parliamo della liturgia come *theologia prima* e la distinguiamo da un'altra teologia, *theologia secunda* che sarebbe più teoretica e sistematica, trattiamo precisamente della stessa distinzione fra devozione e teoria, tra le teoria degli scolastici e la loro esperienza vissuta, tra il loro gusto della parola e della presenza di Dio e le loro esposizioni sistematiche della teologia, tra il dono di se stessi a Dio nella

---

[14] *Ib.*, 472.

[15] Si veda al riguardo G. LUKKEN, *Nella liturgia la fede si realizza in modo insostituibile*, in *Concilium* 9/2 (1973) 23-39; più diffusamente in ID., *La liturgie comme lieu théologique irremplaçable*, in *Questions Liturgiques* 56 (1975) 97-112. In precedenza aveva scritto J. LESCRAUWAET, *Aspetti confessionali nella liturgia*, in *Concilium* 6/4 (1970) 158-166.

contemplazione e nell'azione, e l'intelligenza della verità che essi, in risposta alle esigenze dell'umana ragione e delle sue capacità conoscitive, potevano oggettivamente affermare ricorrendo alla grammatica, alla dialettica, all'analisi filosofica e all'esposizione logica. È la differenza che intercorre fra la comunicazione dell'esperienza intersoggettiva e la spiegazione di ciò che quell'esperienza contiene»[16].

Concludendo. Se la teologia è una riflessione a livello speculativo-vitale del dato di fede celebrato, essa si presenta anzitutto come scienza che ingloba in sé un movimento che va dalla riflessione pura alle specificazioni e applicazioni conseguenti che riguardano la vita del singolo e della comunità di fede. In questa riflessione a livello scientifico rientra anche la liturgia? E se vi rientra, quale posto vi occupa? Costituisce un settore chiuso, a sé stante, che eventualmente può dare un contributo alla riflessione speculativo-vitale rivendicata dalla teologia sistematica, o è essa stessa una teologia? In definitiva: a quale livello si può parlare di teologia liturgica?

2.2. *Cosa è la teologia liturgica?*

La risposta a questa domanda è ormai codificata in vari studi che sono stati puntualizzati, come sopra ricordato, principalmente a partire dalla SC in poi. Una sintesi di tale percorso è possibile verificarla soprattutto – ma non esclusivamente – nell'ampio contributo che sotto il titolo: *Teologia liturgica*, caratterizza il *Dizionario di Liturgia*, e in forma più ridotta il *Dizionario di omiletica*.

I due contributi, rispettivamente di S. Marsili, che ha spinto molto la riflessione in questa linea, e di A.M. Triacca, che ha dedicato a queste prospettive numerosi studi, offrono un insieme di elementi per arrivare a concludere che la teologia liturgica è quella che

«fa il proprio discorso su Dio partendo dalla rivelazione vista nella sua natura di fenomeno sacramentale, nel quale convengono l'avvenimento di salvezza e il rito liturgico che lo ripresenta. In tal modo la teologia liturgica è necessariamente e prima di tutto teologia dell'economia divina, cioè della presenza e dell'azione di Dio nel mondo, che nel mondo vuole realizzarsi come salvezza eterna in dimensione antropologica. Ciò è avvenuto in segno profetico nell'AT e in segno reale avvie-

---

[16] D. POWER, *Due espressioni di fede: culto e teologia*, in *Concilium* 9/2 (1973) 144-145.

ne nel NT, prima in Cristo, sacramento umano di Dio nell'incarnazione, poi negli uomini, ai quali Cristo comunica con sacramenti singoli e distinti se stesso, sacramento totale di salvezza.

La teologia liturgica è di conseguenza la "teologia prima", necessaria e indispensabile perché il discorso su Dio sia un discorso "cristiano", ricevuto cioè per esperienza sacramentale da Cristo [...].

La teologia liturgica è l'unica che è naturalmente consona e totalmente adeguata a una spiritualità cristiana nel pieno ed esclusivo significato del termine. È quindi la teologia a cui deve attingere e alla quale deve condurre qualunque catechesi e ogni attività pastorale»[17].

Quanto sopra esposto permette di cogliere la linea che la SC ha voluto individuare nell'introdurre la riflessione e le disposizioni pratiche in ordine al culto cristiano. Si tratta della linea chiaramente prospettata soprattutto in SC 5-7. Da una teologia della storia della salvezza infatti (cfr. SC 5-6) emerge che tale "storia" è in rivelazione e insieme in attuazione per Cristo nella Chiesa (cfr. SC 6-7). La Chiesa nel continuare la missione del Maestro si muove tra annuncio e attuazione di quanto annunciato (cfr. SC 7). Pertanto, mentre la riflessione teologica sulla dimensione dell'annuncio si modula secondo le prospettive della teologia biblica (con tutte le sue esplicitazioni), allo stesso livello la riflessione sulla dimensione dell'attuazione sacramentale di tale annuncio si delinea e si elabora nella teologia liturgica, cioè una riflessione che dalla prassi celebrativa ricava il contenuto teologico della liturgia, e con la stessa prassi liturgica ne illustra il contenuto.

Concludendo pertanto questa parte, sempre sulla linea di quanto è stato ampiamente puntualizzato dal Marsili, si può affermare che la teologia liturgica è tale in quanto nel fare teologia imposta il proprio discorso su Dio ma secondo le categorie liturgiche, e cioè: *a)* la sacramentalità della rivelazione; *b)* la certezza che nel sacramento-Cristo c'è la totalità della rivelazione; *c)* l'economia salvifica si attua nella liturgia; *d)* il vertice è la celebrazione perché in essa è presente il mistero di Cristo[18].

I risultati che si muovono da queste prospettive sono ormai sotto gli occhi di chiunque si accosti alla letteratura liturgica che tratta a livello

---

[17] S. MARSILI, *Teologia liturgica*, in DdL 2014.
[18] Il Marsili, nella voce citata, esplicita questi punti nelle pp. 2015-2016.

teologico i diversi ambiti della celebrazione, vista non come una realtà statica e chiusa in se stessa, ma come *locus* in cui la Parola rivelata si manifesta "in attuazione". Questa è la categoria che permette alla teologia di fare un discorso su Dio ispirato da Dio stesso (presente e operante nella celebrazione); un discorso che è insieme *professio* e *confessio fidei*, in una novità di espressione e di conseguenze tanto ampie quanto variegate sono le espressioni liturgiche che caratterizzano la vita liturgico-sacramentaria della Chiesa.

2.3. *Ambito della sua ricerca*

Quanto sopra indicato rinvia, ovviamente, ad un metodo di ricerca e di investigazione. Gli ambiti che vanno tenuti presenti per giungere ad una riflessione che scaturisca dalla "Parola in attuazione" nel contesto celebrativo possono essere individuati nelle seguenti dimensioni che sono tipiche della *lex orandi*. A quelle sotto elencate dovremmo aggiungere tutto ciò che concerne la teologia dell'assemblea, in un contesto di ecclesiologia liturgica; ma in questo ambito lo sviluppo esulerebbe da quanto prospettato nell'insieme della riflessione.

– *"Parola" in annuncio-attuazione*. La storia della salvezza si compie nel tempo attraverso l'annuncio di una Parola rivelata. Le forme di annuncio sono le più diverse; ma c'è un "annuncio" così particolare da costituire un vero e proprio momento sacramentale di attuazione: è quello che si compie quando la Parola risuona nella celebrazione. La liturgia della Parola viene a costituire insieme alla liturgia del sacramento «un unico atto di culto» (SC 56). Ciò evidenzia il contenuto sacramentale di tale annuncio, sempre finalizzato ad una presenza sacramentale del mistero di Cristo quale si compie in maniera vertice nel segno sacramentale. La esplicitazione più chiara e persuasiva di ciò è presente nella *Introduzione* al Lezionario, quando la Chiesa invita i suoi figli a considerare «la celebrazione liturgica della Parola di Dio»[19]. Riflettere teologicamente su que-

---

[19] Cfr. al riguardo i contenuti del cap. I dell'*Introduzione* al Lezionario, dove si accenna, tra l'altro, all'intimo «nesso della Parola di Dio con il mistero eucaristico» (n. 10).

sta dimensione è puntualizzare un aspetto essenziale per una visione teologica della celebrazione[20].

– *"Eucologia" come formulazione orante della fede e invocazione per scelte di vita.* La riforma liturgica voluta dal Concilio Vaticano II ha portato, tra le tante realtà, anche un'abbondanza di testi eucologici tale da rendere i libri liturgici quanto mai ricchi nelle loro espressioni e nelle loro capacità di rispondere alle più diverse istanze delle singole assemblee. La riflessione sui contenuti eucologici costituisce un altro aspetto essenziale di quel quadro teologico che scaturisce dall'insieme dell'actio celebrativa. L'eucologia infatti è il linguaggio della Chiesa che dopo aver accolto la "Parola in rivelazione" trasforma questa Parola in un linguaggio che testimonia una "Parola in attuazione". La ricchezza teologica dell'eucologia, ampiamente studiata soprattutto in seguito alla riforma liturgica postconciliare, denota contenuti che testimoniano con un peculiare linguaggio un discorso su Dio, una autentica *theologia*[21].

– *"Ritualità" come linguaggio del corpo in contesto celebrativo.* In tempi recenti la riflessione sul rito ha comportato sviluppi notevoli[22]. Accanto a tutta una riflessione teologica sulla Parola in rivelazione-attuazione, accanto ad un'abbondante riflessione sulla ricchezza eucologica dei

---

[20] Cfr. al riguardo e in particolare A.M. TRIACCA, *Bibbia e liturgia*, in DdL; cfr. inoltre i numerosi contributi editi in *Rivista Liturgica* 70/5 (1983) nel fascicolo dedicato alla *Parola di Dio nel culto*; in *Rivista Liturgica* 71/1 (1984) nel fascicolo dedicato a *Celebrare la Parola*; e nei tre volumi editi dal Messaggero – Abbazia S. Giustina: R. CECOLIN (ed.), *Dall'esegesi all'ermeneutica attraverso la celebrazione*, Padova 1991; A.N. TERRIN (ed.), *Scriptura crescit cum orante*, Padova 1993; R. DE ZAN (ed.), *Dove rinasce la Parola*, Padova 1993. Infine cfr. C. BRAGA – A. PISTOIA (edd.), *La liturgie, interprète de l'Écriture: dans les compositions liturgiques, prières et chants* = BELS 126, Clv – Ed. Liturgiche, Roma 2003.

[21] Abbondantissima è la bibliografia al riguardo; cfr. M. AUGÉ, *Eucologia*, in DdL 761-771; A. CATELLA, *Eucologia*, in DdO 515-518. A questi contributi si devono aggiungere tutti quei numerosi fascicoli monografici che *Rivista Liturgica* ha dedicato ai contenuti dei vari libri liturgici (ultimi in ordine di tempo: l'*editio typica tertia* del *Missale Romanum* in *Rivista Liturgica* 90/4 [2003], e l'*editio* del *Martyrologium Romanum* in *Rivista Liturgica* 91/2 [2004]).

[22] Cfr. S. MAGGIANI, *Rito/Riti*, in DdL 1666-1675; G. BONACCORSO, *Il rito e l'Altro. La liturgia come tempo, linguaggio e azione* = MSIL 13, Lev, Città del Vaticano 2001.

libri liturgici rinnovati, si è progressivamente accentuata una riflessione sul rito in quanto elemento costitutivo – anch'esso essenziale – dell'azione liturgica. La riflessione sulla ritualità ha permesso di cogliere la realtà del rito come momento essenziale di un'azione liturgica chiamata a coinvolgere tutto il corpo. Riflettere sul rito e più ancora su tutto il linguaggio rituale è delineare una pagina teologica nuova, in quanto permette di cogliere il coinvolgimento del corpo in un'azione teantropica che ha lo scopo di portare la persona verso la sua divinizzazione[23].

– *Ritmi del tempo e della vita come "spazio" di attuazione del Mistero*. Riflettere sulla teologia dell'anno liturgico o dei singoli sacramenti è svolgere un ulteriore servizio alla teologia in generale. La *teologia dell'anno liturgico* è la teologia del mistero di Cristo annunciato, rivelato, realizzato nel tempo non in modo puntuale, ma in modo misterico. Dall'*ephapax* all'*hodie* liturgico si dipana la vicenda storico-salvifica del mistero di Cristo che è presente e opera nel tessuto ecclesiale. La riflessione sull'anno liturgico pertanto è una teologia del mistero di Cristo contemplato in attuazione; una teologia che secondo i ritmi del tempo, approfondisce il mistero del Cristo secondo le categorie tipiche dei vari periodi liturgici. Nella stessa prospettiva si muove la *teologia dei singoli sacramenti*, che denotano i momenti che scandiscono i ritmi di crescita in Cristo secondo il ritmo biologico della persona o secondo le scelte che essa è chiamata a realizzare.

– *Forme cultuali di "comunicazione" della fede*. Arte, musica, predicazione, forme diversificate di pietà popolare... sono tutti elementi che non possono essere disattesi in vista di una panoramica che riesca a dire effettivamente la teologia della celebrazione. Non si tratta di una teologia dell'arte o della musica in astratto, ma della valenza teologica di un determinato documento considerato nell'insieme dell'azione liturgica (si pensi, ad esempio, al ruolo dell'icona o dell'immagine nella celebrazione). La teologia liturgica di una determinata celebrazione si deve avvalere di tutto ciò che scaturisce anche da queste realtà, proprio perché essa si presenta

---

[23] A questo riguardo prezioso è il confronto con il contributo di B. PETRÀ, *Divinizzazione*, in DdO 381-384.

all'insegna di una sintesi che è frutto di tutte le componenti che interagiscono nella stessa *actio*.

2.4. *Quale quadro epistemologico?*

Precisato l'ambito, resta da vedere più in dettaglio il cosiddetto quadro epistemologico che, per la teologia liturgica, sembra (a ragione si usa *sembra*, in quanto alcuni aspetti sono ancora oggetto di discussione, soprattutto per quanto concerne la *ritualità*) articolarsi su alcuni punti[24].

Anzitutto, la singola *celebrazione* va considerata come *una realtà in sé completa*, in cui Parola, assemblea, eucologia e ritualità interagiscono per un unico scopo: l'incontro sacramentale del fedele con la Trinità. La teologia liturgica è riflessione che emerge dal *dato biblico* annunciato, dalla risposta della comunità localmente riunita per celebrare (= *eucologia*) e dall'insieme della *ritualità*; anche questo terzo polo è essenziale per una comprensione più piena del mistero celebrato, percepito e vissuto dal singolo fedele nella totalità del suo essere persona.

I dati che scaturiscono da questa riflessione pongono in evidenza la *sacramentalità* della rivelazione: se la salvezza si sperimenta nel sacramento, è nel sacramento che essa va studiata e compresa; la liturgia infatti non è solo il *deposito* della fede, ma esplicitazione e approfondimento (= teologia) della fede stessa.

In secondo luogo, dal momento che ogni *celebrazione* è il *segmento di una realtà progettuale sempre in atto*, ecco che la singola azione liturgica va considerata nel contesto in cui di fatto si colloca: il *dinamismo sacramentale*, se si tratta della celebrazione di uno dei vari sacramenti; il *dinamismo dell'anno liturgico*, se si considera il sacramento per eccellenza qual è l'Eucaristia.

La teologia liturgica di un *sacramento* pone in evidenza come la totalità della rivelazione è considerata in Cristo sacramento del Padre, e quindi nei sacramenti della Chiesa, dove si rinnova e si perpetua la presenza

---

[24] Oltre alle opere già citate, cfr. anche H. RENNINGS, *Obiettivi e compiti della scienza liturgica*, in *Concilium* 5/2 (1969 139-157.

del mistero di Cristo, in modo che le varie fasi della vita cronologica del fedele siano anche un succedersi di fasi di crescita fino alla piena conformazione a Lui.

La teologia dell'*anno liturgico* s'incentra sulla rinnovazione memoriale della nuova ed eterna alleanza, celebrata e vissuta però nella prospettiva dello scorrere del tempo, di un cammino cioè di fede e di vita che, seguendo i ritmi della natura, ripresenta al fedele – attraverso la Parola e il Sacramento – la vicenda storica del Salvatore perché vi si immedesimi imitandola.

In questa linea, pertanto, appare più evidente come la teologia liturgica di una determinata celebrazione acquisti le connotazioni di una maggiore completezza se collocata nell'ambito teologico di tutto un periodo (o dell'intero anno) liturgico o dell'insieme del dinamismo sacramentale (si pensi ad esempio alla teologia liturgica del battesimo o della confermazione sia in sé, sia in rapporto con gli altri sacramenti).

E *in terzo luogo*: una teologia liturgica anche dalla (o sulla) *ritualità?* Se la liturgia è celebrazione della salvezza con linguaggio simbolico-rituale, anche il rito diventa «teologia in azione», cioè un parlare *a, di, con* Dio mediante quel tipico linguaggio che coinvolge la persona, la quale celebra con tutto il suo essere corporeo.

È la dimensione ecclesiale della sacramentalità della salvezza divina che si rivela ed è comunicata nel tempo attraverso il simbolo.

Infine, la *strumentazione metodologica* per un tale modo di fare teologia richiede competenze talvolta decisamente nuove. Si pensi a tutto ciò che comporta la lettura *teologica* della *parola di Dio in attuazione*: il rapporto cioè tra Bibbia e liturgia, il significato della presenza della Bibbia nella liturgia, il modo con cui la liturgia legge la Bibbia tanto da diventarne un vero e proprio criterio ermeneutico (e questo sia in riferimento all'omelia che all'intera azione liturgica).

Si pensi poi alla particolare metodologia richiesta per entrare nel contenuto teologico di una determinata formula eucologica, e quindi del formulario e del tempo liturgico di cui esso fa parte. Come pure la funzione specifica che una determinata formula (colletta, preghiera eucaristica o altro) ha in rapporto all'insieme della celebrazione.

Si pensi infine a tutto ciò che fa parte del mondo e del linguaggio della ritualità: per l'aspetto metodologico qui ci troviamo ancora a muovere i primi incerti passi nel cammino di approfondimento, in quanto la «strumentazione» deve venir approntata in base a studi provenienti da altri settori delle «scienze umane».

Dall'insieme si può concludere che *per teologia liturgica s'intende* una riflessione sull'evento di fede celebrato dalla comunità ecclesiale; una teologia della presenza e dell'azione di Dio nel mondo, che nel mondo vuole realizzarsi come salvezza eterna in dimensione antropologica.

Un tale modo di fare teologia manifesta immediatamente la sua dimensione vitale sia *ad intra*, nel cuore cioè del fedele, e quindi in tutto ciò che concerne la spiritualità; sia *ad extra*, in ordine a quanto riguarda l'azione pastorale. È in questa ottica che va visto pertanto il dettato sia di OT 16 che della *Pastores dabo vobis* quando tracciano un metodo per fare teologia:

> «Lo studio della *Sacra Scrittura* [...] deve essere come l'anima di tutta la teologia. [...] Prima vengano proposti gli stessi temi biblici. [...] Inoltre, per illustrare quanto più possibile *i misteri della salvezza* gli alunni imparino [...] a riconoscerli *presenti e operanti nelle azioni liturgiche e in tutta la vita della chiesa*. [...] Tutte le altre discipline teologiche vengano rinnovate per mezzo di un *contatto più vivo* con il *Mistero di Cristo* e con la *storia della salvezza* [...]» (OT 16).

Tutto questo perché l'insieme della formazione teologica conduca

> «a possedere *una visione* delle verità rivelate da Dio in Gesù Cristo e dell'esperienza di fede della chiesa che sia *completa e unitaria*: di qui la duplice esigenza di conoscere "tutte" le verità cristiane [...] e di conoscerle in modo organico. Ciò esige [di] operare una sintesi che sia il frutto degli apporti delle diverse discipline teologiche, la cui specificità acquista autentico valore solo nella loro profonda coordinazione» (*Pastores dabo vobis* 54).

2.5. La teologia come "locus liturgicus"

Quanto sopra accennato permette di comprendere meglio altre prospettive che sono state sviluppate soprattutto da A.M. Triacca. I suoi studi in contesto di teologia liturgica lo hanno portato a ipotizzare un traguardo: quello di arrivare a considerare la teologia come *locus liturgicus*. La terminologia intende di proposito cogliere il senso dell'antica espressione *liturgia, locus theologicus* per rovesciarne la prospettiva e dare pieno significato ad una riflessione che si muove, appunto, da una visione di teologia liturgica.

Numerosi sono gli scritti in cui l'Autore prospetta il suo pensiero, declinandolo poi nei vari studi secondo il tema determinato dallo specifico contesto liturgico di riferimento. In particolare si legge:

> «La théologie plonge ses racines dans une expérience de foi – individuelle et/ou collective, contemplative et/ou opérative – qui trouve son cadre naturel dans l'Eglise. C'est pourquoi les définitions théologiques à propos des "vérités de foi" ne peuvent être ni séparées, ni a fortiori contrastantes avec les "professions de foi" que l'Eglise accomplit. En d'autres termes, la théologie qui est authentique devient *professio fidei*.
>
> Plus précisément, la théologie ne peut s'en tenir à une finalité défensive ou conservatrice de la vérité de foi. D'une telle vision résulterait un retour de la *dimension apologétique* propre à une certaine théologie, et finirait dans une *dimension polémique* qui ne ferait que privilégier dans la théologie la *pars destruens* de l'erreur, négligeant l'aspect plus important de la *pars aedificans* de la vérité. Ainsi considérée, la théologie ne ferait que s'éloigner toujours plus du message du salut, courant le risque de perdre toute incidence sur la vie du croyant.
>
> Si par contre, on comprend la théologie dans son être de *communication-traduction pour l'homme vivant dans un monde de vivants, de vérités vives, pour la vie* des fidèles, alors on reconnaîtra à la théologie un être principalement et finalistiquement orienté à faire du fidèle une personne qui comprend et vit la vérité, l'approfondit et s'en nourrit, rendant plus directement gloire à Dieu. La théologie se redécouvre comme non séparée de la vie des fidèles à cause même de sa *dimension doxologique*. En effet, *la théologie débouche sur la doxologie ou alors elle n'est rien* et perd toute consistance»[25].

3. Conseguenze di "un" metodo, per un metodo teologico "integrale"

Dai principi esposti nella SC scaturiscono alcune conseguenze che chiamano in causa vari ambiti sia della riflessione, sia della formazione, e sia della prassi. Ancora una volta, da una visione di teologia liturgica scaturisce una linea che, se assunta in verità, può ricondurre la riflessione e la prassi ecclesiale a quella prospettiva di sintesi che era tipica della *mens*

---

[25] A.M. Triacca, *Le sens théologique de la liturgie et/ou le sens liturgique de la théologie. Esquisse initiale pour une synthèse*, in A.M. Triacca – A. Pistoia (edd.), *La liturgie*, o.c., pp. 331-332.

e della *praxis* dei Padri, grandi pastori, fini teologi, santi presidenti delle
loro assemblee celebranti[26].

Ed ecco ora quasi un decalogo la cui linea (non precostituita) intende
offrire solo un quadro dei risvolti che tale discorso racchiude o comporta.
Altri settori rimangono aperti e un loro studio alla luce della teologia
liturgica può trovare approfondimenti dai risvolti quanto mai interessanti
in ordine sia al contributo alla scienza teologica sia al tessuto ecclesiale in
cui sono vissuti. Si pensi, ad esempio, al rapporto tra la teologia liturgica
e la partecipazione attiva, la catechesi e i suoi contenuti (e metodi), l'arte
e la musica (la bellezza, il decoro), la pietà popolare[27], ecc.

3.1. Teologia liturgica e visione di sintesi nello studio vitale della teologia

Il dettato di OT 16 pone ancora oggi seri interrogativi. Su questo
punto quel dettato conciliare deve ancora essere valorizzato. La gravità
della situazione degli studi teologici è eloquente. Il concilio ha tracciato
una prospettiva di sintesi, nella logica di una teologia liturgica: a quando
la sua attuazione in vista di una sintesi per un'armonica visione ed esperienza ecclesiale? Se la teologia liturgica non è già competenza acquisita
per la teologia fondamentale, tutto il resto si fonda con maggior difficoltà.

3.2. Teologia liturgica e formazione

Prescindendo dalla problematica relativa all'iniziazione cristiana, due
sono gli ambiti della formazione: quella cristiana (in generale), e quella
presbiterale (ministeriale). L'assenza, o la poca incidenza di elementi forti
che costituiscano un indispensabile punto di appoggio per una formazione integrale e unitaria della persona (senza schizofrenie!) fanno emergere

---

[26] Riprendo in questa sede quanto delineato in occasione del 40° della *Sacrosanctum
Concilium* durante un "Colloque de l'Institut des Sciences liturgiques de l'Université de
Fribourg-Suisse" il 28-29 novembre 2003; il testo è stato pubblicato in *La Maison-Dieu* n.
238 (2004) n. 2, sotto il titolo: *Sacrosanctum Concilium, 1963-2003. Une nouvelle théologie
de la liturgie ou une théologie liturgique?*

[27] Su questo punto della pietà popolare, ad esempio, si osservi la linea teologico-litur-
gica che è sottesa al *Direttorio su pietà popolare e liturgia*, edito dalla CONGREGAZIONE PER
IL CULTO DIVINO E LA DISCIPLINA DEI SACRAMENTI nel 2002: qui traspare con chiarezza
quanto sopra accennato.

l'urgenza non tanto di una sintesi solamente noetica (intellettuale), ma vitale in quanto integrale. Il ritorno ad una *lex orandi* che sia punto di incontro tra *lex credendi* e *lex vivendi* sarà non tanto la riscoperta di una prassi fortunata, quanto soprattutto la riappropriazione di un metodo di vita che aiuta a superare ogni incertezza.

3.3. *Teologia liturgica e comunicazione cultuale*

Siamo nel mondo della comunicazione più esasperata; ma siamo anche in una società in cui la solitudine è vissuta talvolta con terribili risvolti. Una visione della comunicazione in prospettiva di teologia liturgica pone subito l'accento sul fatto che la prima comunicazione tra Dio e l'uomo si attua proprio nel contesto liturgico (cfr. SC 33). È a partire da questa esperienza sacramentale che viene risignificata ogni forma di comunicazione tra fedeli, al di là del momento propriamente rituale[28].

3.4. *Teologia liturgica e azione pastorale*

Dire teologia liturgica è rimandare alla costruzione di una sintesi qual è quella che ogni persona ricerca nel conseguimento dell'equilibrio della propria personalità. L'azione pastorale è ramificata negli ambiti più diversificati; ma tale diversificazione può trovare un *locus* che garantisca una sintesi, anzi che la faccia sperimentare non tanto a livello psicologico quanto soprattutto reale anche se *in mysterio*? In ambito pastorale, la ricomposizione dei più diversi elementi e spazi di azione può trovare il proprio alveo quando l'operatore sa ricondurre ogni attività a quella che è la sorgente di tutta l'opera salvifica. Così si può ritrovare il senso della definizione più eloquente di pastorale: l'arte di guidare e mantenere il popolo cristiano a Cristo[29]!

---

[28] Cfr. le prospettive delineate da B. SEVESO, *Teologia della predicazione*, in M. SODI – A.M. TRIACCA (edd.), *Dizionario di omiletica*, Ldc – Velar, Leuman (To) – Gorle (Bg) 1998 (rist. 2002) [= DdO], 1567-1592.

[29] Si veda la riflessione interdisciplinare che è stata compiuta nell'Istituto di Teologia pastorale della Facoltà di Teologia dell'Università Pontificia Salesiana, in Roma, i cui risultati sono raccolti nel volume a cura di M. MIDALI – R. TONELLI, *Qualità pastorale delle discipline teologiche e del loro insegnamento* = Biblioteca di Scienze religiose 107, Las, Roma 1993: qui in particolare interessa l'intervento: *Liturgia: teologia o pastorale?* (pp. 149-157).

3.5. *Teologia liturgica e omelia come «parte della celebrazione»*

Dalle varie accezioni di teologia liturgica in rapporto all'omelia scaturiscono altrettante modalità per realizzare e vivere questo momento sacramentale dell'ascolto e dell'attualizzazione della Parola di Dio. Dall'insieme emerge un'osmosi insostituibile tra omelia e teologia liturgica, in quanto l'omelia, mentre è figlia del *sensus fidei* e del *sensus Ecclesiae*, è il *locus* in cui e da cui viene incrementato il senso teologico dei fedeli. In questa linea, considerata nell'ottica della teologia liturgica, l'omelia viene riscoperta come una interpretazione teologica privilegiata del testo biblico, del linguaggio liturgico e dell'insieme del *depositum fidei*. È in questo ambito che il così detto codice verbale si dimostra finalizzato al codice vitale[30].

3.6. *Teologia liturgica in rapporto alla spiritualità*

La prospettiva di sintesi racchiusa nella teologia liturgica offre elementi insostituibili per la spiritualità e la mistica. Siamo eredi di «teologie della spiritualità» ricchissime, ma elaborate indipendentemente da quella che è la sorgente della spiritualità.[31] È nell'azione liturgica che lo Spirito Santo è invocato e in essa opera. È dall'epiclesi sacramentale che può scaturire quella esperienza di «vita nello Spirito» (= spiritualità) che costituisce poi l'amalgama di ogni altro impegno. Ed è pure da questa sorgente unitaria che poi defluiscono tutte le altre forme di spiritualità nella Chiesa. Al centro però è la spiritualità liturgica, perché è la spiritualità della Chiesa[32].

---

[30] Per adeguati sviluppi e approfondimenti di quanto accennato cfr. A.M. TRIACCA, *Teologia liturgica*, in DdO 1594-1597.

[31] Esempio tipico è stato il *Dizionario di spiritualità*, edito a cura di S. DE FIORES – T. GOFFI, Paoline, Roma 1979, in cui sono appena presenti le voci *Celebrazione liturgica*, ed *Eucaristia*. Un po' più attento alle sorgenti della spiritualità cristiana è stato il *Dizionario di spiritualità dei laici*, a cura di E. ANCILLI, edito da OR, Milano 1981. Ben diversa è la visione offerta dal *Nuovo Dizionario di spiritualità*, edito da M. DOWNEY – L. BORRIELLO, e pubblicato dalla Lev, Città del Vaticano 2003.

[32] Per un ampio sviluppo di quanto accennato cfr. A.M. TRIACCA, *La "riscoperta" della Liturgia*, in C.B. BERNARD (ed.), *La Spiritualità come teologia*. Simposio organizzato dall'Istituto di Spiritualità dell'Università Gregoriana. Roma, 25-28 aprile 1991 = Spiritualità 18, Paoline, Cinisello B. (Mi) 1993, pp. 105-130.

3.7. *Teologia liturgica e mistica*

Al seguito della spiritualità si pone di conseguenza la mistica. Mistica è esperienza del «mistero» celebrato, contemplato, annunciato, assimilato, vissuto. Dalla primordiale e fontale esperienza del Mistero «celebrato» scaturiscono le conseguenze di un innesto progressivo della persona del fedele nell'adorabile Persona di Gesù Cristo. Il percorso delineato da Paolo attraverso 14 verbi (dal *con-sofferente...* al *con-regnante*, attraverso il *syn-phytos*) denota la graduale attuazione di una mistica cristiana che si distingue da ogni altra mistica (o pseudo-mistica) in quanto si radica profondamente ed esclusivamente nel Mistero celebrato. Ecco allora il rapporto tra la teologia liturgica e la mistica[33]!

3.8. *Teologia e «scienze umane»*

È questo il capitolo relativamente nuovo che sta interpellando la teologia liturgica. A livello di riflessione e di ricerca molto è stato fatto circa i contenuti biblici ed eucologici della celebrazione. Il capitolo molto aperto e dibattuto da qualche anno a questa parte è quello concernente il significato e il ruolo del «rito», a livello antropologico, culturale, sociale, religioso in genere... Qui il problema più impegnativo sembra essere quello del metodo di approccio alla questione. Mentre per la Parola di Dio e per l'eucologia è stata messa a punto una metodologia ormai divenuta classica, per la «ritualità» questo non è stato ancora raggiunto. È un capitolo aperto che – pur nella sua ampia problematicità – si pone come una sfida nei nostri studi e ricerche[34].

---

[33] Cfr. L. BORRIELLO et ALII (edd.), *Dizionario di mistica*, Lev, Città del Vaticano 1998; una esemplificazione eloquente si può constatare nelle numerose voci in tema liturgico.

[34] Cfr. il prezioso contributo offerto da L. GIRARDI, *Liturgia e scienze umane: riflessioni introduttive a partire da* Sacrosanctum Concilium, in AA. VV., *Liturgia e scienze umane. Itinerari di ricerca*. Atti della XXIX Settimana di Studio dell'Associazione Professori di Liturgia. Santuario di Vicoforte, 26-31 agosto 2001, Clv - Edizioni Liturgiche, Roma 2002, 9-56.

3.9. *Teologia liturgica e inculturazione*

Il tema ha acquisito uno sviluppo notevole dalla SC in poi; l'accentuazione è stata sottolineata su due versanti. Da una parte la elaborazione dei libri liturgici ha comportato la riapertura del discorso circa l'inculturazione della liturgia in stretta dipendenza dall'inculturazione dell'annuncio del Vangelo; dall'altra la celebrazione dei grandi Sinodi continentali ha ripreso e cercato di sviluppare questa realtà.[35] Il cammino che sta dinanzi per l'ambito liturgico è tratteggiato dall'Istruzione *Varietates legitimae*, pubblicata nel 1994[36].

3.10. *Teologia liturgica e sacramenti*

Pongo al termine questo aspetto, perché si presenta come elemento di sintesi. In quanto realizzazione della storia della salvezza nella vita del credente, i sacramenti sono il *locus* fontale in cui si attua la teologia liturgica. Da qui allora la comprensione piena del significato e del valore della teologia liturgica proprio quando è delineata a partire da tutti gli ambiti che strutturano e scandiscono il sacramento.

In questa prospettiva, allora, è da ricondurre anche la visione di OT 16; di conseguenza, sempre in questa linea, è da vedere come fatale la divisione che tuttora talvolta esiste nell'insegnamento della sacramentaria: da una parte il dogma, dall'altra la celebrazione; da una parte il diritto, dall'altra la pastorale, dall'altra ancora la spiritualità... A quando l'apprendimento della lezione di sintesi che la teologia orientale ha sempre mantenuto (pur con dei necessari *distinguo*)[37]?

---

[35] Si veda al riguardo quanto scrive A. LAMERI, *Lo spirito della liturgia nei sinodi continentali. Per una prima disamina delle esortazioni apostoliche post-sinodali*, in *Rivista Liturgica* 90/2-3 (2003) 357-368.

[36] Cfr. l'opera di M. PATERNOSTER, *Varietates legitimae. Liturgia romana e inculturazione* = MSIL 33, Lev, Città del Vaticano 2004. L'A. oltre a elaborare un commento distribuito in quattro capitoli, offre un'ampia bibliografia al riguardo; nell'Appendice II è presentata una concordanza verbale del documento latino, realizzata a cura di A. TONIOLO.

[37] Un notevole contributo in questa ottica è offerto dal volume di A. BOZZOLO, *Mistero, simbolo e rito in Odo Casel. L'effettività sacramentale della fede* = MSIL 30, Lev, Città del Vaticano 2003.

4. Conclusione: e se *Optatam totius* 16 avesse ragione?

Il percorso realizzato nell'ambito del presente intervento, nell'ottica di quanto prospettato nell'insieme del *II Forum*, permette di giungere a tre conclusioni che possono apparire interlocutorie, ma solo fino ad un certo punto. Quanto prospettato sopra, sia pure per cenni, si presenta come una attualizzazione concreta, arricchita da specificazioni, di quanto codificato dal Vaticano II sia nella SC sia nel documento OT 16. I tre momenti conclusivi, pertanto, si muovo a partire da OT per coglierne il metodo e così rilanciare il dibattito su un metodo teologico che forse attende ancora di essere iniziato a circa 40 anni dall'assise conciliare!

– *Il ruolo di un testo conciliare*. È a tutti noto il testo del dettato di OT 16. Il suo contenuto propone una linea nel fare teologia (docenza e ricerca) all'insegna della sintesi non solo noetica ma vitale: «... la rendano alimento della propria vita spirituale». Il dettato conciliare si muove nella prospettiva di una linea di approfondimento e di studio da adottare e da proporre; ma il dettato è da vedere anche e prima ancora nell'ottica di una ricerca teologica, di cui si indica il metodo che qui rileggo nello specifico di un'ottica di teologia liturgica:

- La *Scrittura* come «l'anima di tutta la teologia». La teologia liturgica si muove dalla "Parola in rivelazione" per coglierne il senso e le conseguenze quando la Chiesa fa esperienza della "Parola in attuazione" nell'*actio* liturgica.
- La *teologia dogmatica* elaborata secondo lo schema classico a partire dai «temi biblici» illustrati dal «contributo dei Padri della Chiesa» e dalla «storia del dogma». Poi si inserisce l'elemento determinante a tutt'oggi disatteso notevolmente nei trattati di teologia: «Inoltre, per illustrare *integralmente* quanto più possibile i misteri della salvezza, gli alunni imparino ad approfondirli e a vederne il nesso della speculazione, avendo san Tommaso per maestro; si insegni loro a *riconoscerli presenti e operanti sempre* nelle azioni liturgiche e in tutta la vita della Chiesa...». La teologia liturgica si muove in questa linea con l'obiettivo di aiutare a riconoscere il contenuto del mistero della salvezza sempre presente e operante nella liturgia e nella vita della Chiesa. Si ricom-

pone qui, ancora una volta, il rapporto che intercorre tra *lex credendi, lex orandi* e *lex vivendi*.

- Le *altre discipline teologiche* trovano il segreto del loro rinnovamento solo attraverso «un contatto più vivo con il mistero di Cristo e con la storia della salvezza...» in modo da illustrare «l'altezza della vocazione dei fedeli in Cristo e il loro obbligo di apportare frutto nella carità per la vita del mondo». La sottolineatura conciliare riconduce ancora una volta l'attenzione del teologo alla *teologia liturgica* in quanto riflessione che scaturisce dal contatto vivo con il mistero di Cristo, e dunque con l'insieme della storia della salvezza; riflessione che porta sempre a cogliere il senso e il valore della vocazione del fedele in Cristo e nel suo mistero. Ancora una volta si ripropone il senso racchiuso nella trilogia di cui sopra[38].

- Per lo specifico del *discorso liturgico* OT 16 dà una definizione e una prescrizione: *a)* la definizione afferma che la liturgia «è da ritenersi la prima e necessaria sorgente di vero spirito cristiano»; *b)* la prescrizione riguarda come deve essere svolto il suo insegnamento, cioè in base al dettato di SC 16. E qui abbiamo tre esplicitazioni da leggere sempre nell'ottica della *teologia liturgica*: la *prima* afferma che «la sacra liturgia [...] va computata tra le materie necessarie e più importanti»; la *seconda* prescrive che la liturgia deve essere insegnata sotto l'aspetto teologico, storico, spirituale, pastorale e giuridico; la *terza* è un invito ai «professori delle altre materie», perché «abbiano cura di mettere in rilievo, ciascuno secondo le intrinseche esigenze della sua disciplina, il mistero di Cristo e la storia della salvezza» in vista di una sintesi unitaria nella prospettiva della formazione. Ritorniamo dunque di

---

[38] Si veda al riguardo della teologia morale la riflessione prospettata in *Rivista Liturgica* 91/3 (2004) nel numero monografico dal titolo provocatorio (ma non troppo): *Una morale senza i sacramenti?* (con studi di R. Frattallone, R. De Zan, R. Tremblay, I. Schinella, S. Majorano, B. Petrà, G. Mantzaridis, G. Gatti, P. Carlotti. R. Gerardi, A.M. Triacca); cf. anche A.M. Triacca – A. Pistoia (edd.), *Liturgie, étique et peuple de Dieu* = BELS 59, Clv – Ed. Liturgiche, Roma 1991.

nuovo nell'ottica di quanto sopra espresso a proposito del metodo e del ruolo della teologia liturgica.

È in questa ottica che è stato formulato il titolo di questa ultima parte. L'interrogativo con sapore di provocazione denota che la lettera del dettato conciliare è rimasta in genere tale, salvo qualche rara eccezione. Chi ne risente è senza dubbio sia la teologia in sé, sia la formazione cristiana, sia quel metodo di fare cultura che la Chiesa continua a realizzare attraverso il proprio culto, ma che non viene recepito a livello riflesso per poter essere poi ulteriormente rilanciato come prospettiva di sintesi per i teologi e per i formatori del popolo di Dio.

– Tra *novitas* e *traditio*. A questo punto della riflessione non sembra fuori luogo richiamare, proprio a mo' di conclusione, che quanto prospettato sopra, con particolare riferimento ad OT 16, è di fatto la lezione della tradizione del tempo dei Padri e delle grandi fonti liturgiche. Rilanciare le prospettive e l'ambito di ricerca della teologia liturgica è riproporre un metodo che in un primo periodo della vita della Chiesa caratterizzava la riflessione teologica. Quando poi, a motivo di peculiari condizionamenti storici della scienza teologica la riflessione non ha più avuto modo di racchiudere, in una prospettiva di sintesi, il dato teologico che scaturiva dalla celebrazione, il divario tra *lex credendi* e *lex orandi* si è accentuato, lasciando alla liturgia l'occasione di offrire elementi di sostegno a tesi teologiche. La frammentazione tra *lex credendi, lex orandi* e *lex vivendi* è stata la logica conseguenza che poi ha condotto ad una frammentazione dei saperi anche teologici.

In questa linea, pertanto, la prospettiva del Vaticano II, non ancora recepita a motivo della peculiarietà e della metodologia della teologia liturgica, trova difficoltà per essere accolta nelle così dette grandi sintesi sistematiche. Il dettato di OT 16 e di SC 16 ha tracciato una prospettiva che per l'ambito della teologia liturgica risulta quanto mai obiettiva e chiara. Ma è una prospettiva che attende di poter entrare in dialogo con altre linee teologiche!

– *Il segreto di un "metodo" che riconduce ad una visione di sintesi*. I numerosi studi che negli anni soprattutto del dopo Concilio sono stati realizzati in chiave di teologia liturgica, se da una parte si avvalgono della linea che vediamo elaborata al tempo di numerosi Padri della Chiesa, dall'altra si arricchiscono dell'esperienza storica. Al seguito di OT 16 riemerge una prospettiva di sintesi non chiusa in se stessa, ma continuamente aperta sia in ordine all'ambito di approfondimento delle singole discipline che interagiscono nella elaborazione della sintesi stessa, sia in ordine ai riflessi vitali che una simile impostazione rilancia. La trilogia riemerge ancora non come un gioco di parole, ma come la puntualizzazione di un dato di fatto: ciò che ci celebra (*lex orandi*) è la fede della Chiesa (*lex credendi*) per la vita dei credenti in Cristo (*lex vivendi*).

In questa prospettiva, allora, si può rilanciare quella visione di sintesi che lo stesso *Catechismo della Chiesa Cattolica* racchiude nelle sue tre parti, mentre la quarta – la *lex precandi* – diventa l'*humus* entro cui si muovono e si sviluppano le altre tre.

Se dunque OT 16 ha ragione nel suo dettato – e questo non può essere messo in dubbio dal teologo –, si tratta di accostarsi alla liturgia non tanto come ad un rito, quanto soprattutto ad un'esperienza *teologica* unica: una esperienza che racchiude in sé teoria e prassi, sempre a partire dalla celebrazione. In una situazione di complessità qual è quella in cui si dibatte anche la scienza teologica, rimettere il culto al centro è offrire la possibilità di una sintesi integrale in cui *lex credendi, lex orandi* e *lex vivendi* ritrovano il loro più radicale punto di incontro costituito dall'esperienza reale, pur *in mysterio*, della Ss.ma Trinità.

Quando *Fides et ratio* al n. 13 accenna all'intelligenza del mistero da parte della ragione, cui vengono in soccorso «anche i segni presenti nella Rivelazione», giunge ad un'affermazione che costituisce la miglior parola conclusiva anche del presente intervento. Nel lavoro di approfondimento del mistero si è necessariamente rimandati «all'orizzonte sacramentale della Rivelazione e in particolare, al segno eucaristico dove l'unità inscindibile tra la realtà e il suo significato permette di cogliere la profondità del mistero».

Metodo teologico
e studio dei Padri della Chiesa oggi

Enrico dal Covolo

Lo scopo di questo contributo è quello di confrontare fra loro il metodo in teologia, da una parte, e gli attuali orientamenti nello studio dei Padri della Chiesa, dall'altra, per individuare alcuni problemi più importanti e avviare una riflessione su di essi.

Un'occasione importante per lo studio del nostro tema è stata offerta in questi ultimi anni dalla promulgazione dell'*Instructio* della Congregazione per l'Educazione cattolica *sullo studio dei Padri della Chiesa nella formazione sacerdotale* (= IPC)[1].

Il documento – che porta la data del 10 novembre 1989, festa di san Leone Magno – intendeva rispondere ad alcune sollecitudini, quali soprattutto la ricerca delle cause e dei rimedi di quel «minore interesse» ai Padri che sembra aver caratterizzato il periodo postconciliare.

Vi si allude alle aporie di certa teologia, a tal punto ripiegata sulle urgenze del momento presente, da smarrire la rilevanza del ricorso alla tradizione cristiana. È censurato anche un approccio ai Padri che – troppo fiducioso nel metodo storico-critico e poco attento ai valori spirituali e dottrinali del magistero patristico – finisce per rivelarsi dannoso, o addirittura ostile, alla piena comprensione degli antichi scrittori cristiani. Ma la più grave responsabilità viene attribuita al clima culturale contempora-

---

[1] CONGREGAZIONE PER L'EDUCAZIONE CATTOLICA, *Instructio de Patrum Ecclesiae studio in Sacerdotali Institutione*, in *Acta Apostolicae Sedis* 82 (1990), pp. 607-636.

neo dominato dalle scienze naturali, dalla tecnologia e dal pragmatismo, in cui la cultura umanistica radicata nel passato viene sempre più emarginata: in molti casi oggi sembra mancare una vera sensibilità ai valori dell'antichità cristiana, come anche un'adeguata conoscenza delle lingue classiche. In definitiva, il «minore interesse» ai Padri potrebbe essere addirittura il sintomo di un colpevole compromesso fra la teologia corrente e una cultura inficiata di secolarismo e di tecnologismo, in una società che è sempre di meno «società della memoria» e della tradizione che plasma la vita.

Così – di fronte a un documento che va diritto al cuore di un dibattito ormai ineludibile – la reazione degli studiosi non poteva mancare.

Di fatto, con riferimento più o meno esplicito al testo dell'*Instructio*, numerosi contributi scientifici hanno preso in esame non soltanto la questione del metodo negli studi patristici, ma anche – più in generale – la questione del rapporto tra il metodo teologico e il ricorso ai Padri, e più precisamente del reciproco servizio tra lo sviluppo della teologia dogmatica e lo studio dei Padri della Chiesa: tali contributi rappresentano per noi un sicuro punto di partenza[2].

1. Sul metodo in teologia

In genere, gli studi che si occupano dei rapporti fra la teologia e le discipline patristiche[3] si riferiscono anzitutto allo statuto della teologia

---

[2] Si vedano soprattutto gli studi raccolti nei seguenti volumi: E. DAL COVOLO – A.M. TRIACCA (edd.), *Lo studio dei Padri della Chiesa oggi* (Biblioteca di Scienze Religiose, 96), Roma 1991; ISTITUTO PATRISTICO AUGUSTINIANUM (ed.), *Lo studio dei Padri della Chiesa nella ricerca attuale*, Roma 1991 (estratto da *Seminarium* n.s. 30 [1990], pp. 327-578); E. DAL COVOLO et ALII (ed.), *Per una cultura dell'Europa unita. Lo studio dei Padri della Chiesa oggi*, Torino 1992. Più di recente, vedi anche molti contributi raccolti nel volume miscellaneo *Les Pères de l'Église au XXe siècle. Histoire – Littérature – Théologie. «L'aventure des Sources Chrétiennes»*, Paris 1997.

[3] Vedi in particolare A. AMATO, *Studio dei Padri e teologia dogmatica*, in E. DAL COVOLO – A.M. TRIACCA (edd.), *Lo studio dei Padri della Chiesa...*, pp. 89-100; C. CORSATO, *L'insegnamento dei Padri della Chiesa nell'ambito delle discipline teologiche: una memoria feconda di futuro*, in ISTITUTO PATRISTICO AUGUSTINIANUM (ed.), *Lo studio dei Padri della Chiesa nella ricerca attuale*, Roma 1991 (estratto da *Seminarium* n.s. 30 [1990], pp. 460-485).

dogmatica o sistematica a partire dal Vaticano II, e citano in particolare il n. 16 del decreto *Optatam totius*.

Ne esce delineato un approccio scientifico al dato di fede, articolato in tre momenti fra loro distinti, ma ermeneuticamente complementari. C'è anzitutto il momento fondante della Scrittura, *universae theologiae veluti anima*; c'è poi il momento normante della tradizione ecclesiale, che comprende il contributo privilegiato della patristica orientale e occidentale – per cui spesso questo passaggio viene chiamato semplicemente «momento patristico» – oltre ai pronunciamenti conciliari e magisteriali e alle elaborazioni teologiche particolarmente esemplari; c'è infine il momento sintetico dell'organizzazione e della sistemazione del dato di fede, da comunicare in modo sempre più appropriato nel momento presente.

I primi due momenti rappresentano l'*auditus fidei*, che include così il vaglio del dato biblico e quello della tradizione ecclesiale, rappresentata in modo privilegiato dalla teologia patristica. Il terzo momento è dato dall'*intellectus fidei*, e cioè dalla riflessione sapienziale e dall'organizzazione sistematica degli elementi essenziali del dato rivelato, come riannuncio sempre attualizzato della fede.

È stato osservato che, a differenza del primo e del terzo momento, il secondo – segnatamente il ricorso ai Padri della Chiesa – non ha ancora assunto uno statuto soddisfacente[4].

È urgente perciò una rimotivazione teologica del momento patristico, non solo come «presenza rassicurante e orientatrice» del discorso teologico (*IPC* n. 2); non solo perché i Padri sono testimoni privilegiati della tradizione (*IPC* nn. 17, 18-24), o perché ci hanno trasmesso un metodo teologico luminoso e sicuro (*IPC* nn. 25-40), o perché i loro scritti offrono una prodigiosa «ricchezza culturale, spirituale e apostolica» (*IPC* nn. 41-47); ma soprattutto e in primo luogo come tappa obbligata tra la Scrittura e l'oggi ecclesiale. Il momento patristico è un passaggio intrinseco del fare teologia in quanto tale, dal momento che fa da ponte tra la Bibbia e la coscienza di fede della Chiesa oggi. Di fatto lo studio della Bibbia comporta pure lo studio della sua recezione lungo la storia, e non si fa teolo-

---

4 Cfr. A. AMATO, *Studio dei Padri e teologia dogmatica*, in E. DAL COVOLO – A.M. TRIACCA (edd.), *Lo studio dei Padri della Chiesa....*, pp. 89-90.

gia quando si ignorano gli sviluppi religiosi e culturali legati ai testi biblici e alla loro interpretazione.

In realtà la teologia dei Padri ha operato una vera e propria reinterpretazione del dato biblico, in dialogo con l'ambiente culturale circostante (che non era più quello originario degli scritti neotestamentari), portando gradualmente alla precisazione solenne e inculturata di alcuni aspetti fondamentali del kerygma cristiano. A questo riguardo conviene citare
almeno il Documento della Pontificia Commissione Biblica sull'interpretazione della Bibbia nella Chiesa, là dove si afferma che «i Padri insegnano a leggere teologicamente la Bibbia in seno a una tradizione vivente con
un autentico spirito cristiano»[5].

In qualche modo, la metodologia dell'incontro tra il cristianesimo e la
filosofia nei primi secoli cristiani, ovvero «il metodo teologico» dei nostri
Padri, va considerato come «paradigmatico» per le forme successive di
inculturazione del messaggio evangelico, lungo i secoli. «La Chiesa»,
osserva al riguardo Giovanni Paolo II nell'Enciclica *Fides et ratio* (= *FR*),
«non può lasciarsi alle spalle ciò che ha acquisito dall'inculturazione nel
pensiero greco-latino. Rifiutare una simile eredità sarebbe andare contro il
disegno provvidenziale di Dio, che conduce la sua Chiesa lungo le strade
del tempo e della storia» (*FR* n. 72)[6].

2. Gli studi patristici in rapporto alla teologia

Tenendo conto dell'istanza fin qui emersa – cioè quella di «rimotiva-
re» il momento patristico nel metodo teologico – trascorriamo a considerare il secondo termine di riferimento del nostro tema, e cioè la situazione attuale degli studi patristici.

Ne tratteremo a due livelli distinti.

Parleremo anzitutto degli studi patristici in rapporto alla teologia; in
un secondo momento parleremo delle scienze patristiche in rapporto allo
studio delle antiche letterature greca e latina. Anche da questa prospetti-

---

[5] PONTIFICIA COMMISSIONE BIBLICA, *L'interpretazione della Bibbia nella Chiesa*, Città
del Vaticano 1993, p. 89.

[6] Cfr. E. DAL COVOLO, «*Fides et ratio*»: *l'itinerario dei primi secoli cristiani*, in M.
MANTOVANI – S. THURUTHIYIL – M. TOSO (edd.), *Fede e ragione. Opposizione, composizione?* (Biblioteca di Scienze Religiose, 148), Roma 1999, pp. 37-44.

va, infatti, emergono indicazioni utili per definire lo statuto metodologico e disciplinare delle scienze patristiche, e le relative implicanze nei confronti del metodo in teologia.

Dovremo accontentarci di alcuni rapidi cenni, sufficienti però a delineare con chiarezza il repentino cambiamento di indirizzi avvenuto in questi ultimi anni.

Ancora all'inizio degli anni Cinquanta il cardinale Michele Pellegrino lamentava che le ricerche di teologia patristica erano mancanti di un'adeguata base filologica e di una solida impostazione storica, cui spesso si sostituiva un comodo schematismo dottrinale, suggerito da sviluppi del pensiero teologico spesso estranei alla mentalità dei Padri.

Tale rilievo sull'«ancillarità» della patristica nei confronti della dogmatica trovava riscontro in quegli anni nei curricoli delle Facoltà e degli Studentati teologici, dove lo studio dei Padri non costituiva ordinariamente una disciplina autonoma[7]. Era bensì assicurata un'esposizione più o meno ampia delle dottrine patristiche, ma sempre in rigorosa dipendenza dai trattati dogmatici in esame. Così molto di rado gli scrittori ecclesiastici potevano apparire allo studente come persone reali, inserite in un proprio contesto storico-culturale caratterizzato da peculiari vicende spirituali e da intuizioni irripetibili. Il rischio evidente era quello di un «appiattimento storico» della riflessione teologica e di un'indebita assolutizzazione del modello di teologia sotteso ai trattati dogmatici: a tale modello – come a un «letto di Procuste» – veniva adattata la lettura dei Padri.

A fronte di siffatto contesto, la citata *Istruzione* della Congregazione per l'Educazione Cattolica manifesta come ormai avvenuta una sorta di «rivoluzione copernicana»: la patristica – vi si legge tra l'altro al n. 61 – dev'essere considerata una «disciplina principale», e va insegnata a parte, con il suo metodo e con la materia che le è propria, «per almeno tre semestri con due ore settimanali»[8].

---

7 Si veda anche il caso della Germania, dove lo studio della patristica è associato ordinariamente a quello della storia della Chiesa antica.

8 Naturalmente gli studi patristici non possono limitarsi ai Padri strettamente detti. Già H. CROUZEL, *La patrologia e il rinnovamento degli studi patristici*, in *Bilancio della teologia del XX secolo*, 3, Roma 1972, p. 544, faceva notare come non si possano separare dai Padri gli scrittori ecclesiastici dell'età patristica che, per ragioni diverse, non ottennero il

Così l'*Istruzione* invita chi fa teologia alla scuola dei Padri, una scuola che mira sempre all'essenziale. Come si esprime a tale proposito Yves-Marie Congar, la tradizione patristica non è dissociante, è invece sintesi, armonizzazione. Non procede dalla periferia, isolando qua e là alcuni testi, ma al contrario lavora dall'interno, collegandoli tutti al centro e disponendo i dettagli a seconda del loro riferimento all'essenziale. La tradizione patristica è dunque generatrice di totalità, di armonia e di sintesi. Essa vive e fa vivere del senso d'insieme del disegno di Dio, a partire dal quale si distribuisce e si comprende l'architettura di ciò che Ireneo chiama «sistema» o *oikonomia*[9].

Ma è ovvio che gli studiosi di teologia non possono accontentarsi delle semplici indicazioni dei patrologi per assimilare un tale atteggiamento, ma dovranno curare una lettura più attenta e metodologicamente corretta delle opere patristiche. Mettendosi su questo sentiero, essi potranno raggiungere più facilmente il nucleo essenziale della teologia cristiana. L'unità del sapere teologico – come di ogni sapere – è una mèta molto alta, che costa fatica e che può essere conseguita solo nella consapevolezza della vera natura e missione della teologia stessa. Ebbene, lo studio dei Padri offre un valido aiuto per realizzare tale sintesi del sapere teologico.

Molto opportunamente, il numero 16 della medesima *Istruzione* riporta un celebre passo della Lettera che Paolo VI scrisse nel 1975 allo stesso cardinale Pellegrino nel centenario della morte del Migne. Vi si legge fra l'altro: «Lo studio dei Padri, di grande utilità per tutti, è di necessità imperioso per coloro che hanno a cuore il rinnovamento teologico, pastorale, spirituale promosso dal Concilio e vi vogliono cooperare. In loro infatti ci sono delle costanti che sono alla base di ogni autentico rinnovamento».

---

formale riconoscimento della Chiesa: com'è noto, è precisamente questo – fra altri – il caso di Tertulliano e di Origene. Sui problemi della definizione di *Padre della Chiesa* cfr. Y.M.-J. CONGAR, *«Les Pères», qu'est-ce à dire?*, in *Seminarium* 21 (1969), pp. 151-165. Più in generale sulle questioni qui affrontate cfr., anche per la relativa documentazione, E. DAL COVOLO, *Sulla natura degli studi patristici e i loro obiettivi*, in E. DAL COVOLO - A.M. TRIACCA (edd.), *Lo studio dei Padri della Chiesa....*, pp. 9-10.

[9] Cf. anche per la relativa documentazione, P. LAGHI, *Riflessioni sulla formazione culturale del sacerdote in margine all'Istruzione sullo studio dei Padri della Chiesa*, in E. DAL COVOLO et ALII (edd.), *Per una cultura dell'Europa unita....*, pp. 83-84.

Va sottolineato infatti come i Padri, che erano in gran parte vescovi esperti e dediti al ministero, offrono ottimi esempi e impulsi riguardo al punto d'approdo del metodo teologico-sistematico, che consiste – come si è già detto – nell'organizzazione del dato di fede, in modo da comunicarlo in maniera sempre più appropriata nel momento presente. In questa prospettiva si possono rileggere le vive preoccupazioni dei Padri per l'unità della Chiesa (è quello che chiamiamo oggi il problema ecumenico); gli sforzi per l'innesto del cristianesimo in ambiti culturali diversi (è il problema missionario dell'inculturazione); le instancabili sollecitudini per alleviare la sorte degli oppressi e dei poveri (è questo il problema sociale) e i rapporti con le istituzioni politiche (è il problema della «paradossale cittadinanza» dei cristiani nel mondo)[10].

3. Servizio del dogma e servizio al dogma

La medesima *Istruzione* affronta la questione centrale dei rapporti fra la teologia dogmatica e le scienze patristiche, là dove afferma che «entrambe le discipline», appunto la patristica e la dogmatica, «sono chiamate dal Decreto *Optatam totius* (n. 16) ad aiutarsi e ad arricchirsi vicendevolmente, a condizione però che rimangano autonome e fedeli ai loro specifici metodi». Il mutuo ausilio delle due discipline viene poi precisato nel suo duplice risvolto: da una parte, «il dogma svolge soprattutto un servizio di unità», confermando «la prospettiva unificante della fede»; dall'altra, «il servizio della patristica alla dogmatica consiste nel delineare e precisare l'opera di mediazione alla rivelazione di Dio svolta dai Padri della Chiesa nel mondo del loro tempo» (*IPC* n. 52).

Esplicitando così il reciproco servizio degli studi patristici e della teologia dogmatica, l'*IPC* dipende da un importante contributo di Raffaele Farina, pubblicato nel 1977[11]. «Si tratta di un servizio e di un arricchimento vicendevole», scriveva Farina. «Il dogma presta soprattutto un ser-

---

[10] Cfr. da ultimo E. DAL COVOLO, *La «paradossale cittadinanza» dei cristiani nel mondo. Per una lettura di A Diogneto 5,1-6,1*, in *Rivista di Scienze dell'Educazione* 41 (2003), pp. 36-43.

[11] R. FARINA, *L'insegnamento della Patrologia: preparazione, obiettivi, mezzi didattici*, in *Seminarium* 29 (1977), pp. 100-126.

vizio di unità, come a tutte le discipline teologiche così pure alla patrologia[12], e nell'unità segna come una direzione di marcia al patrologo come ricercatore, ma soprattutto come docente»[13].

Alla ben nota e ricorrente obiezione che il «servizio al dogma» e le «opportune sintesi» finiscono per mortificare l'autonomia disciplinare degli studi patristici, Farina rispondeva anzitutto che, oltre all'assimilazione del metodo storico-critico, al patrologo è richiesta anche la conoscenza e l'applicazione del metodo teologico[14], ma nel contempo indicava una via per garantire la «purezza» e la «piena obiettività» degli studi patristici: quella di una chiara coscienza della loro autonomia, della distinzione del metodo proprio rispetto ad altri metodi – ivi compreso quello teologico –, e del servizio «autonomo» che tali studi possono offrire alle altre discipline teologiche: «un servizio interdisciplinare a una sintesi teologica generale, obiettivo ultimo (con altri) dell'insegnamento teologico e dell'istituzione che lo impartisce»[15]. E concludeva: «Nel servizio al dogma l'insegnamento della patrologia fa sì che lo studente incontri i Padri della Chiesa, come è necessario, non su un piano puramente letterario o storico o filologico, ma su un piano "teologico". Egli cioè deve, con la debita preparazione storica e letteraria, rimeditare e "rimuginare" il pensiero dei Padri in modo da lasciarsi impregnare profondamente dalla loro teologia perennemente viva. Egli soprattutto, distinguendo nel loro messaggio ciò che è sempre vivo e attuale da ciò che è caduco e ormai superato, deve lasciarsi penetrare dal loro spirito creativo, mediante il quale i Padri, nella fedeltà amorosa alla "Parola di Dio" hanno saputo annunciare agli uomini del loro tempo il dato rivelato»[16].

In conclusione, possiamo affermare che i Padri sono testimoni vivi di quella felice sintesi teologica, che presuppone da una parte la piena adesione al dogma di fede e dall'altra l'impiego corretto del metodo teologico. In questa prospettiva lo studio dei Padri della Chiesa oggi va poten-

---

[12] Si noti che il termine *patrologia* impiegato da Farina equivale al termine *patristica* utilizzato nell'*IPC*.

[13] *Ib.*, p. 115.

[14] *Ib.*, p. 103.

[15] *Ib.*, p. 108.

[16] *Ib.*, p. 118.

ziato e valorizzato – nel rispetto della propria autonomia disciplinare e metodologica – come autentica scuola di metodo teologico[17].

4. Gli studi patristici in rapporto alle letterature classiche

Il taglio specifico della citata *Istruzione*, rivolta prevalentemente alla formazione sacerdotale, e la scarsa valorizzazione della prospettiva letteraria precludono all'*IPC* un ambito di riflessione che avrebbe potuto integrare opportunamente le osservazioni del numero 50 sull'autonomia disciplinare e sullo statuto metodologico degli studi patristici. A nostro parere, infatti, tale discorso non andava condotto soltanto in rapporto alle discipline teologiche, ma anche in rapporto allo studio delle materie classiche.

In realtà l'incremento complessivo delle ricerche patristiche appare legato anche alla progressiva affermazione di autonomia della letteratura cristiana antica nei confronti delle letterature greca e romana.

Un passo decisivo in tal senso poteva dirsi ormai compiuto in Italia alla fine degli anni Sessanta, inizio Settanta, quando le cattedre di letteratura cristiana antica (o simili: per esempio, nell'anno accademico 1969/1970 l'Università Cattolica di Milano istituiva la prima cattedra di storia delle origini cristiane, alla quale venne chiamato il padre Raniero Vinicio Cantalamessa), ricoperte da ordinari, erano ormai una decina e il gruppo di giovani che si dedicava a pieno titolo a questi studi era decisamente folto: mentre nel 1949, quando Alberto Pincherle nella sua prolusione accademica si proponeva di riepilogare la storia degli studi religiosi in Italia, alle cattedre di Napoli e Roma si era aggiunta solo quella di letteratura cristiana antica, a Torino, tenuta da Michele Pellegrino[18].

In verità la prima cattedra in Italia di letteratura cristiana antica venne eretta dal padre Agostino Gemelli nel 1924 presso l'Università Cattolica di Milano, e ad essa era stato chiamato da Catania, dove insegnava letteratura greca, il salesiano Paolo Ubaldi, che la resse fino al 1934, anno della sua morte. A parere unanime di chi ne accostò il magistero, il

---

[17] Al riguardo, resta sempre valido J. RATZINGER, *I Padri nella teologia contemporanea*, in ID, *Storia e dogma* (Teologia, 8), Milano 1971, pp. 49-70.

[18] Rinvio, anche per la documentazione, a E. DAL COVOLO, *Sulla natura degli studi patristici...*, p. 11.

ruolo di don Ubaldi fu decisivo nel «promuovere in Italia una rivalutazione dell'antica letteratura cristiana, come disciplina autonoma, e bandire definitivamente il falso criterio di considerarla come un'appendice trascurabile delle letterature classiche»[19].

Alla cattedra di don Paolo Ubaldi, a Milano, venne chiamato, alcuni anni più tardi, Giuseppe Lazzati[20], alla cattedra di Torino – finalmente istituita nel 1948, soprattutto grazie alla fervida attività avviata a suo tempo dallo stesso Ubaldi – salì Michele Pellegrino[21]. E proprio nei titoli delle miscellanee dedicate nel 1975 a Pellegrino e nel 1979 a Lazzati – rispettivamente *Forma Futuri* e *Paradoxos Politeia*[22] – si può scorgere il programma fondamentale di una scuola di vita che trascorse da una generazione all'altra, mentre fondava «esistenzialmente» il senso del recupero e del rinnovamento degli studi patristici. D'altra parte l'autorevolezza scientifica e la statura morale di uomini come Pellegrino e Lazzati contribuirono in modo decisivo alla formazione di una scuola prestigiosa di «antico-cristianisti» nelle università e negli istituti superiori.

Tuttavia la progressiva affermazione dell'autonomia della letteratura cristiana antica nei confronti delle letterature classiche solo in parte ha comportato un riavvicinamento dell'antica divaricazione tra studi classici e teologici. E questo non soltanto a causa delle diffidenze, più reali ieri che oggi, dei cosiddetti «classicisti» nei confronti degli «antico-cristianisti»; ma anche perché ancora «poche sono le valide ricostruzioni analitiche globali sulle singole figure degli autori cristiani antichi (spesso quelle che ci sono, sono ritratti di datato colore apologetico). Pochi sono gli studi ed i grandi commenti analitici sulle singole opere in se stesse; poche le cosid-

---

[19] G. BOSIO, *Ubaldi sac. Paolo, docente universitario*, in *Dizionario biografico dei Salesiani*, Torino 1969, p. 279. Ma vedi soprattutto L.F. PIZZOLATO, *La letteratura cristiana antica nell'Università Cattolica di Milano: alle origini*, in M.P. CICCARESE (ed.), *La letteratura cristiana antica nell'Università italiana. Il dibattito e l'insegnamento* (Letture patristiche, 5), Fiesole 1998, pp. 69-123.

[20] Assistente dell'Ubaldi dal 1931, Lazzati vinse la libera docenza nel 1939, e ottenne la cattedra di letteratura cristiana antica in Cattolica nel 1958.

[21] Cfr. C. MAZZUCCO, *Torino: la prima cattedra di Letteratura cristiana antica nell'Università di Stato, ibidem*, pp. 125-189.

[22] Cfr. *Forma Futuri. Studi in onore del Cardinale Michele Pellegrino*, Torino 1975; *Paradoxos Politeia. Studi Patristici in onore di Giuseppe Lazzati* (Studi Patristica Mediolanensia, 10), Milano 1979.

dette "letture" delle opere, che le colgano come testi organici, e non solo come mattoni per un discorso di storia della Chiesa o teologico. Dovrà perciò la letteratura cristiana antica saper anche percorrere autonomamente i sentieri già percorsi dalla filologia classica, per arrivare a sviluppare i suoi nuovi orientamenti con le carte in regola, cioè senza troppe soluzioni di continuità, bensì avendo percorso tutte le tappe d'uno sviluppo organico armonioso. C'è quindi ancora molto da lavorare, perché la letteratura cristiana antica, soprattutto nella sua dimensione più squisitamente "letteraria", attende d'essere ancora per gran parte scoperta e veicolata in cultura diffusa»[23].

Fra l'altro, un'attenta rivisitazione dello statuto letterario dei testi patristici potrebbe avere ai nostri giorni una ricaduta pastorale assai feconda. I Padri si sono imposti infatti come maestri della comunicazione, coniugando l'annuncio cristiano con le migliori condizioni per la sua recezione, stabilite dai canoni della retorica. *Delectare et prodesse* era il programma dei Padri della Chiesa imperiale, laddove il *delectare* è in vista del giovare a chi ascolta e a chi legge: osservazione non irrilevante, questa, in un tempo di comunicazione mediatica come il nostro, nel quale troppe espressioni del comunicare restano fuori dall'alveo della Chiesa.

5. Conclusione: per una sintesi aperta al contributo interdisciplinare

Appare dunque urgente un supplemento di studio e di ricerca, non soltanto per ciò che riguarda le scienze patristiche in rapporto alla teologia, ma anche per ciò che riguarda le medesime scienze in rapporto alla letteratura.

Diversamente, nonostante le dichiarazioni di principio riguardo ad una sintesi aperta al contributo interdisciplinare, la ricaduta degli studi patristici nell'ancillarità finisce per rivelarsi un rischio tutt'altro che remoto.

Concludo accennando ancora a due «grappoli» di problemi metodologici, riagganciandomi direttamente all'osservazione appena svolta.

In primo luogo, per favorire un corretto approccio ai Padri della Chiesa e per garantire in maniera coerente le istanze metodologiche della

---

[23] L.F. PIZZOLATO, *Metodi di ricerca nella letteratura cristiana antica*, in B. AMATA (ed.), *Cultura e lingue classiche* 2, Roma 1988, p. 115.

teologia, è indispensabile il confronto tra studiosi capaci di superare stec-
cati disciplinari troppo rigidi. La specializzazione eccessivamente settoria-
le non favorisce un approccio soddisfacente agli antichi scrittori cristiani.
Si potrà obiettare che la tendenza irreversibile dell'attuale organizzazione
degli studi conduce verso una sempre maggiore specializzazione. Ebbene,
sic rebus stantibus, sarà necessario almeno preparare studiosi aperti al dialogo interdisciplinare. Fra l'altro, è questa l'esperienza ricorrente nei sempre più numerosi Convegni di studio dedicati a qualche Padre della
Chiesa: né il teologo né il filologo né lo storico né il letterato... sono in
grado di ricostruire da soli personalità come quelle di Origene o di
Agostino (tanto per fare due nomi tra i più illustri). Lo storico e il letterato spesso mancano di senso teologico, e il teologo, a sua volta, corre
spesso il pericolo di trascurare le caratteristiche delle forme letterarie e
delle realtà storiche[24]. Solo l'approccio multidisciplinare, riconosciuto e
accettato nella ricerca comune e nel dialogo, si rivela capace di sintesi
feconda.

In secondo luogo, per un corretto approccio ai Padri e per una loro
adeguta valorizzazione nell'itinerario teologico, occorre superare due
rischi estremi, fra loro contrapposti, nei quali capita spesso di cadere.

C'è da una parte il rischio di chi pretende di rintracciare nelle origini
cristiane formule idealizzate o ricette immediatamente utilizzabili nell'*oggi*
della società e della Chiesa.

Nelle mie ricerche storiografiche ho studiato con particolare attenzione
i primi tre secoli cristiani, fino a Costantino. Mi è parso chiaro che in questo periodo i cristiani si trovarono ad essere autentici soggetti di «nuova cultura», nel confronto ravvicinato tra eredità classica e messaggio evangelico.
Ma le soluzioni patristiche del dialogo fede-cultura non furono certo univo-
che: talvolta nella stessa persona – come si può vedere nel caso emblematico di Tertulliano – si riscontrano atteggiamenti intolleranti e viceversa posizioni aperte e possibiliste. In ogni caso questi atteggiamenti vanno valutati
come «realizzazioni storiche», che non possiedono, come tali, altro magistero, se non quello – altissimo tuttavia per se stesso – della storia.

---

[24] Si veda al riguardo B. STUDER, *I Padri della Chiesa*, in *Mysterium Salutis* 2, Brescia
1977[4], p. 128.

L'altro rischio è quello di chi non è disposto ad accettare il magistero delle origini.

Da parte mia, sono convinto che lo studio delle antiche testimonianze cristiane è sorgente di discernimento per valutare in modo più adeguato la società e la Chiesa del nostro tempo.

Ritengo anzi che il periodo delle origini conservi un carisma speciale. È il momento in cui il messaggio dirompente del Vangelo si consolida nella tradizione cristiana. Per stare all'esempio appena citato, l'impostazione dell'incontro tra cristianesimo e cultura nei primi tre secoli diede frutti decisivi – tali da non poter essere mai più dimenticati – sui piani del linguaggio, del recupero delle diverse culture e della storia intera, dell'individuazione di una comune «anima cristiana» nel mondo e della formulazione di nuove proposte di convivenza umana.

In questo senso il ricorso attento e vigile agli antichi scrittori cristiani è utile per comprendere, interpretare e relativizzare la presente stagione della società e della Chiesa. Ritengo che tale ricorso sia particolarmente valido dinanzi ad alcune questioni, che forse oggi più di ieri appassionano l'uomo e il credente (per esempio la questione sociale, la questione femminile, il rapporto fede-mondo...), perché in ciascuna di esse il magistero dei Padri può contribuire ad illuminare problemi e soluzioni.

Per essere più concreto, propongo un esempio, legato all'esegesi patristica di *Romani* 13,1-7 («Ognuno sia sottomesso alle autorità superiori...»)[25]. Tale esegesi suggerisce nei confronti delle autorità politiche due grandi linee di comportamento.

Da una parte si esorta il credente a riconoscere la legittimità delle istituzioni e lo si invita alla sottomissione «per un motivo di coscienza», perché «non c'è autorità se non da Dio, e quelle che ci sono, sono state disposte da Dio». Per altro verso, è escluso che le realtà temporali possano arrogarsi i diritti di Dio e autodivinizzarsi: in tal modo sono confutati in radice il culto dell'imperatore e qualunque pretesa sacralizzante dello stato.

---

[25] Cfr. E. DAL COVOLO, *Romani 13,1-7 e i rapporti tra la Chiesa e l'Impero romano nel primo secolo*, in S. GRAZIANI (ed.), *Studi sul Vicino Oriente Antico dedicati alla memoria di Luigi Cagni* (Istituto Universitario Orientale. Dipartimento di Studi Asiatici. Series Minor, 61), Napoli 2000, pp. 1481-1492.

Di qui ha origine il duplice atteggiamento dell'accettazione e del rifiuto delle istituzioni politiche («sì, ma...»), caratteristico dei primi secoli cristiani. È un atteggiamento che trova riscontro oggettivo specialmente negli orientamenti della «grande Chiesa» (di solito favorevole al «sì») e dei gruppi settari e rigoristi (spesso orientati al «ma», e talvolta al «no» senza appello); prima di tutto, però, esso trascorre attraverso la coscienza dei credenti di fronte alle concrete situazioni storiche e alle varie contingenze politiche.

In tal modo il messaggio neotestamentario, interpretato e vissuto dalle prime generazioni cristiane, continua a porre due sollecitazioni fondamentali ad ogni uomo impegnato nella gestione della politica e dello stato.

La prima sollecitazione invita a desacralizzare il potere e ad opporre una radicale obiezione di coscienza dinanzi alle pretese totalitarie delle istituzioni politiche. La seconda sollecitazione, conseguente alla prima, afferma la responsabilità della coscienza individuale, e impegna al doveroso discernimento di ciò che è servizio della comunità e obbedienza alle leggi da ciò che è idolatria dello stato e capitolazione di fronte a un potere ingiusto.

In questo modo lo studioso dei Padri, mentre si guarda da illusorie e anacronistiche soluzioni, intravede feconde prospettive di attualizzazione e di impegno.

Illustri esempi di studiosi – come Heinrich Schlier o Erik Peterson, per rimanere nell'ambito tematico appena evocato – confermano con il magistero della scienza e della vita la validità di un simile itinerario teologico.

Metodo teologico
e riflessi etici e spirituali

Paolo Carlotti

Il passo preliminare allo svolgimento della tematica, così come viene proposta nel titolo di quest'intervento, consiste nella sua incoativa chiarificazione. In questo senso si offrono solo alcune note necessarie, a mo' di promemoria, mirando soprattutto a perseguire del tema la sua collocazione e il suo svolgimento nell'attualità.

La prospettiva teologica che si invita ad attivare è di natura etica e spirituale, lasciando forse presagire o fors'anche raccomandare l'unità delle due dimensioni. Tale unità, allo stato attuale della riflessione, è ancora *in itinere*, e sconta una separazione – oggi percepita sempre più come problematica ed inadeguata[1] – che si suole ritenere consumata all'epoca tridentina, quando la pertinenza epistemologica della distinzione di specifiche formalità disciplinari ha comportato, di fatto, un riduzionismo epi-

---

[1] Mi sembra di poter individuare nell'invito conciliare dell'*Optatam totius*, 16, un'autorevole conferma magisteriale ad un promettente pensiero teologico, che si muove verso la composizione epistemologica delle due dimensioni. Infatti «l'altezza della vocazione del fedele in Cristo», oggetto della teologia morale, non potrebbe essere né semplicemente mostrata né tantomeno spiegata, senza la considerazione di ciò che finora costituiva l'oggetto – separato – di quella che oggi denominiamo teologia spirituale, lasciando così l'etica cristiana confinata sul margine della negatività morale, che poco dice della novità evangelica. E d'altra parte, proprio l'esigenza teologica del 'dar ragione' sembra vincolare la comprensione dell'esperienza spirituale cristiana ad una precisa ermeneutica dell'agire, rintracciabile nella tradizione teologico-morale, globalmente presa. È anche pur vero che la vicenda storica delle due discipline non è sempre stata favorevole al loro incontro, ed anche oggi qualche remora perdura.

stemologico, ha cioè indotto a perdere di vista la profonda unità dell'oggetto studiato, originando così percorsi disgiunti per l'allora cosiddetta teologia ascetica e mistica – oggi teologia spirituale – e per la teologia morale. Le conseguenze non sono state di poco conto, anche perché la loro 'storia di effetti' persiste e si estende fino ad oggi, non escluso forse il presente contributo, che tuttavia si vorrebbe e si auspica unitario. Dalla semplice considerazione di questo tratto della vicenda storica della teologia scaturisce già qualche utile avvertenza critica e qualche indicazione per il nostro tema.

La prospettiva etico-spirituale è qui sollecitata a rivolgersi sul metodo teologico per coglierne i riflessi sulla persona del teologo e, più globalmente, per cogliere l'interrelazione che si viene a stabilire tra l'applicazione di una metodologia e il soggetto personale che la adotta. Il soggetto non è adeguatamente individuato né nell'intellettuale cristiano né semplicemente nell'intellettuale[2], ma solo nel teologo, che rispetto ai primi si distingue in quanto l'oggetto della sua riflessione è la fede cristiana in quanto tale[3]. Questa fede si radica nell'evento storico della Rivelazione di

---

[2] Sono numerosi gli studi sulla vita intellettuale, anche di ispirazione cristiana, che cercano di riferirne i tratti salienti, le attenzioni ascetiche, la bellezza e la bontà, le insidie e i pericoli, i tempi e i campi, lo spirito e l'attività. Cfr. A.D. SERTILLANGES, *La vita intellettuale*, Collezione dell'orsa 6 (Roma, Studium 1969[5]); G. GUITTON, *Arte nuova di pensare*, Psychologica 7 (Roma, Paoline 1968); G. COTTIER, *Etica dell'intelligenza*, Verifiche e progetti (Milano, Vita e Pensiero 1988).
Cfr. anche M. SCHLOSSER, *Docere est actus misericordiae. Theologischegeschichtliche Anmerkungen zum Ethos des Lehrens – Herrn Professor Dr Richard Heinzmann zum 65 Geburtstag gewidmet*, Münchener Theologische Zeitschrift 50 (1999) 54-74; J. SULLIVAN, *Scholarship and Spirituality*, The Downside Review 120 (2002) 189-214.
[3] Si è coscienti delle questioni che si potrebbero sollevare a seguito delle distinzioni qui proposte, soprattutto quelle inerenti al rapporto tra filosofia cristiana e teologia. È inoltre di per sé ipotizzabile un intellettuale non cristiano che rifletta sulla fede cristiana come semplice oggetto di studio razionale, intellettuale che talora – impropriamente – viene indicato come un teologo senza fede. La plausibilità di questa figura stenta a manifestarsi per la mancata affermazione della continuità tra fede e teologia, elemento costitutivo della teologia stessa, come la teoria della quasi-subalternazione documenta. È ciò che mette in risalto M-D. Chenu: «Quindi, l'esigenza mistica che rifiuta di considerare come autentica conoscenza religiosa una dialettica razionale dipendente da una adesione noncredente agli articoli di fede, trova la sua conferma in questa legge della subalternazione delle scienze, secondo cui la 'continuità' delle discipline subordinate è condizione del loro valore e della loro vitalità» (M.-D. CHENU, *La teologia come scienza nel XIII secolo*, Di fronte e attraverso 375, Milano, Jaca Book 1995[3], 107).

Sé di Dio, accolta dall'uomo come sua rivelazione[4], che, nello stesso tempo, corrisponde e sorprende il suo sé. La memoria della radicale novità evangelica, come pure la storia della sua appropriazione umana, è affidata alla comunità ecclesiale.

In corrispondenza con questo retroterra, la professione del teologo si determina come una vocazione[5] e si può già fin d'ora anticipare che la sua configurazione etica e spirituale consiste nel darne ragione, una ragione pratica. Come l'identità della fede cristiana non è solo intellettuale, ma coinvolge tutte le dimensioni antropologiche, così è la sua corretta riflessione, come del resto ogni riflessione. La domanda di quale soggetto personale sia richiesto dall'applicazione del metodo teologico, presuppone cioè la comprensione di ogni impresa intellettuale come opera della persona integrale e ne declina invece un progetto esecutivo nel segno della dicotomia o anche solo nella giustapposizione[6]. E ciò non solo in ordine al bene della persona, ma anche al bene dell'intelligenza. Sotto quest'ultimo aspetto si può ricordare – qui solo in prima battuta – la stretta tessitura relazionale che si dà tra il riflettere intelligente e il decidere volontario: il pensiero è realtà sottoposta a decisione ed è quindi da essa influenzabile, nel senso che una buona decisione prepara un buon pensiero, come del resto anche l'inverso. La diffusa testimonianza biblica ne è alla base, quando – per esempio in Mt 6,52 – ripropone insistentemente il legame tra la durezza del cuore e l'incapacità del comprendere.

---

[4] Cfr. *Gaudium et spes*, 22.

[5] Congregazione Per La Dottrina Della Fede, *La vocazione ecclesiale del teologo (Donum veritatis)*, in *Enchiridion Vaticanum. 12 Documenti ufficiali della Santa Sede compreso Codex Canonum Ecclesiarum Orientalium. 1990* (Bologna, EDB 1992) pp. 188-233, nn. 244-305.

[6] Cfr. H. Jonas, *Scienza come esperienza personale. Autobiografia intellettuale*, Dialogo (Brescia, Morcelliana 1992). La lettura di questo testo è interessante sotto un duplice aspetto. Il primo perché riconferma la stretta connessione tra pensiero e pensatore: «Mi basta solo aver messo in luce quanto, nella sfera di conoscenze toccata dal mio cammino intellettuale, l'aspetto personale sia strettamente intrecciato con l'argomento in sé» (Ib., 13). Il secondo aspetto risiede nel fatto che viene presentata l'esperienza particolarissima di dialogo intercorso tra un credente e teologo – R. Bultmann – e un filosofo non credente – appunto H. Jonas –, un maestro e un discepolo, due persone legate da una stretta amicizia. Anche l'esito di questo dialogo è singolare: «In conclusione, potrebbe sembrare paradossale che il filosofo abbia concesso alla possibilità della fede più del teologo dominato dal prestigio della scienza» (Ib., 79).

Per questo la domanda sulla persona dischiude quella della sua qualità, e questa quella della cura che la persona è chiamata a rivolgere alle
proprie decisioni per conseguire un'eccellenza degna della sua dignità,
cioè un'eccellenza morale. La stretta dinamica, che potremmo quasi indicare come un circolo ermeneutico pratico, che intercorre tra i diversi livelli decisionali, tra atteggiamenti e comportamenti, rifluisce e ricade sulla
persona e la genera[7], e nel caso nostro la genera come teologo. Nel contempo viene anche così raccomandata la prospettiva del soggetto per una
riflessione morale pertinente. In sintonia poi con la prospettiva del soggetto si apre quella del dinamismo virtuoso, sia teologale che naturale, e
quest'ultimo con le sue virtù noetiche – qui specificamente a tema – ed
etiche.

Inoltre si dovrebbe almeno indicare la natura e il senso del metodo
teologico: mi sembra qui utile ricordare che come ogni metodo si delinea
con proprietà al seguito dell'oggetto investigato. Quello teologico continua ad emettere segnali preziosi per un'impostazione epistemologica e
metodologica che ne indichi la via per la sua adeguata analisi e sintesi. Le
relazioni già tenute in questo Forum, mi possono sollevare da questo compito, anche se per lo meno implicitamente, alcuni accenni traspariranno
dalle riflessioni offerte[8].

Non dovrebbe sfuggire poi il fatto che questa riflessione può avvenire in contesti culturali diversamente situati. Qui tuttavia ci si colloca
soprattutto all'interno di quella cultura che si è iniziato a indicare come
occidentale[9] e il suo stato attuale come post-moderno. Nella cultura post-
moderna, plurali e liberi sono gli stili di vita e le *Weltanschauungen*, fun-
zionali e burocratici sono i ruoli personali e sociali[10], globali e interdipen-
denti sono gli orizzonti comunicativi ed economici, deboli e labili le identità e i pensieri, convenienti e preferibili le questioni sul vero e sul bene,

---

[7] JOANNES PAULUS II, *Veritatis Splendor*, 71.

[8] Utile, a questo proposito, è la lettura: B.J.F. LONERGAN, *Il metodo in teologia*,
Biblioteca di teologia contemporanea 24 (Brescia, Queriniana 1975); A. MILANO, *Quale
verità. Per una critica della ragione teologica*, Nuovi saggi teologici. Series maior 1
(Bologna, EDB 1999).

[9] S.P. HUNTINGTON, *Lo scontro delle civiltà e il nuovo ordine mondiale*, Saggi blu 27
(Milano, Garzanti 1997).

[10] R. MUSIL, *L'uomo senza qualità*, Gli Struzzi 26 (Torino, Einaudi 1974²).

diffuse e indeterminabili le responsabilità e le obbligazioni, 'a breve' e 'sotto condizione' le scelte e gli impegni. La stessa ricerca intellettuale sembra gradita se in sintonia con questi assiomi. Il rischio ideologico non è più solo ipotetico e forse tra i segnali oggi più eloquenti della sua vicinanza è da annoverarsi il persistente tentativo di omologare la razionalità morale su quella tecnica.

Inoltre la ricerca teologica e la stessa vita della Chiesa, oltre che nelle coordinate culturali, si situano nella propria contemporaneità, che sinteticamente si suole indicare come post-conciliare. Il compito della recezione sempre più profonda e corretta del Vaticano II coincide con la progressiva scomparsa di alcune grandi figure di teologi, che hanno operato nell'Assise conciliare. Attira l'attenzione sia l'intensificarsi e l'estendersi del dialogo ecumenico, sia la considerazione più puntuale dell'universo delle grandi religioni, sia le nuove dimensioni del confronto con le culture, sia il progressivo diluirsi dello stato di cristianità.

Il tema del contributo si presta a diverse possibilità di impostazione e di svolgimento. Quella qui prescelta tenta di focalizzare la figura attuale del metodo teologico, le esigenze odierne dei suoi tratti più fondamentali, suoi da sempre o per lo meno dall'inizio della vicenda teologica. E tuttavia, la teologia è evento biografico e storico, situato e contestualizzato. Mi è sembrato potesse costituire una certa utilità il soffermarsi su questi aspetti per cogliere, nelle sfide da sempre poste al teologo, le nuove dimensioni dell'attualità. Il tema è sviluppato nei limiti del presente contributo, che non è né esaustivo né decisamente sistematico, ma offre solo alcune considerazioni che è sembrato opportuno raccogliere, con discrezionale selezione, attorno ad alcuni nuclei. Infine la riflessione offerta si colloca nel segmento morale del canone teologico.

1. La dimensione solidale della teologia

Un primo elemento di quest'abbozzo consiste in quella che si potrebbe indicare come la prospettiva economica del metodo e del riflettere teologico. Il metodo teologico diventa economico alla sequela del suo oggetto, alla sequela cioè del motivo della Rivelazione: *propter nos homines et propter nostram salutem*. La grande riflessione scolastica, e tomista in particolare, ricorda che l'oggetto della teologia, o meglio il *subiectum sacrae doctrinae*, è Dio stesso e che «noi non conosciamo l'essenza di Dio se non per mezzo di ciò che egli fa per noi, come sorgente zampillante della creazione e della storia della salvezza»[11]: attraverso il 'per noi' è accessibile l'"in sé' di Dio, attraverso l'economia della creazione e della salvezza si accede a Dio. L'*intellectus fidei*, non potrebbe pensare adeguatamente la fede senza porsi in questa sua stessa angolazione, e riconoscerne ed assecondarne la sua intrinseca tensione per la promozione salvifica dell'*optimum potentiae* dell'uomo.

In quest'ottica si rinviene una coincidenza rilevante con l'ispirazione profonda del Vaticano II, che a distanza di alcuni decenni, sulla scorta delle acquisizioni di un suo più puntuale discernimento, si ripropone con più matura consapevolezza. La sua precipua intenzione pastorale puntava ad assicurare la comunicabilità dei dati della fede e della teologia cristiana. Una comunicabilità da coniugarsi non solo *in universali*, secondo quei parametri che risultino plausibili per ogni soggetto razionale, ma anche *in singulari*, secondo quei contesti culturali e biografici che situano l'essere storicamente dell'uomo. Il compito, soprattutto oggi, non è certamente agevole. Il consumo, assurto a cifra interpretativa dell'esistenza nelle nostre società, logora rapidamente tutto, anche il pensiero e il linguaggio, decretandone un'obsolescenza prematura e permettendo un'ospitalità solo provvisoria e parziale del suo autore, per altro più dedito alla propria sperimentazione che alla propria realizzazione. E tuttavia questo compito non può essere abdicato.

La conversione al concreto della biografia delle persone e della storia della famiglia umana, è ciò che ancora sfida il metodo della riflessione teologica ad assumere con serietà e con fiducia i dilemmi e i progetti dell'oggi. La distanza critica di fronte alle problematiche, indispensabile per una loro corretta ermeneutica, non può risolversi in forme di neutralità o di estraneità. Il rischio anacronistico ed intellettualistico per la teologia, che dalla sua storia emerge con puntigliosa precisione, può ripresentarsi anche oggi, proprio quando o forse proprio perché le scienze dello spirito, in generale, sembrano conoscere un latente ed incipiente – se non proprio discredito – almeno disinteresse.

---

[11] Y.M.J. CONGAR, *La fede e la teologia*, Il mistero cristiano. Teologia dogmatica (Roma, ecc., Desclée 1967) 148.

L'approssimarsi al concreto, al concreto odierno dell'uomo implica la disponibilità ad assumerne il limite, quello trovato e quello indotto, e a promuoverne il superamento, quello possibile o per lo meno quello invocato. Ciò che costituisce il caso serio dell'uomo, diventa così il caso molto serio del teologo. Il metodo teologico diventa profondamente pastorale, come sua propria finalità, né successiva né accessoria. Esplicitazione ed interpretazione di questa permanente dimensione pastorale è la preoccupazione educativa e pedagogica, per la cui assunzione depone la richiesta, sempre più spesso rivolta alla teologia, di propiziare l'educazione della fede[12].

Articolato e complesso si presenta l'atteggiamento interiore del teologo rispetto a queste esigenze. Lo si potrebbe indicare, in prima battuta, come un atteggiamento virtuoso di solidarietà cristiana – cioè una solidarietà che si lascia misurare dal mistero dell'Incarnazione – con il bene, morale e salvifico, della vita e della storia dell'uomo, come un senso di appartenenza radicale e capillare, come un sentirsi parte della vicenda di un popolo, come un'accoglienza del tempo presente della Chiesa e dell'umanità. Ma quest'atteggiamento richiede il perseguimento di un equilibrio, di una *medietas*, che nel contempo assicuri solidarietà incondizionata con l'autenticità e discernimento puntuale dell'inautenticità. In altre parole, si tratta di edificare, come disposizione interiore del teologo, la dimensione performativa della ricerca della verità, nello stato universale di condizione lapsaria, da cui non è escluso lo stesso teologo e il suo pensare.

La classica dottrina della connessione di tutte le virtù manifesta, proprio nella complessità, tutta la sua portata e tutta la sua pertinenza: numerosi sarebbero i riferimenti da sviluppare. Cercando di evitare una svolta predicatoria o moralistica, una selezione quindi si impone e cade su alcune indicazioni: due rivolte rispettivamente alle virtù della speranza e della pazienza ed una al vizio dell'akedia (evasione dalla realtà).

---

12 Cfr. JOANNES PAULUS II, *Novo Millennio Ineunte* 31: «È però anche evidente che i percorsi della santità sono personali, ed esigono una vera e propria *pedagogia della santità*, che sia capace di adattarsi ai ritmi delle singole persone. Essa dovrà integrare le ricchezze della proposta rivolta a tutti con le forme tradizionali di aiuto personale e di gruppo e con forme più recenti offerte nelle associazioni e nei movimenti riconosciuti dalla Chiesa». Cfr. anche *ib.*, 40.

L'esortazione apostolica post-sinodale *Ecclesia in Europa* di Giovanni Paolo II[13], incentrata sulla categoria e sulla virtù della speranza, sembra sollecitare e raccomandare la sua valorizzazione anche per la teologia e per il teologo. C'è bisogno di una teologia e di un teologo che indichi «le ragioni della speranza che è in noi» (1Pt 3,15), per noi inseriti pienamente in una cultura post-moderna[14]. Le profezie e i profeti di sventura potrebbero avere oggi spazio più ampio e presa più facile che non nel passato. Il servizio del teologo nel modo stesso di fare teologia è sollecitato a contrastare questa acquiescenza rinunciataria e deresponsabilizzante per indicare invece la possibilità umana e cristiana della corrispondenza al disegno salvifico di Dio. Si dischiude così la necessità di un pensiero realistico sul possibile dell'uomo, segnato certamente dal limite creaturale e lapsario, ma anche dotato di una sua intrinseca efficacia. Proprio nella composizione di possibilità e limite, sembra delinearsi contestualmente una precipua difficoltà e un altrettanto precipuo bisogno della contemporaneità. La difficoltà si manifesta nell'approccio dicotomico, con l'unilaterale sottolineatura di uno dei due elementi e il rifiuto dell'altro e con la conseguente propiziazione della figura esistenziale dell'evasione o dell'angoscia. Ciò di cui non ha bisogno il nostro tempo è una teologia di evasione o una teologia d'angoscia. Se così fosse, avremmo la rinuncia della teologia a se stessa, cioè la dispersione teologica della fede cristiana, la dispersione della certezza dell'irrevocabilità del dono di Dio all'uomo.

L'umile e fondata valorizzazione del possibile, segnato dal limite, allude alla virtù della pazienza, cioè la capacità di crescere e di far crescere con gradualità e progressività le potenzialità dell'uomo e del cristiano[15].

---

[13] JOANNES PAULUS II, *Ecclesia in Europa* (Città del Vaticano, LEV s.d.).

[14] Cfr. «Tutti i tempi non si valgono, ma tutti i tempi sono tempi cristiani e ve n'è uno che per noi e praticamente li supera tutti: il nostro. Per questo tempo sono le nostre risorse native, le nostre grazie d'oggi e di domani, per esso quindi lo sforzo che corrisponde a queste risorse e a queste grazie» (A.D. SERTILLANGES, *La vita intellettuale*, 32).

[15] CONGREGAZIONE PER LA DOTTRINA DELLA FEDE, *La vocazione ecclesiale del teologo* (*Donum veritatis*), 11: «La libertà propria alla ricerca teologica si esercita all'interno della fede della chiesa. L'audacia pertanto che si impone spesso alla coscienza del teologo non può portare frutti ed 'edificare' se non si accompagna alla pazienza della maturazione. Le nuove proposte avanzate dall'intelligenza della fede 'non sono che un'offerta fatta a tutta la chiesa. Occorrono molte correzioni e ampliamenti di prospettiva in un dialogo fraterno, prima di giungere al momento in cui tutta la chiesa possa accettarle'».

Soprattutto a livello di riflessione, oltre che a livello di scelte esistenziali, è notevole la forza interiore che al teologo viene richiesta per affermare la doverosità del possibile e la consapevolezza che esso rappresenta solo un frammento. L'accettazione di questa dialettica forma interiormente la disposizione della pazienza, attestazione verace di un vissuto teologale di speranza. Le opere e i giorni assumono la figura di una perseverante invocazione, quando al limite delle proprie possibilità – e questo limite risulta tale solo a seguito di un impegno pieno –, il 'non ancora' che permane lascia trasparire la coincidenza della pienezza personale con l'*eschaton* di Dio e rifiutare quella provvisoria con l'immediatezza del proprio sé. Ciò che è primo nell'intenzione è, per la condizione storica e per la sua riserva escatologica, ultimo nell'esecuzione: è questo un noto assioma della riflessione teologico-morale, che se è riferito pertinentemente solo al fine ultimo è tuttavia applicabile analogicamente anche al penultimo e permette di rivelare il 'tempo intermedio' dell'esecuzione dell'intenzione. La paziente perseveranza custodisce e conserva l'intenzione e permette di consegnarla alla 'pienezza del tempo', alla pienezza interlocutoria e alla pienezza definitiva.

Sostanzia la disposizione paziente un senso profondo – di profondità umana ed in particolare cristiana – della storia, soprattutto della storia del pensiero e delle idee[16]. Si tratta della familiarità con il modo faticoso con cui l'uomo e il cristiano informano di sé lo svolgersi cronologico del tempo, con le sue evoluzioni ed involuzioni, col suo – talora lungo – processo di discernimento e di maturazione[17]. Lo stesso comprendere, ogni

---

[16] Cfr. H. JONAS, *Scienza come esperienza personale*, 12: «Ciò significa anche in verità che la propria visione non ha mai l'ultima parola, come di regola non ha avuto neanche la prima».

[17] Esprime in modo incisivo il rapporto fecondo con la storia del pensiero un testo di E. Gilson, a proposito della rivisitazione medievale dei classici del pensiero filosofico greco e latino, ripresa dal padre Chenu: «Volgendosi alla filosofia medievale, Erasmo non vi riconosce la filosofia greca più di quanto non riconosca il latino nella lingua in cui quella si esprime. Ed ha ragione: Platone, Aristotele, Cicerone, Seneca non vi appaiono più quali essi furono, ma, insieme, ha torto, perché si tratta sempre di Platone, di Aristotele, di Cicerone, e Seneca, i quali vivono ancora, suscettibili, perché vivono, di mutamento, e proprio per il fatto che non vi si trovano come dei morti, è così difficile riconoscerli. Quello che Alberto Magno e Tommaso d'Aquino chiedevano loro non era tanto di dire quali essi fossero stati un tempo, in Grecia o in Roma, ma quello che erano ancora capaci di diveni-

comprendere, è al modo storico con cui l'uomo è: processuale, prospettico, situato e datato. Il *cor inquietum* agostiniano si mostra in tutta la sua portata proprio nell'espletazione di ciò che rende l'uomo tale, e cioè la sua capacità razionale: il suo comprendersi nel comprendere.

Può essere utile all'individuazione del positivo la delineazione del negativo, alla descrizione della virtù la descrizione del vizio. A seguito delle annotazioni finora presentate un accenno mi sembra pertinente, quello al vizio dell'akedia o accidia, di cui Evagrio Pontico ha detto a riguardo della sua esperienza monastica. Il demonio di mezzogiorno ha il volto dell'akedia, cioè «quel sottile sentimento di angustia, o soltanto di noia, che alimenta in noi il desiderio facile di altro, di un altrove e di un altrimenti, che finalmente ci distraggono dal presente. Tale desiderio alimenta a sua volta la propensione al vagabondaggio della mente. L'*evagatio mentis* è una delle tentazioni fondamentali della vita; è un vero e proprio 'errore'; per nessuna altra forma sbagliata del vivere umano il termine 'errore' appare meglio scelto»[18]. Essa apparentemente innocente o ovvia, deve invece essere riconosciuta «quale emblema di una debolezza radicale dello spirito, che sembra incapace di *volere*, quando non sia più sostenuto dalla più facile e riposante *voglia*»[19]. Inoltre è consistente «il rischio che il cristiano si illuda a proposito della qualità del pensiero triste che è l'accidia; che non riconosca cioè come esso parli – anche senza parole – la lingua del disprezzo, e non quella del buon desiderio e della speranza»[20]. Naturalmente occorre combattere il demonio col non desistere, accettando il luogo dove la nostra vicenda ci ha posti. Potrà sembrare angusto come angusta sembra la cella al monaco verso mezzogiorno, quando la tentazione prende corpo nell'escogitare strategie di fuga, di evasione e di distrazione. Del resto ogni luogo è angusto, come osserva Evagrio, se non è aperto verso il cielo.

---

re, quello che appunto sarebbero divenuti, se avessero vissuto nel XIII secolo in seno alla civiltà cristiana. Che dico? Essi vi sono, sopravvivono. Lo storico, che ve li incontra, è ad ogni passo diviso tra l'ammirazione per la profondità colla quale i pensatori del medio evo li interpretano, e l'inquietudine che prenderebbe un archeologo di fronte ad un bassorilievo che, ad un tratto, cominciasse a vivere e a tramutarsi...» (M.D. CHENU, *Introduzione allo studio di S. Tommaso d'Aquino*, Firenze, LEF 1953, 27).

[18] G. ANGELINI, *Le virtù e la fede*, Contemplatio 11 (Milano, Glossa 1994) 43-64, qui 44.
[19] *Ib.*, 49.
[20] *Ib.*, 57.

2. La dimensione dialogica della teologia

Tra dati più appariscenti e rilevanti della riflessione teologica che nell'oggi si svolge, è da annoverare certamente quello di quel pluralismo, che l'intensificazione della comunicazione globale appronta in modo sempre più ravvicinato e pervasivo, tendendo forse ad indebolire le identità, soprattutto quelle a basso indice di identificazione. L'esperienza della fede cristiana e il suo pensiero teologico vi sono necessariamente inseriti. Basti pensare alle diverse problematiche di confronto, come quello interculturale, interreligioso, interconfessionale, e alle diverse istanze di dinamica sociale, politica ed anche ecclesiale: la semplice menzione di questi elementi e il loro ormai noto significato individua facilmente la portata e la vastità della questione. Inoltre, per ciò che concerne, oggi, l'esecuzione della metodologia propriamente teologica, si assiste all'ulteriore specificazione ed articolazione – in sintonia con quanto avviene per altri domini epistemologici e disciplinari – degli ambiti di studio, quale quello biblico, patristico, sistematico speculativo e pratico, pastorale ecc. Al teologo viene così richiesta l'attenzione e la capacità di considerare questi ambiti e di intraprendere con essi un dialogo scientifico, senza perdere di vista l'unità della scienza teologica.

Dialogo è parola oggi molto usata e adottata, a fronte della sua crescente ambiguità, soprattutto per quanto concerne la sua valenza morale, su cui si poserà particolarmente la nostra attenzione nel dire a proposito del teologo come uomo di dialogo. E forse con il termine dialogo s'indica anche una delle connotazioni più singolari della vicenda contemporanea della teologia, che la contraddistingue rispetto ad altre figure del suo passato.

Con la dimensione dialogale affiora anche la dimensione personale ed interpersonale dell'impresa teologica e prima ancora dell'esperienza di fede cristiana. Ancora una volta il modo con cui è l'oggetto di studio, configura le proprietà della sua epistemologia e della sua metodologia: il carattere interpersonale e dialogale della fede cristiana richiede la dimensione dialogica della teologia e riconferma in questo la pertinenza del nostro tema, cioè la questione di una configurazione etica e spirituale della persona del teologo e così anche la ratifica di una impossibilità di riflettere in assenza di una disposizione di qualità morale all'accoglienza dell'altro, del chiunque altro.

Non sono poche oggi le pagine suggestive che possono essere riprese per illustrare il rapporto e il dialogo con l'altro[21]. Si potrebbero indicare in tre le figure antropologiche ed etiche che si sforzano di pensarlo e di eseguirlo: l'altro come il medesimo, l'altro come il totalmente altro e infine l'altro di sé e l'altro dell'altro: solo quest'ultima figura realizza autenticamente l'incontro.

L'altro può subire nell'incontro uno spiccato processo di omologazione, di dura ed implacabile riconduzione al sé: la sua alterità viene ad essere annientata – è l'altro del medesimo – e i soggetti – omologante ed omologato – rimangono in solitudine.

L'altro può essere vissuto come totalmente tale rispetto al sé e scoraggiare ogni tentativo di approccio e di mediazione: anche in quest'ipotesi si ha isolamento e solitudine.

L'altro può essere incontrato nel segno dell'alterità propria ed altrui ed allora si ha l'incontro dell'altro – come altro di sé – con il sé – come altro dell'altro: l'altro è incontrato nella logica e nella dinamica della libertà e dell'alterità.

Il teologo è chiamato a coltivare la capacità interiore di lasciar sussistere in sé l'altro da sé come altro, senza imprigionarlo nel proprio sé e senza espungerlo da sé. Ciò non è possibile senza un atteggiamento permanente che contestualmente – con umiltà e fiducia – confessi la limitatezza e coltivi l'identità, un'identità dialogale. L'alterità è ricchezza innanzitutto per l'invito permanente all'esodo dal sé e per la resistenza offerta alla tentazione di stabilire la persona in regime di autarchia e di autosufficienza. A questa dimensione antropologica ed etica si riferisce, sotto più di un risvolto e in più di un'occasione, l'esperienza religiosa e l'esperienza della fede cristiana.

Certo, l'incontro delle persone, in quanto soggetti contemporaneamente riconoscenti e riconosciuti, avviene solo nell'autenticità e nella verità etica, in assenza delle quali si ha negazione del bene proprio e altrui e quindi incomunicabilità e solitudine radicale. L'incontro cioè non può

---

[21] A mo' di esempio si può citare: E. LÉVINAS, *Totalità ed infinito. Saggio sull'esteriorità*, Già e non ancora 57 (Milano, Jaca Book 1977); P. RICOEUR, *Sé come un altro*, Di fronte e attraverso 325 (Milano, Jaca Book 1993); ID., *La storia, la memoria e l'oblio* (Roma, Cortina 2003).

Cfr. anche J. LADRIÈRE, *Science et théologie*, Revue théologique de Louvain 34 (2003) 3-26.

avvenire nella 'terra di nessuno' dell'estraneità propria o altrui, cioè con ciò che pur presente in me o nell'altro mi è o gli è estraneo, non mi o non gli appartiene. L'estraneità non può veicolare l'accessibilità. Per usare una figura di bonhoefferiana ascendenza occorre resistenza all'estraneo e resa all'altro: difficile rimane talora il discernimento storico di questa duplice indicazione, che trova però il criterio della sua praticabilità nella comune e paziente ricerca della verità.

In questo contesto, un aspetto decisivo, ricordato da Giovanni Paolo II nell'enciclica sul dialogo ecumenico *Ut unum sint*, è il dialogo come «dialogo delle coscienze»[22]. È un invito ad attivare in modo permanente, e non occasionale, il centro e la profondità della coscienza personale nella ricerca della verità, quando questa ricerca – soprattutto oggi, ma del resto anche nel passato – è sottoposta ad improprie pressioni di interessi e di poteri. Si prospetta per il teologo un'attitudine all'interrogazione e alla prospettazione sulla verità, nella permanente attivazione del livello profondo della coscienza e della coscienza cristiana, per le quali il criterio della loro differenziazione è posto ben in risalto dal testo paolino di 1Cor, 4,4[23] e dall'indicazione conciliare della *Gaudium et spes*, 16[24]. A questo livello la verità ha modo di manifestarsi e di distinguersi dalle sue apparenze[25].

---

[22] Joannes Paulus II, *Ut unum sint*, 15, 34. Per una più ampia trattazione, mi permetto di rinviare a P. Carlotti, *Teologia morale e magistero. Documenti pontifici recenti*, Biblioteca di Scienze Religiose 129 (Roma, LAS 1997) 157-180.

[23] Cfr. P. Carlotti, *Le opere della fede. Spunti di etica cristiana*, Ieri oggi domani 38 (Roma, LAS 2002) 109-153, qui 124.

[24] Cfr. anche *Gaudium et spes*, 44: «Anzi, la chiesa confessa che molto giovamento le è venuto e le può venire dalla stessa opposizione di quanti la avversano o la perseguitano».

[25] Cfr. J. Ratzinger, *Magistero ecclesiastico – Fede – Morale*, in J. Ratzinger – H. Schürmann – H. U. von Balthasar, *Prospettive di morale cristiana. Sul problema del contenuto e del fondamento dell' ethos cristiano*, Contributi di teologia 3 (Roma, Città Nuova 1986) 37-58, qui 57s.: «Il colloquio positivamente critico con la ragione deve, come detto, continuare per ogni tempo. Da un lato, non viene mai del tutto alla luce ciò che è veramente ragione e ciò che è solo apparentemente 'razionale'; d'altro canto, in ogni tempo esistono ambedue: la ragione apparente e l'apparire della verità per mezzo della ragione. In questo processo di assimilazione del veramente razionale e di ripulsa del razionale apparente va collocata l'intera Chiesa; questo processo non può essere attuato in ogni dettaglio da un magistero isolato e con una infallibilità da oracolo. La vita e le sofferenze dei cristiani che vivono la loro fede nel loro tempo, ne fanno parte non meno del pensiero e delle domande degli studiosi, che tuttavia sono vanificate se ad essi manca la copertura dell'esistenza cristiana, che, nella passione della vita quotidiana, insegna il discernimento degli spiriti».

La comunicazione interpersonale in genere e quella teologica in particolare, nelle sue modalità esecutive, anche tecniche, scaturisce e procede da questa convinzione, mira a favorirne l'affermazione e ne rispetta rigorosamente le condizioni della sua autenticità e della sua praticabilità. Del resto, anche in presenza di ottiche e di visioni tra loro contrastanti, quando la comunicazione è soprattutto invito a porsi in sincera presenza della coscienza, ha sempre successo e pone sempre la premessa indispensabile per un cammino comune di ricerca e di riconoscimento della verità, creando nel contempo un approccio moralmente significativo per la gestione della diversità di pensiero.

L'impresa morale non è progetto solitario e singolare, ma comunitario e plurale. La coltivazione di uno spirito di dialogo, come del resto la coltivazione di ogni altra virtù morale e soprannaturale, è evento di comunità e in essa ha luogo. Alcuni filoni di riflessione morale, presenti soprattutto nel contesto filosofico anglosassone, hanno molto opportunamente ricordato come il singolo nella decifrazione e nella coltivazione di una condotta morale eccellente abbia bisogno di una comunità che ne fa memoria vivente e attuale. Il rimando del teologo alla comunità ecclesiale viene così ulteriormente stabilito e giustificato, non solo in quanto la comunità ecclesiale conserva l'oggetto di studio del teologo ma anche in quanto conserva le disposizioni morali personali al suo approccio. Lo spirito di dialogo del teologo attecchisce e cresce in una comunità di dialogo, di dialogo fra coscienze, fra coscienze credenti.

3. La dimensione misterica della teologia

Se l'accoglienza dell'altro che – come sopra si diceva – predispone la dimensione dialogica della teologia, di fronte al mistero di Dio trova la sua più radicale, unica ed eminente evenienza. Il mistero del Dio di Gesù Cristo e della Chiesa accolto nella fede è il presupposto inaggirabile e fondamentale della riflessione teologica. In esso essa trova la sua ragion d'essere e contestualmente le modalità della sua discorsività. La teologia è essenzialmente *intellectus fidei*, una *ratio fide illustrata* che progredisce e matura in una *fides faciens rationem*[26], che lungi dal mischiare il vino con

---

26 JOANNES PAULUS II, *Fides et ratio*, 56: «La lezione della storia di questo millennio, che stiamo per concludere, testimonia che questa è la strada da seguire: bisogna non perdere la

l'acqua trasforma questa in quello. La logica e la dinamica propria dell'esperienza credente è in sintonia con quella dell'esperienza scientifica e, nella continuità tra il *credere* e l'*intelligere*, l'atto intellettivo diviene il primo atto religioso e credente. La fede precede la teologia e l'intensità della prima misura – in modo smisurato – la chiaroveggenza e la penetrazione intellettiva della seconda[27]. La teologia, partita dalla fede – *argumentum non apparentium* (Eb, 11,1) –, «vi ritorna senza posa e vi riconduce tutto ciò che ha raccolto ed elaborato»[28], consapevole di elaborare in modo complesso ciò che Dio conosce in modo semplice. Ultimamente, l'autentica conoscenza teologica è partecipazione, nella storia, alla conoscenza di Dio e di coloro che vivono nella sua beatitudine.

La sola risorsa per il teologo rimane allora «la meditazione di quel 'dato' che nessuna scoperta gli ha fornito»[29] e il suo intento principale la formazione di un equilibrio e di una armonia interiore tra ciò che ha «ricevuto come dono» e ciò che può aspettare «come risultato». «Sempre coscienti dell'immensità del vero e della esiguità delle nostre risorse, noi

passione per la verità ultima e l'ansia per la ricerca, unite all'audacia di scoprire nuovi percorsi. È la fede che provoca la ragione a uscire da ogni isolamento e a rischiare volentieri per tutto ciò che è bello, buono e vero. La fede si fa così avvocato convinto e convincente della ragione».

[27] M-D. Chenu ricorda come l'espressione medievale *sacra doctrina* «copre tutto il campo dell'insegnamento cristiano, dalla *sacra scriptura* fino alla speculazione teologica e … abbraccia problemi che vanno dalla necessità della rivelazione fino alla legittimità dell'argomentazione razionale… L'uso di questo unico termine testimonia per lo meno in favore della continuità organica che, attraverso le diverse funzioni e stadi del sapere sacro, ne assicura l'unità all'interno della fede che lo dirige, lo dilata, lo costruisce e sempre lo anima. *Fides est quasi habitus theologiae*. Sarebbe un grave errore quello di 'scindere' la teologia, con il pretesto di ripartirne le funzioni e i metodi. Il termine doctrina sacra non è affatto decaduto» (M.-D. CHENU, *La teologia come scienza nel XIII secolo*, 114s.). Più avanti avverte che la distinzione tra Rivelazione (*revelatum*) e teologia (*revelabile*) «rende in modo felice il dislivello che si produce, nel passaggio dalla fede alla teologia, nella materia e nel metodo, ma essa corre il rischio di non inserire l'effettiva interiorità del lavoro razionale del teologo *entro* il dato rivelato, e talvolta essa ha riflesso un certo estrinsecismo della teologia nei confronti della fede» (Ib., 120). E ancora: «La dottrina sacra, nella sua unità, si estenderà dal più piccolo versetto del Genesi, fino alle più sottili deduzioni tipiche della Scuola. Per esprimerci in termini moderni, non bisogna permettere il minimo stacco tra teologia positiva e teologia speculativa: si tratta di un'unica sapienza» (Ib., 139).

[28] *Ib.*, 131.

[29] *Ib.*, 30.

non intraprenderemo niente al di sopra della nostra capacità e andremo
fino ai limiti della nostra capacità. Saremo felici di ciò che ci sarà stato
accordato in proporzione delle nostre forze...»[30]. Se questo è vero per
ogni studioso, un «consacrato» che «deve volere ciò che vuole la verità» e
«consentire per essa a mobilitarsi, a fissarsi in essa»[31], se è vero che ogni
vita intellettuale comincia con l'estasi e soltanto dopo prosegue esercitan-
do il talento della composizione[32], tutto ciò lo diventa in modo eminente
per il teologo e uno spirito di orazione gli è quindi indispensabile[33], per
conservare la rettitudine di intenzione del proprio impegno e della propria fatica[34].

I prolegomeni dello spirito di preghiera coincidono sorprendente-
mente con quelli della vita intellettuale. «Volete fare opera intellettuale?
Cominciate col creare in voi una zona di silenzio, un'abitudine di racco-
glimento, una volontà di rinuncia, di abnegazione, che vi renda interamente disponibili per l'opera, acquistate quello stato d'animo senza peso
di desiderio e di volontà propria che è lo stato di grazia dell'intellettuale.
Senza di ciò non farete niente, in ogni caso niente di buono»[35].

La preghiera del teologo ha luogo nel mezzo del proprio impegno
investigativo ed argomentativo. La preghiera incrementa e verifica la propria autenticità in una continuità che non conosce interruzioni e in una
globalità che coinvolge tutta l'anima. Essa è, in questo modo, possibile

---

[30] D. SERTILLANGES, *La vita intellettuale*, 15.

[31] *Ib.*, 26.

[32] Cfr. *Ib.*, 13. Cfr. G. GUITTON, *Arte nuova di pensare*, 13s. «Se si consultano i maestri, si imparerà che la prima condizione per imparare a pensare è quella di coltivare in sé
la facoltà dello stupore... Noi diciamo che l'atto di pensare suppone una innocenza ritro-
vata, una maniera verginale di concepire e di sentire».

[33] «Studiare in modo da non aver più tempo di pregare, di leggere la Sacra Scrittura,
la parola dei Santi e quella delle grandi anime, studiare fino a dimenticarsi di sé e, con-
centrandosi completamente sull'oggetto di studio, giungere a trascurare l'Ospite interiore,
è un abuso e una stoltezza. Supporre che si progredirà o che si produrrà così maggiormente è come dire che un ruscello scorrerà meglio se s'inaridisce la sorgente» (D.
SERTILLANGES, *La vita intellettuale*, 41s.).

[34] Cfr. CONGREGAZIONE PER LA DOTTRINA DELLA FEDE, *La vocazione ecclesiale del
teologo (Donum veritatis)*, 9: «Il teologo deve discernere in se stesso l'origine e le motivazioni del suo atteggiamento critico e lasciare che il suo sguardo sia purificato dalla fede.
L'impegno teologico esige uno sforzo spirituale di rettitudine e di santificazione».

[35] *Ib.*, 12.

solo quando custodisce, coltiva ed educa il desiderio dell'eterno e di Dio, della *visio Dei*, la cui realtà ha veramente di che far apparire come paglia la stessa argomentazione e speculazione teologica.

Il teologo non può non vivere e pensare se non alla presenza di Dio, accolto personalmente nella continuata meditazione e nella rinnovata contemplazione della sua Rivelazione e della sua Parola, di cui sa conservare la purezza e la gratuità.

Qui la preghiera oltre a dilatare lo spirito lo cura e lo sana, perché comporta una particolare efficacia terapeutica delle tensioni, delle difficoltà ed anche delle prove[36], che soprattutto la vita intellettuale riserva, e perché avvia a ricercare un'unità personale in cui Dio solo basti: per il teologo e per la teologia.

4. Conclusione

Lo svolgimento del tema assegnato, come del resto era stato preannunciato, risulta necessariamente selettivo sia per la delineazione attuale della morale e della spiritualità del teologo, sia per la profondità del renderne ragione, dimensione quest'ultima che comunque ha trovato occasione di esplicitazione nelle diverse relazioni che hanno arricchito il Forum.

Ogni impresa intellettuale, specialmente quella teologica è opera di tutta la persona ed ogni aspetto personale vi è coinvolto, nel modo con cui la persona stessa soprattutto ne fa oggetto di decisione morale: è in questa decisione che il 'dato' personale diventa veramente personale, si personalizza, perché comporta il suo contributo consapevole, libero e responsabile, è cioè moralmente qualificato. In fondo la persona è se stessa solo nel suo bene morale.

L'acutezza e la perspicacia intellettiva hanno bisogno di tutta la persona, soprattutto quando alla sua ricerca si dedica la vita. È ciò che anche

---

[36] Cfr. G. COTTIER, *Etica dell'intelligenza*, 179: «Se il lavorìo teologico si dispiega sotto un'atmosfera contemplativa, allora i risucchi più violenti della crisi non verranno ad invaderla e a devastare il suo ordinamento interno; essi costituiranno dei richiami ad entrare più profondamente nella densità del suo oggetto, dato che, allo smarrimento e alle domande patetiche del mondo, la sola risposta adeguata è quella che deriva dalle profondità insospettate del mistero». A proposito della prova nella vita intellettuale, cfr. J. AMÉRY, *Intellettuale a Auschwitz*, Varianti (Torino, Bollati-Boringhieri 1987).

umanamente è possibile ritenere plausibile ed accettabile. E tuttavia, la scienza teologica, che ha lo stesso oggetto della fede cristiana, ha bisogno però di una morale della grazia, e il teologo ha bisogno della memoria continua della gratuità e di un agire che ne porti traccia indelebile.

Ecco perché la scienza teologica è tale al modo dell'invocazione, cioè un *intellectus invocans*, ed ecco perché l'opposto – cioè, secondo l'immagine paolina, la 'scienza che gonfia' – richiama e determina la figura deteriore della teologia, quella che disperde il suo oggetto, la sua identità.

Metodo teologico
e inculturazione della fede

† Rino Fisichella

La questione del metodo è certamente una delle problematiche più controverse del sapere teologico; intorno ad essa, infatti, si condensa non solo la capacità primaria di formulare i principi gnoseologici che permettono al teologo di inserire la sua ricerca nello spazio dell'epistemologia[1], ma soprattutto, mediante essi, di poter raggiungere la verità che è stata rivelata e immessa nella storia, in modo da rendere attuale e significativo per l'uomo contemporaneo il vero che è appartenuto al passato per l'intelligenza, la saggezza e la tenacia di uomini che hanno saputo imprimere nel linguaggio la propria ricerca della verità. In un modo o nell'altro, la questione del metodo teologico si incontra sempre con quella della verità; ad essa non può sfuggire[2]. Sostenere che il metodo sia una semplice questione di ermeneutica per accedere alla comprensione coerente di un testo ha una sua validità epistemologica, ma non esaurisce la funzione del metodo che, per sua stessa natura tende a incontrarsi con la verità e farla emergere nella sua forma di novità radicale per l'esistenza personale. Senza questa dimensione, il dibattito sul metodo ci sembrerebbe alquanto ripetitivo e poco utile nel nostro contesto contemporaneo. Se un compito spetta alla generazione dei teologi in questo momento di trapasso tra la

---

[1] Cfr. per le questioni specifiche del metodo lo studio di G. POZZO, "Il metodo della teologia sistematica", in R. FISICHELLA, G. POZZO, G. LAFONT, *La teologia tra rivelazione e storia*, Bologna 1999, 167-305.

[2] Cfr. W. KASPER, *Teologia e Chiesa* II, Brescia 2001, 27-31.

modernità e quanto verrà di seguito, a noi sembra essere proprio quello di mantenere viva la domanda sulla verità e la possibilità permanente che l'uomo ha di poterla raggiungere, comprendere ed esprimere.

Il metodo teologico non deve sfuggire a questa sfida né può pensare di adeguarsi a una mera soluzione ermeneutica che limiti il suo tracciato nella sfera positivista. Legata indissolubilmente alla verità della rivelazione, è necessario che l'epistemologia teologica possa elaborare la sua identità alla luce di un itinerario che sappia coniugare l'istanza veritativa della rivelazione con il suo ingresso nella storia. Probabilmente qui sta o cade la sua valenza epistemologica e la sua efficacia nella comprensione coerente dei contenuti che analizza. Se una critica è permessa alla ricerca teologica post conciliare, questa potrebbe delinearsi nell'ambito del non aver mantenuto salda e viva la questione del metodo. Sorpassata con noncuranza, come se si fosse dinanzi a una *quaestio obvia*, si è proceduto immediatamente nella formulazione di dati e riflessioni che oggi mostrano chiara la loro debolezza e non di rado la loro incongruenza teologica[3]. La questione del metodo rimane una *quaestio* permanente per la teologia, ma, nello stesso tempo, deve rimanere come una sorgente di certezza per il teologo nel suo tentativo scientifico di dipanare la matassa della verità. Se il metodo è sottoposto esso stesso al dubbio, allora non vi è più certezza di scienza e i nostri dati sarebbero inevitabilmente sottoposti all'arbitrio e al soggettivismo teologico. È importante, al contrario, non dimenticare che una delle novità emerse dal Vaticano II è il legame impresso al metodo teologico con la realtà stessa della rivelazione che è inserita nell'orizzonte storico-salvifico. In questa nuova prospettiva, nulla viene tolto al valore noetico della rivelazione come espresso da *Dei Filius*, ma lo spazio storico, proprio di *Dei Verbum*, impone di saper coniugare il metodo teologico con le conseguenze che derivano dall'aver stabilito un rinnovato contesto entro cui porre la rivelazione[4].

---

[3] Inutile dirlo che diverse opere che hanno segnato criticamente la stagione teologica degli ultimi decenni si qualificano per una carente riflessione e applicazione di metodo teologico; si cfr., ad esempio, le opere di Balasuria, Dupuis, Geffré, Meßner, Haught, Sobrino, Wilfred… In tutti questi lavori appare quanto mai disarmante la mancanza di ogni cognizione basilare di metodologia teologica che ha imposto un estrinsecismo metodologico fuorviante.

[4] Il testo di *Optatam totius* 16 non sarebbe correttamente inteso e interpretato se posto fuori da questo orizzonte ermeneutico che pone la storia della salvezza come criterio metodologico.

È in questo spazio che acquista maggior rilievo la tematica che ci è stata affidata e che, a prima vista, potrebbe apparire del tutto inadeguata se si riflette sul metodo teologico prescindendo dal rinnovato impegno di rileggere il nuovo spazio in cui è stato posto il concetto di rivelazione. Se questa, infatti, entra nella storia allora la storia è assunta a categoria da cui non si può prescindere per una coerente lettura del parlare di Dio con gli uomini in Gesù Cristo. Qui, in primo luogo, sorge per la metodologia teologica la possibilità di verificare il processo di incontro tra la Parola di Dio e il suo incarnarsi nella storia e nella cultura di un popolo. Limitare lo spazio della ricerca filosofica e teologica alla sola *possibilità* di questo inserimento[5], prescindendo però dal valutare la dinamica che si è venuta a formare nel corso dei millenni, fino a giungere alla "pienezza del tempo" (Gal 4,4), impedirebbe di formulare dei principi che sappiano coordinare oggi la ricerca teologica e qualificare scientificamente i suoi risultati.

In altri termini, proprio la questione del metodo impone che si valutino, in primo luogo, gli intrecci che hanno permesso, ad esempio, alla fede di Abramo di conoscere la prima rivelazione di Dio. Da qui, infatti, nasce un nuovo modo di pensare, di esprimere e di comportarsi che sono appunto gli elementi basilari di una cultura. L'assunzione del linguaggio culturale di Abramo, quali la "terra", la "casa", la "famiglia", le "stelle", la "figliolanza", il "sacrificio", l'"alleanza"... diventano non solo termini con i quali Dio si esprime per farsi comprendere da Abramo, che è uomo del suo tempo inserito nella sua cultura, ma inizio di una promessa che attraverso quei termini immette nella storia un contenuto propriamente rivelativo. Il metodo teologico, quindi, deve essere in grado di questo duplice impatto epistemologico: scoprire i processi che permettono di vedere relazionata e coniugata la parola di Dio e quella degli uomini; stabilire i criteri che permettono di distinguere il contenuto rivelativo, di per

---

[5] È, positivamente, la ricerca svolta dalla filosofia della religione in generale e dal trattato *De revelatione della teologia fondamentale*; cfr. K. RAHNER, *Hörer des Wortes*, München 1963; J. ALFARO, *Rivelazione cristiana, fede e teologia*, Brescia 1986, 9-29; B. WELTE, *Geschichtlichkeit und Offenbarung*, Frankfurt 1993, 21-30; la poco coerente presentazione di J. WERBICK, *Essere responsabili per la fede. Per una teologia fondamentale*, Brescia 2002, 279-321, per la sua non chiara identità epistemologica, muovendosi continuamente tra filosofia e teologia.

sé unico, irripetibile e immutabile, dal processo meramente culturale segnato dalla provvisorietà, dalla molteplicità e dal cambiamento[6]. In una parola, spetta al metodo teologico evitare al massimo che il teologo cada nella tentazione di livellare la novità rivelata al fenomeno culturale o religioso con cui viene ad incontrarsi, inserendo la rivelazione in una ulteriore "gabbia" – oltre a quella wittgensteiniana del linguaggio in cui è già inserita – a favore delle esigenze del multiculturalismo o pluralismo religioso[7].

Ci sembra opportuna, in questo contesto, una seconda osservazione preliminare che permette di focalizzare ulteriormente la nostra problematica. Una delle istanze fondamentali che regolano il rapporto tra fede e cultura è certamente la pretesa del cristianesimo di presentare la rivelazione di Gesù Cristo come la risposta ultima e definitiva alla domanda di senso. In questo modo, si stabilisce la capacità culturale a costruire modelli mediante i quali la novità cristiana diventa linguaggio e comportamento atti a favorire uno sviluppo dell'esistenza personale e sociale sia nell'autocomprensione di sé che della storia. Questo dato appartiene ormai alle acquisizioni scientifiche dell'antropologia culturale e della filosofia e fenomenologia delle religioni che vedono la dimensione religiosa come una delle componenti costitutive dello sviluppo culturale. Appartiene alla natura della religione, infatti, entrare nella cultura e modificare dall'interno la sua comprensione della vita e del mondo. Soffermarsi su questo aspetto sarebbe interessante, ma non permetterebbe di raggiungere il cuore del nostro discorso. Resta, comunque, decisivo il fatto che in tutte le culture che conosciamo il fenomeno religioso non solo è presente, ma è determinante per la cultura stessa. Non esiste di fatto una cultura senza religione, come se que-

---

[6] Per alcuni versi, si dovrebbe fare qui i conti con quanto descrive B. LONERGAN nelle sue pagine circa la relazione tra il soggetto, l'autore e il contenuto interpretato in vista di una sua corretta comunicazione; cfr. *Il metodo in teologia*, Brescia 1975, 173-190. Interessanti, in questa stessa prospettiva, le pagine di J. MOLTMANN che rilegge l'ermeneutica teologica alla luce del principio "promessa" come *Tat-Wort*, parola efficiente che compie e realizza ciò che promette, distinta dalla *Deute-Wort* come parola interpretativa; in *Esperienze di pensiero teologico. Vie e forme della teologia cristiana*, Brescia 2001, 90-93.

[7] Cfr. C. DOTOLO, "Annuncio del Vangelo e inculturazione della fede", in G. MAZZOTTA - J. ILUNGA MUYA (edd.), *Veritas in caritate*. Miscellanea di studi in onore del Card. José Saraiva Martins, Città del Vaticano 2003, 293.

sta le fosse un corpo estraneo innestato in un imprecisato momento del suo
sviluppo storico. La religione, al contrario, favorisce il nascere, il crescere e
lo sviluppo della cultura e in essa immette i germi fondamentali che le permettono di comprendere e descrivere l'uomo con la sua storia. Imporre
una divisione tra cultura e religione è un processo ideologico sterile che
non porta lontano e concretamente conduce la stessa cultura all'asfissia.
L'incontro tra le religioni e le culture, dunque, è una realtà che appartiene
alla natura stessa delle cose, perché partecipa dell'essere stesso dell'uomo
nel suo autocomprendersi e progettarsi[8].

Questa considerazione impone, di conseguenza, di valutare un aspetto non secondario della nostra problematica. È bene non dimenticare che
il tema dell'inculturazione è sottoposto da diversi anni ormai a una
costante precisazione semantica con l'intento di favorire al massimo la
comprensione e l'esplicitazione del fenomeno. Per alcuni versi, anzi, alcuni autori si spingono ancora più in là delineando la strada per andare oltre
lo stesso processo di inculturazione[9]. Non è nostro intento entrare nella
giungla semantica e nel conflitto di queste interpretazioni[10]. Nel nostro
discorso, utilizzeremo il termine "inculturazione" nel suo senso originario
come quel processo che porta l'annuncio del Vangelo ad incontrarsi con
una cultura. Incontro reso possibile proprio sulla base di alcuni tratti che
sono comuni al Vangelo e alla cultura, primo fra tutti, l'istanza veritativa e
l'orizzonte di apertura universale su cui entrambi si muovono.

1. Epistemologia del rapporto

Per entrare maggiormente nel tessuto della nostra problematica, due
aspetti meritano ora di essere considerati: in primo luogo, lo spazio proprio del metodo teologico nel suo rapporto con il processo di inculturazione; in seguito, i criteri che il metodo teologico offre per un coerente ed
efficace incontro tra la verità del Vangelo e le culture.

---

[8] J. RATZINGER, *Fede verità tolleranza. Il cristianesimo e le religioni del mondo*, Siena
2003, 57-82.

[9] È il caso di M. AMALADOSS, *Oltre l'inculturazione. Unità e pluralità delle Chiese*,
Bologna 2000.

[10] Per questo cfr. lo studio di V. NECKERBROUK, *La Terza Chiesa e il problema della cultura*, Cinisello Balsamo 1990.

Per quanto riguarda il primo aspetto, è necessario richiamare alla mente alcuni dati ormai acquisiti. È importante, anzitutto, sottolineare che alla base della cultura vi è sempre l'uomo nella sua capacità di conoscere e andare oltre se stesso. Dimensione gnoseologica e istanza di apertura al trascendente permangono come una delle qualificazioni essenziali nell'identificazione dell'uomo. L'uomo è contemporaneamente "padre" e "figlio" della cultura perché la sua ricerca della verità e la sua capacità di esprimerla gli permettono di creare linguaggio e stili di vita che lo qualificano ma che nello stesso tempo permangono oltre se stesso[11]. Egli permane come quell'essere che è "esistente" che cioè va fuori, oltre se stesso, oltre il mondo e il suo limite, perché proiettato direttamente verso la pienezza dell'essere; l'*ex-ist-ens* guarda all'*ipse esse subsist-ens*, e proprio per questo è capace di lasciare nel mondo qualcosa di sé perché rimanga dopo di lui. In una parola, crea storia e cultura; in essa, comunque, è già impressa l'impronta del Creatore che traspare dal rapportarsi dell'uomo come spirito verso colui che ne è pienezza e fonte originaria. Si scopre, in questo modo, che proprio l'apertura dell'uomo verso il trascendente è condizione di un'universalità che non può essere condizionata da una cultura particolare, ma al contrario è immessa in ogni cultura come possibilità di aprirsi al nuovo che viene offerto in una permanente dinamica che è svelamento della verità[12]. A noi sembra, infatti, che il nocciolo della questione sia proprio qui: se l'istanza veritativa che ogni uomo porta dentro si sé in quanto perennemente aperto al trascendente debba essere limitata per il suo appartenere a una cultura, oppure se il fatto di essere una cultura che appartiene all'uomo, in quanto esprime se stesso come spirito nel mondo, abbia in sé un'indelebile traccia di apertura costante alla verità come sua qualifica essenziale, alla stessa stregua di come è segnata l'esistenza personale. La reciprocità di questo rapporto non può essere segnato dall'esclusività dell'*aut aut*; piuttosto, dalla circolarità che permet-

---

[11] In questo senso si esprime FR 71: "Ogni uomo è inserito in una cultura, da essa dipende, su di essa influisce. Egli è insieme figlio e padre della cultura in cui è immerso. In ogni espressione della sua vita, egli porta con sé qualcosa che lo contraddistingue in mezzo al creato: la sua apertura costante al mistero ed il suo inesauribile desiderio di conoscenza".

[12] Cfr. H.U VON BALTHASAR, *Teologica* I: *Il mondo della verità*, Milano 1989, 39-46.

te di comprendere sia il limite dell'esprimere se stesso sia lo spazio di verità e di infinito verso cui si è permanentemente aperti. Insomma, l'uomo
nel suo dover esprimere se stesso in qualsivoglia cultura è certamente limitato, ma ogni cultura è indubbiamente aperta all'istanza veritativa che le
viene offerta; contrariamente non potrebbe mai coniugarsi e corrispondere con la forza di trascendenza che l'uomo possiede. Una cultura che non
fosse segnata dalla nota dell'apertura alla verità soffocherebbe l'uomo che
in essa vive e iscriverebbe al suo interno la data del proprio suicidio.

Esiste, quindi, una chiara appartenenza reciproca che non può prescindere dal rapportarsi all'istanza veritativa. Lo stesso concetto di appartenenza, tra l'altro, permette di esplicitare ulteriormente questa dimensione. H. G. Gadamer, nel suo *Wahrheit und Methode* ci permette di esplicitare ulteriormente questo aspetto. Giocando sulla semantica tedesca del
termine *Zugehörigkeit*, il filosofo di Heidelberg provoca a verificare il
legame tra "appartenenza" e "ascolto"[13]. Alla teologia questo binomio
non è affatto estraneo; anzi, le appartiene come uno dei suoi punti fermi
su cui costruire il proprio impianto nell'intelligenza della rivelazione.
Appartenere equivale, in primo luogo, ad ascoltare e questo ascolto,
potremmo dire, è almeno duplice: ascolto di una *rivelazione* che immette
nella storia una radicale novità, che è il senso ultimo e definitivo per
l'esistenza personale; ascolto di una *tradizione* che trasmette la conquista
di un patrimonio di saggezza nella cultura. La tradizione, infatti, è un linguaggio permanente che viene mantenuto vivo dall'appartenenza ad esso.
È il modo mediante cui ci si inserisce nel mondo con un linguaggio proprio che sa ascoltare e per questo intravede le nuove esigenze che si
nascondono nel mondo; il fatto consente di riprendere a parlare, creando
nuove forme di appartenenza.

Il riferimento alla tradizione è qualificante per il metodo teologico;
esso permette di cogliere alcune istanze normative che sono comuni alla
fede e alle culture. Sarebbe rischioso trattare un tema come il nostro prescindendo da un'istanza che è essenziale al processo dinamico che vede
l'incontro tra le culture e il Vangelo: lo sviluppo dogmatico che è uno dei
processi fondamentali della storia della Tradizione. Ci sono, infatti, due

---

[13] H.G. GADAMER, *Verità e metodo*, Milano 1983, 528-529.

istanze che si rincorrono in maniera omogenea: da una parte, la storia della tradizione che crea un processo di trasmissione di ciò che *semper, ubique et ab omnibus creditum est*; dall'altra, la conseguenza immediata della tradizione che è l'inserimento nel linguaggio vivo del popolo che trasmette e che immette le istanze proprie della cultura di appartenenza. In questo contesto, la Tradizione merita di essere riletta come una lunga storia di incontri tra l'annuncio del Vangelo e le diverse culture con cui i cristiani sono venuti a contatto. Anche in questo caso – come si è visto in precedenza nell'esempio della prima rivelazione ad Abramo – ne è derivato un insieme di nuovi linguaggi, interpretazioni, istituzioni che permangono nel corso del tempo e che hanno permesso lo sviluppo della stessa cultura con cui il Vangelo si è incontrato. Nonostante gli scempi compiuti da alcuni personaggi nel corso della storia, è sufficiente pensare a cosa sarebbe rimasto della cultura greco-romana a partire dal IV secolo se il cristianesimo non avesse sentito il dovere di custodirla, proteggerla e tramandarla. Il diritto romano come le grandi opere artistiche e letterarie sarebbero rimaste pietra morta e probabilmente completamente distrutte se il cristianesimo non avesse visto in esse quella saggezza della cultura che era una ricchezza nel raggiungimento e accoglienza della verità rivelata. Questo processo è peculiare della storia della Tradizione e ad essa si ricongiunge come elemento predominante nella trasmissione della verità[14].

Qui entra con tutta la sua forza il termine memoria, *anamnesis*, come punto cruciale intorno cui costruire un valido supporto per il metodo teologico. Una cultura senza memoria andrebbe alla deriva. È facile notare il pericolo se si pensa a diversi interventi ambigui a cui è sottoposta soprattutto la cultura dell'occidente, che tende a far diventare folklore e pezzo da museo ciò che ha costituito la vita di intere generazioni. La memoria non è un archivio polveroso entro cui racchiudere documenti semispenti del passato né, tanto meno, un disco rigido che immagazzina dati senza

---

[14] È interessante, in proposito l'osservazione di G. LAFONT: "La storia, non ancora conclusa, di questi incontri successivi del messaggio cristiano con le culture, delle interpretazioni che ne sono risultate, delle istituzioni che hanno visto la luce, in maniera tale che il Vangelo assume e riforma le culture, ma tale anche che queste ne mettono in risalto degli aspetti che sarebbero rimasti ignorati se questa lunga storia nel tempo non avesse avuto luogo", in "Orientamenti per la teologia del terzo millennio", in *Hermeneutica* 1999, 51.

anima e del tutto privi di interesse per quanto possano contenere. La memoria è una viva catena di trasmissione che permette di vivere nel presente quanto ha costituito ricchezza e patrimonio del passato. Dante o Dostoevskij, Bach o Rembrandt, non sono pezzi da museo di un'arte occidentale del passato, ma memoria viva di una cultura che ha trovato nella fede cristiana il senso più alto del suo cammino di evoluzione. Perché una cultura dovrebbe rinchiudersi e opporsi con il rifiuto a una simile conquista se questa ha segnato una tappa oggettivamente di crescita per l'umanità intera? Forse che in un momento in cui le culture scoprono le proprie ricchezze di tradizione, proprio in forza di un processo di globalizzazione, non si impone più forte la capacità di coordinare le proprie ricchezze per farle diventare patrimonio comune per interi popoli? Perché mai la distruzione delle grandi foreste del Brasile dovrebbe trovarmi disattento solo perché impegnato a difendere la pianta del mio giardino? Oppure, perché dovrei rifiutare il Vangelo, che ha impresso nella vita delle persone lo spazio più grande di libertà, per restare attaccato ai *Dharmashastra* che mi obbligano a una visione di casta dove l'ultimo subisce sempre l'umiliazione più grande? Il metodo teologico deve essere capace, in questo contesto, di agire come la vanga nel terreno: rivoltare la terra ad ogni stagione, perché rimanga viva e capace di accogliere sempre il seme del nuovo che le viene offerto senza inaridirsi mai.

Senza l'ascolto come forma di appartenenza, pertanto, non avremmo risposta di fede né ricchezza culturale. Non ci sarebbe appartenenza a una comunità ecclesiale né a un gruppo sociale. Come si nota, il metodo permette di cogliere e far emergere l'intreccio tra fede e cultura in riferimento alla loro rispettiva apertura alla rivelazione e alla verità che essa offre.

2. Tentativo di criteriologia

I riferimenti contenutistici della nostra riflessione vertono su metodo e inculturazione. Nel momento in cui ci si accinge a ipotizzare una criteriologia teologica è importante che si tengano presenti i due poli del discorso. Per quanto riguarda la problematica dell'inculturazione, A. Amato ha già formulato a suo tempo una criteriologia che può essere integralmente assunta nella nostra riflessione. L'autore, partendo da una articolata riflessione sul tema, era giunto a stabilire quattro criteri che permettono di regolare coerentemente il rapporto fede e cultura[15]. Con il principio "cristologico", egli assicura l'impatto abitativo del Vangelo in una cultura, senza disconoscere tuttavia un suo possibile rifiuto. Con il principio "ecclesiologico" si permette di accogliere le istanze presenti nelle culture e purificarle alla luce della verità cristiana in modo da permettere una "riespressione vitale del Vangelo mediante i valori propri di una cultura nella purificazione e nella rimozione di quelle realtà culturali antievangeliche"[16]. Il terzo criterio, quello "antropologico", permette di verificare il processo di promozione umana mediante un servizio di liberazione integrale che comporta la redenzione dalle diverse manifestazioni del peccato e la visibilità della salvezza offerta come anticipo di una promessa definitiva. Il quarto criterio, infine, quello "dialogico", evidenzia il carattere universale dell'annuncio cristiano e dei valori delle culture che insieme meritano di entrare in relazione per lo sviluppo globale dell'umanità e della realtà creata.

Sulla base di questa criteriologia, che mira soprattutto a incidere sulla corretta lettura delle diverse fasi dell'inculturazione, cerchiamo di spingerci oltre delineando un possibile spazio per la composizione di criteri che permettano di coniugare correttamente il sapere teologico, nel momento in cui viene a formulare contenuti e teorie che contengono le problematiche dell'inculturazione. Ritengo sia utile, in questo contesto, riprendere tra le mani alcuni passaggi significativi di *Fides et ratio*. Il testo, infatti, può aiutare a considerare l'ipotesi di una formulazione criteriologica per il nostro tema, permettendoci nello stesso tempo di rimanere all'interno del sapere teologico, ma con l'applicazione di una metodologia che sa fare del magistero ordinario della Chiesa un suo punto di riferimento imprescindibile.

Nel contesto dell'interazione tra teologia e filosofia, Giovanni Paolo II affronta il tema dell'incontro tra la verità e le culture: "esperienza che la Chiesa ha vissuto fin dagli inizi della predicazione del Vangelo" (FR 70). Egli fa emergere, anzitutto, il fatto che in questo incontro fu dato vita a una realtà nuova, appunto la capacità per il Vangelo di trasformare le

---

[15] A. AMATO, "Criteri di inculturazione", in R. FISICHELLA (ed.), *Il Concilio Vaticano II. Ricezione e attualità alla luce del Giubileo*, Cinisello Balsamo, 2000, 585-592.
[16] *Ib.*, 588.

culture per la loro insita e naturale disposizione a recepire la verità. Puntando lo sguardo su alcune sfide che toccano la vita della Chiesa di questi anni, *Fides et ratio* facendo da eco prolungato all'insegnamento conciliare di *Nostra aetate*, prospetta alcuni contenuti che a nostro avviso costituiscono una vera criteriologia teologica. Schematicamente, si potrebbero esplicitare in questo modo:

1. *Lo spirito umano tende costantemente verso forme di universalità che non possono essere limitate dalla particolarità di una tradizione culturale locale*[17].

In questo criterio si riconosce immediatamente uno dei dati essenziali dell'antropologia: la persona è sempre uno spirito aperto per la fame insaziabile di trascendenza che la caratterizza. L'apertura è una necessità gnoseologica imprescindibile[18]; solo in questo modo, infatti, si riesce a conoscere e acquisire la novità perenne che crea progresso. Questo dato della speculazione filosofica viene riempito teologicamente dalla natura della verità cristiana che consente allo spirito personale di venire in contatto e di poter accogliere la verità stessa come fonte di senso per l'esistenza personale. Insomma, l'inarrestabile tendenza dell'uomo verso l'infinito, si incontra con la verità definitiva che lo riempie e gli permette di acquisire una novità di conoscenza che da solo non avrebbe mai potuto raggiungere. Qui è necessario porre la distinzione tra ciò che è prodotto dalla *saggezza* della riflessione personale, che rimane come ricchezza di tradizione culturale, e la *sapienza* divina che si innesta in essa permettendo la gemmazione di una novità radicale che permane come un *unicum* nella storia dell'umanità[19]. Lo slancio di apertura universale, proprio della

---

[17] A questo principio, fanno da eco le parole di *Fides et ratio*: "Le culture, quando sono profondamente radicate nell'umano, portano in sé la testimonianza dell'apertura tipica dell'uomo all'universale e alla trascendenza. Esse presentano, pertanto, approcci diversi alla verità, che si rivelano di indubbia utilità per l'uomo, a cui prospettano valori capaci di rendere sempre più umana la sua esistenza. In quanto poi le culture si richiamano ai valori delle tradizioni antiche, portano con sé – anche se in maniera implicita, ma non per questo meno reale – il riferimento al manifestarsi di Dio nella natura" (FR 70).

[18] Cfr. K. RAHNER, *Uditori della Parola*, Torino, 1967, 66-73.

[19] In questo senso si potrebbe comprendere l'espressione di FR 70: "In una così semplice annotazione è descritta una grande verità: l'incontro della fede con le diverse culture ha dato vita di fatto a una realtà nuova".

persona, si incontra con il movimento della verità rivelata che va incontro ad ogni uomo, per rispondere alla sua domanda di senso. L'universalità dell'uomo, che abbiamo visto deve essere impressa in prima istanza in ciò che l'uomo produce e di cui vive – la cultura – viene positivamente riempita dall'universalità della verità cristiana che non conosce confini. Essa, al contrario, è destinata ad abbattere i muri di separazione che esistono fra i popoli per formare con tutti una sola famiglia (cfr. Ef 2,14-16).

2. Quanto è stato acquisito nell'opera di inculturazione appartiene al patrimonio comune nel suo tendere verso il possesso della verità[20].

In questo contesto si deve necessariamente riprendere uno dei dati fondamentali che permettono la definizione stessa di cultura. Ci viene in aiuto un breve passaggio di *Gaudium et spes* dove i Padri conciliari scrivevano che: "Con il termine generico di cultura si vogliono indicare tutti quei mezzi con i quali l'uomo affina ed esplica le molteplici sue doti di spirito e di corpo; procura di ridurre in suo potere il cosmo stesso con la conoscenza e il lavoro; rende più umana la vita sociale sia nella famiglia sia in tutta la società civile, mediante il progresso del costume e delle istituzioni; infine, con l'andar del tempo, esprime, comunica e conserva nelle sue opere le grandi esperienze e aspirazioni spirituali, affinché possano servire al progresso di molti, anzi di tutto il genere umano" (GS 53).

Come si nota, il testo conciliare fa sua la concezione della trascendenza dell'uomo in quanto spirito nel mondo e mostra come la cultura sia orientata costantemente sia nel *progresso* permanente che favorisce uno stile di vita più consono ai gruppi di appartenenza sia una *maturazione* dell'umanità intera. Per riprendere un ulteriore esplicitazione dello stesso documento conciliare, in questo modo "l'uomo... può contribuire moltissimo ad elevare la umana famiglia a più alti concetti del vero del bene e

---

[20] Il principio trova un suo fondamento in *Fides et ratio* quando dice: "Il Vangelo non è contrario a questa od a quella cultura come se, incontrandosi con essa, volesse privarla di ciò che le appartiene e la obbligasse ad assumere forme estrinseche che non le sono conformi. Al contrario, l'annuncio che il credente porta nel mondo e nelle culture è forma reale di liberazione da ogni disordine introdotto dal peccato e, nello stesso tempo, è chiamata alla verità piena. In questo incontro, le culture non solo non vengono private di nulla, ma sono anzi stimolate ad aprirsi al nuovo della verità evangelica per trarne incentivo verso ulteriori sviluppi" (FR 71).

del bello e a un giudizio di universale valore" (GS 57). La formulazione di cultura, pertanto, vede il mantenimento del *verum* come elemento costitutivo del suo esprimersi in quanto cultura. Ciò comporta, comunque, un necessario discernimento che permette di acquisire non tanto ogni elemento presente nella singola esperienza culturale, ma solo ciò che merita di essere mantenuto in quanto riferito alla verità, alla bontà e alla bellezza che conducono a un "giudizio di universale valore". Il principio gioca sul fatto che, per dirla con la profonda intuizione di S. Tommaso: *omne verum a quocumque dicatur a Spiritu Sancto est*. L'universalità della verità non può conoscere ostacoli posti dalla limitatezza dell'uomo; in quanto proviene da Dio essa si incontra con quanti ne vogliono fare la propria compagna di cammino. Queste considerazioni portano alla formulazione di un ultimo criterio.

3. *Una cultura, con il suo patrimonio, non deve rinchiudersi, opponendosi, a quanto di vero è stato acquisito in altri processi di inculturazione, come se questa chiusura fosse la garanzia di conservazione del proprio patrimonio culturale*[21].

Se si portano alle logiche conseguenze le espressioni precedenti, ne deriva che la verità e non primariamente la cultura diventa l'elemento di discernimento e il criterio normativo per il giudizio di ciò che merita essere conservato. La cosa non è indolore. Ancora una volta, infatti, non è la cultura che possiede un primato, ma la verità che in essa viene posta e della quale ha costitutivamente bisogno per divenire a pieno titolo cultura senza limitarsi ad essere un assemblamento di tradizioni che appesantiscono il suo cammino verso un futuro che le è foriero progresso. Con ragione, dunque, Giovanni Paolo II può scrivere in proposito che: "una cultura non può mai diventare criterio di giudizio ed ancor meno criterio ultimo di verità nei confronti della rivelazione di Dio" (FR 71).

---

[21] Facile ritrovare in questo principio l'insegnamento di *Fides et ratio*: "Essendo in stretto rapporto con gli uomini e con la loro storia, le culture condividono le stesse dinamiche secondo cui il tempo umano si esprime. Si registrano di conseguenza trasformazioni e progressi dovuti agli incontri che gli uomini sviluppano e alle comunicazioni che reciprocamente si fanno dei loro modelli di vita. Le culture traggono alimento dalla comunicazione di valori, e la loro vitalità e sussistenza è data dalla capacità di rimanere aperte all'accoglienza del nuovo" (FR 71).

Il Vangelo, insomma, non è contrario a questa o a quella cultura come se, incontrandosi con essa, volesse privarla di ciò che le appartiene e la obbligasse ad assumere forme estrinseche che non le sono conformi. Al contrario, l'annuncio che il credente porta nel mondo e nelle culture è forma reale di liberazione da ogni disordine introdotto dal peccato e, nello stesso tempo, è chiamata alla verità piena. In questo incontro, le culture non solo non vengono private di nulla, ma sono anzi stimolate ad aprirsi al nuovo della verità evangelica per trarne incentivo verso ulteriori sviluppi.

È evidente che, in primo luogo, le culture sono portate ad incontrarsi tra di loro per l'affinità elettiva che possiedono e per la partecipazione allo stesso processo. Questo incontro, che proprio perché tale non può essere esclusivista, deve consentire di verificare, già a livello culturale, i progressi che sono stati compiuti nel raggiungimento degli obiettivi primari della cultura stessa e dell'uomo.

Ora, se una cultura ispirata cristianamente ha saputo raggiungere obiettivi fondamentali quali, ad esempio, la dignità della persona, la qualità delle istituzioni, lo stile di vita conforme alla libertà... perché un'altra cultura che ancora non ha in sé questi elementi che sono vitali per l'esistenza personale, dovrebbe opporsi e rifiutarla? Non sarebbe questa una reale forma di asfissia che conduce all'estinzione della cultura? L'incontro, dunque, deve diventare verifica e capacità di accoglienza della verità impressa nella cultura perché si possa progettare un futuro carico di storia.

3. Per concludere

I criteri sono un aiuto nel lavoro teologico. Essi segnano quasi dei segnali nell'applicazione del metodo che allertano a non uscire di strada e aiutano a mantenere fermo il lavoro scientifico peculiare ad ogni teologo.

Altri criteri possono essere assunti; alla base, comunque, vige la premessa teologica che non può essere disconosciuta: la verità della rivelazione non viene determinata dalle culture, ma in essa si inserisce e le modifica orientandole e spingendole verso forme di progresso veritativo e istituzionale che da sole non potrebbero raggiungere.

È importante, quindi, che la teologia mantenga la *quaestio* del metodo come una priorità permanente. Essa si impone oggi tanto di più quanto più cresce l'esigenza di mantenere il dialogo interreligioso e interculturale all'interno di un rapporto chiaro che avendo dinanzi il primato della verità non pone nessuno in condizione di superiorità, ma tutti orienta a quella "diaconia alla verità" di cui Giovanni Paolo II ha dato significato in *Fides et ratio*.

Questo consente di percorrere insieme sempre e soltanto delle tappe che tendono a condurre ognuno verso l'incontro definitivo con la verità che porta impressa in sé i tratti del volto di Gesù di Nazareth.

Méthode théologique
et dialogue œcuménique

Marc Card. Ouellet

Depuis la première annonce du Concile Vatican II le 25 janvier 1959 et le discours d'ouverture du Bienheureux Jean XXIII, un grand vent de Pentecôte est venu transformer en profondeur la vie de l'Église catholique, ses relations avec le monde et avec les autres chrétiens qui ne lui sont pas encore pleinement unis. L'*aggiornamento* recherché par le Concile s'est avéré plus profond et plus complexe que prévu de même que la promotion de l'unité des chrétiens qui en était l'objectif second mais important. Après quarante ans de mise en œuvre et de réception, notamment durant les 25 ans de pontificat de Jean Paul II, on se rend mieux compte de la portée capitale de cette pentecôte au terme du deuxième millénaire et de sa signification aujourd'hui pour la théologie et pour la mission de l'Église.

Le renouveau conciliaire a touché la théologie et sa méthode, ouvrant de nouvelles voies d'approfondissement du mystère du salut, dans la ligne des renouveaux biblique, liturgique et patristique. Le dialogue avec les autres Églises et communautés ecclésiales a aussi modifié la façon scolastique et confessionnelle de pratiquer la théologie catholique, au profit d'une théologie œcuménique, sinon dans son contenu, du moins dans son esprit. Sans prétendre faire ici une analyse et encore moins le bilan des dialogues oecuméniques, je prends acte de la nouvelle situation créée par la pratique du dialogue pour noter dans un premier temps quelques incidences sur la méthode théologique (I), suivi dans un deuxième temps par une proposition d'approfondissement de l'herméneutique «théologique» de l'unité (II), afin de conclure en troisième lieu par une suggestion de refonte pneumatologique de la méthode théologique.

1. Le dialogue œcuménique et ses répercussions théologiques

L'engagement irréversible de l'Église catholique dans le mouvement œcuménique au Concile Vatican II a marqué l'émergence d'un développement théologique dont témoignent les dialogues bilatéraux et multilatéraux entre les diverses Églises et confessions chrétiennes[1]. Le progrès le plus notable en ce domaine a été la large coopération entre théologiens de différentes traditions pour la traduction et l'interprétation de la bible. En fait foi la traduction œcuménique de la Bible qui est largement utilisée. En témoigne aussi le fait que 12 théologiens catholiques siègent à part entière à la Commission *Foi et Constitution* du Conseil Mondial des Églises à Genève.

Le premier fruit du mouvement œcuménique reste toutefois la «fraternité retrouvée»[2] entre les chrétiens, qui a changé le climat des relations entre les Églises, réveillant du coup la conscience des exigences de la prière du Seigneur pour «que tous soient un afin que le monde croie» (Jn 17,21). D'où une convergence croissante du dialogue de la charité et de la vérité vers la pleine restauration de l'unité visible, manifestée dans la célébration commune éventuelle de l'Eucharistie, malgré les obstacles anciens et nouveaux qui empêchent encore de rendre au même Seigneur un témoignage commun de pensée, de prière et de vie.

Les gestes de réconciliation et les accords réalisés par l'Église catholique et les autres Églises et communautés ecclésiales depuis le Concile Vatican II, notamment la levée des excommunications entre Rome et Constantinople, les accords christologiques avec plusieurs Églises anciennes et celui sur la justification avec la Fédération luthérienne mondiale, ont pavé la voie vers d'autres dialogues moins spectaculaires mais non moins significatifs pour le rapprochement des Églises. Les documents et

---

[1] Cfr. H. MEYER and L. VISCHER (edd.), *Growth in Agreement: Reports and Agreed Statements of Ecumenical Conversations on a World Level,* Ramsey and Paulist Press – WCC, New York – Geneva 1984; J. GROS, FSC, H. MEYER and W. G. RUSCH, *Growth in Agreement II. Reports and Agreed Statements of Ecumenical Conversations on a World Level, 1982-1998,* WCC Publications, Geneva – William B. Eerdmans Publishing Company, Grand Rapids, Michigan/Cambridge.

[2] S.S. JEAN PAUL II, *Lettre encyclique UT UNUM SINT sur l'engagement œcuménique,* (UUS) Libreria Editrice Vaticana, Città del Vaticano 1995, 41.

déclarations communes entre de nombreux partenaires, qui sont publiés par le Conseil Mondial des Églises, ont largement contribué à de multiples échanges, à une meilleure compréhension mutuelle et à un rapprochement des manières de penser et de pratiquer la théologie. Même si les résultats de ces dialogues et conversations sont encore partiels et peu connus et reçus dans les communautés ecclésiales, ils restent des témoignages d'une volonté commune de rapprochement et d'unité[3]. Ces travaux restent en attente d'approfondissements ultérieurs et ils posent déjà aux Églises et à la théologie le défi de mettre au point un processus d'évaluation qui permette d'accélérer la réception des résultats pour le bénéfice du peuple de Dieu.

Jean Paul II l'a reconnu et souligné dans l'encyclique *Ut unum sint* de 1995, en faisant largement le point sur le dialogue œcuménique. Rappelant que ce «dialogue ne se limite pas à un échange d'idées, mais qu'il est toujours, en quelque manière, 'un échange de dons'» (UUS 28), l'Encyclique dresse un bilan très positif des progrès réalisés et des relations établies depuis le Concile II avec l'Église Orthodoxe d'une part, de même qu'avec la Communion anglicane et les communautés issues de la Réforme, d'autre part. Il conclut que la voie d'avenir réside dans l'intensification du dialogue avec un effort accru pour en évaluer et assimiler les résultats par et pour le peuple de Dieu (UUS 71s.)

Non seulement la vie de l'Église a été transformée par le changement de climat et par la croissance de la communion entre tous, mais la théologie elle-même est entrée dans la nouvelle ère du dialogue instauré et pratiqué au Concile Vatican II, sous l'impulsion notamment de l'encyclique *Ecclesiam Suam* du pape Paul VI. Qu'il suffise de mentionner le mouvement de réflexion christologique qui s'est développé en Occident grâce à ce nouveau climat, la séparation confessionnelle n'étant plus un mur étanche à l'abri duquel chacun poursuit des recherches indépendantes. Les théologiens systématiques ont emboîté le pas sur la pratique des exégètes qui utilisaient depuis plus longtemps leurs résultats respectifs. Que l'on

---

[3] Pour une vue d'ensemble de la réception du Concile Vatican II sur le plan œcuménique, voir: E. FORTINO, *Il dialogo ecumenico,* in *Il Concilio Vaticano II. Recezione e attualità alla luce del Giubileo,* (a cura di R. FISICHELLA), Edizioni San Paolo, 2000, 335-353; aussi J. WICKS, *Ecumenismo: dottrina e teologia, Ibid.,* 354-365.

pense à l'influence exercée par Karl Barth sur Hans Urs von Balthasar, à celle du même Balthasar sur Jürgen Moltmann dans la théologie de la croix, à celle de Karl Rahner sur W. Pannenberg dans la compréhension spéculative de l'identité de Jésus, pour ne prendre que quelques exemples dans la sphère particulièrement vivante la théologie de langue allemande[4]. On pourrait en dire autant de théologiens d'autres sphères linguistiques, notamment en France dans le cadre du Groupe des Dombes.

Le dialogue œcuménique invite à mettre en commun les richesses de chaque tradition pour un meilleur service de la mission. «La *théologie orthodoxe* est la théologie de la Tradition au sens le plus grand du terme – écrit Bernard Sesboüé – ...elle entend rester éminemment fidèle à son passé. Elle parle d'abondance du cœur à partir de la grande voix des Pères de l'Église et n'a aucun complexe à annoncer dans leur simplicité les grands paradoxes du mystère chrétien. On connaît son insistance sur la pneumatologie. Elle vit également d'une tradition contemplative et liturgique exemplaire: elle célèbre toujours la gloire de Dieu par le Fils dans l'Esprit»[5]. Mais les Occidentaux se demandent parfois si «elle ne consent pas trop à la répétition, si elle écoute suffisamment les questions de notre temps et si, en particulier, elle est suffisamment attentive à la requête historico-critique»[6].

La *théologie protestante* est éminemment biblique, c'est là un de ses charismes majeurs. Elle se développe dans une grande liberté vis-à-vis la référence traditionnelle et dogmatique de la foi, ce qui lui donne une grande hardiesse herméneutique et un vigoureux pouvoir d'affirmation. Elle est très sensible à l'exigence historico-critique et scientifique de même qu'aux requêtes culturelles de notre temps. Elle se préoccupe d'actualiser le message de la foi. Ces qualités ont leur contre-partie, note B. Sesboüé: «la théologie protestante fait une trop grande place aux positions des savants (exégètes, historiens, théologiens) au détriment du sens de la foi qui habite les communautés. Elle a une propension à critiquer les données de la foi et à les mesurer aux résultats de la science du jour ou

---

[4] B. SESBOÜÉ, *Pour une théologie œcuménique,* Cerf, Cogitatio Fidei, 1990, 75. Qu'on pense aussi à M.J. Le Guillou, O.P., O. Clément, J. Bosc.

[5] B. SESBOÜÉ, o.c., 76.

[6] *Ib.*

des requêtes de la culture. Aussi fournit-elle un grand cimetière d'hypothèses abandonnées, après avoir été présentées comme des vérités définitives»[7].

L'apport de ces traditions avec leurs richesses et leurs accents ne va pas sans toucher la *théologie catholique* qui «a reçu de sa tradition propre le souci de la systématisation englobante et dans ses meilleures expressions elle garde un souci 'catholique' qui ne la rend pas toujours aisée à comprendre»[8]. Conditionnée par une référence forte au Magistère qui a parfois freiné sa créativité, elle a quand même connu les grands renouveaux biblique, patristique et liturgique qui ont permis la réalisation de Vatican II. Par ailleurs, l'émergence des sciences humaines et du pluralisme philosophique, caractéristique du virage anthropocentrique des années post-conciliaires, a suscité une multiplicité de «théologies» qui rend aigu, sous un autre angle, le problème de l'intelligence de la foi en son unité et son universalité. D'où le besoin d'une réflexion en profondeur sur la «méthode théologique», afin de pallier à l'excessive fragmentation des approches qui risque de nuire au progrès théologique authentique et aussi au mouvement œcuménique.

À l'intérieur du mouvement œcuménique, un défi particulier vient du développement d'une mentalité théologique de plus en plus régionale et «contextualisée», qui conteste même le caractère universel de la théologie[9]. Issues du mouvement de la théologie de la libération en Amérique latine, ces théologies continentales ou locales obligent à se poser sérieusement le problème de l'unité et de l'universalité de la foi dans les différents contextes socio-culturels où elle est appelée à s'incarner. En déniant tout caractère universel à la théologie, ne risque-t-on pas de miner l'un des buts du mouvement œcuménique qui est l'unité de l'Église par la voie d'un accord sur les vérités chrétiennes essentielles? D'où l'importance de la fonction magistérielle de l'Église pour maintenir l'unité de la foi et orienter le développement d'une véritable théologie œcuménique.

---

[7] *Ib.*, 77

[8] *Ib.*, 78

[9] Cfr. K. RAISER, *Theology in the ecumenical movement,* in *Dictionary of the Ecumenical Movement,* WCC Publications, Geneva 2002, 1115-1120.

En somme, l'expérience du dialogue œcuménique et l'évolution interne de la théologie catholique convergent vers la nécessité d'une théologie
plus dialogale[10], ou plus œcuménique, «qui ne peut être aveugle ni à la
variété des contextes du monde actuel, ni au témoignage permanent de la
foi apostolique. Elle doit être une théologie de l'Église-une dont l'unité
est aussi absolue que sa diversité, à l'image de la Sainte Trinité; elle doit
être développée à l'intérieur de la communion des saints et ne pas être par
conséquent un pur exercice intellectuel»[11]. Mais cette théologie œcuménique reste encore à faire à l'aide d'une herméneutique de l'unité qui soit
plus profondément théologique. Des pistes sont ouvertes, des expériences
positives de communion et de dialogue ont préparé la voie mais une
impression de grande fragmentation et même de confusion domine le
panorama théologique. Une inversion de tendance est-elle possible?
Comment trouver une herméneutique de l'unité qui puisse renouveler
non seulement le dialogue œcuménique mais la théologie tout court?

2. Pour une méthode théologique qui part de l'unité

Si le dialogue œcuménique a pu augmenter l'impression de confusion
et de fragmentation des méthodes théologiques, il a par contre fait appa-
raître la fécondité d'un «dialogue de la vérité» où l'esprit de communion
l'emporte sur l'esprit de système et la fermeture confessionnelle.
L'expérience de ces dialogues a fait ressortir en effet le concept central de
koinonia-communion, comme un *leitmotiv* dominant qui ouvre une voie
prometteuse pour approfondir la notion même du dialogue, de même que
la nature profonde de l'Église[12]. Cette constatation rejoint par ailleurs
celle du Synode extraordinaire de 1985, qui considère la notion de «communion» comme le centre de l'ecclésiologie de Vatican II[13]. Cette convergence invite à l'espérance, tout en suscitant la vigilance afin d'éviter que la

---

[10] M. BORDONI, *Fare teologia all'inizio del terzo millennio,* in *PATH* 1 (2002) 9-46.
[11] N. LOSSKY, *Theology, Ecumenical,* in *Dictionary of the Ecumenical Movement*, WCC
Publications, Geneva, 2002, 1111.
[12] Cfr. J.M. TILLARD, o.p., *Koinonia,* in *Dictionary of the Ecumenical Movement*, WCC
Publications, Geneva 2002, 646-652.
[13] Cfr. W. KASPER, *L'Église comme communio,* in *La théologie et l'Église,* (Cogitatio
Fidei) Cerf, Paris 1990, 389-410.

notion «catholique» de communion soit ramenée à des modèles théologiques inadéquats. D'où les interventions délicates mais opportunes du Magistère balisant la recherche avec des précisions théologiques qui clarifient à long terme les enjeux du dialogue œcuménique, même si à court terme, elles ont eu des effets négatifs[14].

Pour aller plus loin dans l'analyse de la communion, on dispose d'une recommandation du décret sur l'œcuménisme dont l'application pourrait donner des fruits: «En comparant les doctrines, ils se souviendront qu'il y a un ordre ou plutôt une "hiérarchie" des vérités de la doctrine catholique, en raison de leur rapport différent avec le fondement de la foi chrétienne»[15]. Cette recommandation a déjà fait l'objet d'une analyse œcuménique qui confirme sa fécondité méthodologique pour approfondir le dialogue[16]. Elle permet en effet de mieux comprendre comment les différents partenaires expriment les vérités en rapport avec le Christ vivant, qui est le fondement de la foi chrétienne et le pôle d'attraction de tous les efforts de conversion. Cette recherche pourrait aider à dialoguer à partir de l'unité, en distinguant plus adéquatement les manières de croire, la substance de la foi et les façons de l'exprimer. Sans dévaloriser a priori certaines vérités jugées moins centrales, cette méthode pourrait aider à repérer les facteurs non-théologiques qui interviennent dans la manière de formuler les vérités de la foi.

C'est pourquoi Jean Paul II a raison d'encourager l'intensification du dialogue car il est théologiquement fécond de ré-exprimer ensemble, entre partenaires œcuméniques, l'unité de la foi d'une manière dialogale, à partir des sources bibliques et du développement de la tradition ecclésiale en ses multiples expressions symboliques, conciliaires et liturgiques[17]. Une

---

[14] C'est le cas de la déclaration *Dominus Iesus,* de la Congrégation pour la Doctrine de la Foi, en septembre 2000, qui a soulevé une forte controverse mais qui force le dialogue œcuménique à réfléchir sur la nature de l'Église et à clarifier les critères d'ecclésialité. C'est aussi le cas d'une autre déclaration sur la notion de communion, *Communionis notio,* La Documentation Catholique, 1992.

[15] CONCILE VATICAN II, *Décret sur l'oecuménisme, Unitatis Redintegratio* (UR), 11.

[16] WORLD COUNCIL OF CHURCHES AND ROMAN CATHOLIC CHURCH, *The notion of "Hierarchy of Truth". An Ecumenical interpretation,* in *Growth and Agreement II,* o.c., 1990, 876-883.

[17] J. RATZINGER, *Problèmes et espoirs du dialogue anglicans-catholiques,* in *Église, œcuménisme et politique,* Fayard, 1987, 91-136.

attention particulière doit être donnée ici à l'histoire des conciles, des réformes et des ruptures pour relire et retrouver ensemble la vérité historique, à la recherche d'une véritable purification des mémoires, en tenant compte des nombreux facteurs non-théologiques, qui ont souvent joué un rôle important au moment des schismes et des séparations.

Cette recherche de convergences au plan proprement œcuménique ne suffit toutefois pas pour renouveler plus en profondeur la méthode théologique. Elle permet à chaque tradition de profiter des richesses des autres et de corriger les propres points de vue provenant des habitudes de controverse. Elle apporte un sens critique plus avisé par rapport aux limites des formulations confessionnelles élaborées en vase clos. Les contacts avec la théologie orthodoxe font prendre la mesure de l'héritage des Pères de l'Église demeuré très vivant dans leur manière de penser. Le dialogue avec la tradition réformée rend plus conscient de la confrontation directe entre les problèmes du monde et la sagesse prophétique des évangiles. La tradition catholique garde depuis le Moyen Age un fort accent sur la médiation de la philosophie pour la structuration organique de la doctrine et pour le dialogue avec le monde. Mais cette complémentarité n'engendre pas de soi l'unité. Elle permet d'en approcher mais celle-ci requiert une refonte plus en profondeur de la méthode théologique, dans la ligne du renouveau conciliaire.

En effet, l'*aggiornamento* du Concile Vatican II et l'ébranlement de la raison métaphysique dans les temps modernes ont modifié la problématique de la méthode théologique. Tout d'abord, le grand critère de la vérité théologique est devenu clairement le Christ, plénitude de la révélation, selon l'enseignement de la Constitution *Dei Verbum*[18]. Deuxièmement, ce recentrement christologique a permis d'expliciter l'unité de la révélation et de la théologie tout en plaçant le rapport de la théologie à la philosophie sous le signe de la circularité[19]. Les deux disciplines s'imbriquent et

[18] «La Vérité…resplendit à nos yeux dans le Christ, qui est à la fois le médiateur et la plénitude de la révélation tout entière» (*Dei Verbum* 2); «La Vérité, qui est le Christ, s'impose comme une autorité universelle qui gouverne, stimule et fait grandir (cfr. *Ep.* 4, 15) aussi bien la théologie que la philosophie» (*Fides et Ratio* 93).

[19] S.S. JEAN PAUL II, *Lettre encyclique Fides et ratio,* (FR), Libreria Editrice Vaticana, 1998, no. 73.

se conditionnent mutuellement, mais dans un certain ordre où la foi l'emporte sur la raison. La métaphysique de l'être n'en sort pas déclassée pour autant, mais son rôle d'*ancilla theologiae* est resitué et réévalué sous l'égide d'une théologie plus consciente de sa spécificité. Troisièmement, la métaphysique classique est ainsi appelée à une refonte plus audacieuse et plus explicite de ses catégories en fonction du contenu de la révélation qui transcende toujours les concepts rationnels. D'où l'exigence accrue d'une ontologie trinitaire, en plein développement, permettant d'élaborer une herméneutique de l'unité qui soit vraiment «théologique»[20]. Cette herméneutique doit non seulement rendre compte de l'unité et de la diversité légitime des théologies qui émanent du Nouveau Testament, mais elle doit aussi les justifier à partir de l'Amour absolu comme principe trinitaire d'unité et de diversité.

Cette orientation globale correspond à la méthode du reploiement vers l'unité proposée par Hans Urs von Balthasar dans son petit livre *Einfaltungen.* Il synthétise en ce *Retour au centre,* l'orientation méthodologique de son immense *corpus* théologique. En voici l'esquisse essentielle avec les mots de l'auteur: «il faut s'efforcer de voir de nouveau de l'intérieur ces dogmes que l'on ne connaît que de l'extérieur, comme des 'vérités à croire' ...il faut apprendre à les voir comme l'annonce de la vérité une, unique, indivisible, de Dieu. Supposons que cette vérité se soit présentée à nous comme l'Amour éternel, mais un amour qui nous surprenne et nous requière, nous les hommes vivant dans le temps: alors les articulations fondamentales de ladite "doctrine" chrétienne – Trinité, Incarnation, Croix et Résurrection, Église et Eucharistie – ne deviendraient-elles pas les émanations de son centre brûlant?»[21]. «Les dogmes, ajoute-t-il plus loin, ne peuvent rien être d'autre que des aspects de l'amour qui se manifeste et, dans sa révélation même, demeure toujours mystère; s'il ne sont plus cela, alors la gnose a vaincu l'amour, la raison humaine s'est emparée de Dieu, et, dans cet instant, d'abord en théologie, ensuite dans l'Église, enfin dans le monde, "Dieu est mort"»[22]. Après plus

---

[20] Cfr. K. HEMMERLE, *Partire dall'unità. La Trinità come stile di vita e forma di pensiero,* Città Nuova, 1998.
[21] H. U. VON BALTHASAR, *Retour au centre,* Desclée de Brouwer, 1998[5], 27.
[22] *Ib.*

de 30 ans, le diagnostic du grand maître de Bâle garde toute sa portée prophétique, et le renouveau qu'il propose d'un retour au centre de la révélation biblique demeure tout à fait d'actualité[23].

Dans cette ligne de recherche d'une méthode plus dialogale et «théologique» au sens balthasarien, on visera ainsi le nouvel équilibre entre la foi et la raison qu'assume l'encyclique *Fides et Ratio* en resituant ce rapport dans la perspective christocentrique du Concile Vatican II (FR 43-48). Par delà la séparation de la foi et de la raison qui a marqué la dérive rationaliste de la théologie moderne, la tradition catholique maintient un fort accent sur la raison dans l'élaboration du discours théologique, mais à l'intérieur de la foi englobante. Le tournant christocentrique du Concile Vatican II, suite au grand débat pré-conciliaire sur le surnaturel mené par le Père de Lubac, a confirmé le retour à la grande tradition des Pères et de Saint Thomas, par delà les apories de la théologie moderne de la grâce. Dans cette même veine, la FR voit l'exigence du temps présent dans l'approfondissement d'une théologie centrée sur le mystère de Dieu un et trine, accessible seulement à partir d'une réflexion «sur le mystère de l'incarnation du Fils de Dieu», notamment le mystère de sa mort et de sa résurrection. La tâche première de la théologie apparaît alors comme «l'intelligence de la *kénose* de Dieu, vrai et grand mystère pour l'esprit humain» (FR 93).

A cette enseigne, comment ne pas récupérer l'apport trop négligé des saints et des mystiques, dont l'expérience charismatique offre des vues pénétrantes qui pourraient renouveler l'intelligence de la *kénose,* justement dans la ligne de recherche proposée par la FR. Des auteurs comme Sainte Catherine de Sienne, Sainte Thérèse d'Avila et Sainte Thérèse de l'Enfant Jésus, toutes docteur de l'Église de récente nomination, témoignent d'une expérience nuptiale de l'amour divin, qui doit peu aux problématiques culturelles de leur époque, mais qui rayonne le mystère de l'Alliance dans la ligne du plus haut prophétisme biblique.

---

[23] *Ib.*, cfr. V. HOLZER, *Présentation de la 5ième edition,* 7-23. «Dans le concert des débats contemporains que nourrissent les théologiens, Urs von Balthasar plaidera pour la subordination de l'herméneutique au théologique, définissant du même coup la théologie comme *participation* à la connaissance que Dieu a de lui-même» (15).

Je crois pour ma part que l'œuvre théologique d'Adrienne von Speyr comporte un message particulier à cet égard. Par delà les réserves que peuvent susciter tel ou tel point de son expérience mystique, sa théologie spirituelle met en lumière le rapport primitif et primordial de l'homme à la Parole de Dieu, avec les ressources étonnantes d'un charisme prophétique d'inspiration essentiellement trinitaire. Ce rapport constitutif de l'être humain à la Parole de Dieu qu'elle ne cesse de commenter, reflue sur le rapport de l'homme à son semblable, sur ses méthodes de connaissance et particulièrement sur la théologie, science de la Révélation et sagesse de l'Amour. «Le message théologique d'Adrienne, copieusement étalé sur des milliers de pages de commentaires de la Sainte Écriture, est que la Parole donne Vie "dans l'Esprit"; qu'elle se donne à comprendre dans la foi; qu'elle doit être accueillie et portée par un cœur priant; que la seule rigueur méthodologique est la pleine ouverture de la foi à une Vérité toujours plus grande; que l'objectivité "scientifique" correspondante à l'Objet de la théologie est le oui sans condition à la kénose de la Parole; que le silence du Samedi Saint est la toile de fond sur laquelle éclate l'urgence et le sérieux eschatologique de la Parole»[24]. C'est ma conviction que l'œuvre immense de Balthasar n'aurait pas atteint sa pleine stature sans l'apport méthodologique de cette femme gratifiée par Dieu d'un charisme «théologique» exceptionnel.

Une plus grande ouverture méthodologique aux charismes des saints, des mystiques et, ajoutons-le, des grands mouvements ecclésiaux, ne signifie pas qu'on donne congé à la métaphysique ou qu'on devient indifférent aux problématiques historiques et culturelles. Au contraire, celles-ci demeurent indispensables pour assurer, d'une part, la profondeur du questionnement et, d'autre part, la pertinence ecclésiale et missionnaire des nouvelles intuitions et formulations. Mais par rapport au tournant anthropocentrique moderne et contemporain, la nouvelle orientation, inspirée de Balthasar, réaffirme la priorité du théologique sur l'herméneutique, en restituant l'apport relatif et subordonné de toute philosophie. Elle maintient en même temps l'exigence d'une méthode bien articulée en raison

---

[24] Cfr. mon article *Adrienne von Speyr et le samedi saint de la théologie,* dans: H. U. VON BALTHASAR – STIFTUNG, *Adrienne von Speyr und ihre spirituelle Theologie,* Symposion zu ihrem 100, Geburtstag, Johannes Verlag, 2002, 31-56, ici 54.

mais «fondée» sur la prédominance plus explicite de la foi au plan méthodologique.

L'avantage œcuménique d'une telle orientation réside dans la remise en valeur de la source première de l'Écriture, à partir de l'attitude fondamentale d'écoute contemplative de la Parole vivante de Dieu, qui transcende l'Écriture, mais qui s'y donne à saisir dans la lumière de l'Esprit Saint. Ce retour à la source, qui récupère l'attitude mariale foncière des Pères de l'Église, revalorise du même coup leur théologie du Verbe (Origène) et leurs prises de position polémiques contre toutes les gnoses (Irénée, Augustin, Hilaire, Bernard) afin de protéger le cœur à cœur de l'homme avec Dieu, dans ce lieu par excellence de la théologie qu'est le cercle nuptial de l'Alliance entre l'Époux divin et l'Église-Épouse. C'est toujours là que la théologie trouve et nourrit sa première vocation, doxologique, jamais dépassée, malgré les exigences grandissantes au cours de l'histoire du dialogue culturel, qui feront évoluer la théologie vers des modèles différents, plus polémiques et rationnels.

3. Pour une refonte pneumatologique de la méthode théologique

L'option méthodologique à peine esquissée plus haut implique d'accorder une attention prépondérante à la médiation de l'Esprit Saint en tout acte de foi, en toute herméneutique de la Sainte Écriture, en toute lecture théologique des auteurs de la tradition ecclésiale et en tout effort d'inculturation de la foi. Lire l'Écriture avec les yeux de la foi est le premier principe d'une étude «scientifique» de la Parole de Dieu; écouter les Pères et les saints comme des oracles du Saint Esprit dévoilant les profondeurs de la Parole par ses dons et ses charismes, est une exigence du renouveau de la science de l'Amour qu'est la théologie; tenir compte des expériences charismatiques de dialogue entre la foi et la culture appartient aussi aux critères théologiques d'une herméneutique de l'unité dans la diversité.

Une telle orientation méthodologique pourrait signifier un saut qualitatif d'une théologie dialogale à prédominance rationnelle vers une théologie «trialogale» d'inspiration plus profondément trinitaire. Car l'Esprit Saint, l'Esprit de Vérité, ne joue-t-il pas dans l'économie, le rôle co-essentiel de troisième partenaire du dialogue éternel d'Amour, qu'il joue dans la Trinité immanente? N'est-il pas Esprit de Vérité précisément en tant qu'exubérance ineffable de l'Amour au-delà du Verbe? Saint Grégoire de Nysse voit ce rôle de l'Esprit à l'image de la gloire dont parle Jésus dans sa prière sacerdotale: «Je leur ai donné la gloire que tu m'as donnée, pour qu'ils soient un comme nous sommes un, moi en eux comme toi en moi, pour qu'ils parviennent à l'unité parfaite et qu'ainsi le monde puisse connaître que c'est toi qui m'as envoyé et que tu les aimés comme tu m'as aimé» (Jn 17, 23). La portée œcuménique et théologique de ce texte est évidente. Le don de la gloire, qui façonne et même constitue l'unité intérieure des disciples, illumine leur manière de vivre, de penser et de témoigner devant le monde. Il fonde leur témoignage qui devient une seule chose avec le témoignage de la Trinité elle-même, afin que le monde connaisse le Fils et puisse croire en Lui.

Alors que le Saint Esprit est l'Agent premier de tout acte de foi et de toute intelligence de la foi, n'est-il pas souvent relégué à un rôle de figurant secondaire sur la scène théologique où le jeu essentiel se joue entre d'autres acteurs? Retrouver son rôle discret mais omniprésent d'inspirateur et de régisseur des actes et des acteurs théologiques appartient, à mon sens, aux nouvelles exigences de la méthode théologique. L'émergence d'une théologie trialogale, plus rigoureuse quant au respect de son objet et plus incisive quant au rapport aux cultures sécularisées de notre époque, passe par une prise de conscience plus vive et par un acte d'obéissance plus concret à l'Esprit Saint qui seul peut sonder les profondeurs divines et nous y entraîner à sa suite. N'est-ce pas le message que Saint Paul affirme sans ambages: «Nul ne peut dire Jésus est Seigneur sinon dans l'Esprit Saint»?

Parlant de la sagesse de Dieu dans la Première Épître aux Corinthiens, Saint Paul réitère avec force cette médiation de l'Esprit, sans laquelle il n'est pas de sagesse ni de vraie connaissance de Dieu: «Qui donc parmi les hommes connaît ce qui est dans l'homme, sinon l'esprit de l'homme qui est en lui? De même, ce qui est en Dieu, personne ne le connaît, sinon l'Esprit de Dieu. Pour nous, nous n'avons pas reçu l'esprit du monde, mais l'Esprit qui vient de Dieu, afin que nous connaissions les dons de la grâce de Dieu» (1 Cor 2, 11-12). Ayant bien identifié le Sujet ultime de la connaissance théologique, l'Apôtre poursuit en descendant jusqu'au niveau du langage qui exprime les réalités divines: «Et nous n'en parlons pas dans le langage qu'enseigne la sagesse humaine, mais dans celui qu'enseigne l'Esprit, exprimant ce qui est spirituel en termes spirituels» (v. 13).

Une telle théologie «spirituelle» au sens paulinien, c'est-à-dire pneumatologique, repose sur une conscience très vive de l'action de l'Esprit Saint dans la vie du croyant et dans l'acte de connaissance théologique. Mais son développement accru et son droit de cité à l'intérieur de la tradition requièrent beaucoup plus. C'est le statut épistémologique de la théologie qui est à revoir à la lumière de Pâque. Car la culture théologique moderne reste marquée par l'anthropocentrisme et le rationalisme. Alors que les écrits du NT se sont constitués à la lumière de l'expérience de la résurrection et de l'illumination de l'Esprit Saint (charisme d'inspiration), certaines théologies semblent n'approcher le «donné» scripturaire et la Parole transcendante qui le fonde, qu'avec une attitude et une raison pré-pascales, pour ne rien dire de la neutralité de principe d'une certaine mentalité scientifique. Il est urgent de développer comme une seconde naïveté face à l'Écriture, pour la comprendre dans «le même Esprit avec lequel elle a été écrite» (DV 12), en ayant bien en tête, et sans complexe pour l'objectivité scientifique, que l'effusion de l'Esprit post-pascal appartient à l'essence même de l'Écriture, à l'objectivité du témoignage de l'Église et à la nature même de la théologie, science de la foi.

Grâce à ce rehaussement pneumatologique de la méthode théologique, de nouveaux fruits de vie et d'unité pourraient surgir de la pratique du dialogue œcuménique. L'expérience présente révèle un essoufflement du dialogue théologique, doublé d'une impatience face aux résultats obtenus, avec l'impression d'une impasse si l'on ne trouve pas de voies nouvelles pour surmonter les difficultés de convergence au plan doctrinal. La leçon de cette apparente stagnation est de renvoyer à un niveau plus profond de croissance de la communion dans l'Esprit, le niveau de la prière et de la charité, l'œcuménisme spirituel, d'où surgiront de nouvelles conditions existentielles et communautaires qui permettront une compréhension d'autrui plus immédiate avec la disponibilité à modifier son propre point de vue pour intégrer celui des autres. Bref, le dialogue œcuménique est appelé à se ressourcer à l'œcuménisme de la vie. Ce détour par la vie de foi qui précède et informe la pensée, et donc le dialogue, renvoie finalement au paradigme marial de la théologie, dont pourrait profiter l'avenir de l'œcuménisme spirituel en s'inspirant, notamment, du témoignage des monastères œcuméniques et des mouvements ecclésiaux[25].

4. Conclusion

Refonder le dialogue œcuménique et la méthode théologique sur une écoute renouvelée de la Parole de Dieu dans l'Esprit, à l'exemple de Marie, depuis les situations les plus diverses mais dans l'unité d'une même attitude, me semble incontournable si l'on veut promouvoir l'unité et l'universalité de la foi chrétienne au service de l'espérance de l'humanité. La solution des problèmes doctrinaux ne sera possible qu'avec une prise de conscience plus vive de ce qui unit tous les chrétiens au plus profond, grâce à un nouvel accroissement de foi, d'espérance et de charité. Le dialogue sur la «la hiérarchie des vérités» pourra alors faire de nouveau progrès grâce à la croissance de la communion qui s'explicitera d'elle-même à même l'expérience de l'Esprit Saint répandant un rayon de sa gloire sur *l'intellectus fidei* des frères en dialogue.

Le dialogue théologique avec le monde actuel largement sécularisé, dans la mouvance du mouvement œcuménique et du dialogue interreligieux, oblige à un renouveau méthodologique qui puise plus profondément à la source de la Parole et de l'Esprit. C'est par l'obéissance accrue à l'Esprit de Vérité, au cœur de l'acte théologique, à l'école des saints, qu'on peut trouver l'approfondissement du mystère et l'expression adéquate pour répondre à la soif de sens et d'unité des hommes et des femmes d'aujourd'hui. Les nouveaux élans et les nouveaux langages qui émergent déjà des théologies pneumatologiques révèlent une intelligence de la foi plus symphonique et doxologique, conformément à la vocation première de la théologie. Elles annoncent un nouveau printemps du dialogue et de la mission, renaissant d'une spiritualité de la communion.

---

[25] Cfr. mon article *Marie et l'avenir de l'œcuménisme,* in *Communio,* Janvier-février 2003, XXVIII, no. 165, 113-125; l'expérience et la réflexion théologique du mouvement des Focolari demeurent exemplaires à cet égard.

Theological Method
and Interreligious Dialogue

Mariasusai Dhavamony

Religious pluralism signifies not only the fact that there are a number of different beliefs among people living together on the origin and destiny of human person, but rather the way in which they interpret such a situation and the actual scheme of facing the diversity of faiths for encounter and communion and cooperation among them. We speak of the theological method in this context, for there are theological requirements in the case of the Christians, and specially of Catholics; the conduct is not simply empirical attitudes or rational deductions but normative indications, deriving from Scripture and doctrinal tradition, interpreted by the teaching authority, on human destiny and the demands of faith. We have to bring to light, from the point of view of the Catholic theology, the principles of meeting of different religions.

In the theological context, we can define religious pluralism as a state of a society in which believers of different faiths keep their autonomy of participation and development in relation to other faiths. It contains two aspects: identity and diversity or specificity of one's own faith and openness to other faiths. Openness to other faiths includes an interest to put in evidence the diverse identities, which constitute the diversity. The two poles of religious pluralism correspond to two criteria of the theological method: to communicate one's own faith in a language understandable to other believers, making use of the universal scientific method and to explain the specific content of the Christian faith and its internal logic.

Religious pluralism would not create a problem if the various religions remain in their essentially mutually exclusive realms or if they represent variations of a common essence. But if the religious traditions really encounter each other in their own distinctive particularities, then the approach to other religious traditions is determined by each one's faith. In the case of Christians it is the Christian faith that becomes the norm to evaluate theologically other religions.

If Christian faith is God-given and not man-made, then there is no question of superiority or inferiority of one religion over the others but Man's submission to the will of God and his plan of salvation as man's destiny. Pluralist theology of religions moves away from insistence on the finality of Christ and of Christianity towards a recognition of the independent validity of other ways of truth and of salvation. The uniqueness of Christ and of Christianity has taken a larger mythological meaning, signifying the normative superiority of Christianity over other religions. Three "bridges" from the shores of exclusivism and inclusivism to pluralism are supposed to be crossed: the historico-cultural bridge (relativity), the theologico-mystical bridge (mystery) and the ethico-practical bridge (justice)[1].

The Catholic understanding of the interreligious dialogue is clearly outlined by the *Nostra Aetate* as follows. The conditions of modern life draw all peoples closer together into one world. The Church in her task of fostering unity and love among individuals and nations discerns specially what people have in common and what draws them to fellowship. They are all the children of God and their final destiny is God whose providence and saving design embrace all humankind. People expect from various religions answers to the great riddles of human existence: what is the meaning and purpose of human life? What is moral good? What is the way to happiness? Whence have we come and whither are we going? People generally acknowledge the existence of a Supreme Being and this recognition penetrates their life with a deep religious sense. The so-called higher religions have tried to answer human persons' deep questionings by means of more refined concepts and experiences, expressed in a more

---

[1] Cfr. J. HICK – P. KNITTER (edd.), *The Myth of Christian Uniqueness*, SCN Press, London, 1986 (Orbis Books, Maryknoll).

developed language and interpretations. In Hinduism people seek liberation from the anguish of the human condition through ascetical practices,
profound meditation and a refuge in God through love and trust.
Buddhism proposes a way of perfect liberation from sorrow and spiritual
ignorance or attaining final liberation through one's own efforts or
through divine help. Other religions teach various "ways" of salvation
through sacred rites and rules of life. The Catholic Church "rejects
nothing that is true and holy in these religions. She regards with sincere
reverence those ways of conduct and of life, those precepts and teachings
which though differing in many aspects from the ones she holds and sets
forth, nonetheless often reflect a ray of that Truth which enlightens all
men" (NA 2). Indeed the Church proclaims Christ as "the way, the truth,
and the life" (Jn 14:6), in whom men may find the fullness of spiritual life,
in whom God has reconciled all creatures to Himself.

Consequently, the Church encourages dialogue and collaboration
with the followers of other religions, conducted with prudence, love and
in witness to the Christian faith and life. The reason for this dialogue and
collaboration is that the Catholics may recognize, preserve and promote
the good things, both moral and spiritual, as well as the socio-cultural
values found among other believers. The Council refers in a special way to
the Biblical religions such as Islam and Judaism. The Moslems worship
the One God, the Creator of heaven and earth, who has spoken to men.
They submit wholeheartedly to his inscrutable decrees like Abraham who
submitted to God. They do not acknowledge Christ as God but revere
him as a prophet. They honour his virgin mother Mary and at times show
their devotion to her. They worship God specially through prayer, fasting
and almsgiving, and hold in great esteem the moral life as God's com-
mand. The Council urges the Christians to forget the past wars with
Moslems and to work sincerely for mutual understanding and for the
benefit of all humankind to promote social justice, moral welfare, peace
and freedom.

With regard to Judaism, the Council recalls the strong bonds, which
spiritually bind the people of the New Covenant to the Old Covenant of
Abraham. The Church acknowledges that in God's design the beginnings
of her faith are found among the Patriarchs, Moses and the prophets. She
holds that the salvation of the Church is mysteriously prefigured by the

chosen people's exodus from the bondage of Egypt. She recognizes that she received the revelation of the Old Testament through the people with whom God in his ineffable mercy and wisdom concluded the Old Covenant. The Church professes that by his death on Calvary Jesus reconciled Jews and gentiles, making both one in himself. Israel's part in the development of Salvation history is recognized. "They [the Jews] were adopted as sons, they were given the glory and the covenants; the Law and the ritual were drawn up for them, and the promises were made to them. They were descended from the patriarchs and from their flesh and blood came Christ who is above all, God for ever blessed" (Rom. 9: 4-5). Though many of the Jews did not accept the Gospel, nevertheless, *Nostra Aetate* says: God holds the Jews most dear for the sake of their Fathers; he does not repent of the gifts he makes or of the calls he issues – such is the witness of the Apostle [Paul]. Because the spiritual heritage common to Christians and Jews is so great, the Council wishes to foster mutual understanding and respect, which is the fruit of Biblical and theological studies and of fraternal dialogues.

1. Four Forms of Interreligious Dialogue

A) The *dialogue of life,* where people strive to live in an open and neighbourly spirit, sharing their joys and sorrows, their human problems and preoccupation.

B) The *dialogue of action,* in which Christians and others collaborate for the integral development and liberation of people.

C) The *dialogue of theological exchange,* where specialists seek to deepen their understanding of their respective religious heritages, and to appreciate each other's spiritual values.

D) The *dialogue of religious experience,* where persons, rooted in their own religious traditions, share their spiritual riches, for instance with regard to prayer and contemplation, faith and ways of searching for God or the Absolute[2].

---

[2] *Dialogue and proclamation,* no. 42.

1.1. *The Dialogue of life or presence*

It is not the idea of a theoretical common denominator, a minimum of identical ideas which is the foundation of the communion with different believers but rather the fact of Christian charity and human friendship. The love which brings men together has certain implications which express a basic unity of human nature and its innate inclinations. The implications of love are:

1. the existence of God and man's being ordered to him give the law of love as absolute values;

2. the holiness of truth;

3. the dignity of the human person and its basis which is the spiritual nature of the soul and its eternal destiny.

These implications of love are not understood by all in the same way. But there is far more than a common minimum between different religious believers, because they allow the spirit of love to possess them, since the implications of brotherly love create, in the principles of practical reason and action, with regard to earthly civilization, a community of likeness and analogy, which corresponds to the fundamental unity of our rational nature, beyond a minimum of doctrinal points, but rooted in man's practical reasons and principles of action. There is therefore a community of analogy between principles, movements and practical proceeding, implied by the common recognition of the law of love, corresponding to the primary implications of human nature[3].

The diversity of religious creeds does not prevent people from establishing good fellowship, brotherly intercourse and a spirit of union among human beings. The word fellowship is preferred to tolerance for it connotes something positive and fosters relationship of mutual respect and mutual understanding. This relationship cannot be effectuated at the cost of straining fidelity or of any yielding in dogmatic integrity on the part of the Christian or of any lessening in what is due to truth. The ideas of person, freedom, grace, revelation, incarnation, of nature and superna-

---

[3] Cfr. J. MARITAIN, *Qui est mon prochain?*, in *La vie Intellectuelle*, 65 (1939), pp. 165-91. Cf. also A. DONDEYNE, in *Foi Théologale et Phénoménologie*, Paris, 1951, especially pp. 35-36.

ture do not have the same meaning for Christians and other believers.
Catholic theology teaches that it is upon love that we shall be judged.
That is to say, salvation and eternal life depend on charity which presupposes faith and is rooted in faith; i.e. in truth divinely revealed. It teaches that explicit faith in Christ, illuminating the human mind about the inmost secrets of divine truth and life, is the requisite for souls to attain the highest degree of union with God. Catholic theology also teaches that faith together with grace are offered to all souls, even if they are unable to know the truth explicitly in its integrity. If these souls are in good faith and do not refuse the internal grace offered to them, they have implicit faith in Christ, and accept implicitly the entire divinely revealed truth, even if they only believe, having no clearer light, that God exists and saves those who seek him (Heb. 11:6). We believe that there is no salvation outside Christ and that Christ died for all men and that the possibility of believing in him either explicitly or implicitly is offered to all. Other religions also transmit to mankind many great truths, although in the eyes of the Catholics they are incomplete or mixed; they also see that some other believers, if they are of good faith, and if their hearts are pure, live better than some Christians[4]. Similar approaches are also found in other theologians. For example, M.D. Chenu: for us Christians God and Christ are "implied" in the imperative of conscience. But the transcendence of God means precisely that though he is within nature and its movement, he does not intervene on its level and allows it autonomy at that level. This state of things is called profane. Christianity and the mode of action employed in it is called witness. We need a faith strong enough to prompt our action without appearing in a narrowly denominational way, and to inspire that action and a real respect, on this level, for the values of human life which we share with others[5]. A. Dondeyne demonstrates that in every man there exists, at the root of his action, an intention of universal bearing. Every man reveals and realizes this intention only in an objectification which always goes beyond the fundamentally universal intention

[4] Cfr. J. MARITAIN, *Who is my Neighbour?*, in *Redeeming the time*, Geoffrey Bles, London, 1946, ch. 5, pp. 101-122.
[5] Cfr. M.D. CHENU, *Morale laique et foi chrétienne*, in *Cahiers Universit. Cathol.* (Dec. 1953), pp. 112-29.

which started and inspired it and starts and inspires other objectification as well. In phenomenology the motion of intentionality plays a capital role which will be clearer and without equivocation when one is deliberately placed at the interior of the philosophy of being and when one would have seen in the phenomena the effective and real relations between man and the world. Intentionality is a descriptive characterization of the basic situation in consciousness in which there is an attentiveness to a meaning on the part of a subject. The essence of lived experience (*erlebnis*) is found to be consciousness precisely as bearing within it that of which it is consciousness, according to the particular manner or modality (conceptions, memory, insight into essentials etc.) in which it may be consciousness-of-object. The notion of intentionality thus defined will allow to understand better certain peculiarities of the act of faith. It is a state of consciousness, not a natural psychic state; it is the fruit of grace; it appears as an act rendered possible by the divine gift. Still as it is in the subject a state of consciousness as such it constitutes an intentional life-experience (*erlebnis*). This state of supernatural consciousness carries of itself something of the other towards a transcendent term, situated beyond the psychic reality itself. This term is the object of faith, i.e., the whole of truths evolves the divine economy of spiritual salvation of humanity. In the act of faith we can distinguish, in the manner of phenomenologists, between the noesis, i.e., noetic aspect (the life of faith) and the noema i.e., the noematic aspect (the content of faith); the noetic aspect consisting in the adhesion of the supernaturalized intelligence to the revealed truths that form its intentional object, which constitutes the content of faith, the noematic aspect of this particular life of faith[6].

1.2. *The Dialogue of action or collaboration*

The Christian conduct depends on the directives from scripture, tradition and magisterium. These directives regard man's final end, the demands of faith, the position of the believers within the Church and

---

[6] Cfr. A. DONDEYNE, *Foi, théologie de la foi et phénoménologie*, in *Foi théologale et phénoménologie*, Sept. 1951, pp. 35ff.

others outside the Church. There is only one last end which is supernatural for all. By definition the final end subordinates all other things to itself
progressively as means; with regard to human final end there is no human
act that can be morally indifferent; hence there is no neutral domain
except purely technical matters. The Church's mission is to provide men
with the highest good – the supernatural communion with God; but it
also means educating the whole man and leading him to this communion.

The essence of the Church's mission is to lead mankind to the
supernatural final end and try to induce men and society to subordinate
themselves to this end. But how? Not necessarily by their direct subordination to the Church's power of jurisdiction. This mission and obliga-
tion can also be fulfilled by the prophetic work and the magisterium
showing the demands of the truth to men and the world: The sword of
the Church is the Word of God (cfr. Eph. 6:17); by the influence and
action of the faithful, receiving the apostolic work; and by the prophetic
work of the Church, striking the consciences even of the non-believers'
directive power. The faithful's conscience is acted upon by the Church,
who by action not by power influence the temporal action and others;
presenting Catholicism as an organic whole of values, not as an authori-
tative system; more by appeal and witness than by authority; more
through influence than through orders. While not submitting to the
authority of the Church, others seek what is contained in the Church's
message without realizing and making common ground with many elements in the Catholic message.

The Church acts on the faithful through preaching the faith and
administering the sacraments. The Christian plays the part of leaven: he
ensures that the Gospel will have an influence on the world and thus to
have 'Christo-finalization' of human society. The rediscovery of the intrinsic though relative values of things and of the temporal order without
having to deny any of the demands of their faith, helps Christians to be
accepted as valuable companions in the pursuit of the common human
task. Their faith is an interiorised personal conviction and hence cannot
be rejected on grounds of faith, except in the name of totalitarianism.

Respect for the primary value of the human person helps for the dis-
covery of the positive field of action common to both sides, Christian and
non-Christian and the explicit recognition of the solidarity of spiritual

goods. The Popes have exhorted all men to unite and oppose with all their might the evils that weigh on humanity. Five points as the conditions for true peace:

1. a deep and lively feeling of responsibility which measures human constitutions according to the standards of the law of God;
2. the hunger and thirst for justice proclaimed by the Sermon on the Mount as a beatitude;
3. universal love, the essence and summit of the Christian ideal;
4. a bridge with other believers[7];
5. and a common outlook on the idea of man and his destiny broader than Christianity and in the possible field of co-operation.

It means joint action on the truly and sometimes even religious level of the bases of human civilization.

Declaration of human rights: UNO; 10. 1948; their foundation is in God. A common denominator provides in the matters of fundamental moral and religious principles a real basis for co-operation[8].

1.3. *The Dialogue of theological exchange: Hermeneutics in Human Sciences and Theology of Religions*

Hermeneutics can broadly be defined as the theory of the interpretation of meaning. Human expressions contain a meaningful component. A subject has to recognize it and transpose it into his own system of values and meanings. This gives rise to the problem of hermeneutics. A distinction is made between hermeneutical and hermeneutic in order to signify contrasting conceptions of hermeneutics itself; the former implies a methodological orientation while the latter indicates a more fundamental, philosophical concern[9]. The capacity for interpretation cannot be mechanized by simply explicitly stating all the rules of designation and interpretation postulates that confer a meaning upon the symbols concerned. For

---

[7] AAS 1940, p. 11.

[8] Cfr. Y. CONGAR, *The theological conditions of pluralism*, in *Christians active in the World*, 1965, Herder and Herder, New York, ch. 8.

[9] J. BLEICHER, *Contemporary Hermeneutics*, Routledge & Kegan Paul, London, 1980, pp.1ff.

such, rules and postulates do not exhaust meaning. Besides, every symbol contains an aura of vagueness in spite of efforts to specify its meaning in a unique way. To specify the meaning of the descriptive signs one needs more than mechanical rules in order to encounter the difficulties involved in the process of interpretation. The whole content of the system of signs is given by the theory's presuppositions and general relations. Hence the process of interpretation does not involve merely logical steps or deductive means but a certain intuition into the relations. But intuitive interpretation of natural signs without help of tests and theories is misleading in every science[10].

1.3.1. *Hermeneutics in natural sciences*

Natural sciences or exact sciences or physical sciences are distinguished from human sciences such as anthropology, sociology, history, history of religions (comparative and phenomenological), psychology, etc. Human sciences are the disciplines dealing with the operations of the human mind and whatever is the product of, or has been affected by, these operations[11]. Philosophy and theology are normative sciences, the former according to the exigencies of reason, the latter according to those of Christian faith. Computer science, cybernetics, electronics etc. belong to the sphere of applied natural science and technologies. The requirements of usefulness, reliability, profit and low cost are superimposed on truth in modern technology. The technological invention is not in any way inferior to scientific creation; it involves an equivalent exertion of fantasy and investment of knowledge. In technology as in science the initial spark of intuition may trigger a chain reaction among pre-existent items of knowledge; but the end result is very different from the initial spark. In short no science, whether pure or applied, is possible without creative imagination[12].

---

10 M. BUNGE, *Intuition and Science*, op. cit., pp. 98ff.

11 H.P. RICKMAN, *Understanding and Human Studies*, Heinemann Educational Books Ltd, London, 1976, pp. 1ff.

12 M. BUNGE, *Intuition and Science*, o.c., pp. 98ff.

The objects of interpretation in natural sciences and applied sciences are meaningful-forms with their definite character as a product, and they can be regarded as belonging to the history of culture and mind in all its many forms. The whole world of culture has been produced by the physical and mental activity of man. For this reason the various cultural spheres have their own logos, their own law of formation and development, which is the law of meaning-content. In the light of this lawfulness a form of interpretation becomes possible, which aims to understand the meaning of these cultural formations. The physical and mental activities of man are helped by the applied sciences. An interpretation is possible only in view of meaningful forms. The meaningful-forms of modern technology are of immense practical help in human sciences to determine their own meaning, different from those of technology, and hence can be made use of, for instance, in linguistics, anthropology, psychology and history of religions; hence these human sciences have their own specific meaning and purpose, not reducible to that of natural or applied sciences. Man is not pure mind and pure spirit; he is spirit in matter, mind in senses. Facility, accountability and reliability in mental operations are much helped by applied sciences without doubt. If modern science enables us to erect a new World of technological purposes that transforms everything around us, we are not suggesting that everything is reduced to technology in human existence[13].

1.3.2. *Hermeneutics in human sciences of Religion*

Human beings must be understood as human beings. This is a complex process. Different approaches must be employed in cooperation within and between disciplines such as psychology, sociology, anthropology, linguistics, etc. Each of these sciences has its own scope. Sociology of religion is defined broadly as the study of "the interrelation of religion and society and forms of interaction which take place between them"[14]. Sociologists assume rightly that religious impulses, ideas and institutions influence and in turn are influenced by social forces, social organisations

---

[13] J. BLEICHER, *Contemporary Hermeneutics*, o.c., pp. 86ff.
[14] J. WACH, *Sociology of Religion*, Chicago University Press, 1943, pp.11 and 205.

and stratification. The sociologist of religion then studies the ways in which society, culture and personality influence religion as well as the ways in which religion itself affects them[15]. Under the heading of sociology of religion are treated general group influences on religion, functions of ritual for societies, typologies of religious institutions and of religious responses to the secular order, the direct and indirect interactions between religious systems and society, and so on. Anthropology of religion treats of those rites and beliefs, of actions and behaviour patterns in pre-literate societies that refer to what is regarded as being the sacred and the supernatural. The present-day trend indicates that anthropologists apply anthropological methods to the study of religion not only in preliterate societies but also in complex and literate societies, analyse symbolism in religion and myth, and attempt to develop new and more precise methods for the study of religion and myth. In anthropology religion is viewed as a cultural phenomenon in its many manifestations and the cultural dimensions of the religious phenomena are investigated. This mode of analysis is restricted to examining the role of religion with emphasis on custom, rite and belief in social relations[16]. Psychology of religion is that branch of psychology which investigates the psychological origin and nature of the religious attitude, or religious experience and various phenomena in the individual arising from or accompanying such attitude and experience. The main area of reference here is the religious experience of the individual or of a social unit. Psychology studies the reactions of the human psyche, its responses, collective and individual, to that Reality, the sacred, which is the source of all religious experiences as well as that ultimate satisfaction for which the human soul craves[17].

What makes a particular situation meaningful is more important than what a sentence means. The human sciences are particularly concerned with meaning in the wider sense. The meaning of actions, the meaning of situations and the meaning of speech, of signs and symbols, both verbal and non-verbal, interplay in any interpretation of meaning. Most evident is the relation between a physical manifestation and the mental content

---

[15] J.M. YINGER, *Religion, Society and the Individual*, New York, 1957, pp. 20f.
[16] E. EVANS-PRICHARD, *Social Anthropology*, London, 1951.
[17] G. STEPHENS SPINKS, *Psychology and Religion*, Boston, 1965, p. 29.

which makes it an expression. Another category of meaning covers the relation between the whole and its parts. Again, another category meaning is value which provides the typical form of judgement through which we attribute meaning to situations by relating them to values of various kinds, economical, aesthetical, moral, religious etc. Again the way we relate situations for the purpose and the means to it also forms one of the categories of meaning[18].

Understanding can be defined as the grasping of some mental content to which an expression points; it is the primary cognition process through which the subject matter of human sciences is given to us. We have to distinguish comprehension, which is the grasping of relations between events or things, from understanding, which is the grasping of relations of symbolization. The plain fact is that understanding of mental content is achieved always solely through the understanding of expressions which include words and signs of any kind[19].

1.3.3. *Hermeneutics in the Phenomenology of Religion*

The specific scope of the historical phenomenology of religion is to understand the religious phenomena as religious, not as cultural, social, psychological, etc. as in other human sciences. To understand the sacred as sacred, as numinous, as *mysterium tremendum et fascinans* is not a mere logical process but involves a non-rational experience. Hence it has a specific method, different from that of other human sciences. Let us outline this method. In the historical phenomenology of religion *epoché* is used to exclude cultural, religious and racial prejudices in the understanding and interpreting religious facts and to let the facts speak for themselves. It means suspension of preconceived judgement before the religious phenomena and respect for facts as they present themselves. The principle of eidetic vision aims at the grasp of the essential meaning of the religious phenomena and this is achieved always and solely through the understanding of expression. The expressions include words, signs and symbols of any kind as well as the expressive behaviour. It is through expressions that

---

[18] H.P. RICKMAN, *Understanding and Human Studies*, o.c., pp. 17ff.
[19] *Ib.*, pp. 27ff.

we understand other people's minds through empathy. The unity of purpose in the various acts of understanding is what gives each discipline its
specific character and avoids reductionism. Empathy denotes the understanding of the behaviour of another on the basis of one's own experience and behaviour. If one has never experienced a religious act or ritual in
some way, one would never be able to comprehend the meaning of this
religious act from within. In the comparative study of religions there are
both common and different aspects in the meaning and understanding of
other religions, for religions are radically common and radically different
among themselves. We may call this an analogical understanding of different religious facts on the basis of one's own, for there are similar and dis-
similar elements in the structure of religious facts such as sacrifice, prayer
etc., as experienced in various religions. Hindu monotheism is not the
same as Islamic or Christian monotheism[20]. For Eliade and for hermeneutical phenomenologists in general, existential means a serious considera-
tion of the situation or world in which a given object resides. The phenomenology assumes that there is an integral relationship between the object
and its situation in a reciprocal way. In the study of religious facts we are
dealing with phenomena that do not lend themselves to the methods of
ordinary analysis with its reliance upon the laws of verification through
logic and non-contradiction. The hierophanies, the manifestations of the
sacred expressed in symbols and myths, divine beings etc. are grasped as
structures, and constitute a pre-reflective language that requires a special
hermeneutics[21].

1.3.4. *Hermeneutics in the Theology of Religions*

The principle of understanding, the meaning and interpreting of different world religions and their relationship among them is Christian
faith. It is in the light of Christian revelation that we try to understand
and interpret the theological meaning of other religions; for instance, the
salvific value of other religions. For Ebeling *(Wort Gottes und Herme-*

---

[20] M. DHAVAMONY, *Phenomenology of Religion*, Univ. Greg. Editrice, Roma, 1973.
[21] W. BRENNEMAN et ALII, *Seeing Eye; Hermeneutical Phenomenology*, in *The Study of
Religion*, The Pennsylvania State University Press, University Park and London, 1982, pp. 57ff.

neutik, in *ZThK,* vol. 56, pp. 236-242), the primary phenomenon of understanding is not the understanding of language but the understanding through language. The Word is not the object of understanding but that, which enables and mediates understanding. The word itself has a hermeneutic function, not as the mere expression of an individual but as a message, which requires two human beings (as in the case of love), as a communication that appeals to experience and leads to experience. In this way it is the word-event itself that is the object of hermeneutics because understanding becomes possible whenever communication takes place upon and into something. He defines theological hermeneutics as the theory of the word of God.

– Paradigmatic hermeneutics

A paradigm is defined by Thomas Kuhn as "the entire constellation of beliefs, values, techniques, and so on shared by the numbers of a given community"[22]. Others use it in the sense of "models of interpretation", "frames of knowledge", "frames of reference", "belief systems", etc. Paradigm gives direction and a frame of reference for scientific understanding of phenomena at a given time. There is change in paradigm as we face new realities. When new data are observed which do not fit into the existing paradigm, a new paradigm arises which makes sense to the explanation of the new data. The paradigm shift with some important variations is profitably used for the development of theological interpretation. Any paradigm shift in Christian theology can only be carried out on the basis of the Gospel. Such a shift in theology can never be admitted at the expense of God's revelation in and through the Christ-event. In the theology of religions, ecclesiocentrism, Christocentrism, theocentrism and Regno-centrism have been proposed as alternatives in the interpretation of the relation between Christianity and other religions. These various paradigms can be understood in the exclusivist, inclusivist or pluralist sense, not only with regard to other religions but also within the Christian perspective, as inclusivism can also to some extent imply exclusivism or pluralism in one or other aspects. The most basic paradigm shift takes

---

[22] TH. S. KUHN, *The Structure of Scientific Revolution,* Univ. of Chicago Press, 1960, p. 175.

place within the first group of paradigms. So we shall be dealing with this kind of paradigm shift.

Mediation is a central fact of paradigmatic hermeneutics for many reasons. Mediation is one of the characteristic elements of the Biblical revelation, intended as the manifestation of God and of his salvific plan, and as its realization in the history of salvation. Mediation in one form or another is the ordinary form across which is actualised the relation between God and man. Jesus Christ is the mediator in a double sense: he manifests to men the face of God; he founds the relation between God and men. The mediation of Christ represents the pivotal point of the Christian revelation: men can be saved only by means of Christ. It is only by starting from this fundamental hermeneutical key can one understand the specific nature of Christianity. We cannot understand Christology or soteriology without mediation. Mediation is also the essential component of all salvific action. Persons, functions, institutions by their intrinsic finality serve to allow God to intervene in history and in the life of men. They serve as ways and means of establishing communication and communion with God. There are various kinds of ideas of mediation and its application proposed in the present-day theology. In the perspective of illuministic religiosity and of the Eastern immanentistic religions, which are mystical and not prophetic, the relation, some maintain, between God and man ought to be direct and immediate without the intervention of any mediator. Within the Christian perspective some accept the mediation of Christ but not of the Church.

a) Ecclesiocentrism: Under the influence of juridical ecclesiology some hold that the mediation of the Church is absolutely necessary. *Extra ecclesiam nulla salus* (outside the Church no salvation) is interpreted in this sense. Though theoretically no one says that the mediation of the Church is identical with the mediation of Christ, yet in concrete the absolutization of the mediation of the Church constitutes ecclesiocentrism. The Second Vatican Council in the context of an ecclesiology less juridical and more biblico-theological, less polemic and more ecumenical, re-

---

[23] Cfr. G. CARDAROPOLI, *La mediazione di Cristo e la mediazione della Chiesa*, in *L'uomo e il mondo alla luce di Cristo*, a cura di V. BATTAGLIA, Vicenza, 1986, pp. 121ff.

proposes the mediation of the Church, making more precise its diversity and continuity with respect to that of Christ[23]. Existence and diversity of the mediating function of Christ and of the Church give rise to complex theological problems which find an equilibrium in the Vatican II documents. First, let us analyse the transition from ecclesiocentrism to Christocentrism in the two important speeches of Pope Paul VI during the Council. At the opening discourse in the second session of the Council, he said: "Venerable Brethren, recall these facts of the greatest importance. Christ is our Founder and Head. He is invisible but real. We receive everything from him and constitute with him the whole Christ – this whole Christ we find expressed in the writings of St. Augustine and in the entire doctrine of the Church. If we recall this, we shall be better able to understand the main objectives of this Council; namely, the self-awareness of the Church, its renewal, the bringing together of all Christians in unity, and the dialogue of the Church with the contemporary world"[24]. He further states: "Christ is the source of redeemed humanity. This reality sees in Christ the Church. It sees in the Church, Christ's extension and continuation both earthly and heavenly"[25]. However Ecclesiocentrism can be understood in the right sense, if we see the mediation of the Church as not deriving from the intrinsic necessity but from the free decision of Christ, who has freely wished to associate it to him in the work of salvation, as his body, as his spouse, to make of it a sacrament, or sign and instrument of salvation (LG 1)[26].

b) Christocentrism: "It is right to do this, and it pleases God our Saviour, who wants all men to be saved and to come to know the truth. For there is but one God, and one intermediary between God and men – the man Christ Jesus, who gave himself as a ransom for all men. This is what was testified to at the proper times and I was appointed a herald and apostle of it – I am telling the truth, I am not lying – to teach the heathen

---

[24] *Council Speeches of Vatican II*, ed. by H. KÜNG, Y. CONGAR, D. O'HANLON, *Deus Books*, Glen Rock, 1964, p. 22.

[25] *Ibidem*, p. 21.

[26] Cfr. B. RIGAUX, *Il mistero della Chiesa alla luce della Bibbia*, in *Il mistero della Chiesa*, vol. 2, Vallecchi Editore, Firenze, 1968, pp. 5-24.

faith and truth" (1 Tim. 2: 3-7; cf. Jn 3:32; 14: 6-7; 1Cor. 8:6; Heb. 6:8ff).
To be a mediator characterises the person of Christ. To be a mediator is
at the root of his being Saviour and Redeemer, from the time that salvation is intended not only as liberation from evil but above all as communion
between God and man. This communion is first realized in Christ and in
others by means of Christ. Christ is the unique mediator between God
and men; all other mediators participate in the unique mediation of
Christ. He is the mediator not only in the liturgical celebration of the
sacraments but also under the prophetic aspect. He is the mediator as the
fountain of liberation and centre of unity (SC 5-10). The mediation of
Christ as under the historic salvific dimension serves as the hermeneutic
criterion of *Gaudium et Spes* (GS 10; 22; cfr. RH 1 and 13). Only the
mediation of Christ is indispensable for salvation. It is ontological because it attains every human person in his nature. No one can be saved
except through contact with the paschal mystery of Christ, also when such
a contact remains mysterious (GS 22; LG 16-17; DV 2- 4). Those who do
not belong to the visible Church are considered to be "on the way to the
Church" and are already in some way participants of salvation, not only
founded on their subjective, psychological disposition but rather on the
objective criterion of the will of God of the intrinsic value of salvation
effected by Christ who has a real universal efficacy (LG 13). This does not
render the Church superfluous; the historical and institutional consistency
of the Church is affirmed by belonging to the Church in various grades
(LG 8.16-17). The mediation of the apostolic Church is constitutive of
salvific *depositum: depositum Fidei, depositum sacramentale et institutiona-
le*. The mediation of the post-apostolic Church is only continuative in the
work of transition. Thus the mediation of the Church is ministerial, sacra-
mental, which depends on the mediation of Christ. It is in this perspective that we can understand the paradigm shift in the dogmatic theological
hermeneutics.

c) Regno-centrism or Kingdom-centred perspective: As we have
noted, the mediation of the Church is in function of Christ, not in substitution nor in alternative stature, but in continuity with and in Christ. The
Church is the sign and instrument of the presence of Christ among men.
The Kingdom is of God and of Christ. The Church is only the sign of the

presence and instrument for the realization of the reign of God. The foundation of the Church by Christ is not limited to its exterior and institutional reality but regards its entire mystery. In this case the mystery embraces the whole theandric reality of the Church and its mission. It is the reality, visible and invisible, human and divine, historical and eschatological. The Kingdom is concretised and condensed in the person, works and words of Christ, and the Church constitutes on earth and in history the germ and beginning of the Kingdom. The Church is the instrument for the realization of the Kingdom. On the one hand, the Church being the mystical body of Christ does not coincide fully with the reign of God, which is Christ himself; on the other hand, the Church being the germ and instrument of the reign of God in the history of humanity does not coincide with the whole humanity and other religions. A partial aspect of the reign of God, namely, the liberation of man from oppression and unjust structures and underdevelopment cannot be a valid paradigm to explain the whole salvation history, for salvation is not only liberation of man but also and essentially intimate union and communion with God through divinisation of man by Christ's grace and power.

d) Theocentrism: Finally, we come across theocentrism, proposed by some[27], as the most adequate paradigm in the hermeneutics of the relation between Christianity and other religions, because Christ himself preached theocentrism and Regno-centrism. This view again does not serve dogmatically, for in the Christian perspective theocentrism and Christocentrism are the same. The New Testament maintains the one God (1 Cor 8:4) and reveals at the same time that there is a "Son" of God in whom God is "God with us" (Emmanuel) as well as a "Spirit of God" who acts upon us, works in us, and through whom we ascend to the depths of God. The one God is tri-une. Scripture treats of our existence as trinitarian; i.e., living in the Spirit through Christ as we proceed to the Father. In other words the Bible's vision of the Trinity is identical with the Biblical Christocentrism, which is identical with God's action upon the world and upon mankind. The proclamation of the Trinity or theocentrism in the

---

[27] Cfr. on the Pluralist Paradigms, G. D'COSTA, *Theology and Religious Pluralism*, Basil Blackwell, Oxford, 1986.

Bible is identical with the proclamation of salvation history, which is Christocentrism. The separation between theocentrism and Christocentrism is dogmatically unacceptable[28]. Any hermeneutical model should be adequate and comprehensive of all the necessary elements of reality; any partial aspect alone does not serve as a hermeneutical model or principle. Sometimes one takes the position of finding a common element in the conception of God, explicit or implicit, namely, the Absolute or the Supreme as a valid pattern or morphology in the meeting of world religions, because some religions do not accept a belief in God either at higher level of religious experience or at the ordinary level. Such a conception may be valid from the point of view of phenomenology of religion or even philosophy of religion but not from the point of view of Christian theology of religions. In fact, the object of phenomenology of religion is the sacred or the divine and the object of philosophy of religion is the Absolute. If we limit it to God, then we should exclude some religions in the study of these disciplines. The object of Christian theology is God in Christ, and it is in this light that we understand other religions both theist and non-theist.

– Hermeneutics of universal theology or world theology

Some do hold that Christian theology of religion is insular; we have to adopt a universal or world theology that will be common to all faiths. Namely, we have to find a universal faith that underlies all faiths, though not removing particular characteristics of each faith. This theory is different from the oriental Hindu or Buddhist universal perspective of religions. For instance S. Radhakrishnan would find a universal religion from the Vedantic point of view, while a Christian will try to find a universal faith from the Christian point of view, the main motive for this approach being the approach of equality with other religions in the interreligious dialogue. Different faiths represent "specializations", though there are basic differences among them. We can build up a world theology or global theology by combining different elements of various religions into a

---

[28] Cfr. J. RATZINGER, *Christocentric in der Verkündigung*, in *Theologisches Jahrbuch*, 1962, Leipzig, 1962.

common structure. This will be a global theology in which contributions of each faith could be brought to bear with the strength of each faith to build a universal faith. The linear, historical, prophetic strengths of the middle-eastern religions would be enriched by the circular, eternal, and mystical strengths of the Far Eastern religions[29]. The problem with this type of universalism is that there does not exist a universal faith in the concrete. There are only particular faiths, Christian, Hindu, Muslim, etc. True, each particular faith can be enriched by the strengths of other faiths; but in this there is involved a whole process of inculturation with all its corrections, perfectioning, improving, with the result that one and the same particular faith remains identically the same even after the enrichment, being faithful to its basic faith of the founder or of the community.

– Hermeneutics of dialogical theology

Some[30] hold that the exigencies of true interreligious dialogue require that the Christian partner gives up the absoluteness, uniqueness, finality and normativeness of Jesus Christ or of Christianity in order to avoid any kind of superiority of the Christian faith, and adopt an attitude of equality, relativity, and non-normativity. Even theocentrism implies the "anonymous imperialism" or "theocentric fundamentalism", based on the belief that the one God of Jesus Christ works differently within all other religions. The paradigm should be not the Church nor Christ nor even God but salvation, liberation or the Kingdom of God, which Christ preached. As Christians we remain ecclesio-Christo-theocentric; but as dialogue partner the paradigm should be Kingdom-centred. This position cannot be admitted as a hermeneutic model because Christian theology of religion, if it has to be Christian, cannot separate liberation or Kingdom of God from God or Jesus Christ. For salvation in its negative aspect means liberation from evil; but in its positive aspect it is communion and intimate union with God through Jesus Christ in the Spirit. Moreover human

---

[29] W. CANTWELL SMITH, *Towards a World Theology*, Orbis Books, Maryknoll, 1981.

[30] Cfr. J. HICK and P. KNITTER (edd.), *The Myth of Christian Uniqueness*, Orbis Books, Maryknoll, 1987.

liberation, if it has to be fully human, includes an essential union with God in and through Christ.

The ecclesial hermeneutics of which we are speaking here involves a dialogical hermeneutics. "The Church therefore exhorts her children to recognize, preserve and foster the good things, spiritual and moral, as well as the socio-cultural values found among the followers of other religions. This is done through dialogue and collaboration with them, carried out with prudence and love and in witness to the Christian faith and life" (NA 2). We see clearly how this spirit of dialogue is far from the attitude of monopoly and superiority. In dialogue both partners have become aware not only of what is common among religions but also of what is different from each other. Each faith has its criteria of interpreting the religious experiences and attitudes in the dialogue. Each religion has its own absolutes. Eastern religions like Hinduism stress the universal and absolute validity of the Vedantic truth as the hermeneutical principle to interpret other religions. Buddhism proposes its experience of the Void as the way of interpreting other religions. Islam has its own absolute attitude of submission to the will of Allah. In dialogue we meet with absolutes of different religions and try to understand each other's absolute values. No religion is devoid of absolutes; even granting that a particular religion does not believe in absolutes, this belief itself becomes the absolute. The question is: what is the basis of the claim to the absolute of a particular religion? Here we are not dealing with absolutes in the sense of abstract truths or philosophies or even ideologies. If religion is a way of realizing the intimate union between God and man and not merely an approach of encounter between man and God, then the union established in Christ between the divine and the human constitutes the perfect religion; the Church is the place where God and man are united in Jesus Christ.

– Hermeneutics of Intercultural Theology

Religion and culture are closely related, though they are distinct. In fact, religion finds its experience and expression by means of cultural signs, symbols, and language. We cannot separate religion from culture. Hence some are of the opinion that an authentic Asian, African, and Indian has to adopt the hermeneutic tools of his own culture. Christianity is often thought to be of Western culture, which is basically Greco-roman and Semitic. As such they do not serve to make Asian or African mentality to understand and interpret the Christian faith. For instance, the uniqueness of the incarnation, the idea of a suffering God, the Cross, are some of the ideas that are supposed to be unacceptable to an Asian. The point at issue in this type of hermeneutics is the problem of inculturation. The Christian message has to be presented in the thought-forms of Asian, African, and Indian cultures with the necessary correction and perfectioning of the elements of these various cultures. The hermeneutic norms are always to safeguard the unity of faith, worship and communion. The Church in Asia should be fully Asian but at the same time authentically Christian.

– Ecclesial hermeneutics

The entire people of God have a share in the prophetic office of Christ (LG 12). With the assistance of the Holy Spirit there is in the Church growth in the understanding of the apostolic tradition (DV 8) and the doctrine of the infallibility of the Church (LG 25). The Bishops are primarily related to the service of preaching (LG 25; CD 12-15). The pastoral character of the teaching office calls attention to the distinction between the immutable deposit of faith (or truths of faith) and the way in which they are expressed. Dogmas are historical in the sense that their meaning is "partially dependent on the expressive power of the language used at a given time and under given circumstances" *(Mysterium Ecclesiae)*. Later statements preserve and confirm the earlier ones, but also illumine them and render them living and fruitful in the Church, usually when new questions or errors come up. Since the Second Vatican Council the theological understanding of other religions has become vital and hence has given rise to many new and important problems within the traditional dogmatic theology. How are we to understand the absolute character of Christianity? How are the vast majority of other believers saved? What is the relation between the universal and special history of salvation? Is there authentic supernatural revelation in other faiths? Are the sacraments of other religions efficacious with respect to salvation? Are they ways of salvation in the strict sense? How is the uniqueness of Christ to be interpreted theologically? We are not going to deal with these problems individually. We only indicate certain hermeneutical principles in tackling the problem of absoluteness of Christian faith and that, too, schematically, for it would require a whole treatment in an extensive treatise[31]. The chief dogmatic hermeneutics should be to safeguard the identity of Christian faith, in other words, fidelity to one's faith and openness to other faiths. The term "absolute" can be understood in various senses. Etymologically, it means "detached", something which is independent of another in its existence and action. In the real sense, only God is absolute person; "distinct from other beings" does not mean "limited or imperfect". Created beings are absolute in a participated way; they exist in themselves but not by themselves; they are dependent on God for being and action. Christianity is a created reality and hence it is not absolute by itself. Secondly, the absolute can signify something common in a generic sense as between genus and species. Christianity is not absolute in this sense; for there are radical commonalities and radical differences, both phenomenologically and theologically. Again the absolute may signify an abstract universal, as found in various particulars like the common human nature as found in various individuals. For Christianity is not a religion in the abstract but concrete. Again, the absolute may signify One supra-personal of impersonal being, the personal absolute being supposed to be imperfect. Such an impersonal or supra-personal religion would be considered as immanent in all religions. Christianity is a personal religion with personal relationship between God and man. Again the absolute can be considered as being unconditioned by space, time, change and culture. Christianity is conditioned by space, time and culture in its origin and development. Again, the absolute may signify something transcendent of all particular religions. In this sense Christianity is not absolute or transcendental which is common to all religions. Christianity is a particular religion in as far as it is historical and contains God's intervention in history. Hence, it is absolute not by its nature but by God's positive will because it represents God's unique intervention in Jesus Christ at a particular stage of human history. Christianity is concrete universal.

---

[31] Cfr. the excellent article of J. RATZINGER, *Das Problem der Absolutheit des Christlichen Heilsweges*, in *Kirche in der ausserchristlichen Welt*, Verlag Fredrich Pustet, Regensburg, 1967.

Absoluteness of Christianity does not mean that it alone possesses all truths; that it involves totalitarian levelling and inexorable imposition; that it denies values that are inherent in other religions by reason of creation and of the universal economy of salvation. The absoluteness of Christianity signifies an awareness that God intervened in a decisive and irreversible manner in the Church at the service of mankind and that gift made to the Church is true and meaningful for all men. The absolute character of Christianity is derived from that of Jesus Christ, its founder, who continues his salvific activity by his Spirit in the Church. Jacques-Albert Cuttat sees in Christian faith the link that reconciles the East and the West, when he says: "at the point where East and West both meet and diverge, rises the cross of the New Adam; His Resurrection manifests and restores the body to its providential function as Temple of the Spirit, 'seat' both of the incommunicable personality and of the communication with the 'other', abode of interiority and, by the same token, gateway to transcendency, and thus itself also marked out for resurrection. Before the incarnation, interiority and transcendency, intellectual isolation and unitive love, appeared to be separated by an irreducible antinomy; outside the incarnation, East and West remain incompatible; 'when the fullness of time had come', this abyss was shown to be bridged as such within the Trinity and bridgeable within ourselves, because 'God has sent into our hearts the Spirit of his Son, who cries out: Abba, Father!'"[32].

Now, with respect to the claim to the absolute truth in Christianity we have to note that this is entirely dependent on the claim which Jesus Christ made for himself: "I am the light of the world" (Jn 8:12). The claim that Jesus made is that he and he alone can savingly irradiate the dark mystery of men's existence and give their life meaning, purpose and destiny. Christ is the fullness of Truth; but this does not mean that the Church has exhausted the mystery of Christ; the Church is at the service of Christ who is the absolute truth, for he is God incarnate. The Church has to grow in the perception and actualisation of the mystery of Christ in its life and teaching. It has to learn from the Teacher, the Holy Spirit whom Christ promised as the revealer of truth. Besides, the Church has to

---

[32] J.-A. Cuttat, *The Encounter of Religions*, Desclee, New York, 1962, pp. 75ff.

learn in and through dialogue from other religions where Christ and his Spirit are present and active. "The Catholic Church rejects nothing that is true and holy in these religions. She guards with sincere reverence those ways of conduct and of life, those precepts and teachings, which though differing in many respects from the ones she holds and sets forth, nonetheless often reflect a ray of that truth which enlightens all men" (NA 2).

– The catholic approach to biblical hermeneutics[33]

Biblical Hermeneutics is usually called "New Hermeneutics" which means a search for "understanding", for relevant meaning (*verstehen*) distinct from mere "explanation" (*auslegen*). That is to say, what the text means for me today beyond what it meant for author and his audience in those days. In 1943, Pius XII issued an important encyclical on the Bible (*Divino Afflante Spiritu*). The Pope called for an intensification of Biblical studies, taking into account the increased knowledge of the biblical background and the new techniques of analysis of literary forms. As regards hermeneutics, the document revives the doctrine of the Fathers on the "spiritual sense" of Scripture, i.e., a greater plenitude of meaning of the text from the Christ event and from the spiritual experience of centuries of Christian reading, praying and living. An awareness of the new hermeneutic quest appears in the last part of the Encyclical which says:

[33] For a Roman Catholic viewpoint on Hermeneutics, see R. MARLÉ, *Introduction to Hermeneutics*, Burns and Oates, London, 1967; R.E. BROWN, "Hermeneutics," in *The Jerome Biblical Commentary*, Vol. II, pp. 605-623; F. MUSSNER, *Geschichte der Hermeneutik von Schleiermacher bis zur Gegenwart*, Herder, Freiburg, 1970; R. SCHNACKENBURG, *Zur Auslegung der Heiligen Schrift in unserer Zeit*, in *Schriften zum Neuen Testament*, Kösel, München, 1971, pp. 57-76 (with bibliography on pp. 58-59 and 76-77); H. CAZELLES, *Ecriture, Parole et Esprit*, Desclée, Paris, 1970; R. LAPOINTE, *Les Trois Dimensions de l'Herméneutique*, 1976; a complete issue of *Journal of Dharma*, 5(1980/1) has been devoted to the question of Hermeneutics. See also the Discourse of Paul VI to the Members of the Pontifical Biblical Commission on March 14, 1974 (text in *Voice of the Church*, May 1974, pp. 679-685). Of particular interest are the Colloquies organised yearly by the Institute of Philosophical Studies, Rome, and edited by E. CASTELLI (Aubier, Paris): a few titles: *Mythe et Foi, L'Herméneutique de la Liberté Religieuse, L'Analyse du Langage Théologique, Herméneutique et Eschatologie, Démythisation et Idéologie, Le Sacré, Temporalité et Aliénation.*

"God did not grant the Sacred Books to men to satisfy their curiosity or to provide them with an object of study and research; these divine oracles were bestowed, as the Apostle tells us, in order that they might 'instruct to salvation by the faith which is in Christ Jesus,' and 'that the man of God may be perfect, equipped for every good work!'"(§51). The document then proceeds to invite scholars to look for a "theological sense" that will stir in their students the reaction of the disciples of Emmaus: Did not our hearts burn within us whilst he opened to us the Scriptures? (Lk 24:32) (§56). §30 had spoken in the same way of a "theological sense" contained in the "literal sense".

Vatican II (1965)

Two documents of Vatican II are of particular interest:

The *Decree on Liturgy* deals at length with the place of the Bible in the Liturgy (§§ 24, 33, 35, 51f., 56). Liturgy is considered as the action through which "the work of our redemption is exercised" (§2). It is therefore deeply related to salvation history (§5-8). Liturgy is a privileged hermeneutic milieu.

The most elaborate exposition on hermeneutics is given in ch. 2 of the *Constitution on Divine Revelation*. It describes Tradition as the answer to the need "to keep the gospel forever alive and whole" (§7). Tradition is not a matter of doctrine alone, but also of "life and cult" (§8). Tradition and Scripture are "deeply connected. Both come from the same source, merge and converge together": both represent joint aspects of the same work of the same Spirit (§9).

Discourse of Pope Paul VI to the Biblical Commission (1974)

The topic proposed for the first meeting of the newly reorganized Biblical Commission was hermeneutics. This is itself significant. The address of the Pope at the audience he gave to the Members dealt specifically and quite technically with that issue.

"There is presently a stress on integrating to a diachronical study, attentive to the historical development of the text, a synchronical reading that gives its due place to the literary and existential connections of any text with the linguistic and cultural context to which it belongs. Does not this lead us precisely into the life of the Church?... For the last 10 years or so the hermeneutic function has come to the fore and has been added to the historico-literary exegesis. Does not this induce the exegete to go beyond the enquiry in the pure original text to remember that it is the Church, as a living community, which 'actualizes' the message for the man of today?" The Pope's address connects this technical summary of New Hermeneutics with a theology of the Word and of biblical inspiration. The Word of God in the Bible came to us through a community to a community. This community continues to carry the responsibility and the grace to actualise the message and make it continuously relevant. Hermeneutics is therefore connected with the life and mission of the Church:

"To express the message means above all to gather all the meanings of a text and make them converge towards the unity of the Mystery, which is unique, inexhaustible, transcendent and which we can consequently approach from multiple standpoints... The biblicist is called to render a similar service to the ecumenical and missionary task of the Church... And we wish to recall that the Council in the Decree on the Church's missionary activity, asked for a 'fresh scrutiny to be brought to bear on the works and deeds ... consigned to Sacred Scripture' in the context of world cultures and religions, in order to understand the latter, as far as possible, and in a Christian way, and 'reconcile them with the manner of living taught by divine Revelation'" (*Ad Gentes*, 22).

This rapid survey can be summarized in the following points:

1. The concern to actualise the Scriptures is as old as the Church itself. It is even anterior to it as witnessed to by the Midrashim and Targumim of Judaism. The ancient theologians tried to formulate a theology and to work out techniques of actualisation.

2. What Catholic theology calls "tradition" corresponds very much to what the hermeneutic quest is concerned with. In Tradition, Scriptures are received and communicated by a community endowed by the Spirit with a faith alive and a living language.

3. The Roman Catholic documents, the "authority of the Church" is certainly an aspect of the Tradition whether it is to be found in the consensus of the "Fathers", the decrees of the Councils or the Roman documents.

4. But it is not the only aspect; tradition is also a matter of liturgy, of Christian life and witness, of reflection on and study of, at the various levels of prayer, the Word of God.

5. It is only late documents which refer to New Hermeneutics in the sense of an awareness of the linguistic implications of the actualisation of the Scriptures. But already Origen had developed an interesting theology of the Logos and of its incarnations which is very "modern" in tone[34].

Inculturation

Inculturation looks to the diversity of cultures to ensure that the biblical message takes root in a great variety of cultures. Every authentic culture is, in fact, in its own way the bearer of universal values established by God. There are the universals as part of cultures in the sense that they are incorporated and socially transmitted. The so-called "cultural constants" are not mere empty frames. Every society's patterns for living must provide approved and sanctioned ways for dealing with such universal circumstances as the existence of two sexes, the helplessness of children; the need for satisfaction of the elementary biological requirements such as food, warmth and sex; the presence of individuals of different ages and of differing physical and other capacities. The broad outline of the ground plan of all cultures are and have to be about the same because men always and everywhere are faced with certain unavoidable problems which arise out of the situation "given" by nature. Since most of the patterns of all cultures crystallize around the same 'foci', there are significant respects in which each culture is not wholly isolated, self-contained, disparate but rather are related to and comparable with all other cultures. Valid cross-cultural comparison could best proceed from the invariant points of reference supplied by the biological, psychological and social "given" of human life. These and their interrelations determine likeness in the broad categories and general assumptions that pervade all cultures[35].

---

[34] See L. LEGRAND, *Issues in the Roman Catholic Approach to Biblical Hermeneutics Today*, in *The Indian Journal of Theology*, 31 (1982), n. 3 & 4.

[35] Cf. C. KLUCKHOHN, *Universal Categories of Culture*, in *Anthropology Today*, edited by S. TAX, The Univ. of Chicago Press, 1962, pp. 304-320.

The theological foundation of inculturation is the conviction of faith that the Word of God transcends the cultures in which it has found expression and is capable of being spread in other cultures as to be able to reach all human beings in the cultural context in which they live. This conviction springs from the Bible itself, which, right from the book of Genesis, adopts a universalist stance (Gen. 1:27-28), maintains it subsequently in the blessing promised to all peoples through Abraham and his offspring (Gen. 12:3; 18:18) and confirms it definitively in extending to "all nations" the proclamation of the Christian gospel (Matt. 28:18-20; Rom. 4:16-17; Eph. 3:6). The first stage of inculturation consists in *translating* the inspired Scripture into another language. Translation has to be followed by *interpretation*, which should set the biblical message in more explicit relationship with the ways of feeling, thinking, living and self-expression which are proper to the local culture. This leads to the formation of a local Christian community extending to all aspects of life (prayer, work, social life, customs, legislation, arts and sciences, philosophical and theological reflection). The Word of God is, in effect, a seed, which extracts from the earth in which it is planted the elements which are useful for its growth and fruitfulness (cf *Ad Gentes,* 22). As a consequence, Christians must try to discern "what riches God, in his generosity, has bestowed on the nations; at the same time they should try to shed the light of the gospel on these treasures, to set them free and bring them under the dominion of God the Saviour" (*Ad Gentes,* 11).

This involves "mutual enrichment". On the one hand, the treasures contained in diverse cultures allow the Word of God to produce new fruits and, on the other hand, the light of the Word allows for a certain selectivity with respect to what cultures have to offer: harmful elements can be left aside and the development of valuable ones encouraged. Total fidelity to the person of Christ, to the dynamic of his paschal mystery and to his love for the church, make it possible to avoid two false solutions: a superficial "adaptation" of the message, on the one hand, and a syncretistic confusion, on the other (*Ad Gentes,* 22)[36].

---

[36] Cf. The Pontifical Biblical Commission, *The Interpretation of the Bible in the Church*, Libreria Editrice Vaticana, Rome, 1993, pp. 117-119.

1.4. *The Dialogue of religious experience*

Dialogue at various levels of ritual participation:

Interreligious ritual participation is of different kinds and of various levels. We shall begin with the common prayer meetings. Here believers of different religions meet together to recite and experience prayers where there is no mention of any particular God or Divine being of any particular religion but which contain common elements of different religions. Supreme Being or God is addressed and the participants think of this as the common element of religions, at least the theist ones. Prayer is man's personal directing of himself toward, and intercourse with, the transcendent Reality either in word or in thought. Prayer is the central act of religion, for even sacrifice, also a central phenomenon in religion, as giving of oneself to God, takes place spiritually by means of prayer. Such prayer may take many forms such as confession of faith, confession of sins, requests for benefits, material and spiritual, thanks, praise, reference to sacrifice, to save one or the entire community from evil, etc. This kind of interreligious participation is realized on various occasions such as the beginning and end of classes at school where there are students of different religious traditions; various special occasions of national importance, common festivities, etc. Interreligious participation can take place at the level of common meditation practices where again the common truths of various religions are proposed and meditated upon according to the techniques of different religious traditions, for techniques and methods as such do not imply any particular belief, as they are applicable to all, although certain modifications may be necessary to suit individual religious traditions. There is also a certain common living together of different groups belonging to different religious traditions, for instance, in a monastery or religious house. The participants practise silence, meditation each by himself or in common at times, and imbibe the spirit and atmosphere of each other's religious experience. There can be also readings of sacred texts in common which contain again common elements of different religions. Such readings are generally followed by meditation. One important thing to be noted in all these common participations of people of different religious traditions is that these acts are done not in order to do away with what is specific to each religion but to experience what is common to all participants' different religious traditions.

The Document on Dialogue and Mission, entitled "The Attitude of the Church towards the followers of other religions" (Reflections and Orientations on Dialogue and Mission), speaks of the various forms of dialogue, among which the dialogue of religious experience is one. The Document says: "At a deeper level, persons rooted in their own religious traditions can share their experiences of prayer, contemplation, faith, and duty, as well as their expressions and ways of searching for the Absolute. This type of dialogue can be a mutual enrichment and fruitful co-operation for promoting and preserving the highest values and spiritual ideals of man. It leads naturally to each partner communicating to the other the reasons for his own faith. The sometimes profound differences between the faiths do not prevent this dialogue. Those differences, rather, must be referred back in humility and confidence to God who is 'greater than our heart' (1 Jn 3:20). In this way also, the Christian has the opportunity of offering to the other the possibility of experimenting in an existential way with the values of the gospel"(N 35)[37]. In this context, it is significant to note what Pope John Paul II said to the Participants at the Plenary Assembly of the Secretariat for Non-christians on 28 April 1987: "Where circumstances permit, it means a sharing of spiritual experiences and insight. This sharing can take the form of coming together as brothers and sisters to pray to God in ways which safeguard the uniqueness of each religious tradition"[38].

The World Day of Prayer for Peace, celebrated at Assisi on 27 October 1986, has a special significance for interreligious ritual participation. Certainly it was an outstanding event of an exclusively religious character. It was a day of prayer, fasting and pilgrimage. The participants sought peace through penance since they have not always been 'peace-makers' in their religious history. They sought peace through prophetic witness since old divisions and social evils had to be challenged and rooted out. The Holy Father said in his General Audience in St. Peter's Square: "conscious of the common vocation of humanity and of the unique plan of salvation, the Church feels herself linked to one and all, as Christ "is united in a certain way with everyone" (*Gaudium et Spes* 22,

---

[37] See *Bulletin*, Secretariatus pro non Christianis, Rome, XIX (1984), p. 138.
[38] See *Bulletin*, Secretariatus pro non Christianis, Rome, XXII (1987), p. 224.

Redemptor Hominis, passim). Precisely because Christ is the centre of the whole created world and of history, and because no one can come to the Father except through him, we approach the other religions in an attitude of sincere respect and of fervent witness to Christ in whom we believe.

"In them there are, in fact, the 'seeds of the Word', 'the rays of the one Truth'... Among these there is undoubtedly prayer, often accompanied by fasting, by other penances and by pilgrimage to sacred places held in great veneration. We respect this prayer even though we do not intend to make our own formulae that express other views of faith. Nor would the others on their part wish to adopt our prayers. What will take place at Assisi will certainly not be religious syncretism but a sincere attitude of prayer to God in an atmosphere of mutual respect. For this reason the formula chosen for the gathering at Assisi is: being together in order to pray... In this way we manifest our respect for the prayer of others and for the attitude of others before the Divinity; at the same time we offer them the humble and sincere witness of our faith in Christ, Lord of the Universe"[39].

The leaders of world religions came together to Assisi in complete faithfulness to their own religious traditions, well aware of the identity of each and of their own faith commitment. Each of the religions has inner peace and peace among individuals and nations as one of their aims. Each one pursues this aim in its own distinctive irreplaceable way. But all are committed to peace and all invite their adherents to seek peace through inner transformation of self, the spirit of reconciliation, the service of justice, and above all prayer and meditation.

2. The specific character of the Christian ritual

If faith and ritual are co-relative, it follows that the specific character of a particular faith is expressed in the ritual also; hence we cannot speak of the Christian ritual as common to other religions, as we cannot speak of a Muslim or Hindu faith and their corresponding ritual expression to be proper to other religions as well. Thus in each religion there are certain rites that are proper and specific to it, although it may contain certain

---

[39] See *Bulletin*, Secretariatus pro non Christianis, Rome, XXII (1987), p. 22.

common elements. In religions there are radical differences as well as radical similarities.

In this context we can bring in three Catholic theologians who have scientifically treated this problem. First, Dom Odo Casel's theology of sacraments is relevant here[40]. Taking up the problem of the relationship between the Christian mystery and the mystery religions, Casel unequivocally rejects the theory of genetic derivation of the Christian Mystery from these religions and strongly upholds the unique and transcendent character and the authenticity of the Christian Mysteries. Yet Casel does admit a common ground in the cult 'eidos' of the mystery which served as a kind of imperfect and shadowy prefiguration of the reality which through God's salvific intervention reaches its final fulfilment in the Mystery of Christ. This *eidos* is the 'cultic presence of the redemptive act' constantly renewed in mystery. H. Keller[41] thinks that Casel's attempt to explain the Eucharist by means of the Hellenistic notion of sacrifice is methodologically wrong. According to him the method followed by the post-tridentine theologians whose starting point was not from revelation but from the phenomenon of sacrifice common to all religions is a kind of naturalism and the natural becomes thus the measure of the supernatural. A veritable theological method should be as follows: sacrifice cannot be understood in its essence by comparison with the conceptions of sacrifice derived from other religions but it is understood only by divine revelation which alone is capable of making us know the nature of the most religious acts. Casel replied thus[42]: Keller rightly warns us against a false theological method but his own demands go too far. It is an exaggeration, for example, to pretend that the essence of sacrifice is knowable only through revelation. On the contrary, it is necessary to know first what one means in general by sacrifice; or again to know first what bread represents for natural life, for then only can one understand what Christ meant when he said he is the bread of life.

---

[40] See his *Das Christliche Kultmysterium*, Regensburg, 1935.
[41] See his *Kirche als Kultgemeinschaft*, in *Benediktinische Monatschrift*, 17 (1935), pp. 189-195.
[42] See his *Jahrbuch für Liturgiewissenschaft*, XIV (1938), pp. 247-49.

Hugo Rahner[43] represents the group of scholars who avoid the danger of merely levelling down Christianity in order to show it as the genetic or phenomenological product of the mystery cults; at the same time he keeps clear of the danger of tacitly christianising the mystery cults themselves. Rahner's guiding principle is that when as historians of religions we seek to determine the nature of the relationship between Christianity and non-Christian religions, we have to make a sharp distinction between the actual, unalterable dogmatic beliefs which Christianity, relying on the revelation of Jesus Christ, carried into the Hellenistic world, and the trappings of speech, imagery and symbolism which she borrowed from the overflowing treasures of Greek genius and used for the expression of these truths. Hence he makes a sharp distinction between the enduring Christian essence of these mysteries and the mystery terminology which gradually developed alongside it. He stresses the fact of a fundamental belief in the sacrament with is basic form fashioned by Christ. Louis Bouyer attempts to integrate the results of the history of religions into the theological understanding of the liturgy[44]. Through an examination of myths he makes a comparison of non-Christian mysteries and Christian sacraments, and analyses the concepts of sacred time and space. He proposes a study of religions for a new and deeper understanding of it. While Christianity is not a man-made religion, still it is right to hold that the divine reveals itself in the transformation it effects in the human. "Christianity is certainly the work of God; it is also the work of a God who became man." Although Bouyer allows a restricted use of the method of the history of religions, he is very careful to stress the difference in the perspective of the Christian and non-Christian religious facts. "Thus we shall see that the Hebrew religion represents a first and decisive creative change in the use it made of mythical images and ritual customs that were more or less common to the people living about the Mediterranean. Later, Christianity while taking shape in the Jewish framework caused another and even more decisive change. And later still it was to prove that it could reinterpret and refashion in an entirely new way

---

[43] See his *Griechesche Mythen in christlicher Deutung*, Zürich, 1957.
[44] See his *Le rite et l'homme*, Paris, 1962.

everything which it appropriated for itself from the manifold treasures of natural religion"[45].

3. Relativism

We can outline the three kinds of religious relativism as follows:

1. Philosophical relativism holds that truth is not static and eternal but dynamic and historically conditioned. Religious human knowledge cannot claim for disengaged objectivity, for it has always presuppositions and prejudices. Divine mystery is beyond all human grasp. All human knowledge of the Absolute is relative.

2. Exegetical relativism is based on historical criticism and literary genre of the text. For example, there is a difference between the historical Jesus and the Church's interpretation. For instance, Jesus preached God-centred Gospel, whereas the Church preaches Christocentrism.

3. Theological relativism depends on the particularity of the Jesus-event and the interpretation of its universal significance. No historical event can claim uniqueness and universality. The history of religions does not sustain the Christian claim, for all religions are different paths of salvation of equal value.

Different religions cannot be reconciled; nor does any one of them fully and exhaustively express the variety of the human spirit. In recognizing that there is no absolute truth or value, the philosopher of history recognizes the relativism of his own position. But the last word of the mind is not the relativity of all world-views but the sovereignty of the mind, the one reality of the world exists for us. The case for relativism made by the philosophers of history and culture is a strong one. Cultural and historical relativism impinges on religion in two ways: it suggests the relativity of all religious knowledge which is historically conditioned or expresses itself in particular symbols of human origin. The existence of different philosophical systems, the variety of intellectual and cultural viewpoints from which philosophers look at the world, together with the vast range of data from physical and social sciences, render it impossible to give any adequate representation of reality. Hence the theologian must

---

[45] *Ibidem*, p. 57.

carry out his own dialogue with the sciences and come out with his own philosophical conclusion to solve problems in his theological reflection. The result is the rise of a pluralism of theologies. But pluralism need not lead to relativism. Theological anthropology can justify a limited core of epistemological and metaphysical positions which would be unreviseable because they are a priori conditions of human knowledge itself. Neither theologians nor the Church's Magisterium can refuse to admit the pluralistic and historical character of theology[46].

4. Various types of syncretism

Scholars usually indicate various types of syncretism when they speak of the influences of one religion on another. Certain types are legitimate and others questionable. Sometimes the process leading repeatedly from polydemonism to polytheism is termed syncretism. Others call the process of mutual action and interaction between cultures which creates a certain coming to terms with the belief of another people through mutual borrowing and reshaping of one's own a syncretism. Some others call the tendency to subordinate the different gods to One Supreme God and the different myths to one group of myths (e.g. Sun-God; the Light myths) a kind of syncretism. Finally, every religion has its previous history and is to a certain extent a 'syncretism'. In this sense every historic religion is not one but several; not of course as being the sum of different forms, but in the sense that diverse forms had approximated to its own form and had amalgamated with this[47]. This is true of some religions. The kind of syncretism that is inadmissible is that which would imply a systematic attempt to combine, blend and reconcile inharmonious, even often conflicting religious elements in a new, so-called synthesis; that which tends to propose a religious relativism with the implication that all religions are *equally valid and that it does not matter what one believes*[48].

---

[46] Cf. K. RAHNER, *Philosophy and Philosophising in Theology*, in *Theological Investigations*, vol. 9, pp. 47-49; 51-62.

[47] G. VAN DER LEEUW, *Phänomenologie der Religion*, Tübingen, 1956, 19.1; 84.2; 93.1; 94.2 (these are chapters and numbers within chapters).

[48] See H. KRAEMER, *Syncretism as a religious and missionary problem*, in *The international Review of Missions*, XLIII (1954), pp. 253-273.

PARTE III

LA VERITÀ TESTIMONIATA

La Verità di Cristo nella storia: testimonianza e dialogo

Paul O'Callaghan

«*Non intratur in veritatem nisi per charitatem*» (Sant'Agostino)[1]

«*Vivere l'amore e in questo modo far entrare la luce di Dio nel mondo, ecco ciò a cui vorrei invitare con la presente Enciclica*» (Benedetto XVI)[2].

Potrebbe destare sorpresa il fatto che in quest'anno, come nel 2004, il *Forum* della Pontificia Accademia di Teologia si dedichi con attenzione particolare alla questione del metodo teologico[3]. Dell'ampiezza della teologia, della ricchezza della sua storia, delle possibilità ancora non esplorate, nessuno dubita. Tuttavia, dopo 2000 anni, si potrebbe auspicare che perlomeno la questione del *metodo* fosse già ben risolta e chiarita. Invece non è così. Anzi: essa è diventata di recente più viva e complessa che mai. Tre questioni specifiche meritano, a mio avviso, un'attenzione particolare al riguardo.

1. La teologia deve trattare la questione della *verità*, su Dio, sul mondo creato da Lui, e sul suo disegno di salvezza. Senz'altro, la verità deve essere considerata come qualcosa di reale, di universale, di definitivo e di invariabile, opposto cioè a ciò che è soggettivo, individuale, immediato e transitorio. "La verità", disse Agostino, «non è soggetta

---

[1] *Contra Faust. Man.*, 33, 18.
[2] Enc. *Deus Caritas Est* (2005), n. 39.
[3] Cfr. specialmente il fascicolo di PATH 3 (2004/1), che raccoglie i testi presentati nel II Forum della Pontificia Accademia di Teologia del 2004: *Il metodo teologico oggi. Fra tradizione e innovazione.*

alla trasformazione o al cambiamento di nessun genere»[4]. Eppure la categoria della verità è diventata decisamente ambivalente nella modernità. Essa non si lascia afferrare facilmente, perché troppo condizionata dalla concretezza dell'empirico, della storia, delle circostanze. Forse per questa ragione l'ermeneutica sembra essere diventata ormai la scienza delle scienze. Inoltre, soprattutto negli ultimi anni, l'affermazione e la predicazione in ambito religioso di una pretesa "verità" universale viene percepita come un atto di aggressione, come una provocazione alla violenza e all'intolleranza.

2. In secondo luogo, alla teologia oggi viene chiesta una parola di significato rispetto a molte questioni che non coincidono semplicemente con il mistero di Dio e con il suo disegno di salvezza. Siamo nell'epoca delle "*teologie del genitivo*": "genitivo" inteso in senso *oggettivo*, perché si considera che la fede deve poter illuminare i molteplici aspetti della realtà; oppure inteso come *genitivo soggettivo*, perché le situazioni concrete vengono percepite come luoghi o mondi in cui si verifica l'agire dello Spirito, e quindi come fonti (o meglio canali) di una maggiore intelligibilità teologica. Tutto ciò complica abbastanza le cose dal punto di vista metodologico, tra l'altro perché la verità non si localizza più nel generale e nell'astratto, ma nel concreto e nel soggettivo.

3. Infine, si insiste spesso oggi sulla necessità di tornare all'esperienza spirituale – quella in particolare *dei santi* – per approfondire la fede e per comunicarla alle future generazioni[5]. Una teologia troppo intellettualistica del passato, ci è stato detto, ha voluto prescindere dall'esperienza vissuta, e in questo modo ha perso la sua originalità e ricchezza. Il complemento spirituale vissuto, quindi, diventa imprescindibile.

In tutti e tre i casi menzionati, lo stesso problema si fa presente: la *verità teologica*, che in fin dei conti si presenta come reale, universale, inalterabile, si confronta con le situazioni specifiche, con le istanze storiche concrete, con l'esperienza spirituale degli individui. È questo ciò che ci porta a considerare la categoria prettamente cristiana di testimonianza, e insieme ad essa, di dialogo.

---

[4] *Conf.*, 3, 6,10.
[5] Sulla teologia dei santi, cfr. ad esempio F.-M. LÉTHEL, *Théologie de l'amour de Jésus: écrits sur la théologie des saints*, Éditions du Carmel, Venasque 1996.

Lo studio sarà presentato in tre tappe. *Prima*, si farà una considerazione generale sull'epistemologia teologica e sull'accesso alla verità. *Seconda*, sarà studiata la dinamica della testimonianza, massimamente realizzata nella vita, morte e risurrezione di Cristo, e – in Lui – di tutti i credenti. E *terza*, infine, si vedrà se la nozione di testimonianza costituisce una categoria filosoficamente valida nel contesto delle diverse teorie della verità.

1. Verità ed epistemologie

Quando Tommaso d'Aquino parla del processo della conoscenza umana, distingue sistematicamente due tappe: l'*apprehensio* e il *judicium*[6]. Con la prima designa il momento in cui la mente diventa consapevole dei diversi concetti provenienti oppure occasionati dalla realtà. Tutto ciò può essere spiegato in modo psico-organico. Con la seconda, il *judicium*, invece, Tommaso spiega che la mente si proietta più in là dei concetti, e collega coscientemente il soggetto con il predicato[7]. Si tratta del "momento della verità", dell'*adaequatio rei et intellectus*[8], un momento spirituale e libero, pienamente umano. E come si verifica questa proiezione verso la realtà? Ciò dipenderà dall'epistemologia di base adoperata. Le epistemologie sono fondamentalmente due.

La *prima* si può chiamare "realista": l'uomo tramite il c.d. "intelletto agente" fa astrazione dell'intelligibilità *insita nelle cose* esistenti (si capisce che il termine "cosa", res, include uomini, angeli, e Dio stesso; non esclude quindi le categorie personalistiche). È la posizione dell'Aquinate, basata su Aristotele. Dall'altra parte, è chiaro che l'intelligibilità è insita nelle cose a causa dell'opera divina della creazione; in questo senso l'Intelletto di Dio sta sempre alla base della verità delle cose.

La *seconda* si chiama "illuminista" perché si afferma piuttosto che Dio illumina l'intelletto direttamente affinché possa conoscere le cose. Autori appartenenti a questa corrente sono Platone, e sulla sua scia, Agostino, Bonaventura, Spinoza, Malebranche ed altri. Secondo questa spiegazione le cose conosciute non rientrano a pieno titolo nella dinamica del conoscere. Spinoza, ad esempio, situa la verità tra l'Idea (il Divino)

---

[6] Cfr. SAN TOMMASO D'AQUINO, *De Veritate*, q. 10, a. 8c.
[7] Cfr. *Ib.*, q. 1, a. 3c.
[8] Cfr. *Ib.*, q. 1, a. 1c.

e il concetto nella mente. E in un modo non dissimile, Hegel, Kant, Schelling, ed altri.

Tuttavia questa seconda spiegazione ha diversi vantaggi rispetto alla prima: è in grado di ovviare a ogni relativismo riguardante la verità; evita i problemi riscontrati intorno alla natura dell'intelletto agente; supera infine ogni possibile conflittualità tra sapienza e religione, tra fede e ragione, perché la conoscenza consiste sempre in un'illuminazione della mente umana da parte di Dio, che si chiami fede, che si chiami ragione, non importa più di tanto.

È anche vero che la spiegazione illuminista ha degli svantaggi. Il primo sta nel fatto che "Dio" viene considerato come punto di partenza *a priori* di qualsiasi conoscenza. Facilmente quindi si tende verso l'ontologismo oppure il fideismo. Il risultato storico è che le diverse spiegazioni sulla verità sorte negli ultimi secoli si impostano in modo da escludere sistematicamente la Divinità come punto di partenza epistemologico. Ad alcune di queste spiegazioni torneremo alla fine della relazione.

Il secondo svantaggio della spiegazione illuminista è questo: all'interno del processo conoscitivo non dà sufficiente peso alle cose create e concrete, come abbiamo già notato. La verità rimane un'istanza astratta nella sua origine e nel suo termine. In fin dei conti, l'azione illuminatrice di Dio si occupa allo stesso tempo sia dell'*apprehensio* che del *judicium*, che non si distinguono sostanzialmente l'uno dall'altro.

2. Alla ricerca di un'epistemologia teologica

Sostengo che un modello epistemologico realista (e una definizione della verità in termini di *corrispondenza*, cioè *adaequatio*) offre significativi vantaggi su quello illuminista sia nel foro strettamente teologico, sia nel vasto campo del dialogo tra teologia, filosofia e scienza.

In primo luogo perché permette alla teologia di stabilire un dialogo fruttuoso con la scienza empirica, in cui il modello realista ha sempre prevalso, per ragioni ovvie. Non solo con Copernico, Kepler, Galileo e Newton, ma anche in tempi più recenti con Alfred Tarski e Karl Popper[9], gli scienziati hanno cercato sempre una corrispondenza, la più

---

[9] Cfr. specialmente le opere di A. TARSKI, *The Concept of Truth in Formalized Languages* (1935); *Introduction to Logic* (1951); *Logic, Semantics, Metamathematics* (1923-38, pubblicato nel 1956). E poi le opere di K. POPPER, *Knowledge and the Body-mind*

fedele possibile, tra l'ipotesi che spiega la realtà e la realtà stessa. Se una tale *adaequatio* non fosse raggiungibile, la scienza stessa non potrebbe svilupparsi.

Secondo, perché mentre la teoria illuminista non distingue a sufficienza tra la *apprehensio* e il *judicium*, lo fa invece quella realista. La quale è più in sintonia con la dinamica della rivelazione e della vita cristiana. In effetti, Cristo e i profeti ci comunicano dei concetti, delle spiegazioni della realtà, dell'amore di Dio verso gli uomini; però la comunicazione della *certezza* rispetto alla verità di queste affermazioni ed insegnamenti si muove su un altro piano.

Questa polarità all'interno della rivelazione cristiana si verifica in diversi campi. Ad esempio, conviene distinguere tra il Mediatore, Gesù Cristo, e ciò che egli deve mediare, per non idolatrizzare l'umanità di Cristo mediante un'applicazione estrema della *communicatio idiomatum*. Poi, nel processo della conversione cristiana, occorre distinguere tra la dottrina che il catecumeno impara dal punto di vista del contenuto, e l'identificazione personale che egli fa con quella dottrina, che è appunto lo scopo ultimo del processo della conversione. Riflettendo sulla propria esperienza, disse san Giustino che «tentai di imparare tutte le possibili dottrine, però aderii soltanto alla vera dottrina dei cristiani»[10]. Infine, nella riflessione teologica cristiana conviene osservare la c.d. "riserva escatologica" secondo cui il contenuto della fede, pur conosciuto e creduto, giunge ad una piena certezza e realizzazione solo alla fine dei tempi.

E in terzo luogo, un modello epistemologico realista tiene conto fino in fondo delle *mediazioni create concrete*. Una teoria illuminista della verità non esclude tali mediazioni, però ugualmente potrebbe prescindere da esse. Questo ci porta al tema della *testimonianza cristiana*[11].

Problem; *Objective Knowledge*; *Realism and the Aim of Science*; *Conjectures and Refutations: the Growth of Scientific Knowledge*, New York-San Francisco 1985[16].

[10]   SAN GIUSTINO, *Acta Martyrum*, 2, 3.

[11]   Sul tema della testimonianza, la bibliografia è vasta. A modo di esempio, cfr. E. CASTELLI (ed.), *La testimonianza*. Atti del Convegno indetto dal Centro internazionale di studi umanistici e dall'Istituto di studi filosofici, Roma, 5-11 gennaio 1972, Istituto di studi filosofici, Roma 1972; particolarmente lo studi di C. GEFFRÉ, J.-L. LEUBA, I. DE LA POTTERIE e P. RICOEUR, *L'herméneutique du témoignage*, 35-61 (quest'ultimo studio è stato pubblicato anche da F. FRANCO, *Testimonianza, parola e rivelazione*, Dehoniane, Roma 1997); cfr. anche P. CIARDELLA – M. GRONCHI (edd.), *Testimonianza e verità. Un approccio interdisciplinare*, Città Nuova, Roma 2000. Per gli aspetti biblici, cfr. ad esem-

3. La dinamica della testimonianza e della verità

Quando Cristo e i profeti parlano ed agiscono, dicono di voler comunicare la parola di Dio, la verità che proviene dall'Alto. Le loro parole sono belle, consistenti, sfidanti. Però sono vere? La loro testimonianza è affidabile? È possibile che nella parola dell'uomo si faccia palese la verità di Dio? È una domanda a cui il teologo deve rispondere con rigore.

Si può notare che normalmente il testimone non è ritenuto soddisfacente per le sole dichiarazioni verbali delle proprie convinzioni. Per convincere i suoi ascoltatori, al di là delle parole, deve in qualche modo impegnare il proprio essere, onore e dignità, anche fino al punto di sacrificare la propria vita. Come disse Pascal, «sono disposto a credere soltanto a coloro che si lasciano tagliare la gola»[12].

Allo stesso tempo il mero fatto di soffrire non basta per dare testimonianza. Essa è sempre un atto libero in cui il testimone si dimostra disposto a perdere la vita, in tutto o in parte. Non si tratta di un atto pragmatico, ma gratuito. L'atto di testimoniare è strutturato come *una risposta ad una chiamata interiore*, da una parte, e come un tentativo di *provocare una risposta* in coloro che lo ricevono, dall'altra. Il testimone non è mai una figura solitaria; assume il ruolo di mediatore.

---

pio J.C. HINDLEY, *Witness in the Fourth Gospel*, in "Scottish Journal of Theology" 18 (1965), 319-337; J.-N. ALETTI, *Testimoni del Risorto. Spirito Santo e testimonianza negli Atti degli Apostoli*, in "Rivista dell'Evangelizzazione" 2 (1998), 287-298; M. BIANCHI, *La testimonianza nella tradizione giovannea. Vangelo e Lettere*, in *Testimonianza e verità*, cit., 119-37; R. FILIPPINI, *Per una teologia lucana della testimonianza. Un'indagine nel libro degli Atti degli Apostoli*, in *Ivi*, 101-18. Dal punto di vista dogmatico, cfr. B. WELTE, *Vom historischen Zeugnis zum christlichen Glauben*, in "Theologische Quartalschrift" 134 (1954), 1-18; R. LATOURELLE, *La sainteté, signe de la révélation*, in "Gregorianum" 46 (1965), 36-65; R. FISICHELLA, "Testimonianza" in *Lexicon. Dizionario teologico enciclopedico*, Piemme, Casale Monferrato 1993, 1061-3; H. VERWEYEN, *Gottes letztes Wort. Grundriß der Fundamentaltheologie*, Patmos, Düsseldorf 1991, 384-416; F.G. BRAMBILLA, *Il Crocifisso risorto: risurrezione di Gesù e fede dei discepoli*, Queriniana, Brescia 1998, 255-8; M. NERI, *La testimonianza in H.U. von Balthasar. Evento originario di Dio e mediazione storica della fede*, Dehoniane, Bologna 2001; P.A. SEQUERI, *Coscienza credente e mediazione della testimonianza. Saggio introduttivo*, in *Ivi*, 7-20; S. PIÉ-NINOT, *La teologia fundamental. "Dar razón de la esperanza" (1 Pe 3, 15)*, Secretariado Trinitario, Salamanca 2001⁴; P. MARTINELLI, *La testimonianza. Verità di Dio e libertà dell'uomo*, Paoline, Milano 2002.

[12]   B. PASCAL, *Pensées* (ed. Brunschvig), n. 593.

In ogni caso, il testimone, nell'atto libero di testimoniare, tenta di stabilire (o rafforzare) un triplice legame:
– con l'ascoltatore o destinatario della testimonianza;
– con l'origine o fonte della verità testimoniata;
– con il contenuto della testimonianza;
Consideriamo questi tre legami.

1. Sacrificandosi, in effetti, il testimone può ben *convincere* i suoi ascoltatori della sua piena sincerità. Tenta di stabilire con loro un legame vitale. Facendo ciò, però, non arriva ancora alla comunicazione effettiva della verità (o alla veracità di ciò che comunica), ma caso mai ad una provocazione al pensiero e all'indagine.

2. La dinamica della testimonianza implica non solo la convinzione del destinatario, ma anche la *rivendicazione*. In effetti, il testimone, cosciente di non aver comunicato la verità ma solo la convinzione, si getta su una istanza superiore, fonte di verità e di diritto, stabilendo con essa una sorta di legame di fede. *Unus testis, nullus testis*, dice l'antico aforisma legale. Questo "gettarsi" sulla sorgente della verità – alle volte, forse troppe volte, le persone dicono "lo giuro su Dio" – costituisce un atto di affidamento che richiede una risposta, una dichiarazione pubblica della verità di ciò che è stato proclamato. Paul Ricoeur dice che «la testimonianza non appartiene al testimone. Essa procede da un'iniziativa assoluta, quanto alla sua origine e al suo contenuto»[13].

3. Infine, la verità testimoniata dovrebbe essere identificata (o perlomeno legata in modo significativo) con la persona del testimone. Infatti il testimone potrebbe in linea di massima cercare un altro testimone che ripeta ciò che ha detto, e poi un altro, e via dicendo. Con ciò si rafforza il processo di testimonianza in modo meramente numerico. Invece, se la rivendicazione da parte della Fonte della verità restituisce al testimone ciò che ha dovuto sacrificare per poter dare la sua testimonianza, il processo del testimoniare si rafforza in modo qualitativo. Inoltre, coincidono perlomeno in parte la rivendicazione del testimone e l'identificazione tra messaggio e persona.

Tutto ciò si verifica in modo singolare e normativo in Gesù Cristo, perfetto Testimone.

---

[13] P. RICOEUR, *L'ermeneutica della testimonianza*, F. FRANCO (ed.), cit., 86.

4. Gesù Cristo, il vero Testimone

Come avviene nell'Antico Testamento, scrive Jean-Louis Leuba, «la testimonianza costituisce la struttura fondamentale della rivelazione cristiana, più ancora della rivelazione stessa [...] perché è ciò che fa possibile la rivelazione»[14].

La dinamica della testimonianza di Cristo può essere presentata in tre tappe.

1. *Cristo testimonia agli uomini suo Padre con parole, azioni e con la vita*, fino al momento culminante della morte in Croce. Certo, egli testimonia se stesso («In verità, in verità vi dico»), fino al punto di provocare la reazione del popolo: «Ed erano stupiti del suo insegnamento, perché insegnava loro *come uno che ha autorità* e non come gli scribi» (*Mc* 1, 22)[15]. Ma non solo se stesso; testimonia anche e principalmente il Padre che lo ha mandato (cfr. *Gv* 1, 18; 5, 43; 12, 44 ss; 17, 8). La possibile discrepanza tra la testimonianza che dà di Sé e la testimonianza che dà al Padre, come è logico, è soltanto apparente, poiché il Cristo è unito in tutto al Padre: «Mio cibo è fare la volontà di colui che mi ha mandato e compiere la sua opera» (*Gv* 4, 34); «Tutte le cose mie sono tue e tutte le cose tue sono mie, e io sono glorificato in loro» (*Gv* 17, 10). Si deve notare non solo che la morte di Cristo in Croce è stata pienamente libera (cfr. *Gv* 10, 17), ma anche che Gesù morì direttamente a causa del con-

---

[14] J.-L. LEUBA, *La notion chrétienne de témoignage*, in E. CASTELLI, *La testimonianza*, cit., 309-316, qui, 311.

[15] Rispetto a questo brano della Scrittura disse san GIROLAMO che Gesù «non parlava come un maestro ma come il Signore» (*Hom. in Ev. Marc.*, 2). E altrove, che gli scribi «insegnavano alle folle le cose scritte da Mosè e dai profeti. Gesù invece, essendo Dio e Signore di Mosè stesso, o aggiungeva alla Legge secondo il suo libero volere cose che apparivano meno importanti, oppure, modificando la Legge, predicava alla folla in quel modo che ci è stato riportato: *È stato detto agli antichi [...] io invece vi dico [...]* » (*Comm. in Ev. Matth.* 1, 7,29). Dice GIOVANNI CRISOSTOMO che la folla lo segue, «tanto amore per le sue parole Gesù Cristo ha saputo infondere in loro! Essi ammirano la sua potenza e la sua autorità. Gesù infatti non parla facendo riferimento a un altro, o nel nome di qualche altro, come facevano Mosè e i profeti, ma in ogni occasione egli dimostra che ha il potere di comandare. Spesso, infatti, istituendo le nuove leggi, Cristo afferma esplicitamente: *Io invece vi dico [...]* ; e ricordando il terribile giorno del giudizio, manifesta chiaramente che in quel giorno sarà lui il giudice che punirà i malvagi e ricompenserà i buoni» (*Comm. in Ev. Matth.* 25, 1).

tenuto del messaggio che voleva impartire[16]. Per la stessa causa rinunciò spesso alla sua reputazione e ad un'efficacia più immediata. In effetti, l'insegnamento di Gesù implicava un messianismo in aperto contrasto con le aspettative di molti, e la sua fedeltà al Padre in queste circostanze, malgrado ogni opposizione, costituiva una predicazione forte della verità. I suoi ascoltatori erano convinti della sua sincerità e convinzione: «Mai un uomo ha parlato come parla quest'uomo!» (Gv 7, 46).

2. *Il Padre rivendica il Figlio risuscitandolo dai morti.* Il fatto è che i cristiani sin dalla prima ora non presero come punto di partenza della loro vita e predicazione la *morte* di Cristo, ma piuttosto la sua *Risurrezione*. In essa, in effetti, percepivano la mano e il potere del Padre che ridona la vita in pienezza, gloriosa, al Figlio che è stato fedele alla verità fino alla morte (cfr. At 3, 13-15; 4, 33; 5, 30-32). Essa diventa «la manifestazione definitivamente valida della Verità di Dio»[17]. La Risurrezione è, appunto, «la testimonianza che Dio ha reso a suo Figlio» (1 Gv 5, 10). Una prefigurazione mistica della morte e risurrezione di Cristo si trova nel suo Battesimo nel Giordano («Questi è il Figlio mio prediletto, nel quale mi sono compiaciuto», Mt 3, 16 ss.), e nella Trasfigurazione («Questi è il Figlio mio prediletto, nel quale mi sono compiaciuto. Ascoltatelo», Mt 17, 5).

Eppure è vero che la Risurrezione aggiunge qualcosa di critico alla morte di Gesù, perché ne offre l'interpretazione definitiva, per così dire un'ermeneutica divina. A partire dell'evento della Risurrezione, accolta nella fede, la morte di Cristo non viene percepita più come ripudio da parte di Dio (cfr. Dt 21, 23), ma come proclamazione in e per mezzo dell'umanità gloriosa di Gesù della verità da lui predicata. Risuscitando Cristo dai morti, Dio "dà ragione" al suo Figlio. Tornando alla terminologia filosofica proposta anteriormente, la Risurrezione di Gesù fornisce al credente non tanto (né solo) l'*apprehensio* del messaggio predicato, ma anche il *judicium* rispetto ad esso, la proclamazione e certezza della sua verità.

3. *In Gesù si identificano perfettamente la Persona rivendicata e il messaggio insegnato.* A Cristo, glorioso e immortale, viene restituito nella

---

[16] Cfr. il mio studio *The Christological Assimilation of the Apocalypse*, Four Courts, Dublin 2004, 187-231.

[17] P. MARTINELLI, *La testimonianza*, cit., 137.

risurrezione, tutto ciò che ha vissuto ed insegnato, e poi consegnato nella morte[18]. La risurrezione diventa la proclamazione iconica di tutto ciò che Gesù disse e fece, del fatto che era «venuto a cercare e a salvare ciò che era perduto» (*Lc* 19, 10).

5. I credenti cristiani, testimoni nel Testimone

La Scrittura insegna che del Cristo, il Testimone fedele (cfr. *Ap* 1, 5), sono testimoni a loro volta i cristiani (cfr. *2 Cor* 5, 14; *At* 1, 7 ss.). Essi sono invitati ad esserlo, ad imitazione del loro Maestro, fino alla rinuncia della propria vita. Essi presentavano agli infedeli mediante la loro vita sacrificata, prendendo la loro croce (cfr. *Mt* 16, 24), un esempio da ammirare, una convinzione inamovibile. Comunicavano un messaggio pieno di bellezza, di forza, di armonia. Però dobbiamo chiederci: dove si situava nella loro testimonianza la forza della risurrezione che rivendicava la verità, e in qualche modo la imponeva ai potenziali credenti? Due riflessioni si possono fare.

In primo luogo, *il potere del Cristo risorto agisce nei battezzati e per mezzo di loro*. E non solo tramite le loro virtù, buon esempio e lucide spiegazioni, ma principalmente perché essi sono diventati *alter Christus, ipse Christus*, "altro Cristo, lo stesso Cristo". Malgrado i loro limiti e difetti, Cristo è vivo e attivo in coloro che credono in lui. In lui i credenti diventano sale della terra, luce del mondo, il buon profumo del Cristo (cfr. *2 Cor* 2, 15). Diventano in qualche modo "strumenti della grazia" per l'umanità intera. Come dice il Papa Benedetto XVI nella sua recente Enciclica,

> «nella successiva storia della Chiesa il Signore non è rimasto assente: sempre di nuovo ci viene incontro – attraverso uomini nei quali Egli traspare»[19]. Il cristiano sa, prosegue il Papa, «che l'amore nella sua purezza e nella sua gratuità è la miglior testimonianza del Dio nel quale crediamo e dal quale siamo spinti ad amare»[20].

---

[18] Sulla questione, cfr. il mio studio *La muerte y la esperanza*, Palabra, Madrid 2004, 67-73.

[19] Enc. *Deus Charitas Est*, n. 17.

[20] *Ib.*, n. 31.

E in secondo luogo, è *chiaro che il Vangelo è costituito in modo tale da non imporsi sull'uomo.* Il Dio onnipotente, che ha creato il cielo e la terra, cerca una risposta pienamente libera e generosa dall'uomo al suo insegnamento. Come disse Origene, «neminem invitum vicit Christus, sed suasione, cum sit Verbum Dei»: «Cristo non conquista nessuno contro la sua volontà, ma con la persuasione, perché è il Verbo di Dio»[21].

La grazia di Dio, fatta presente nel testimone, purifica e supera gradualmente la riluttanza del cuore umano, frutto del peccato, facendo appello ad ogni aspetto del suo essere.

In un modo simile a ciò che accadde in Cristo, i credenti, quando danno testimonianza della loro fede, stabiliscono un legame triplice:

– con i loro ascoltatori, che vengono spinti dalla loro convinzione e sincerità fino alla morte;
– con Dio che rivendica la verità in e per mezzo della loro vita "cristificata";
– con se stessi, perché la testimonianza che danno è e deve essere in profonda sintonia – unità di vita[22] – con il vissuto concreto. Tenendo conto sempre, questo sì, della riserva escatologica che sempre caratterizza la rivelazione cristiana, e della risposta generosa, personale e intrasferibile che ogni uomo viene invitato a dare alla grazia divina.

La dinamica della testimonianza di Cristo nei cristiani si esprime con eccezionale bellezza nel prologo della prima lettera di Giovanni:

«Ciò che era fin da principio, ciò che noi abbiamo udito, ciò che noi abbiamo veduto con i nostri occhi, ciò che noi abbiamo contemplato e ciò che le nostre mani hanno toccato, ossia il Verbo della vita (poiché la vita si è fatta visibile, noi l'abbiamo veduta e di ciò rendiamo testimonianza e vi annunziamo la vita eterna, che era presso il Padre e si è resa visibile a noi), quello che abbiamo veduto e udito, noi lo annunziamo anche a voi, perché anche voi siate in comunione con noi. La nostra comunione è col Padre e col Figlio suo Gesù Cristo» (*1 Gv* 1, 1-3).

---

[21] ORIGENE, *Sel. in Ps.*
[22] Cfr. GIOVANNI PAOLO II, Es. Ap. *Christifedeles laici* (1988), nn. 17, 59 ss.

6. La struttura trinitaria della testimonianza cristiana

Il Nuovo Testamento presenta anche lo Spirito Santo come Testimone[23]. Possiamo chiederci: come si conciliano queste affermazioni bibliche con la duplice testimonianza già attribuita dalla Scrittura al Padre e al Figlio? La risposta non è difficile da trovare: non si tratta di una nuova o diversa testimonianza, perché nelle parole di Giovanni Paolo II, rispetto al Padre e al Figlio, lo Spirito è, appunto, il «testimone diretto del loro amore»[24]. Ugualmente il Papa Benedetto XVI insegna che

> «lo Spirito è [...] forza che trasforma il cuore della Comunità ecclesiale, affinché sia nel mondo testimone dell'amore del Padre, che vuole fare dell'umanità, nel suo Figlio, un'unica famiglia»[25].

Mentre esprime l'unione tra il Padre e il Figlio, oltre alla loro distinzione, lo Spirito illumina la mente del potenziale credente, e stabilisce in essa la convinzione (o *judicium*) personalissima che la morte di Gesù è stata rivendicata dal Padre nella risurrezione, e di conseguenza, che il suo messaggio è veritiero, da accettare incondizionatamente[26]. Nelle parole di Paul Ricoeur, lo Spirito raggiunge «il punto estremo d'interiorizzazione della testimonianza»[27].

7. La testimonianza: una categoria filosoficamente rigorosa?

Abbiamo visto che la testimonianza è una categoria centrale per comprendere la dinamica della verità rivelata. Si tratta, però, di una categoria filosoficamente rigorosa, capace di agevolare il dialogo della teologia con la filosofia e con la scienza, questione a mio avviso di straordinaria attualità ed urgenza?

Alcuni filosofi moderni hanno criticato apertamente la nozione di testimonianza, in particolare la sua affidabilità gnoseologica, generalmente perché non accettano la *storia* come luogo della verità. Così Spinoza,

---

[23] Cfr. *Rm* 8, 16; *Gv* 14, 26; 16, 26 ss.; *At* 5, 30-32.

[24] GIOVANNI PAOLO II, Enc. *Dominum et vivificantem* (1986), n. 34.

[25] Enc. *Deus Charitas Est*, n. 19.

[26] Cfr. il mio studio *L'agire dello Spirito Santo, chiave dell'escatologia cristiana*, in "Annales Theologici" 12 (1998), 327-373.

[27] P. RICOEUR, *L'ermeneutica della testimonianza*, in F. FRANCO (ed.), *o.c.*, 93.

così Lessing e Kant. Particolarmente severa è la critica di Nietzsche. Dice infatti che il martire «danneggia la causa della verità»[28], perché presenta come verità universale la posizione di un gruppo sociale particolare di cui è diventato portavoce. In modo simile il secondo Heidegger spiega che l'individuo non è in grado di esprimere una verità universale, perché dominato inevitabilmente dalle sovrastrutture. Parlano in modo simile Karl Jaspers e Gianni Vattimo[29]. Pur contestabili, queste critiche segnalano una questione centrale a cui bisogna rispondere: come rendere compatibile il carattere astratto ed universale della verità con l'evento concreto, con la vita e la parola dell'individuo?

Malgrado queste riserve sorte nell'ambito del pensiero contemporaneo, sono diversi i filosofi, soprattutto tra gli esistenzialisti e personalisti, che hanno accordato singolare peso alla categoria della testimonianza: oltre a Paul Ricoeur, più volte citato, si pensi a Søren Kierkegaard, Gabriel Marcel, Emmanuel Lévinas e Jean-Luc Marion[30]. La ragione di fondo della loro impostazione sta nella priorità che danno alla *persona* rispetto alla collettività. La nozione di "persona", come ben si sa, trova le sue radici nella rivelazione cristiana, concretamente quella trinitaria[31]. E quando "la persona" si colloca al centro del discorso veritativo, si verifica un deciso ampliamento personalistico della definizione classica della verità (*adaequatio rei et intellectus*) con cui è in perfetta conformità, specialmente nell'ambito della fede. Come diceva Joseph Ratzinger,

> «percepire la verità è un fenomeno che rende l'uomo conforme all'essere. È un "convenire-in-uno" di io e mondo, è accordo e consonanza, è esser-donati ed esser-purificati»[32].

---

[28] F. NIETZSCHE, *L'Anticristo*, 53.

[29] Sulle loro posizioni, cfr. G. VATTIMO, *Tramonto del soggetto e problema della testimonianza*, in *La testimonianza*, E. CASTELLI (ed.), o.c., 125-139.

[30] Cfr. specialmente S. KIERKEGAARD, *Philosophischen Brocken*, e *Postilla conclusiva non scientifica*; G. MARCEL, *Le témoignage comme localisation de l'existentiel*, in "Nouvelle Revue Théologique" 78 (1946), 182-191; E. LÉVINAS, *Vérité du dévoilement et vérite du témoignage*, in E. CASTELLI (ed.), *La testimonianza*, cit., 101-10; J.-L. MARION, *Étant donné: essai d'une phénoménologie de la donation*, PUF, Paris 1998².

[31] Sull'origine teologica di "persona", cfr. il mio studio *La persona umana tra filosofia e teologia*, in "Annales Theologici" 13 (1999), 71-105.

[32] J. RATZINGER, *Natura e compito della teologia*, Jaca Book, Milano 1993, 39 ss.

8. Testimonianza e definizioni alternative della verità

Per concludere questa relazione volevo fare riferimento ad alcune definizioni della "verità" sorte lungo la modernità che evitano appositamente l'*a priori* teologico (il Dio che illumina come origine di ogni conoscenza). Allo stesso tempo, esprimono interessanti punti di contatto con le categorie di testimonianza e dialogo.

Prima, la verità come *coerenza* del pensiero con se stesso, presente in Kant ed altri. Secondo questa comprensione, si afferma che ciò che è consistente con le leggi dell'intelletto è vero. La cosa in sé non gioca un ruolo fondamentale nel processo conoscitivo, e neppure Dio; soltanto la mente. È chiaro che questa teoria non può offrire un criterio univoco per giungere alla verità; scivola indubbiamente verso il soggettivismo. Tuttavia, essa mette al centro l'individuo umano nel processo della conoscenza, e perciò non esclude la possibilità della testimonianza. Come disse Tommaso d'Aquino di fronte ai commentatori arabi di Aristotele, *hic homo intelligit*: «questo uomo conosce»[33].

In secondo luogo, più recentemente, Karl-Otto Apel, Jürgen Habermas ed altri parlano del *consenso* tra gli uomini come cammino verso la verità[34]. Essa appartiene quindi all'ambito dell'intersoggettività. Il dialogo occupa un posto centrale. Bisogna notare però che il consenso, oltre ad indirizzare l'uomo alla verità, potrebbe ugualmente riflettere le convinzioni di un gruppo particolare. Difficilmente si evita il dualismo kantiano esistente tra realtà e pensiero. In una teoria del consenso, caso mai dovrebbero rientrare come *partners*, nel dialogo consensuale, Dio e la realtà extra-mentale. Tuttavia, questa teoria situa la verità nettamente nell'ambito della soggettività umana, e quindi può collegarsi facilmente alla categoria della testimonianza.

Terzo, si parla spesso della verità in termini *performativi*, nel senso che sarebbe l'uomo stesso a dare origine alla verità, ad impiantare intelligibilità nelle cose. Nietzsche ad esempio parlò della verità in termini

---

[33] SAN TOMMASO D'AQUINO, *S. Th. I*, q. 76, a. 1c.

[34] Cfr. K.-O. APEL, *Fallibilismus, Konsenstheorie der Wahrheit and Letztbegründung*, in FORUM FÜR PHILOSOPHIE BAD HOMBURG, *Philosophie und Begründung*, Suhrkamp, Frankfurt a. M. 1987, 116-211; J. HABERMAS, *Erkenntnis und Interesse,* Suhrkamp, Frankfurt a. M. 1968; *Wahrheit und Rechtfertigung. Philosophische Aufsätze*, Suhrkamp, Frankfurt a. M. 1999.

di utilità. I pragmatisti anglo-sassoni, come William James, si muovono nella stessa direzione: sarebbe vero ciò che offre una valida soluzione[35]. Chiaramente Dio è considerato come irrilevante nel processo, e le potenzialità ideologiche di una tale definizione sono palesi. Al contempo, in quanto dà peso al potere trasformante che l'uomo esercita sul reale, questo cammino verso la verità si può collegare al ruolo di attiva ed efficace mediazione che svolge il testimone nella comunicazione della verità.

Infine, tra autori esistenzialisti come Heidegger e Jaspers si parla delle cose reali che *rivelano* la verità all'uomo. Il divario kantiano tra l'ordine reale e quello ideale rimane, certamente, perché l'uomo non arriva a conoscere le cose, ma semplicemente le lascia stare[36]. Tuttavia, come indica Bernard Welte nella sua spiegazione della testimonianza cristiana, la visione di Heidegger e Jaspers mette in rilievo l'importanza della libertà umana nella ricezione della verità[37].

La testimonianza, in poche parole: una categoria sommamente valida, da approfondire in teologia, non solo per facilitare il cammino verso la verità e per indicare le frontiere tra cristianesimo ed altre religioni, ma anche per aprire un dialogo fruttuoso sia con la scienza, sia con la filosofia[38].

---

[35] F. NIETZSCHE, *Über Wahrheit und Lüge im aussermoralischen Sinne*, in *Werke* III, 2, De Gruyter, Berlin 1973, 367-84, e specialmente 369-80. Cfr. anche W. JAMES, *The Meaning of Truth: a Sequel to "Pragmatism"*, Longmans, Green & Co., London 1909; *Pragmatism: a New Name for Some Old Ways of Thinking. Together with Four related Essays selected from 'The Meaning of Truth'*, Longmans, Green & Co., New York 1959.

[36] Cfr. M. HEIDEGGER, *Vom Wesen der Wahrheit: zu Platons Höhlengleichnis und Theätet* (orig. 1930), V. Klostermann, Frankfurt a.M. 1988; K. JASPERS, *Von der Wahrheit*, R. Piper, München 1947; *Der philosophische Glaube*, R. Piper, München 1948.

[37] B. WELTE, *Vom historischen Zeugnis zum christlichen Glauben*, cit.; *Der philosophische Glaube bei Karl Jaspers und die Möglichkeit seiner Deutung durch die thomistische Philosophie*, Alber, Freiburg i. B. 1949.

[38] Per uno sviluppo più dettagliato di questo testo, cfr. il mio studio *El testimonio de Cristo y de los Cristianos. Una reflexión sobre el método teológico*, in "Scripta Theologica" 38 (2006), 501-568.

Verità e libertà nella ricerca teologica

Réal Tremblay

> *"Quando si alza la voce del Verbo, si conficca nel cuore come frecce da combattimento che dilaniano, come dei chiodi profondamente piantati, e penetra più che una spada a due tagli, poiché non esiste potenza né forza che possa portare colpi così sensibili, e lo spirito umano non può concepire una punta così sottile e penetrante. Tutta la saggezza umana, tutta la delicatezza del sapere naturale sono ben lontani dal raggiungere la sua acutezza".*
>
> (Baudouin de Ford)

Si può comprendere tramite la sua negazione il legame essenziale esistente tra la verità e la libertà nella ricerca teologica. Guardiamo alla condizione del pensiero nei regimi totalitari o nelle democrazie caratterizzate da forti strategie politiche. Nulla può essere pensato e pubblicato al di fuori della linea del partito o dell'ideologia in voga. È la morte della verità in quanto non c'è più libertà.

Agli occhi di molti nostri contemporanei, la Chiesa cattolica con il suo apparato dogmatico accuratamente cesellato nel corso dei secoli e con la vigilanza del suo Magistero può apparire come colei che limita la libertà di coloro che, al suo interno, hanno la missione di riflettere e di insegnare. Questa impressione proveniente dall'esterno è alle volte condivisa anche da coloro che sono all'interno. Ecco una testimonianza recente a questo riguardo. Riferendosi alla materia trattata dall'Enciclica *Veritatis Splendor* e alla coerenza interna del documento, Paul Valadier scrive ciò che segue:

«In realtà, la posizione romana si presenta come sistema: se si pensa che gli enunciati di fede costituiscono un tutto coerente e completo che scende fino alle determinazioni ultime dell'azione, se l'orchestra non può suonare che una sola sinfonia interamente strutturata *al punto da non lasciar posto ad alcuna interpretazione all'infuori di quella imposta*, non c'è minimamente da esitare nel ritenere che il deposito della Rivelazione vada fino agli atti più concreti, e dunque che il magistero romano ha il diritto e il dovere di difendere la coerenza della sinfonia»[1].

Al di là di questa impressione o di questo giudizio che lascia credere che, nella Chiesa, vi sia una "verità imposta" e dunque che la verità eserciti una costrizione sulla libertà, la questione è ora quella di sapere come concepire i giusti rapporti tra queste due realtà nel campo della teologia. Prima di arrischiare un tentativo di risposta a questa domanda (3), vorrei attirare l'attenzione sull'ultimo dei cinque *Parakletsprüche* del IV vangelo (cf. *Gv* 14, 16-17. 26; 15, 26; 16, 7b-11. 12-15) facendone dapprima l'esegesi con l'aiuto di specialisti in materia (1) e raccogliendone poi i dati essenziali in una sintesi coerente (2). Questo spazio giovanneo concepito per inquadrare, stimolare e appoggiare le nostre riflessioni mi sembra giustificato a più di un titolo. Da una parte infatti la "Wirkungsgeschichte" di questi versetti ha a che fare in qualche maniera con il nostro tema in quanto essa abbraccia, come nota esplicitamente un esegeta della tempra di R. Schnackenburg, la questione del Magistero ecclesiale ed alcuni problemi che sono ad esso connessi come l'infallibilità[2]. D'altra parte, l'Istruzione della Congregazione per la Dottrina della Fede sulla vocazione ecclesiale del teologo *Donum Veritatis* (24 maggio 1990) ha attinto abbondantemente da questi versetti allorquando ha cercato di precisare i rapporti tra la libertà del teologo e la verità[3].

---

[1] P. VALADIER, *Un christianisme d'avenir. Pour une nouvelle alliance entre raison et foi*, Paris, 1999, 108. (La traduzione e il corsivo sono miei).

[2] Cf. R. SCHNACKENBURG, *Das Johannesevangelium* (HThKNT., IV/3), Freiburg-Basel-Wien, 1979[3], 171-172.

[3] Per più dettagli su questo punto, vedere: R. TREMBLAY, *«Donum Veritatis». Un document qui donne à penser*, in NRT 114 (1992), 391-411; J. RATZINGER, *Wesen und Auftrag der Theologie. Versuche zu ihrer Ortsbestimmung im Disput der Gegenwart*, Einsiedeln, 1993, 89-107.

1. Il *Parakletspruch* giovanneo: *Gv* 16, 12-15

Leggiamo il testo in questione:

[12]«Molte cose ho ancora da dirvi, ma per il momento non siete capaci di portarne il peso. [13]Quando però verrà lo Spirito di verità, egli vi guiderà alla verità tutta intera, perché non parlerà da sé, ma dirà tutto ciò che avrà udito e vi annunzierà le cose future. [14]Egli mi glorificherà, perché prenderà del mio e ve l'annunzierà. [15]Tutto quello che il Padre possiede è mio; per questo ho detto che prenderà del mio e ve l'annunzierà».

Con il versetto 12[4], Gesù distingue (senza naturalmente separarle) la funzione del "Paraclito" nella comunità dalla sua funzione rivolta verso il "mondo", descritta nei v. 8-11. Più che in 14, 25s., la rivelazione appare qui incompiuta. Mentre nel primo caso Gesù si rifaceva alle parole già pronunciate nei suoi discorsi di addio e prometteva il "Paraclito" come maestro interiore, spirituale, che ricorderà ai discepoli tutto ciò che ha detto, qui precisa esplicitamente che ha ancora molto da dire, rivelazione che i discepoli non possono ancora portare e che dunque non sarà, per il momento, loro comunicata[5]. In questo contesto, il "Paraclito" è visto non solamente come l'interprete di Gesù, ma anche come il suo "successore", il continuatore della sua rivelazione.

Poiché il compito proprio del "Paraclito" nei riguardi del mondo è stato definito nei v. 8-11, deve essere definito anche il suo compito al riguardo della comunità dei discepoli. A questo proposito, i v. 14s precisano che il "Paraclito" non fa che attingere da ciò che appartiene a Gesù e dunque non mette in discussione il posto di primo piano che Gesù occupa in quanto Rivelatore. Del resto, l'osservazione secondo la quale i discepoli sono per il momento incapaci di portare tutta la rivelazione implica anche che sono in causa la situazione futura della comunità impossibile da prevedere al momento, la comprensione delle parole di

---

[4] Per ciò che segue, adottiamo praticamente la sostanza del commento di R. SCHNACKENBURG, *o.c.*, 151-156 che completeremo all'occorrenza con alcune osservazioni di R. E. BROWN, *The Gospel according to John*, New York, 1970, 706-709. 714-717.

[5] Brown precisa: «While the basic idea is that they cannot *understand* now, there is also a question of endurance because persecution by the world is involved», *o.c.*, 707. (il corsivo è dell'autore).

Gesù applicate alle situazioni esistenziali di ogni epoca e infine il futuro sempre aperto nel quale la rivelazione si attualizza per così acquistare un senso nuovo.

Il v. 13 del nostro *Parakletspruch* parla dello "Spirito di verità" (già menzionato in 14, 17; 15, 26) come della guida che condurrà i discepoli alla verità tutta intera. Questa funzione, diversa da quella esercitata nei confronti del mondo, corrisponde maggiormente al senso originale della parola "Paraclito" che evoca il fatto di pronunciarsi in favore di qualcuno, di schierarsi in difesa di qualcuno. Tuttavia non vi si identifica pienamente in quanto manca un vis-à-vis. Piuttosto l'espressione connota l'azione dello Spirito rivolta verso i discepoli, più precisamente verso la comunità, come dice anche la *Prima Lettera* di Giovanni (cf. 5, 6).

La verità nella quale il "Paraclito" introduce i discepoli non può essere compresa diversamente da ciò che essa è nel vangelo giovanneo. È la rivelazione portatrice della vita trasmessa da Gesù. Essa non si riduce ad un agire morale; nemmeno è da interpretare in senso gnostico. Si tratta piuttosto di una entrata più profonda nel contenuto della rivelazione e, nello stesso tempo, della sua utilizzazione per il comportamento della comunità nel mondo[6]. Cosa significa più precisamente? Il "Paraclito" non dirà niente da se stesso, ma dirà quello che sente, e cioè le stesse cose che Gesù dice in quanto Rivelatore in questo mondo del suo rapporto con il Padre che l'ha inviato (cf. *Gv* 5, 19. 30; 8, 40; 7, 17s; 8, 28; 14, 10). In questa maniera, l'idea della missione o dell'invio si prolunga: il "Paraclito" è collegato a Gesù e il suo compito rivelatore è in continuità con quello di Gesù. È per questo che non si può comprendere l'espressione che chiude il versetto: «vi annunzierà le cose future» come lo svelamento di avvenimenti futuri non compresi nella rivelazione di Gesù.

> «Il Paraclito, scrive Schnackenburg a questo proposito, non esporrà nuovi contenuti, ma spiegherà il messaggio di Gesù alla comunità in modo nuovo, adatto alla situazione e a ciò che le deve avvenire. Così il condurre alla verità piena appare

---

[6] Brown è a questo proposito di parere leggermente differente: «... But more to the point, the Paraclete's guidance along the way of all truth involves more than a deeper intellectual understanding of what Jesus has said – it involves a way of life in conformity with Jesus'teaching ...», *o.c.*, 715.

come avviamento a capire sempre meglio la rivelazione di Cristo nei singoli contesti storici, e a vivere di essa»[7].

Gli ultimi versetti del nostro *Parakletspruch* hanno l'unico scopo di conferire alla rivelazione di Gesù, grazie all'attività dello Spirito, un peso ancora maggiore. Nel linguaggio giovanneo, questo significa che il "Paraclito" glorificherà Gesù. La "glorificazione" definitiva di Gesù, cioè il riconoscimento della sua opera e il suo compimento, viene dal Padre; ma il "Paraclito" partecipa alla messa in atto del disegno salvifico e contribuisce così alla "glorificazione" di Gesù (cf. *Gv* 17, 10).

In questo modo, si riconoscono i tratti della scuola giovannea che illumina l'avvenimento della rivelazione sorta da Dio basandosi sulla partecipazione del Figlio a ciò che è del Padre e che presenta l'azione dello Spirito come la trasmissione di quello che appartiene a Gesù. Per rivelarsi, il Padre ha rimesso ogni cosa al Figlio (cf. 3, 34s) e il "Paraclito" attinge a questa pienezza. Gesù si trova così riconosciuto dal "Paraclito" come colui al quale tutto è stato affidato[8]. Il testo tende a delle considerazione trinitarie, ma la sua preoccupazione è di ordine cristologico, specialmente quella di insistere sulla pienezza e sull'assoluto della rivelazione in Gesù Cristo. A questa rivelazione sono collegati tutti gli annunci ulteriori, tutte le spiegazioni ed interpretazioni che si producono "in Spirito" in favore della comunità e alla luce delle necessità storiche.

Alla questione di sapere se un carisma particolare di penetrazione della verità è attribuito ai discepoli di allora (e ai loro successori) o se tutta la comunità debba essere condotta e mantenuta nella verità dal "Paraclito", si deve rispondere come in 14, 26: «Ma il Paraclito, lo Spirito santo che il Padre manderà nel mio nome, egli v'insegnerà ogni cosa e vi

---

7 R. Schnackenburg, *Il Vangelo di Giovanni*, Parte terza (Commentario Teologico del Nuovo Testamento, IV/3), Brescia, ed. Paideia 1981, 219-220 (orig. *o.c.*, 154). Brown è dello stesso parere quando scrive: «The word studies of *anangellein*, "declare", [...] suggest that the declaration of the things to come consists in interpreting in relation to each coming generation the contemporary significance of what Jesus has said and done. The best Christian preparation for what is coming to pass is not an exact foreknowledge of the future but a deep understanding of what Jesus means for one's own time», *o.c.*, 716.

8 Brown ha una precisazione interessante che completa vantaggiosamente l'interpretazione di Schnackenburg: «In declaring or interpreting what belongs to Jesus, the Paraclete is really interpreting the Father and Jesus possess all things in common», *o.c.*, 716.

ricorderà tutto ciò che vi ho detto». Nella misura in cui i discepoli di allora furono successivamente chiamati all'evangelizzazione, sono certamente toccati in maniera particolare da questo *Parakletspruch*. Ma se si comprende l'insieme del discorso come una esortazione rivolta alla comunità di concepire la propria esistenza e di prenderla in mano sotto la guida dello "Spirito di verità"[9], non si può allora limitare la promessa ad un gruppo in particolare. Tutta la Chiesa è legata alla rivelazione di Gesù Cristo dal "Paraclito" e nello stesso tempo condotta al di là di questa rivelazione nella misura in cui le situazioni storiche richiedono nuove prospettive e nuove decisioni. Grazie all'assistenza dello Spirito, la verità dell'evangelo appare alla Chiesa più profonda e il suo messaggio le sembra portatore di una forza sempre nuova. Nello Spirito e dallo Spirito, la Chiesa riconosce ciò che le è detto, dato e promesso da Gesù. Anche se la ricerca della verità è difficile, vale sempre l'affermazione giovannea: «Da questo conosciamo che dimora in noi: dallo Spirito che ci ha dato» (*1 Gv* 3, 24; cf. 4, 13).

Per amore di chiarezza, appuntiamo ora gli elementi essenziali di questa esegesi dettagliata senza perdere di vista il dinamismo inerente al passo studiato.

2. Alcuni punti salienti del *Parakletspruch* giovanneo

Un primo punto da ritenere è che lo Spirito è percepito nel nostro testo non solamente come la guida interiore, la memoria vivente dei gesti e detti di Gesù, l'esegeta del suo progetto salvifico, ma anche come *il prolungamento personale* della sua opera rivelatrice.

La "*verità*" oggetto dell'interpretazione dello Spirito è quella che si ritrova esposta nell'evangelo giovanneo. È *la rivelazione mediatrice della vita divina*. Lo Spirito ne spiega il contenuto e ne fa vedere l'impatto sui costumi. Vi fa riferimento costantemente *senza superarla e renderla superflua*. Questa "verità" è quella del Padre che vuole rivelarsi, quella che consegna al Figlio nella sua totalità. Lo Spirito *attinge da questa pienezza*.

Se lo Spirito non dice niente di più di quello che ha detto il Figlio o se la sua missione è in stretto legame con la missione filiale, farà tuttavia

---

[9] E questo anche nella confutazione dell'errore.

emergere le virtualità contenute nell'opera del Figlio secondo le esperienze future della comunità. In questo senso, è il continuatore del Figlio ed è, per la Chiesa, portatore di ogni novità conducendola, lungo la storia, a prendere progressivamente coscienza delle ricchezze nascoste nelle pieghe della "verità" filiale.

In questo modo lo Spirito *glorifica il Figlio, d'accordo con il Padre* che, per parte sua, ratifica l'opera del Figlio inviandolo e compiendola con la sua risurrezione dai morti.

Questo Spirito è dato in maniera speciale ai discepoli presenti nel Cenacolo e ai loro successori, ma anche a tutta la comunità ecclesiale di ogni tempo.

3. La verità e la libertà in teologia esaminate nell'ambito giovanneo

Verità e libertà della ricerca. Fino a questo momento abbiamo parlato molto con san Giovanni della verità e del suo rapporto con lo Spirito, ma della libertà non abbiamo ancora praticamente detto niente. È come se l'avessimo percepita inclusa o inglobata nella persona dello Spirito. Un tale riflesso è giustificato? E se lo fosse, potrebbe essere significativo per il nostro argomento? Esaminiamo le cose da più vicino.

In nessuna parte nella letteratura giovannea si trova un accostamento diretto o immediato tra lo Spirito e la libertà come è il caso, per esempio, in s. Paolo (cf. *2 Cor* 3, 17). È vero che si potrebbe collegare le due realtà tramite il *tertium quid* della "verità". Il Gesù di Giovanni non dice forse ai Giudei che la «verità (li) farà liberi» (*Gv* 8, 32)? Ora la verità qui in questione è quella di cui lo Spirito si prenderà carico per renderla pienamente accessibile ai credenti. Così dunque... Ma non bisogna giungere troppo velocemente alle conclusioni. Poiché la libertà di cui si tratta nella nostra tematica non è quella qui in questione. Nel nostro binomio infatti, non è fatta allusione alla libertà di matrice o di provenienza ellenistica, secondo la quale i credenti vincono il peccato tramite la fede nel Figlio e hanno così accesso alla casa del Padre e vi appartengono[10]. Si tratta piut-

---

[10] Per maggiori precisazioni su questo punto, vedere: D. NESTLE, *Eleutheria. Studien zum Wesen der Freiheit bei den Griechen und im Neuen Testament. Bd. I: Die Griechen* (HUTh., 6) Tübingen, 1967; E. CORETH, *Zur Problemgeschichte menschlicher Freiheit*, in

tosto di quella libertà che consiste nel non essere oggetto di costrizione nella ricerca della verità.

Ma questa nozione di libertà è totalmente estranea allo Spirito considerato nel suo rapporto con la verità? Si può rispondere a questa domanda con un no sfumato.

Da un certo punto di vista infatti, questa definizione della libertà si trova come compresa nella funzione dello Spirito di spiegare o di esporre, *con prospettive illimitate*, la "verità" del Cristo a vantaggio della Chiesa vivente nella storia.

Da un altro punto di vista però, questa specie di libertà-senza-costrizione non sembra poter essere collegata allo Spirito poiché, sempre secondo il nostro *Parakletspruch*, quest'ultimo non parla di se stesso, ma del Cristo. Lo Spirito è *come una realtà legata*. E allora? Anche qui non bisogna passare troppo velocemente alle conclusioni! Se è vero che l'opera dello Spirito non esiste che in rapporto con la rivelazione di Cristo, ne segue che il suo punto d'attacco è l'habitat di "ogni Pienezza" (cf. *Col* 1, 19). Prendendo in carico il teologo nella sua ricerca della verità, lo introduce nella conoscenza di un mistero *dalle dimensioni infinite*. Si ritrova così l'osservazione dell'Apostolo che si può applicare in generale ad ogni credente e in particolare a coloro che hanno ricevuto il carisma di riflettere e di insegnare: «(radicati e fondati nella carità), riceverete la forza di comprendere con tutti i santi quale sia l'ampiezza, la lunghezza, l'altezza e la profondità, e conoscerete l'amore di Cristo che sorpassa ogni conoscenza, e entrerete tramite la vostra pienezza in tutta la pienezza di Dio» (*Ef* 3, 18-19). Nello Spirito, Maestro dell'Illimitato, la libertà come definita più sopra trova dunque la sua autentica definizione e la sua piena realizzazione. Da lì infatti, apparirà chiaramente che gli ostacoli alla libertà del teologo non vengono dal suo legame con la verità, ma dal suo legame con una verità o con delle verità ridotte a dei parametri esclusivamente umani o staccati dalla sfera di irradiazione del Cristo "Verità".

Detto questo, facciamo ancora un passo nella nostra riflessione. Se, grazie allo "Spirito di Verità", il teologo gode di una autentica libertà, egli

---

ZKTh 94(1972), 258-289; R. TREMBLAY, *Radicati e fondati nel Figlio. Contributi per una morale di tipo filiale* (TMF), Roma, 1998, 147s.; ID., *L'«Homme» qui divinise. Pour une interprétation christocentrique de l'existence* (BrTh., 16), Montréal-Paris, 1993, 179-192.

diventa in cambio partecipante dell'opera dello Spirito e vede la sua ricerca acquisire la dignità incredibile di essere inserita nel mistero dei Tre impegnati *pro nobis*, cioè di partecipare alla missione del Figlio, l'Inviato del Padre[11].

Questa consistenza per così dire "missionaria" del lavoro teologico ci conduce immediatamente ad un'altra affermazione: poiché la Chiesa nei suoi capi e nei suoi membri è *il ricettacolo originale* dello Spirito, il compito del teologo è fondamentalmente ecclesiale, attributo qui compreso nel senso di venire dalla Chiesa e di rinviare ad essa. Di conseguenza, quando i Pastori esigono da un teologo di rivedere o di correggere il suo pensiero, non lo fanno per vessare la sua libertà o impedirgli di riflettere, ma per conservarli, lui e la Chiesa che egli illumina, nella verità tutta intera. Il teologo che sotto il pretesto della libertà o di affrancamento da ogni obbligo sottovalutasse e rigettasse la volontà dei Pastori a vantaggio di verità proprie o "mondane" (qui nel senso giovanneo) si condannerebbe inevitabilmente a sfociare nelle favole più balzane e a finire nel più completo isolamento. La storia delle eresie ne è la prova evidente. Pensiamo alle aberrazioni della "gnosi" dei primi secoli dovute all'abbandono della fede della Chiesa. Combattuta da sant'Ireneo ricorrendo alla fede degli Apostoli[12], essa ha dovuto alla fine cedere il passo alla verità... anche se ha sempre la tendenza a rialzare la testa. Segnaliamo di passaggio che H. U. von Balthasar fu uno dei teologi contemporanei ad identificare questo fenomeno di riviviscenza con più perspicacia ed a confrontarvisi con una energia analoga a quella del dottore di Lione[13].

[11] *Mutatis mutandis*, siamo d'accordo con l'affermazione di Durrwell che si trova nel suo discorso di ringraziamento pronunciato in occasione del conferimento da parte dell'Accademia Alfonsiana del Dottorato *honoris causa* (7 dicembre 1996): «C'est dans la puissance de Dieu qui ressuscite Jésus des morts que les apôtres annoncent le Christ et que les théologiens en parlent à leur manière», F.-X. DURRWELL, *La théologie comme charisme théologique*, in StMor 35 (1997), 250.

[12] Su questo punto, vedere R. TREMBLAY, *La vocazione del teologo. Il punto di vista di Ireneo di Lione*, in M. MARITANO (a cura di), *Historiam Perscrutari. Miscellanea di studi offerti al Prof. Ottorino Pasquato* (BScR., 180), 2002, 557-569.

[13] Vedere su questo punto A. K. MONGRAIN, *The systematic Thought of Hans Urs von Balthasar. An Irenaen Retrieval*, New York, 2002.

Prima di concludere, riassumiamo le linee guida della nostra riflessione. Portata dallo Spirito, la libertà della ricerca teologica gode della capacità illimitata dello Spirito di svelare, in favore della Chiesa di ogni epoca e ogni luogo, tutta la verità del Cristo, verità a sua volta dalle dimensioni infinite. In questo modo, il teologo entra nella "missione" dello Spirito di glorificare il Padre attingendo dall'opera filiale. Egli non realizza il suo compito senza la Chiesa e in opposizione ad essa poiché lo riceve in essa e per essa. Là dove questo "in" e questo "per" è sul punto di attenuarsi o di essere abbandonato, la Chiesa nei suoi Pastori può e deve esigere degli aggiustamenti o dei raddrizzamenti.

4. Conclusione

Nel testo citato all'inizio di queste pagine, P. Valadier biasimava il Magistero di avere, nell'Enciclica *Veritatis Splendor*, imposto alla Chiesa una concezione ridotta della morale fondamentale. Che pensare di questo rimprovero alla luce delle riflessioni che precedono? Nel nome dell'ortodossia, può il Magistero limitare il campo di investigazione del teologo e prendersela con la sua libertà di ricerca o deve accontentarsi di ricordare alcuni limiti al di là dei quali non c'è più autentica teologia?

Se è vero che nella sua Enciclica Giovanni Paolo II ha scelto di insistere su alcuni dati appartenenti al campo della morale fondamentale, non l'ha fatto per escludere altri elementi costitutivi della stessa disciplina. L'ha fatto per meglio contrastare alcune esagerazioni perniciose che si erano poco a poco introdotte in questo campo. Come dire che il Papa non ha voluto ridurre alle sue preferenze il patrimonio ecclesiale della morale fondamentale e ancor meno alzare delle barricate *di fronte* al pensiero dei moralisti. Un esempio potrebbe aiutare a meglio comprendere il senso del primo membro di questa affermazione. Precisando i rapporti tra la libertà e la verità[14], senza fare allusione al principio caro all'equiprobabilismo alfonsiano secondo il quale si ha libertà davanti ad una legge non chiaramente promulgata[15], il santo Padre non ha avuto l'intenzione di

---

[14] N. 30s.

[15] Su questo punto consultare L. Vereecke, *De Guillaume d'Okcham à saint Alphonse de Liguori. Étude d'histoire de la théologie morale moderne 1300-1787* (BHCSSR., 12), Romae, 1986, 553-566. Oltre che inserirsi nella trama logica della nostra riflessione, l'e-

rendere caduco questo principio. Semplicemente non entrava nella trama del suo intervento. Insistendo su di un aspetto dottrinale piuttosto che su di un altro per far fronte alle difficoltà del momento, il Magistero non fa che essere fedele allo Spirito *che veglia sulla verità per aprire su tutta la verità*. Da questo punto di vista, la valutazione di Valadier mi sembra ingiustificata e ingiustificabile.

sempio scelto ci è anche suggerito da Valadier che rimprovera alla *Veritatis Splendor* di aver lasciato da parte l'apporto di sant'Alfonso de Liguori in teologia morale. Trascrivo questo testo in quanto indica bene il tono dell'autore nella sua critica al testo pontificio: "Plus encore qu'en matière dogmatique, la tradition morale de l'Église catholique se conjugue au pluriel, et l'on pourrait même dire que telle est sa force de renouvellement et sa fécondité au long des siècles que cette tradition a su redire en terme neufs et en fonction des attentes nouvelles des fidèles un message évangélique permanent; il faudrait même ajouter qu'elle n'a jamais connu l'uniformité, bien loin de là. Or, le lecteur de l'encyclique est surpris de voir des pans entiers de ces traditions soit méconnues, soit franchement critiquées comme étrangères à la doctrine catholique. *Méconnues*: ainsi les perspectives théologiques si fécondes, si sages et si équilibrées d'un Alphonse de Ligori (sic), qui a trouvé une juste voie entre extrêmes janséniste et laxiste, sont-elles absentes; on le comprend, car Alphonse de Ligori ne manque jamais dans son oeuvre principal, sa *Theologia moralis*, d'évoquer la diversité des positions morales dans l'Église, de les citer largement, de les discuter, pour finalement trancher en fonction de ce qui lui paraît le plus probablement vrai... La théologie de Ligori, exaltée par de précédents papes comme modèle en matière morale, ne semble pas pouvoir être convoquée pour soutenir l'idée selon laquelle il n'est dans l'Église qu'une seule doctrine tenue depuis toujours, puisque cette œuvre attesterait justement qu'il n'en est rien", *o.c.*, 94-95 (il corsivo è dell'autore).

La Verità di Cristo nella storia, testimonianza e dialogo

Paolo Scarafoni

Questo intervento è uno degli ultimi tre che devono riassumere la tematica del *terzo Forum internazionale della Pontificia Accademia di Teologia* dedicato a *Il metodo teologico oggi. Comunione in Cristo tra memoria e dialogo,* e presentare le conclusioni del suo percorso; deve soffermarsi specialmente sulla seconda parte del *forum* dedicata a *La verità di Cristo nella storia: testimonianza e dialogo.* In secondo luogo, questo intervento ha il compito di aprirsi alle prospettive di approfondimento e di impegno concreto da parte dei teologi nel campo del metodo teologico, specialmente in relazione alla testimonianza e al dialogo.

Presenteremo alcuni punti che offrono in modo originale una sintesi dei lavori svolti e le prospettive intraviste.

1. La verità è l'oggetto della teologia

La verità è la categoria che definisce tutto il metodo teologico in funzione di essa e attribuisce la condizione di scienza alla teologia. Durante il *forum* è stato sottolineato molto opportunamente nella relazione di Mons. Marcello Bordoni che la teologia è la scienza che ricerca la «verità tutta intera» (*Gv* 16, 13). Ciò significa tre aspetti della verità: il fatto che sia un dono gratuito ricevuto da Dio (rivelazione) e pertanto non frutto del nostro sforzo, che porterebbe sempre a una verità parziale; il fatto che la totalità della verità coincide con la fonte della verità, oltre la quale non c'è altra verità, e pertanto è personale, cioè è Dio che rivela se stesso nella persona del Figlio Gesù Cristo; e il fatto che la verità totale è definitiva, perché non c'è altra verità da rivelare dopo questa.

In quanto all'oggetto delle scienze, il richiamo alla "verità tutta intera" ha riportato alla luce in modo implicito la concezione della scienza come ricerca ordinata e metodica della verità, da tempo accantonata. Le scienze hanno accentuato sempre di più l'aspetto del metodo e dell'ordine e hanno sottaciuto che il loro scopo è la verità; essa è stata sostituita dalla "verifica sperimentale" delle ipotesi della nostra mente; ma questo è un aspetto molto ristretto della verità e va visto sempre nel più grande orizzonte della verità. Il fatto di fondare la conoscenza sull'esperimento ha introdotto lentamente la mentalità che il sapere scientifico sia fatto da noi, come se fosse costruito dalla nostra mente e verificato nella sua applicazione ai fatti in circostanze ben delimitate e controllate. L'attenzione si è spostata su quello che possiamo fare noi. Possiamo dire che a poco a poco nella mentalità dei cultori delle scienze si è dimenticato che la verità esiste e ci viene data, non viene fabbricata o costruita nel tempo e in determinate circostanze. Questo porta come conseguenza la concezione della verità come acquisizione sempre parziale e mai definitiva.

La teologia si trova nella condizione di non poter dimenticare che la verità è data, perché si occupa della "verità tutta intera". La teologia si fonda sulla rivelazione da parte di Dio della verità tutta intera, della verità su Dio stesso in quanto verità ultima (cfr. *Mt* 11, 25-27). La verità tutta intera non è il risultato della maturazione della coscienza umana nella storia, nel progredire della cultura. Ogni conquista umana, individuale o sociale, rimarrebbe sempre una verità parziale. La concezione della rivelazione in chiave storicista, cioè di un suo lento affiorare nella coscienza umana, risponde alla visione della verità e del sapere come una nostra costruzione, legata al fare. Per coloro che pensano in questo modo non esiste una verità definitiva e completa, e tutte le culture, le religioni e le scienze sono verità parziali. Dio invece è venuto di persona, si è rivelato pienamente e definitivamente calandosi nella storia senza nessun merito e nessuna costrizione da parte nostra. Noi gli andiamo incontro in ogni tempo e in ogni luogo accogliendo la sua verità nella nostra condizione storica; non viene eliminato il nostro sforzo e la nostra attività, anzi vengono esaltati nell'evento sempre rinnovato dell'incontro con la verità tutta intera.

La teologia allora ha un posto fra le scienze, e possiamo anche dire che le scienze hanno attinenza con la teologia, qualora si torni a ricercare la verità per trovarla, non tanto per inventarla o costruirla. La teologia invece occupa una posizione molto scomoda se lo scopo delle scienze viene ristretto alla verifica sperimentale di ipotesi formulate da noi.

La teologia ha un carattere sapienziale. La verità tutta intera infatti riguarda tutti gli esseri umani e non può essere astratta; è capace di rispondere alla domanda di senso di tutti loro, in tutti i tempi. Rende possibile l'esperienza personale sempre e ovunque. Non può essere il frutto di una ipotesi verificabile soltanto in circostanze precisate e particolari, una visione costruita da noi in un certo momento della storia; ma deve poter essere valida sempre e ovunque. Presente, passato e futuro sono di fronte alla verità tutta intera in una dimensione dinamica: di apertura, di ricerca, di accoglienza, di conversione e cambiamento, di adeguamento e adesione ad essa. Per le persone che agiscono nel presente o che hanno fatto la storia, la verità tutta intera è credibile e viene accolta, se è in grado di dare senso alla loro vita concreta. La "verità tutta intera", quella che esaurisce la verità, è la fonte stessa della verità, è Dio in persona. L'evento dell'incontro dell'uomo con Dio è un fatto reale perché Dio si è reso disponibile all'uomo. L'incontro con Lui è ciò che dà senso all'esistenza e alla vita.

La comunicazione fra Dio e uomo è reale e realizzata nella storia. Dio non è rimasto nascosto e sconosciuto per l'uomo. La verità si è fatta conoscere. Il Concilio Vaticano II nella *Dei Verbum* 2, dice che

> «piacque a Dio nella sua bontà e sapienza infinita rivelare se stesso e manifestare il mistero della sua volontà [...] . Con questa rivelazione infatti Dio invisibile nel suo grande amore parla agli uomini come ad amici».

Il *Catechismo della Chiesa Cattolica*[1] inizia con la presentazione di Dio che ha sempre comunicato con l'uomo. Nel Paradiso terrestre Dio comunica con l'uomo; dopo il peccato originale Dio stabilisce alleanze con l'umanità desiderando comunicare la verità sua con amore e con

---

[1] Nn. 50-75.

passione: l'alleanza di Noè o delle nazioni; l'alleanza di Abramo o della fede e di un popolo scelto; l'alleanza di Mosè o della Legge; la Nuova ed Eterna Alleanza in Cristo, in funzione della manifestazione della verità definitiva. Tra l'uomo e Dio c'è la possibilità di comunicare, perché l'uomo è creato a immagine e somiglianza di Dio. Dio e noi non siamo estranei; la verità di Dio è conosciuta dall'uomo perché Dio si vuole far conoscere, non rimane irraggiungibile.

2. La teologia come dinamismo della mente al servizio della verità

Esistono momenti di oscurità, come se Dio non fosse disponibile o noi ci rifiutassimo di conoscerlo. Tuttavia la comunicazione più piena, è stato detto nella relazione di Mons. Rino Fisichella e anche nella relazione sulla liturgia, avviene proprio nel momento dell'abbandono, nel momento della dimenticanza, provocata dalla disobbedienza dell'uomo, massimamente assunta e realizzata in Cristo sulla croce. In quel momento in cui il Figlio sembra definitivamente abbandonato dal Padre («Padre perché mi hai abbandonato»), più forte diventa il desiderio del Padre, più forte la spinta alla comunione, più forte l'effusione dello Spirito che unisce ("incolla"[2]) il Padre al Figlio. Più intensa, ostinata e persistente diventa la memoria nel momento della dimenticanza:

> «Sion ha detto: "Il Signore mi ha abbandonato, il Signore mi ha dimenticato". Si dimentica forse una donna del suo bambino, così da non commuoversi per il figlio del suo grembo? Anche se vi fosse una donna che si dimenticasse, io invece non ti dimenticherò mai» (*Is* 49, 15).

La teologia è quel dinamismo della mente che si inserisce nel contesto della comunicazione fra Dio e uomo, che cerca Dio in quanto Egli è la verità tutta intera, e che lo cerca di più e meglio, con chiarezza e ordine. Trovandosi nella verità rivelata e testimoniando la verità tutta intera, la mente dei teologi patisce sulla croce della propria condizione razionale la distanza, l'abbandono, e cerca la maggiore chiarezza nella comunione. Non si è teologi essendo soddisfatti, ripetendo le formule imparate astrat-

---

[2] S. BONAVENTURA, *III Sent.*, d. 2, a. 3, q. 3, ad 2m, in *Opera omnia*, III: «Illa unio [...], quae est voluntaria *secundum voluntatem*, illa habet fieri mediante amore sicut glutino coniungente. [...] unio fiat mediante Spiritu sancto sicut *vinculo interveniente*».

tamente. L'amore reclama l'esperienza e guida la ricerca, ed accompagna con la soddisfazione e la fruizione ogni conquista. Non è senza fruizione la verità nella nostra mente. L'invio del Figlio in noi coincide con la conoscenza di Lui nella fede e nella ragione, e con una certa conoscenza sperimentale nell'amore[3]. Sant'Anselmo nel prologo al *Proslogion* esprime bene questo dinamismo della mente nella fede e nell'amore per la verità tutta intera di Dio:

> «Mi sia permesso di guardare verso la tua luce, almeno da lontano, almeno dal profondo. Insegnami a cercarTi e mostraTi a chi Ti cerca; perché non posso cercarTi se Tu non me lo insegni, né trovarTi se Tu non Ti mostri. Che io Ti cerchi desiderandoTi e Ti desideri cercandoTi. Ti trovi amandoTi e Ti ami trovandoTi. […] Non tento, o Signore, di penetrare la tua profondità, perché in nessun modo le paragono il mio intelletto; ma desidero comprendere in qualche modo la tua verità, che il mio cuore crede ed ama. Non cerco, infatti, di comprendere per credere, ma credo per comprendere. Poiché credo anche questo: che se non avrò creduto, non comprenderò».

Facciamo notare che nell'ultima frase di questo testo di Sant'Anselmo si sottolinea la convinzione che la fede mette in contatto con la realtà stessa di Dio, che è la verità intera che può essere sempre più compresa; la fede non rimane come un atto puramente soggettivo perché accetta e accoglie nella sua intenzione la verità intera che sorpassa la capacità di comprensione. E questo le permette di restare come fondamento della comprensione: «se non avrò creduto non comprenderò».

Questo dinamismo è costante conversione alla verità che si mostra a noi nella rivelazione. È soprattutto umiltà che torna con la memoria sulla verità custodita dalla Chiesa, dalla comunità intera, e ad imitazione di Maria è la riflessione nel silenzio perché vuole penetrare di più nella verità; non si vuole staccare da essa, non ha la pretesa di farlo e non si sente in diritto di farlo. Questo dinamismo non è il protagonismo per-

---

[3] S. TOMMASO, *Summa Theologiae*, I, 43, a5, ad 2: «il Figlio non è inviato secondo un perfezionamento qualsiasi dell'intelletto, ma secondo un'istruzione dell'intelletto tale che esso prorompa nell'affetto dell'amore, come dice la Scrittura (*Gv* 6, 45): "Chiunque ha udito il Padre e ha imparato da Lui, viene a me"; e altrove (*Sal* 38, 4): "Al ripensarci è divampato il fuoco". Per questo S. Agostino (*De Trin* 4, 20) dichiara espressamente: "Il Figlio è mandato quando qualcuno è conosciuto e percepito"; e qui percezione indica una certa conoscenza sperimentale. E questa propriamente viene chiamata *sapienza*».

sonale e soggettivo; non cerca l'affermazione di concetti propri su cui basare la propria sicurezza e consistenza. Anche ciò che è verificato con metodo resta vero non in base alla verifica dei dati acquisiti, cosa che è utile e buona, ma che non deve diventare l'ultimo riferimento; esso resta vero perché continua ad essere riferito alla verità tutta intera rivelata. La verità ricevuta ha il ruolo di protagonista. Il dinamismo di comprendere la verità è prima di tutto l'iniziativa costante di Dio-verità che si ricorda di noi e si presenta a noi in quanto verità, e accende il nostro amore, per farci cercare ancora la verità. La teologia si realizza sotto l'influsso dell'azione di Dio, nella grazia e nella comunione ecclesiale.

Il comune accordo su questo punto è stato anche espresso in altri interventi del *forum*. Nella relazione del Prof. Max Seckler, quando ha parlato dei *loci* di Melchor Cano, egli ha messo in evidenza che le *auctoritates* che danno testimonianza della verità sono intese in senso "scolastico", cioè in funzione della verità stessa: sono contributi catalogati perché garantiscono vicinanza e familiarità con la verità; non sono validi per il fatto di essere importanti o conosciuti come protagonisti.

3. La verità e la testimonianza

Una forma più adeguata a confermare l'affermazione della "verità tutta intera", che è Dio, è la testimonianza, la quale è molto più completa della verifica e dell'esperimento. La relazione del Prof. Paul O'Callaghan ha messo in evidenza l'opportunità e la validità di essa per la verità tutta intera. Nella testimonianza si appella alla autorità assoluta, alla fonte della verità, che sorpassa chi rende testimonianza e nella quale egli si rifugia, si riferisce, si "getta". La testimonianza più alta è data dal martirio, che è la grazia di rendere omaggio con tutto il proprio essere alla verità (come ha sottolineato il Prof. Réal Tremblay). La testimonianza degli uomini viene sostenuta dallo Spirito Santo, che rende testimonianza di Cristo e di Dio nell'intimo degli uomini.

In un intervento del dibattito nel *forum* il Prof. Antonio Staglianò ha anche sottolineato che la teologia cattolica dovrebbe fare maggiore attenzione alle citazioni da utilizzare non in modo indiscriminato, ma evidenziando il loro riferimento alla comunione con la Chiesa cattolica e alla verità in essa professata.

4. La verità e il principio metodologico della permanenza nella fede

Questo dinamismo della teologia verso la "verità tutta intera" porta a ricordare il primo principio del metodo teologico formulato come: *la permanenza nella verità di fede; ovvero la comunione sempre maggiore con la Chiesa che accoglie, professa e vive la verità della fede*. Ciò significa un dinamismo da parte del teologo, che non è il sospetto di chi si separa o è disposto a separarsi, quasi fosse la condizione per diventare un teologo affermato nel mondo secolarizzato; ma che è la sempre maggiore conferma della verità della rivelazione custodita nella Chiesa: il Dio rivelato è il vero Dio. Non dobbiamo cercare ancora. L'aumento di questa certezza è in tensione con le difficoltà provenienti da diverse istanze culturali, specialmente delicate nella situazione attuale di una cultura che è fortemente tentata di apostasia silenziosa[4], causata dalla mancanza di fede e dalla conseguente carenza di intelligenza della fede, che rende la cultura secolarizzata e non impregnata di fede. Si permane nella verità tutta intera secondo il principio della teologia negativa: la differenza è sempre maggiore come dice l'espressione forte di Sant'Ilario:

> «una fede perseverante rifiutò le questioni capziose e inutili della filosofia, e così la verità non si è offerta come bottino alla falsità, soccombendo agli inganni della insensatezza umana. La fede non vuole rinchiudere Dio entro i limiti del sentire comune della intelligenza ordinaria, né giudicare con i criteri del mondo Cristo, nel quale abita corporalmente la pienezza della divinità»[5].

Questo dinamismo della teologia, oltre allo sforzo della permanenza nella verità, *è anche il raggiungimento di una maggiore comprensione della verità in cui si permane*, per la quale si è disposti perfino a soffrire. La intelligenza della fede è un servizio indispensabile e irrinunciabile per l'evangelizzazione e la cultura, per il bene dell'umanità[6]. Le sofferenze causate da momentanee incomprensioni per gli apporti teologici, non

---

[4] Cfr. il recentissimo documento della CONFERENZA EPISCOPALE SPAGNOLA del 30 marzo 2006: *Teología y secularización*, 4-5.

[5] SANT'ILARIO, *De Trinitate*, I, 13.

[6] CONFERENZA EPISCOPALE SPAGNOLA, *Teología y secularización*, 3: «Siamo convinti che la nuova evangelizzazione non potrà essere portata a compimento senza l'aiuto di una sana e profonda teologia, nella quale rifulga lo spirito di fede e l'appartenenza ecclesiale» (nostra traduzione).

conducono alla disunione; al contrario, inducono alla comunione con maggiore intensità e pazienza, proprio nella coscienza di riferire la maggiore comprensione ottenuta alla verità tutta intera e non soltanto alla verifica di una ipotesi personale. Abbiamo modelli stupendi nella storia della teologia anche recente (ricordiamo il Card. Henry De Lubac). Portiamo l'esempio sempre vivo di San Basilio che desiderava con tutte le sue forze aiutare la Chiesa da lui amata nella verità piena rivelata da Cristo, e provata da grandi difficoltà di separarsi e allontanarsi dalla verità; tuttavia egli era costretto a difendersi dagli stessi amici nella Chiesa che lo accusavano di volersi separare:

> «Come dunque sarei io un innovatore, un coniatore di neologismi, quando cito come autori e difensori di questa parola interi popoli e città e un costume più antico di qualsiasi memoria umana, e uomini colonne della Chiesa, eminenti in ogni scienza e forza dello Spirito? [...] Per gli uomini saggi le cose che ho detto costituiscono una difesa sufficiente, perché noi accogliamo una parola così cara e familiare ai santi, assicurata da un solido costume: poiché da quando si è annunciato il Vangelo fino ad oggi, è dimostrato che ha diritto di cittadinanza nelle Chiese, e ciò che è più importante, che ha un significato pieno di pietà e di santità» (*Lo Spirito Santo*, XXIX, 75)[7].

Raccomandiamo di leggere l'esortazione finale di questo libro di San Basilio, che fa capire tutto il suo amore per la Chiesa e per la verità rivelata da Cristo. La prova della pietà e della santità è molto importante e fa vedere il contatto vivo con la verità, con Dio vivo.

5. L'importanza della teologia per la vita concreta dei cristiani

In riferimento al tema della verità, durante il *forum* in vari interventi dei partecipanti, è stato anche sottolineato il collegamento della produzione di dottrina teologica con la realtà dei cristiani e della Chiesa. È essenziale per la teologia uscire da un ambito eccessivamente accademico e astratto che non porta al contatto con il reale, con Cristo vivo nella Chiesa, con la santità, con la vita apostolica dei cristiani; è indispensabile realizzare una riflessione in connessione con la vita, con il senso della vita dell'uomo attuale. Le grandi teologie sono sempre nate da forti

---

[7] Traduzione italiana: SAN BASILIO, *Lo Spirito Santo*, Città Nuova, Roma 1993.

spiritualità, che vivono intensamente la comunione, l'identificazione con Cristo e con la Chiesa, si impegnano per realizzare la missione di evangelizzare nei contesti storici concreti. Il principio del riferimento alla realtà è valido in certo modo per tutte le scienze: se non conducono più alla realtà che è oggetto di studio, esse perdono il loro valore; per esempio, l'astrologia oggi non serve più perché dimostra di non essere connessa con il reale. La teologia deve uscire dalla deformazione in cui è talvolta scivolata.

Alcuni teologi hanno cercato il collegamento con la realtà in modo insufficiente, accentuando il valore dei contesti di riferimento della teologia, quasi essa dovesse esprimere qualcosa su diverse problematiche attuali per avere parvenza di validità e concretezza. L'eccessiva importanza data alle problematiche e agli spunti provenienti dai settori specifici, ha però ottenuto come risultato una dimenticanza o trascuratezza dell'oggetto proprio della teologia, se non addirittura una deformazione della verità rivelata in base alle istanze dei vari settori specifici. La conseguenza è stata, da una parte, uno scarso servizio reso alla teologia, e, dall'altra parte, uno scarsissimo apporto alle problematiche concrete affrontate, nei cui ambiti gli interventi dei teologi rischiano di sembrare esercizi di dilettanti fuori dalla realtà. Tutto ciò favorisce una visione deformata della teologia nel mondo delle scienze e della cultura, come un esercizio verbale e soggettivo con metodi curiosi e originali[8] su tematiche variate, contrariamente alle pretese iniziali di concretezza dei teologi coinvolti; e un crescente isolamento della teologia dalle altre scienze e professioni; non si ottengono inoltre risultati nell'avvicinamento alla verità del Vangelo di studiosi e di operatori di quei contesti. Alla luce di queste esperienze il principio della permanenza nella fede acquista anche un valore di permanenza nella tematica di cui occuparsi come teologi, cioè della rivelazione divina, senza divagare in altri campi in modo gratuito e poco rigoroso. Lo svolgimento di tale compito suscita maggiore rispetto e attenzione dagli altri agenti culturali e scientifici. Gli aspetti della teologia dogmatica e della teologia morale che riguardano nuove ipotesi scientifiche, esigono la collaborazione e la consulenza di specialisti del settore,

---

[8] Si è accennato, nelle relazioni e nelle discussioni, ai temi della teologia della liberazione, della teologia nel contesto culturale indiano, della teologia femminista, della teologia ecologista, ed altri.

per un'attenta valutazione critica da parte dei teologi delle conclusioni a cui tali ipotesi giungono.

6. La teologia e la spiritualità

Un punto essenziale per la teologia è il collegamento con la spiritualità[9]. Una vera spiritualità deve essere profondamente teologica, per il contatto reale con la verità tutta intera, con il mistero di Dio; la spiritualità deve evitare il soggettivismo e il sentimentalismo per essere autentica ed ha bisogno della riflessione teologica. La teologia d'altro canto si fonda sulla spiritualità autentica, e si nutre della esperienza della verità nella fede vissuta. Possiamo dire che la base della teologia è l'adesione di fede, vissuta, fatta esperienza nell'amore, che permette di comprendere sempre di più il mistero rivelato di Dio. Nel prossimo futuro ci si aspetta molto dai teologi che vivono in contesti ecclesiali ferventi e vivi, con forte spiritualità.

Osserviamo con preoccupazione il cedimento di alcuni teologi alla visione neo-gnostica o della *new age*, che considera la vita spirituale come il processo di soddisfacimento del proprio io, e come il raggiungimento di una certa permanenza di sensazioni di tale soddisfacimento[10]. Propongono apertamente una nuova mistica senza dogmi, gerarchia ecclesiastica e dottrina: la nuova mistica, praticata anche da molti cattolici, si nutre delle più variate tradizioni di preghiera, specialmente orientali; rifiuta la visione di Dio trascendente, separato e lontano da noi. Prevede una purificazione interiore, segni e prodigi, una fase di vuoto interiore, e finalmente un approdo all'incontro con "se stesso", il vero se stesso, che è una sola cosa con Dio, con l'universo e con tutto quello che è.

---

[9] Cfr. P. SCARAFONI, *I frutti dell'albero buono. Santità e vita spirituale cristocentrica*, Art edizioni, Roma 2004, 5 ss.: "Introduzione alla teologia spirituale".

[10] W. JOHNSTON, *Mística para una nueva era*, Desclée de Brower, Bilbao 2003. Il Pontificio Consiglio per la Cultura e il Pontificio Consiglio per il Dialogo Interreligioso hanno presentato nel 2003 uno splendido documento intitolato *Gesù Cristo portatore dell'Acqua Viva. Una riflessione cristiana sul New Age*.

«Questo se stesso non conosce né soggetto né oggetto, né vita né morte, né luce né oscurità, né yin né yang. Il vero se stesso trascende i mutamenti e le angosce del *samsara* per vivere nel mondo dell'Illuminazione»[11].

Per questo scopo vengono utilizzati principi e metodi derivati dalla psicologia, dalle spiritualità e religioni orientali, da spunti offerti da filosofi: la proposta di una spiritualità che scaturisce dall'incontro fra cultura esoterica e psicologia in modo da verificare la trasformazione e la pace ottenuta attraverso le tecniche. Tutto questo trascura ancora una volta il principio metodologico fondamentale della permanenza nella verità per mezzo della fede, sottintendendo un forte dubbio sulla validità di essa per l'uomo attuale, e inserendosi nel disegno di cercare una alternativa alla cultura e alla spiritualità occidentale e cristiana. La debolezza percepita in questa concezione non viene però dalla spiritualità cristiana intensamente vissuta, ma dalla mancanza di vera spiritualità cristiana latente in chi pensa in questo modo. Cristo conosciuto, creduto e amato, non ha rivali nel soddisfare la vita spirituale degli uomini e delle donne. Soltanto coloro che dubitano di Cristo possono pensare a soluzioni alternative.

Un cammino molto buono per favorire il rapporto fra teologia e spiritualità, riportato alla luce nella teologia dal magistero di Giovanni Paolo II[12], è la "teologia vissuta" dei santi, esposta nel *forum* da P. Francois Léthel. I santi vivono in modo intenso il mistero di Dio nella verità, e specialmente sono esperti del mistero della croce, riproducendolo in sé. Il modello dei santi e la loro dottrina costituiscono un patrimonio indispensabile per la teologia.

7. La teologia e la storia

Un altro punto che riguarda la verità è stato quello dell'importanza della storia, messo in rilievo in molti interventi del *forum*. Come abbiamo

---

[11] *Mística para una nueva era*, 169-170.

[12] Cfr. *Novo millennio ineunte*, 7. Vedi anche al numero 27: «Di fronte a questo mistero, accanto all'indagine teologica, un aiuto rilevante può venirci da quel grande patrimonio che è la "teologia vissuta" dei Santi. Essi ci offrono indicazioni preziose che consentono di accogliere più facilmente l'intuizione della fede, e ciò in forza delle particolari luci che alcuni di essi hanno ricevuto dallo Spirito Santo, o persino attraverso l'esperienza che essi stessi hanno fatto di quegli stati terribili di prova che la tradizione mistica descrive come "notte oscura"».

accennato anche sopra, condizione della verità e della ricerca sulla verità è rimanere aderenti alla realtà, e per questo è importante partire dalla vita vissuta, cioè dalla storia. Il dinamismo della teologia che cerca la verità tutta intera indica il suo carattere storico, che dalla storia si sforza di raggiungere sempre di più la verità, nella quale già si trova anche nella dimensione storica. Ma ogni momento della storia deve essere portato alla luce della verità. Giustamente è stata ricordata l'importanza dei segni dei tempi[13], come abbiamo detto sopra. Dalla storia vengono molte indicazioni per accedere alla verità, per fare il cammino concreto che ora dobbiamo realizzare per accedere alla verità. C'è bisogno di riconoscere le indicazioni della verità che già c'è, e le indicazioni della verità che la storia richiama e che deve essere raggiunta dalla nostra azione libera. La storia lascia tracce e radici di verità, non è un terreno incolto e indifferente in ogni momento, anche se si lascia determinare da noi: ciò che ha prodotto buoni frutti è fonte di maggiori frutti di verità e di bene; ciò che ha prodotto il male deve diventare occasione di maggior bene, in base alla parte di bene che contiene, e in base al maggior bene che può essere messo.

8. Cristo è il centro della fede e della teologia

Il tema della verità viene riassunto nella centralità di Cristo. Cristo vivo è la verità stessa. Egli è il centro. Il suo volto è la conoscenza alla quale aspirano i cristiani e in modo speciale i teologi. Di Cristo bisogna sottolineare l'importanza della risurrezione, punto di partenza di ogni riflessione teologica, perché Cristo vivo oggi che dona amore e vita è il Cristo risorto. Allo stesso modo, la domenica che celebra la risurrezione è il centro della vita dei cristiani.

La teologia non può non essere centrata nella Eucaristia, dove è la presenza reale di Cristo vivo. C'è una speciale affinità fra teologia ed Eucaristia: l'Eucaristia ripropone la "ora" di Cristo[14], nella quale Egli

---

[13] Cfr. P. SCARAFONI, *I segni dei tempi. Segni dell'amore*, Paoline, Milano 2002.

[14] BENEDETTO XVI, *Omelia*, 21 agosto 2005: «L'ora di Gesù è l'ora in cui vince l'amore. In altri termini: è Dio che ha vinto, perché Egli è l'Amore. L'ora di Gesù vuole diventare la nostra ora e lo diventerà, se noi, mediante la celebrazione dell'Eucaristia, ci lasciamo tirare dentro quel processo di trasformazioni che il Signore ha di mira. L'Eucaristia deve diventare il centro della nostra vita».

interiorizza e dà significato a tutta la realtà, trasforma in amore divino l'odio, la violenza e la morte, che potrebbero significare la negazione della verità e dell'amore di Dio; trasforma in resurrezione la morte; porta a compimento l'opera della creazione nel primo giorno della settimana, primo giorno di creazione. La teologia partecipa di quella comprensione della verità nel cuore di Cristo, così come si mostrò nella "ora" di Cristo; partecipa di quella interiorizzazione dell'amore divino. Possiamo dire che la teologia aspira a ripetere quell'esercizio di interiorizzazione che realizzò Cristo e che lasciò espresso nel sacramento della Eucaristia. Pertanto la teologia nasce e culmina nella Eucaristia, luogo della profonda identificazione con la verità e l'amore divino.

La teologia è realizzata nella Chiesa cattolica, unita ed edificata in Cristo nella Eucaristia.

La teologia è mariana, proprio perché cristocentrica ed ecclesiale: come Maria la teologia medita nel cuore, interiorizza la verità con amore.

La teologia non può non nascere da una spiritualità forte, da una comunione intensa con Cristo vivo che dà senso alla propria vita, e da una intensa comunione con la Chiesa cattolica, una vita di santità. Su questo insiste il Cardinale C. Schönborn: l'ortoprassi è garanzia della ortodossia. La teologia dei santi lo dimostra: traccia percorsi verso l'unica verità di Cristo. Pur essendo molteplice nei percorsi porta alla unica verità.

9. Un secondo principio metodologico della teologia: la gerarchia delle verità

Se Cristo occupa il centro, allora tutta la verità ha un ordine, una gerarchia, una coerenza e una unità. Esiste un ordine che viene dalla verità stessa, da Cristo, e ciò è anche il contenuto della teologia. Esso è inalterabile. La pluralità degli approcci non elimina l'unità e la gerarchia delle verità. L'unità del grande mare non viene alterata o determinata dalle conchiglie che ne raccolgono una piccola parte, da esaminare in funzione dell'unità del grande mare. Le differenze dei nostri approcci sono infinitamente più piccole della immensità dell'unità di Dio e della verità che abbiamo davanti. Bisogna imparare a rimanere nell'unità con l'accoglienza e il dialogo. L'ordine delle verità favorisce proprio il dialogo[15]. Questo ordine intrinseco costituisce il fondamento del *sensus fidelium*, della Chiesa in comunione con Cristo e sotto la guida dello Spirito Santo. Pertanto il metodo in teologia è determinato in gran parte dal contenuto da credere, dalla verità da accogliere. La teologia ha il compito di conoscere sempre meglio Cristo vero Dio e vero Uomo e il mistero di Dio in Cristo; e la Chiesa, unita a Cristo e comunità di salvezza. Tutte le verità sono ordinate in funzione della maggiore o minore connessione con il centro. Da lì deriva la loro importanza. In questo modo vengono analizzati i nessi dei misteri.

10. I nessi dei misteri

L'esistenza del centro e dell'ordine permette di realizzare i nessi dalle circostanze storiche in cui la riflessione teologica procede verso Cristo. In primo luogo: la connessione fra antico e nuovo testamento, come ha insegnato a fare Cristo stesso nella spiegazione delle Scritture ai discepoli di Emmaus il giorno della sua resurrezione; ciò significa che tutto il percorso storico di Dio che si comunica e si rivela converge verso il centro che è Cristo. Cristo educa a vedere tutto quello che è successo in funzione di Lui, il quale diventa la verità ultima da ritenere. In questo senso l'Eucaristia è modello:

> «Gesù non ci ha dato il compito di ripetere la Cena pasquale che, del resto, in quanto anniversario, non è ripetibile a piacimento. Ci ha dato il compito di entrare nella sua "ora". Entriamo in essa mediante la parola del potere sacro della consacrazione – una trasformazione che si realizza mediante la preghiera di lode, che ci pone in continuità con Israele e con tutta la storia della salvezza, e al contempo ci dona la novità verso cui quella preghiera per sua intima natura tendeva. Questa preghiera – chiamata dalla Chiesa "preghiera eucaristica" – pone in essere l'Eucaristia»[16].

La liturgia più solenne celebrata dai cristiani, durante la Veglia Pasquale, insegna a comprendere tutta la storia della salvezza in funzione

---

[15] *Unitatis redintegratio*, 11: «Nel mettere a confronto le dottrine si ricordino che esiste un ordine o gerarchia nelle verità della dottrina cattolica, essendo diverso il loro nesso col fondamento della fede cristiana».

[16] BENEDETTO XVI, *Omelia*, 21 agosto 2005.

di Cristo. Per quanto riguarda le scritture diventa indispensabile il concetto di "ispirazione"[17], che sta alla base del canone delle scritture; ispirazione e canone impediscono di considerare le sacre scritture alla stessa stregua degli altri documenti antichi; esse hanno come ultimo sfondo di interpretazione la fede nel mistero di Cristo. Su questo aspetto nel *forum* il Prof. Grech ha fatto un intervento.

In secondo luogo: la connessione della storia che avviene adesso con Cristo; è la teologia dei segni dei tempi. Si tratta dell'esercizio del discernimento (vedere, giudicare, agire) proposto dal Concilio Vaticano II e dai papi Giovanni XXIII, Paolo VI e Giovanni Paolo II. Possiamo dire che nell'esercizio del discernimento la storia viene liberata dalla parzialità e dalla dispersione nel nulla. Invece di essere una prigione limitata per l'uomo, da dover subire senza scampo, e nella quale disperdersi senza senso, la storia diventa il terreno della libertà umana che può collaborare con la volontà divina a far diventare gli eventi una storia di verità, di amore e di salvezza in Cristo. Da qui l'educazione a intervenire, a non rimanere passivi, a vincere il male con il bene (cfr. *Rom* 12, 20: «*vince in bono malum*»).

È sorprendente che il contatto forte con la storia attuale, con il presente, auspicato dal Concilio Vaticano II, abbia spaventato i cristiani, specialmente i laici. Avremmo desiderato meno difficoltà, meno resistenza a Cristo, nella nostra apertura al mondo. Allora è entrata la tentazione del dubbio su Cristo e sulla verità, come se il mondo fosse più forte, avesse ragione. La fede ha ceduto. Ma invece è proprio questa la missione, il compito. Specialmente dei laici, che non debbono fuggire e desiderare di essere una specie di preti che intervengono nelle assemblee al loro posto. Per loro si tratta di una fuga. Sorprende ancora di più la crescente mentalità di rinuncia e di rifiuto di testimonianza anche da parte di tanti religiosi e consacrati di fronte alla realtà storica ostile, come se la fede e la morale cristiana ormai dovessero morire. La teologia deve aiutare a capire questo impegno nella storia, ad avere il coraggio di dire la verità, specialmente nel campo del matrimonio e della famiglia, della vita e della morale. Si è detto nel *forum* che un ruolo importante per educare alla conoscenza della realtà e all'azione in funzione di Cristo, che è la

---

[17] Cfr. A. Izquierdo (ed.), *Scrittura ispirata*, LEV, Città del Vaticano 2002.

verità, viene svolto dalla liturgia. Essa educa anche al ricordo esatto della verità che presenta attuale ora.

È possibile inoltre la connessione fra ogni tipo di conoscenza umana della verità e la rivelazione in Cristo: su questo abbiamo il grande solco segnato dalla dottrina di Giovanni Paolo II sulla *Fides et ratio*.

È possibile infine la connessione o nesso fra le verità della fede che si illuminano fra loro e si chiariscono ulteriormente intorno al mistero di Cristo.

La teologia, a partire dalla comunione con Cristo e dalla comunione ecclesiale, aiuta a difendere la verità di Cristo nella Chiesa, specialmente al servizio dei più deboli. Oggi manca ai teologi una più chiara coscienza di questa responsabilità, e i pastori devono assumere direttamente anche questo ruolo. Succede addirittura in alcune occasioni che la Chiesa deve difendersi proprio dai teologi che esprimono posizioni contrarie alla verità e al magistero in materia di fede, di morale e di liturgia. È auspicabile un crescente spirito di comunione e di carità fra i teologi, che possa aiutarli a comprendere sempre meglio la propria missione al servizio della verità nella Chiesa.

11. Ruolo e missione della teologia nelle scienze umane

La teologia è indispensabile nel contesto delle scienze umane. Si è accennato a questo a proposito dell'intervento della prof.ssa Suor Marcella Farina e in altri interventi.

Partiamo dalla constatazione che la scienza attuale attraversa una crisi di identità. Tuttavia i teologi non debbono aspettare che si ridefinisca l'identità della scienza per poter fare teologia. Non bisogna far cadere anche la teologia nella crisi della scienza. Al contrario, adesso la scienza ha bisogno della teologia e la guarda con rispetto; se ci fosse una proposta forte da parte dei teologi, la teologia sarebbe molto ascoltata e potrebbe evangelizzare la cultura e la scienza. Purtroppo la teologia è ancora molto chiusa in sé stessa, messa in un angolo, con alcune rare eccezioni. È un vero peccato! E questo dipende anche dai teologi.

I teologi possono contribuire molto a far uscire la scienza di oggi dal tunnel oscuro nel quale è finita per propria colpa. Bisogna aiutare la scienza a ridefinire il metodo scientifico, basato sull'esperimento e sulla verifica sperimentale, cioè sul fare e in definitiva sulla manipolazione della materia, e non basato sulla conoscenza dell'essere. Tale modello di scienza non serve per capire le verità fondamentali sull'uomo, il senso ultimo della vita, la morale. Per questo la scienza non sa più come organizzarsi, perché ha perso il senso della "verità tutta intera". Così è stato espresso dal Papa Benedetto XVI nel discorso alla inaugurazione dell'anno accademico della Università Cattolica del Sacro Cuore, il 25 novembre 2005:

> «Come criterio di razionalità è venuto affermandosi in modo sempre più esclusivo quello della dimostrabilità mediante l'esperimento. Le questioni fondamentali dell'uomo – come vivere e come morire – appaiono così escluse dall'ambito della razionalità e sono lasciate alla sfera della soggettività. Di conseguenza scompare, alla fine, la questione che ha dato origine all'università – la questione del vero e del bene – per essere sostituita dalla questione della fattibilità».

La teologia nelle scienze ha una funzione centrale. Bisogna riprendere la concezione di J.H. Newman chiarita molto bene nei discorsi al clero irlandese sul progetto educativo di una Università Cattolica, e divulgati nel volume recentemente tradotto in italiano *L'idea di Università*. Egli dice che le scienze sono sempre parziali, settoriali, limitate a un punto di vista. La mente tuttavia non può rinunciare a completare l'arco del giudizio su tutta la verità. La teologia può aiutare tutte le scienze ad avere una visione totale del reale, della verità tutta intera. L'occupazione del proprio posto fra le scienze favorirebbe anche un atteggiamento meno invadente delle scienze parziali su aspetti della realtà sui quali non hanno competenza[18]. Questa invadenza dipende anche dal vuoto lasciato dalla filosofia e dalla teologia. La mente umana infatti non può rinunciare a chiudere l'arco della domanda che abbraccia tutta la realtà formulando una risposta. Se trova vuoto davanti a sé, lo occupa con le risposte parziali che può dare. Sarebbe auspicabile che concretamente la teologia tornasse a svolgere un ruolo centrale nelle scienze, ma per questo c'è

---

[18]   Le scienze hanno un oggetto da approfondire, con un metodo proprio. Tuttavia rimangono aperte a una visione più completa e globale. Le scienze non sono sistemi chiusi. Nelle scienze acquista maggiore importanza l'interdisciplinarietà, segno della incompletezza di ogni singola scienza.

bisogno di fiducia e di maggiore sicurezza[19]. Molti studiosi provenienti dal mondo laico percepiscono la parzialità delle risposte provenienti dalle varie scienze, e si avvicinano con stima e con apertura alla teologia, pensando che i teologi hanno certezze da offrire. Fra i teologi manca la chiara coscienza di dover offrire questo servizio[20].

A questo proposito è stata sottolineata nel *forum*, specialmente da parte di Mons. Marcello Bordoni, ma anche da altri, la speciale vicinanza fra teologia e filosofia. La teologia si esprime almeno in parte con concetti filosofici e contribuisce alla formazione stessa della filosofia, soprattutto della metafisica, dell'antropologia e della filosofia morale. La teologia inoltre comunica con le altre scienze per mezzo di concetti e linguaggio filosofici. Sarebbe molto auspicabile un ritorno all'utilizzo di categorie metafisiche nella teologia, specialmente facendo ricorso alla filosofia di San Tommaso D'Aquino.

12. Riacquistare la fiducia

Abbiamo accennato alla mancanza di fiducia fra i teologi, e alla mancanza di coscienza del ruolo della teologia nelle scienze. Il ritorno alla fiducia nel valore e nel ruolo della teologia nella cultura e nella scienza dipende dal superamento del sospetto, della così detta ermeneutica della discontinuità di chi pensa che deve inventare tutto e rifare tutto e di non avere la verità. Nel *forum* si è sottolineato invece il criterio della continuità, della comunione e del rinnovamento nell'unico soggetto Chiesa unito a Cristo.

---

[19]   J.H. NEWMAN, *L'idea di Università*, Studium, Roma 2004, 99: «La mente umana non può trattenersi dallo speculare e dal sistematizzare e se la teologia non ha il permesso di occupare il suo territorio, le scienze confinanti, anzi le scienze che sono del tutto estranee alla teologia ne prenderanno possesso. E la prova che questa occupazione sia un'usurpazione è data dalla circostanza che queste scienze estranee assumeranno come veri certi principi e li metteranno in pratica, senza avere l'autorità di stabilirli, né la possibilità di appellarsi ad una scienza più elevata che li stabilisca per loro».
Per la questione qui trattata consigliamo di leggere tutto il Discorso 4: *Relazione degli altri settori del sapere con la teologia*, 77-100.
[20]   È stato ricordato nel *forum* che il Papa Giovanni Paolo II e il Cardinale Joseph Ratzinger hanno offerto un chiaro modello di dialogo fra teologia e scienza, fra teologia e filosofia, fra teologia e cultura, realizzando importanti e intensi rapporti con filosofi, scienziati ed esponenti della cultura.

La fiducia risiede anche nella percezione della missione da compiere in quanto è affidata da Dio stesso, e accompagnata e guidata dallo Spirito Santo.

Lo Spirito Santo è in grado di realizzare questo rinnovamento, di infondere la fiducia di cui hanno bisogno i teologi.

13. La teologia e il mondo della comunicazione

Nel *forum* la prof.ssa Suor Marcella Farina e vari interventi di altri accademici nella discussione hanno chiarito che il mondo della comunicazione costituisce un vero cambio culturale, cioè una nuova concezione della società umana. La teologia è ancora ben lontana dal trovare il modo di intervenire in questo importante processo; si rischia di rimanere fuori dal principale areopago della vita sociale attuale. Altri stanno occupando velocemente questo grande campo che si presenta davanti a noi. Forse la teologia deve ripensare e adattare il suo modo di esprimersi. In questo senso abbiamo già interessanti iniziative, come quella della Congregazione per il Clero, che ha organizzato l'aggiornamento teologico dei sacerdoti attraverso sistemi informatici per video-conferenza e rete telematica; e riorganizzando i contenuti da trasmettere nel modo adatto al mondo della comunicazione, in forma più sintetica.

È molto importante inoltre intervenire nella configurazione della cultura basata sulla comunicazione e sulla tecnologia mediatica, attraverso l'antropologia cristiana. Ogni uomo deve essere signore di tali strumenti e non semplice utilizzatore. È fortemente necessaria la proposta del primato dell'interiorità dell'uomo, luogo dell'incontro con Dio, e del primato della comunità umana reale di persone (non virtuale), luogo della presenza di Dio. Nella comunità reale delle persone si realizza l'amore, ambito nel quale è possibile la vita morale, indispensabile per la felicità personale e della società. La teologia deve affrontare questa sfida culturale e non tirarsi indietro.

"Fusione di testimonianza e testimone nella comunione dei testimoni".

Conoscenza nella fede e spiritualità della comunione

Bernhard Körner

Il III Forum della Pontificia Accademia di Teologia è dedicato al metodo teologico. Il sottotitolo parla della verità di Cristo nella storia, collegandola con la testimonianza e il dialogo. Da questa impostazione derivano due diversi possibili approcci al tema.

Con il concetto di "metodologia teologica" si può caratterizzare il metodo con cui la teologia lavora come scienza della fede. È evidente che un tale metodo, applicabile a tutta la teologia, nella prassi non esiste, o al massimo esiste solo in stato germinale. Dovremmo, invece, molto di più partire dal fatto che nella teologia attuale, come Max Seckler ha dimostrato nel suo contributo, vengono applicati diversi metodi. E in ciò si manifesta una frammentazione della teologia che ha i suoi aspetti problematici, ma che è anche una realtà di cui tener conto.

Il concetto di metodo teologico può però anche indicare quel gioco d'insieme - teologicamente riflesso e fondato - delle diverse istanze probanti nella Chiesa (*loci theologici*), il cui compito consiste proprio nel testimoniare, nella storia, la verità di Cristo e renderla così accessibile agli uomini. Il seguente contributo ha per oggetto questo gioco d'insieme. In una prima parte saranno menzionati i fondamenti – la concezione della Chiesa come *communio* e le conseguenze che ne derivano per una gnoseologia teologica[1].

---

[1] Anche il concetto di "gnoseologia teologica" è, come il concetto di metodo teologico, ambivalente: da un lato sta a significare "la dottrina della conoscenza ecclesiale della fede da elaborare su una base teologica", dall'altro la dottrina della conoscenza scientifica della fede, che viene praticata nell'ambito della teologia come scienza. Cfr. su questo l'introduzione a W. KERN, H.-J. POTTMEYER, M. SECKLER (edd.), *Handbuch der Fundamentaltheologie*: Vol. 4: *Traktat Theologische Erkenntnislehre*, Freiburg 1988, 20.

In una seconda parte si mostrerà come le riflessioni sviluppate da Papa Giovanni Paolo II su una spiritualità della comunione possano essere messe a frutto di questa.

1. Fondamenti teologici e magisteriali

La concezione della Chiesa come *communio*, risalente alla Chiesa delle origini e rinata con il Concilio Vaticano II, ha portato a numerose ricerche storiche e a progetti di riflessione sistematica. Qui però è sufficiente accennare a tre prese di posizione del Magistero.

1.1. La *Communio* della Chiesa come luogo dell'intelligenza e della trasmissione della fede

Il documento finale del Sinodo straordinario dei Vescovi del 1985 – vent'anni dopo la conclusione del Concilio Vaticano II - dichiara[2]:

> "Una ecclesiologia della '*Communio*' è l' idea centrale e fondamentale dei documenti conciliari". Che cosa si intende con ciò? – Il Sinodo conosce bene i problemi esistenti nella teologia postconciliare e nella vita della Chiesa, è al corrente di modi unilaterali di vedere e ne prende le distanze: "Non possiamo sostituire una visione sbagliata della Chiesa, qual è quella unilateralmente gerarchica con una nuova, anch'essa unilaterale, di impronta sociologica"[3].

A siffatte alternative problematiche il Sinodo oppone una concezione della Chiesa come *communio* e definisce questo concetto tipico della Chiesa delle origini come "la *communio* con Dio mediante Gesù Cristo nello Spirito Santo"[4]. Tale

> "*communio* avviene nella Parola di Dio e nei Sacramenti [...]. La *communio* del corpo eucaristico di Cristo significa e realizza, costruisce la profonda comunione di tutti i fedeli nel corpo di Cristo, la Chiesa (cfr. 1 Cor 10, 16)"[5].

---

[2] Le citazioni seguenti da: "*Kirche – unter dem Wort Gottes – feiert die Geheimnisse Christi – zum Heil der Welt*", Documento finale del secondo Sinodo straordinario, 9 dicembre 1985, II. C. 1; citato da: *Zukunft aus der Kraft des Konzils*. Il Sinodo straordinario dei Vescovi 1985. I documenti con un commento di W. Kasper, Freiburg 1986, pag. 33 seg.

[3] *Ib.*, II. A. 3.

[4] *Ib.*, I. C. 1.

[5] *Ib.*

La *communio-Ekklesiologie* è pertanto "il fondamento della disciplina nella Chiesa"[6]. Di qui derivano, ancora secondo il documento citato, diverse conseguenze: "Poiché la Chiesa è comunione, ci devono essere partecipazione e corresponsabilità a tutti i suoi livelli"[7].

Con ciò però si apre, non ultima, la questione se, anche in fatto di dottrina - e più precisamente nella testimonianza e nella comprensione della fede -, non possano esserci partecipazione e corresponsabilità, o, per lo meno, ci si chiede come tutto questo possa essere percepito.

Il Concilio sembra aver preso qui una posizione chiara. Secondo la Costituzione dogmatica su la Chiesa *Lumen Gentium* il "Popolo santo di Dio partecipa pure dell'ufficio profetico di Cristo"[8]. E ancora:

> "L'universalità dei fedeli che tengono l'unzione dello Spirito Santo (cfr. 1 Gv. 2, 20 e 27), non può sbagliarsi nel credere, e manifesta questa sua proprietà mediante il soprannaturale senso della fede di tutto il popolo, quando 'dai Vescovi fino agli ultimi fedeli laici' mostra l'universale suo consenso in cose di fede e di morale"[9].

E così il Popolo di Dio, mediante la fede, penetra "con retto giudizio in essa più a fondo e più pienamente l'applica nella vita"[10]. Questo deve avvenire "sotto la guida del sacro magistero" e "fedelmente conformandosi" ad esso[11].

Con ciò naturalmente non viene data una risposta alla domanda sul ruolo che altre istanze nella Chiesa svolgono nella conoscenza, testimonianza e trasmissione della fede.

Che significato hanno, in questo ambito, partecipazione e corresponsabilità, così come erano state segnalate nel Sinodo del 1985?

Qui ci può essere di ulteriore aiuto dare uno sguardo a un altro grande documento del Concilio, la Costituzione dogmatica sulla Divina Rivelazione *Dei Verbum*.

---

[6] *Ib.*

[7] *Ib.*, II. C. 6.

[8] Concilio Vaticano II, Costituzione dogmatica sulla Chiesa *Lumen Gentium* 12.

[9] *Ib.*

[10] *Ib.*

[11] *Ib.*

Essa considera la trasmissione della Rivelazione compito di tutta la Chiesa, asserendo, in questo contesto, che la "Tradizione di origine apostolica progredisce nella Chiesa con l'assistenza dello Spirito Santo"[12]. La Costituzione precisa il senso di questo progresso: "cresce infatti la comprensione, tanto delle cose quanto delle parole trasmesse"[13]. E completa questo pensiero, affermando che ciò avviene

> "sia con la riflessione e lo studio dei credenti, i quali le meditano in cuor loro (cfr. Lc 2, 19 e 51), sia con l'esperienza data da una più profonda intelligenza delle cose spirituali, sia per la predicazione di coloro i quali con la successione episcopale hanno ricevuto il carisma certo di verità"[14].

L'attuale Papa Benedetto XVI, allora Joseph Ratzinger, teologo del Concilio, così commenta questo passo:

> "È importante in questo che la crescita nella comprensione della Parola nella Chiesa non sia semplicemente vista come una funzione della Gerarchia, ma che appaia radicata nella totalità della vita in atto della Chiesa: attraverso questa concreta attuazione il non detto verrà percepito qui e là in ciò che viene detto; tutta l'esperienza spirituale della Chiesa, la sua relazione di fede, il suo comportamento orante e il suo rapporto di amore con il Signore e la sua Parola fanno crescere la comprensione di realtà primordiali e svincolano, liberandolo nuovamente dal passato della sua origine storica nell'oggi della fede, ciò che da sempre è stato compreso e che tuttavia è comprensibile, nella propria maniera, soltanto con il mutare dei tempi"[15].

Questo rapido sguardo ai testi del Concilio dimostra chiaramente che anche la trasmissione della fede può e, secondo il mio parere, deve conoscere una corresponsabilità di tutti.

Non si tratta qui di 'democratizzazione', ma della conseguenza derivante dalla convinzione che nella Chiesa si ha bisogno del gioco armonico di tutti i doni e i talenti ricevuti dallo Spirito, per garantire una giusta e appropriata "Trasmissione della Divina Rivelazione"[16]. Ed è stata appunto

---

[12] CONCILIO VATICANO II, Costituzione dogmatica sulla Divina Rivelazione *Dei Verbum* 8.
[13] *Ib.*
[14] *Ib.*
[15] J. RATZINGER, *Kommentar zur Offenbarungskontitution*, in LTHK[2], Vol 13, 520.
[16] È questo, come si sa, il titolo del Capitolo II della Costituzione sulla Divena Rivelazione *Dei Verbum.*

questa convinzione che Max Seckler - in rapporto alla dottrina tradizionale sulle istanze probanti della fede *(loci theologici)* e la loro formulazione in Melchior Cano - ha voluto richiamare alla memoria.

1.2. "Cattolicità gnoseologica" come caratteristica della intelligenza di fede

Già nel suo contributo in occasione del 60.mo compleanno di Joseph Ratzinger, Max Seckler ha dimostrato, in maniera convincente, che la dottrina dei *loci theologici*, com'era stata sistematicamente formulata da Melchior Cano (+ 1561), contiene un potenziale che può essere messo a frutto in una Chiesa che si autocomprende come *communio*. Titolo e sottotitolo del suo contributo lo mettono chiaramente in rilievo: si tratta del "significato ecclesiologico del sistema dei '*loci theologici*'". Per una conoscenza di fede che si fonda su questi, Seckler conia il concetto di "Cattolicità gnoseologica", riconoscendo in questo dato di fatto una "sapienza strutturale"[17]. Che significato attribuire a ciò?

Melchior Cano, la cui opera *De locis theologicis* è stata pubblicata nel 1563 e in seguito recepita in svariati modi, conosce un'ampia compagine di istanze probanti specifiche della fede[18]: la Sacra Scrittura, le tradizioni, la Chiesa universale, il magistero dei Concilii, il magistero della Chiesa di Roma, i Padri della Chiesa e i teologi scolastici. L'aver posto le istanze probanti[19] l'una a fianco all'altra obbliga, secondo Max Seckler, a cercare e a trovare nel gioco armonico di esse la *veritas catholica*, e cioè la dottrina vincolante per Chiesa[20]. In tal senso Seckler controbatte puntualmente tendenze che si assicurano in modo esclusivo il monopolio per una sola istanza

---

[17] M. SECKLER, *Die ekklesiologische Bedeutung des Systems der* loci theologici. *Erkenntnisstheoretische Katholizität und strukturale Weisheit*, in: W. BAIER et Al. (edd.), *Weisheit Gottes – Weisheit der Welt. Festschrift für Joseph Kardinal Ratzinger*, Vol. 1, St. Ottilien 1987, 37-65.

[18] Cano distingue tra istanze specifiche e istanze aliene alla fede che però, sono da ritenersi istanze probanti, necessarie per la teologia. Per quanto riguarda la presa di posizione in questo articolo desidero con Max Seckler concentrare l'attenzione sulle istanze specifiche della fede. Per quanto concerne la trattazione storica della dottrina dei *loci* in Melchior Cano mi permetto rinviare al mio libro *De locis theologicis. Ein Beitrag zur theologischen Erkenntnislehre*, Graz 1994.

[19] Cfr. M. SECKLER, *Die ekklesiologische Bedeutung*, o.c., 53, nota 18.

[20] Cfr. *Ib.*, 63.

probante (*Bezeugungsinstanz*)[21], dimostrando che la concezione di Melchior Cano può risultare produttiva anche per una gnoseologia teologica che si sente vincolata ad una comprensione della Chiesa come *communio*.

1.3. "Fusione di testimonianza e testimone nella comunione dei testimoni"

Anche le riflessioni di Hermann-Josef Pottmeyer vanno in una simile direzione. Nel suo contributo "Norme, criteri e strutture della Tradizione"[22] egli ha messo in evidenza il significato del Concilio Vaticano II nella trasmissione della fede, abbozzando un'adeguata gnoseologia e metodologia. Il Concilio avrebbe

> "risvegliato la coscienza della vocazione di tutti i membri della Chiesa ad essere portatori della Tradizione e la consapevolezza di partecipare attivamente alla intelligenza e alla testimonianza della Parola di Dio"[23].

Pottmeyer dimostra che il Concilio (in sintonia con la dottrina tradizione dei loci *theologici*) conosce un'ampia tavolozza di istanze probanti della Parola di Dio: non solo la Sacra Scrittura, ma anche la Chiesa universale, naturalmente il sacro Magistero, i Padri della Chiesa, la liturgia e i Santi[24].

In questo contesto Pottmeyer volge lo sguardo anche a un aspetto che, normalmente, non viene menzionato in maniera esplicita. E richiama l'attenzione sul fatto che il concorso armonioso delle istanze ecclesiali probanti presuppone, non da ultimo, delle competenze spirituali:

> "Il testimone verace e fedele di Gesù Cristo cede il passo alle realtà testimoniate, diventando trasparente per ciò che è più grande di lui – non con la rinuncia alla propria personalità, ma con il coinvolgimento attivo e personale all'interno dell'auto-tradizione di Gesù Cristo"[25].

Pottmeyer deduce questo principio da un'osservazione che può essere fatta a proposito dell'apostolo Paolo, il quale annuncia il "dono incondi-

---

[21] Cfr. *Ib.*, 40.
[22] H.-J. POTTMEYER, *Normen, Kriterien und Strutkuren der Überlieferung*, in HFTH, Vol. 4, Freiburg 1988, 124 – 152.
[23] *Ib.*, 137.
[24] *Ib.*, 139.
[25] *Ib.*, 151.

zionato di Dio in Gesù Cristo"[26]. Paolo si comporta in maniera tale che, mediante la sua obbedienza e la sua oblazione, "la propria esistenza di Apostolo [si fa] rappresentazione viva"[27] di ciò che annuncia. Da questa osservazione Pottmeyer trae la conseguenza che è necessaria una conversione affinché lo stesso testimone e la sua testimonianza diventino "segno attualizzante dell'amore di Dio"[28]. Questa conversione del testimone, che è opera dello Spirito Santo, ha come conseguenza e "rende possibile l'ascoltare, il vedere e il comprendere, che precedono l'annuncio e la testimonianza"[29]. Contemporaneamente però il testimone si pone anche, con questa conversione, nella comunione dei testimoni. E così "si realizza un'autentica tradizione come è quella di *farsi una cosa sola di testimonianza e testimone nella comunione dei testimoni*, divenendo, in questo modo, epifania del Regno di Dio nella storia"[30].

1.4. Per una Chiesa "scuola di comunione"

Unità dinamica di testimonianza e testimone nella comunione dei testimoni. Con ciò si è voluto accennare a qualcosa che è in connessione con la 'spiritualità della comunione', che Giovanni Paolo II, nella sua lettera apostolica *Novo millennio ineunte* (6. 1. 200) ha proposto alla Chiesa. Il Papa scrive[31]:

"Fare della Chiesa la casa e la scuola della comunione: ecco la grande sfida che ci sta davanti nel millennio che inizia, se vogliamo essere fedeli al disegno di Dio e rispondere anche alle attese profonde del mondo. Che cosa significa questo in concreto? Anche qui il discorso potrebbe farsi immediatamente operativo, ma sarebbe sbagliato assecondare simile impulso. Prima di programmare iniziative concrete occorre promuovere una spiritualità della comunione, facendola emergere come principio educativo in tutti i luoghi dove si plasma l'uomo e il cristiano, dove si educano i ministri dell'altare, i consacrati, gli operatori pastorali, dove si costruiscono le famiglie e le comunità. Spiritualità della comunione significa innanzitutto sguardo del cuore portato sul mistero della Trinità che abita in noi, e la cui luce va colta anche sul volto dei fratelli che ci stanno accanto. Spiritualità della comunione significa inoltre capacità di sentire il fratello di fede nell'unità profonda del Corpo mistico, dunque, come

---

[26] *Ib.*.
[27] *Ib.*.
[28] *Ib., 152.*
[29] *Ib., 151.*
[30] *Ib., 152.*
[31] GIOVANNI PAOLO II, Lettera Apostolica *Novo millennio ineunte* (6. 1. 2001), nn. 43 e 45.

«uno che mi appartiene», per saper condividere le sue gioie e le sue sofferenze, per intuire i suoi desideri e prendersi cura dei suoi bisogni, per offrirgli una vera e profonda amicizia. Spiritualità della comunione è pure capacità di vedere innanzitutto ciò che di positivo c'è nell'altro, per accoglierlo e valorizzarlo come dono di Dio: un «dono per me», oltre che per il fratello che lo ha direttamente ricevuto. Spiritualità della comunione è infine saper «fare spazio» al fratello, portando «i pesi gli uni degli altri» (Gal 6,2) e respingendo le tentazioni egoistiche che continuamente ci insidiano e generano competizione, carrierismo, diffidenza, gelosie. Non ci facciamo illusioni: senza questo cammino spirituale, a ben poco servirebbero gli strumenti esteriori della comunione. Diventerebbero apparati senz'anima, maschere di comunione più che sue vie di espressione e di crescita. [...] Gli spazi della comunione vanno coltivati e dilatati giorno per giorno, ad ogni livello, nel tessuto della vita di ciascuna Chiesa. La comunione deve qui rifulgere nei rapporti tra Vescovi, presbiteri e diaconi, tra Pastori e intero Popolo di Dio, tra clero e religiosi, tra associazioni e movimenti ecclesiali. A tale scopo devono essere sempre meglio valorizzati gli organismi di partecipazione previsti dal Diritto canonico, come i Consigli presbiterali e pastorali. Essi, com'è noto, non si ispirano ai criteri della democrazia parlamentare, perché operano per via consultiva e non deliberativa; non per questo tuttavia perdono di significato e di rilevanza. La teologia e la spiritualità della comunione, infatti, ispirano un reciproco ed efficace ascolto tra Pastori e fedeli, tenendoli, da un lato, uniti a priori in tutto ciò che è essenziale, e spingendoli, dall'altro, a convergere normalmente anche nell'opinabile verso scelte ponderate e condivise. Occorre a questo scopo far nostra l'antica sapienza che, senza portare alcun pregiudizio al ruolo autorevole dei Pastori, sapeva incoraggiarli al più ampio ascolto di tutto il Popolo di Dio. Significativo ciò che san Benedetto ricorda all'Abate del monastero, nell'invitarlo a consultare anche i più giovani: «Spesso ad uno più giovane il Signore ispira un parere migliore». E san Paolino di Nola esorta: «Pendiamo dalla bocca di tutti i fedeli, perché in ogni fedele soffia lo Spirito di Dio». Se dunque la saggezza giuridica, ponendo precise regole alla partecipazione, manifesta la struttura gerarchica della Chiesa e scongiura tentazioni di arbitrio e pretese ingiustificate, la spiritualità della comunione conferisce un'anima al dato istituzionale con un'indicazione di fiducia e di apertura che pienamente risponde alla dignità e responsabilità di ogni membro del Popolo di Dio".

Se la Chiesa è qualcosa più una istituzione empiricamente descrivibile, com'è stato sollecitato, ad esempio, dal Sinodo speciale del 1985, allora questo "di più" deve trovare espressione anche in forme comportamentali e procedurali della Chiesa.

La spiritualità della comunione presentata da Giovanni Paolo II apre una strada a questo "di più", mettendone in evidenza la sua validità. Le riflessioni che seguono intendono mostrare come questo possa avvenire nella testimonianza della fede.

2. Spiritualità e gioco d'insieme nella testimonianza della fede

La testimonianza della fede nella Chiesa non avviene mediante una sola istanza, ma mediante l'insieme delle istanze probanti. Questa testimonianza può essere considerata (1) sia da un punto di vista ermeneutico per quanto riguarda *i contenuti testimoniati*, come pure (2) da una prospettiva pragmatica per quanto riguarda *le istanze testimonianti*. E questo vale per le istanze vive (Papa, Vescovi, Concilii e Sinodi, teologi, il Popolo di Dio nel suo insieme, ecc.), ma anche per la tradizione, che si trova sotto forma di documenti. Per questi documenti ci sono esperti, che in qualche modo ne sono i difensori legali (biblisti, storici del dogma, storici, ecc.). In seguito si tratterrà di questa interazione tra le istanze viventi nella Chiesa. Qui però si deve premettere che la Chiesa, nella sua totalità, può comprendere, testimoniare e trasmettere la fede adeguatamente e integralmente solo nel gioco d'insieme di tali istanze.

2.1. Il precario gioco d'insieme delle istanze

Ma come potrebbero e dovrebbero interagire queste istanze in maniera che si arrivi ad una effettivamente giusta intelligenza della fede e della sua pretesa? Nell'ambito della storia e del presente si possono individuare di continuo procedimenti che, nel loro insieme, almeno da un punto di vista attuale, sono problematici.

In primo luogo sono da ricordare diverse forme di *monopolizzazione*[32]. In esse l'intelligenza, la testimonianza e la trasmissione della fede vengono attribuite soltanto a una istanza, escludendo a priori, come incompetenti, altre istanze. Ma è anche problematico, quando si arriva a *prove di forza* e si tenta di raggiungere o di influenzare via facti una determinata formulazione della fede, ricorrendo all'impiego di mezzi alieni (come attraverso l'influsso politico o facendo pressione con i media)[33]. Ma anche *armonizzazioni precipitose* si rivelano problematiche. Non si fa un buon servizio all'intelligenza della fede, se non si dà spazio, o se ne dà poco, al necessario confronto sulle cose. Questo può avvenire anche in forma di *compromessi*, che possono es-

---

[32] Per quanto riguarda le monopolizzazioni cfr. anche Seckler, o.c., 40, nota 18.

[33] Su queste prove di forza tra la teologia e il magistero cfr. M. SECKLER, *Kirchliches Lehramt und theologische Wissenschaft*, in M. SECKLER, *Die schiefen Wände des Lehrhauses. Katholizität als Herausforderung*, Freiburg 1988, 105-135, soprattutto, 122 ss.

sere a loro volta discutibili, allorquando si orientano poco alla cosa, ma scaturiscono dal desiderio di presentare un risultato, a cui il maggior numero
possibile di persone possono dare il loro consenso.

Detto positivamente: affinché il gioco d'insieme delle istanze probanti
possa riuscire, debbono in ogni caso essere garantite alcune premesse. A
parte i fondamenti spirituali, di cui si dovrà parlare in seguito, sono assolutamente indispensabili: (a) una base comune riconosciuta da tutti[34], (b) un
chiarimento di metodo e di procedura, e (c) un chiarimento delle competenze delle singole istanze.

2.2. Percepire la Chiesa come Icona della Trinità

Quanto più dobbiamo garantire i fondamenti teologici, tanto più un'attenta osservazione ci stimola a considerare che atteggiamenti e disposizioni
dello spirito non possono essere sostituiti da provvedimenti strutturali. Questo è stato il motivo per cui Giovanni Paolo II ha richiamato l'attenzione
sul fatto che le strutture ecclesiali, senza una spiritualità vissuta, possono
diventare "apparati senz'anima"[35].

E così Giovanni Paolo II comincia la sua esposizione – forse in maniera
inaspettata, ma del tutto coerente – con il richiamo che spiritualità della
comunione "innanzitutto" significa

> "sguardo del cuore portato sul mistero della Trinità che abita in noi, e la cui luce va
> colta anche sul volto dei fratelli che ci stanno accanto"[36].

Il Papa prosegue affermando:

> "Spiritualità della comunione significa inoltre capacità di sentire il fratello di fede
> nell'unità profonda del Corpo mistico"[37].

Con ciò Giovanni Paolo II porta l'attenzione al carattere di *communio*
della Chiesa, che rappresenta il fondamento per le esposizioni ulteriori. Non

---

[34] Per quanto riguarda il fondamento comune cfr. sopra anche la formulazione di Giovanni Paolo II.
[35] GIOVANNI PAOLO II, o.c. n. 43.
[36] *Ib*.
[37] *Ib*.

si tratta di una concessione a tendenze di moda, ma di un prendere sul serio la Chiesa, che è il Corpo di Cristo[38], ossia "un popolo adunato nell'unità del Padre, del Figlio e dello spirito Santo"[39] – come si è espresso il Concilio Vaticano II. Come "Icona della Trinità" (Bruno Forte) la Chiesa ha non solo il suo fondamento, ma anche il metro della sua vita nel Dio Trino.

Con ciò Giovanni Paolo II ha richiamato alla memoria la struttura teologica che vincola la Chiesa nella sua fedeltà a Cristo. E poiché, per quanto riguarda la spiritualità della comunione, non si tratta solo e in primo luogo di uno impegno etico, ma di partecipazione alla vita del Dio Trino, ne consegue innanzitutto questo: che il fondamento di ogni azione comune nella Chiesa è il Sacramento della *communio*, la celebrazione dell'Eucaristia.

2.3. Alla ricerca dell'intelligenza della fede nell'unità della Chiesa

Costruendo su questo fondamento, si può applicare, senza particolari difficoltà, ciò che Giovanni Paolo II dice in generale riguardo alla vita nella Chiesa, al gioco d'insieme nella testimonianza di fede:

- *Prendere sul serio i bisogni e gli interessi dell'altro*

Spiritualità dell'unità significa per il Papa, impegnarsi per l'altro,

> "per saper condividere le sue gioie e le sue sofferenze, per intuire i suoi desideri e prendersi cura dei suoi bisogni, per offrirgli una vera e profonda amicizia"[40].

Si tratta dunque di immedesimarsi empaticamente con l'altro, di fare proprio ciò che gli sta a cuore, di comprendere in profondità i suoi interessi.

E questo non soltanto quando si tratta di amicizia, ma anche quando si tratta di comprendere qual è il contributo di idee e di cose che l'altro è disposto a portare nel processo dell'intelligenza e della testimonianza della fede. Solo così è possibile cogliere anche ciò che difficilmente viene detto o solo accennato tra le righe o ciò che dovrebbe essere detto.

---

[38] Cfr. *Lumen Gentium 7*.

[39] Ibidem, 4, citaz. S. Cyprianus, *De Orat. Dom.* 23.

[40] Giovanni Paolo II, o.c., n. 43.

- Vedere innanzitutto il positivo

Spiritualità della comunione è pure

"capacità di vedere innanzitutto ciò che di positivo c'è nell'altro, per accoglierlo e valorizzarlo come dono di Dio: un « dono per me», oltre che per il fratello che lo ha direttamente ricevuto[41].

Si tratta di un dono che, non da ultimo, consiste proprio nella comprensione della fede che l'altro ha. E questo può verificarsi anche nel caso in cui io effettivamente non possa accettare la posizione dell'altro. Allora la presa di posizione dell'altro può comunque aiutarmi a concepire il mio punto di vista in modo più chiaro e più preciso. Ci sono sempre motivi a sufficienza per respingere come insoddisfacente l'opinione di un altro – massimamente nella fede e nella teologia. Ma altrettanto importante è lo sguardo al contenuto di verità in essa riconoscibile. Questo nucleo di verità è però afferrabile solo quando io ho affinato lo sguardo per questo. Giovanni Paolo II fa suo un pensiero che Ignazio di Loyola ha formulato nel suo libro degli esercizi spirituali: ogni buon cristiano deve essere piuttosto disposto a ritenere credibile, più che a condannare l'affermazione del prossimo[42].

- Fare spazio all'altro

Laddove la spiritualità della comunione viene vissuta, può diventare realtà quello che Giovanni Paolo II chiama "'fare spazio' al fratello"[43]. Con la sua comprensione della fede l'altro ottiene spazio nella mia vita, nel mio pensiero e nella mia fede. E così viene preso sul serio come interlocutore, il suo contributo e la sua presa di posizione possono essere valutati seriamente, e cioè riconosciuti nei loro aspetti positivi e vagliati criticamente per quanto riguarda i loro aspetti problematici.

- Portare i pesi gli uni degli altri

"Fare spazio al fratello" – significa per Giovanni Paolo II qualcosa di assai concreto, qualcosa che diventa realtà, quando si portano «i pesi gli uni degli altri» (*Gal* 6,2)[44].

---

[41] *Ib*.
[42] Cfr. IGNAZIO DI LOYOLA, *Libro degli esercizi spirituali*, n. 22.
[43] GIOVANNI PAOLO II, o.c., n. 43.
[44] Cfr. *Ib*.

Anche questo si rivela importante nel gioco d'insieme delle testimonianze della fede. Non si tratta tanto di contenuti, quanto di persone, sorelle e fratelli, che testimoniano questi contenuti. E spesso lo fanno con tutta la responsabilità che essi, non di rado, avvertono come peso. Ed allora tutto può diventare ancora una volta più difficile, specialmente quando si fa l'esperienza che la propria convinzione non viene condivisa dagli altri, anzi forse viene da essi respinta.

- Essere autocritici

Giovanni Paolo II riconosce una spiritualità orientata realmente alla comunione non da ultimo nel fatto di essere disposti a respingere "le tentazioni egoistiche che continuamente ci insidiano e generano competizione, carrierismo, diffidenza, gelosie"[45]. E ancora una volta questo vale anche per l'intelligenza della fede, ossia per quel gioco d'insieme di diverse istanze e competenze. Gli ideali più alti e le intenzioni migliori non sono una garanzia perché, anche dietro una precisa argomentazione teologica o dietro la premura per il bene della Chiesa non s'insinuino prepotentemente motivazioni ed atteggiamenti problematici, che deformano il processo della conoscenza, se non addirittura non rendono unilaterale un risultato oggettivamente giusto.

- Un ascolto vicendevole

Giovanni Paolo II sostiene con decisione il convincimento secondo cui gli "spazi della comunione vanno coltivati e dilatati giorno per giorno, a ogni livello, nel tessuto della vita di ciascuna Chiesa"[46], per cui, partendo da questa asserzione, si rivolge direttamente al tema dell'intelligenza della fede:

> "La teologia e la spiritualità della comunione, infatti, ispirano un reciproco ed efficace ascolto tra Pastori e fedeli, tenendoli, da un lato, uniti *a priori* in tutto ciò che è essenziale, e spingendoli, dall'altro, a convergere normalmente anche nell'opinabile verso scelte ponderate e condivise"[47].

Giovanni Paolo II incoraggia esplicitamente i responsabili "al più ampio ascolto di tutto il Popolo di Dio"[48], fondandosi sulla saggia raccoman-

---

[45] *Ib.*
[46] *Ib.*, 45.
[47] *Ib.*
[48] *Ib.*

dazione di San Benedetto di consultare anche i più giovani nella comunità monastica, dal momento che «spesso ad uno più giovane il Signore ispira un parere migliore». Così pure san Paolino di Nola esorta: «Pendiamo dalla bocca di tutti i fedeli, perché in ogni fedele soffia lo Spirito di Dio»[49]. Non è possibile aggiungere altro a queste raccomandazioni, se non l'esperienza di quanto sia difficile che un vero ascolto talora riesca: per cui suonano ancora più necessarie queste indicazioni del Papa.

2.4. "Fusione di testimonianza e testimone nella comunione dei testimoni"

Molto di quello che Giovanni Paolo II enumera è possibile rintracciarlo senz'altro nelle regole profane per una buona comunicazione. E questo non dice nulla né contro il Papa, né contro queste regole. Osservando però le cose con gli occhi della fede, ci si accorge che, nella spiritualità della comunione, si tratta di qualcosa di più che semplici regole della buona comunicazione. Si tratta della promessa, fatta da Cristo, che là dove due o più sono raccolti nel suo nome, egli è in mezzo a loro (cfr. Mt 18, 20). La sua presenza nella comunione dei testimoni significa una luce particolare per una autentica conoscenza, testimonianza e trasmissione della fede.

Con ciò diventa chiaro che una spiritualità vissuta della comunione non solo è una via, un metodo, ma in un certo senso il fine stesso, in quanto essa non è soltanto iniziazione a una vita autentica della Chiesa, ma è già questa vita stessa. E tutto questo anche quando non è possibile arrivare a decisioni definitive, oppure quando le decisioni non vengono accettate, anzi anche quando si devono rigettare posizioni che pure erano state prese secondo coscienza e conoscenza. Il sapere che Cristo è in mezzo ai suoi come vero Signore non mette al riparo da arroganze e trionfalismi, così pure da delusioni, resistenze passive e sarcasmo.

3. Il problema non è l'ideale, ma la realtà

Concludendo, bisogna ammettere che le riflessioni-guida finora fatte disegnano una visione dogmatica-spirituale. Ci sono buone ragioni per dubitare che queste linee-guida potranno essere messe in pratica in una Chiesa

---

[49] *Ib.*

con più di un miliardo di membri. Queste riflessioni sarebbero quindi soltanto suggestioni fantasiose? Penso di no.

Primo. In queste riflessioni la nostra attenzione non dovrebbe fissarsi
sui noti punti di discussione degli anni postconciliari, su dottrine definitive
o su tensioni tra magistero e teologia[50]. Nel senso dato a queste riflessioni da
Papa Giovanni Paolo II si tratta molto spesso di altre istanze, di *problemi
discutibili*, meglio di decisioni equilibrate e insieme sostenibili[51], di un modo
di procedere preventivo, del linguaggio giusto ecc., e in tutto questo si tratta
di una unità salda nella fede e nella vita.

Secondo. Ciò che su scala mondiale potrebbe rappresentare una richiesta esorbitante, si lascia realizzare pienamente in ambiti piccoli, a misura
d'uomo. E questo è ciò che importa, e ciò che sempre ha importato. Sia che
si tratti degli ordini religiosi classici sia che si tratti delle nuove comunità spirituali: essi hanno spesso già tradotto in vita quello che altri non hanno potuto (ancora) realizzare. E con ciò non solo hanno tenuto desto un bisogno,
ma hanno avuto in una maniera o nell'altro un influsso su tutta la Chiesa.

Terzo. Non si deve sottovalutare il numero di coloro che sono pronti
ad *abbracciare le regole di gioco di una spiritualità della comunione*. Forse
queste persone diverranno sempre di più, perché riconosciamo sempre più
chiaramente quanto siano molteplici i punti di vista, gli approcci, gli argomenti e gli accenti anche nella fede comune e nella vita della Chiesa. Solo là
dove tutto questo porta all'unità, si fa visibile e percepibile qualcosa della
ricchezza della fede.

---

[50] Con ciò non si deve negare il fatto che ci si troverebbe in realtà di fronte ad uno dei
problemi più difficili, nel momento in cui non si è d'accordo, se una posizione appartenga o
meno alla dottrina vincolante della Chiesa.

[51] Cfr. di nuovo Giovanni Paolo II, o.c.

La verità di Cristo nella storia: testimonianza e dialogo nella via dell'educazione

Marcella Farina

1. Nel discernimento dei segni dei tempi

La presente riflessione è un tentativo di rilettura del tema in prospettiva educativa. Si colloca all'interno delle coordinate segnalate dal Prof. Paul O'Callaghan e nella puntualizzazione offerta dal prof. François-Marie Léthel. Si tratta di una piccola glossa interrogante. È come l'indicazione di un compito da svolgere: è necessario e urgente intessere un dialogo interdisciplinare e interculturale, per tematizzare come la verità di Cristo e la Verità che è Cristo favoriscano nella persona umana il dinamismo di crescita fino alla piena maturità in Lui; è l'esigenza di coniugare scienze dell'educazione e scienze teologiche, "pedagogia" e "mistagogia", processo educativo e cammino di santità.

Ovviamente i raccordi tra queste realtà e i rispettivi ambiti disciplinari non vanno posti in modo precritico, né va preclusa in modo preconcetto la possibilità di un confronto aperto, rispettoso delle specificità contenutistiche, epistemologiche e metodologiche, in vista di nuovi percorsi di ricerca.

Il confronto-dialogo non è un espediente tattico. È, invece, un'esigenza della persona nel suo itinerario verso la verità e nella sua elaborazione di sintesi sapienziali relative al suo essere e al suo esistere nell'universo. Nello stesso tempo, connota la natura della Rivelazione divina quale realtà teoantropologica che trova il suo compimento in Cristo. Pertanto, la Verità che è Cristo con la verità che Egli porta si dona e si proporziona

alla creatura umana nella sua storia secondo le sue possibilità di accoglienza e di risposta, per portarla alla salvezza, alla filiazione divina.

La via del dialogo caratterizza, pertanto, il cammino sia del sapere
teologico sia di quello antropologico nel discernimento del qui e ora.

L'istanza educativa entra, così, nelle finalità del teologare[1]. Non è
nuova, quindi, nella Pontificia Accademia Teologica. Il Presidente, mons.
Marcello Bordoni, indicandone il senso del rinnovamento, ricorda il

> «compito urgente [...] di promuovere lo sviluppo di una Teologia che sia un'au-
> tentica "Scientia Fidei" e che costituisca anche "un polo di forza educativa" nella
> formazione delle nuove generazioni dei credenti, nella loro vocazione di presenza
> nel mondo, per portare la "luce ed i valori" del Vangelo nell'ambito delle molteplici
> culture in cui vivono»[2].

La meta è l'accoglienza e la testimonianza del Signore, passando dalla
conoscenza della persona di Gesù alla conoscenza di Gesù in persona,
dalla cristologia alla cristofania, in un processo che dura tutta la vita.

È un cammino di scoperta di Lui che può essere rappresentato con
l'itinerario proposto dal vangelo di Marco: il passaggio dall'esperienza
del cieco di Bethsaida (cfr. Mc 8, 22-26) a quella del cieco Bartimeo
(cfr. Mc 10, 46-52).

Si percorre la strada nella consapevolezza della costante presenza di
Cristo, Via, Verità, Vita. Pertanto, si parte e si procede con l'anticipo di
fiducia che Egli ci dona nella sua opera, continuamente, secondo il dinamismo della interpersonalità eucaristica e mariana.

Così, persona e comunità si evangelizzano ed evangelizzano, operando il discernimento dei segni dei tempi, accogliendo il giudizio salvifico
divino nella propria storia, per farlo risplendere nella storia delle altre
persone e dei popoli.

L'approccio da me scelto è suggerito da alcune istanze emergenti che
possono essere viste come opportunità-segni dei tempi, come prospettive
di futuro.

---

[1] Cfr. CONGREGAZIONE PER LA DOTTRINA DELLA FEDE, *La vocazione ecclesiale del
teologo. Donum Veritatis*, 24 maggio 1990, n. 10, in http://www.vatican.va/roman_curia/
congregations/cfaith/index_it.htm.

[2] M. BORDONI, *Fare teologia all'inizio del terzo millennio*, in *Path* 1 (2002/1) 9.

L'istanza fondamentale – che attualmente interpella credenti e non credenti e li spinge al dialogo critico e propositivo, aperto e leale – è lo snodo tematico e problematico antropologico.

Infatti, non solo nelle scienze teologiche, ma anche nelle scienze in genere, soprattutto in quelle antropologiche e pedagogiche, la ricerca della verità sulla persona umana e la sua accoglienza operosa risultano essere con sempre maggior evidenza non solo un compito noetico, ma umanistico e umanizzante, in quanto coinvolge la persona, ogni persona, nella sua totalità ai livelli più profondi del suo essere, nella coscienza, e nei suoi processi di accesso e di consenso al vero e al bene dentro la comunità umana.

Proprio nell'ambito antropologico la Chiesa ha un contributo da offrire pure nell'attuale svolta socio-culturale e socio-religiosa.

A quarant'anni dal Concilio si può verificare il suo apporto proprio in questo ambito; si può vedere come soprattutto la costituzione pastorale *Gaudium et Spes* – specie il n. 22 – abbia inciso e incida sul modo di concepire la persona e la sua crescita nella storia.

Giovanni Paolo II in tal senso ha offerto un magistero ricchissimo. L'attuale Pontefice Benedetto XVI prosegue nella stessa direzione, valorizzando la sua singolare esperienza di ricerca, di docenza, di confronto culturale.

Mi sembra, pertanto, molto utile richiamare le coordinate fondamentali del loro insegnamento e della loro testimonianza.

L'opportunità di questa riflessione antropologico-educativa, a mio parere, è offerta come spazio di confronto e di dialogo dal cosiddetto Processo di Bologna nel quale la Santa Sede è entrata nel 2003 (*Summit* di Berlino, 18-19 settembre 2003)[3].

È una occasione propizia, al di là delle opinioni che si possono avere al riguardo, perché esso può essere pilotato in molte e alternative direzioni. L'apporto di riflessione e di esperienze di persone credenti potrà contribuire ad orientarlo verso finalità umanistiche, secondo un progetto di umanesimo integrale, dilatando gli spazi della razionalità verso l'ela-

---

[3] Cfr. www.bolognaprocess.it; www.crui.it/Europa.

borazione di una visione antropologica interdisciplinare e interculturale
aperta al Trascendente[4].

In questa prospettiva ha cittadinanza la proposta cristiana, quindi
l'annuncio di Gesù Cristo, come effettiva possibilità di allargare gli orizzonti di senso dell'umanità e approfondirne le implicanze umanistiche,
anticipando nella sua vicenda e nel suo messaggio – dentro la storia e
la vita quotidiana – significati e finalità come alimento nel cammino di
crescita della persona e dei popoli, nella costruzione di una cultura e
civiltà nuove.

Il Processo, pertanto, può diventare una realtà provvidenziale nel
favorire il dialogo e il confronto critico *ad intra* e *ad extra*.

Ad intra, nei singoli ambiti disciplinari e tra le diverse Istituzioni
ecclesiastiche, dalle Pontificie Accademie, ai Pontifici Consigli, alle
Università e Facoltà Teologiche, alle Facoltà umanistiche e di Scienze
dell'Educazione, ai vari Centri di ricerca e di studi ecclesiastici.

Ad extra, nel dialogo interdisciplinare e interculturale che diventa
sempre più un'urgenza e non solo un auspicio teoretico. *Ad extra*, ancora,
nel dialogo con Istituzioni e Centri di ricerca e di studi laici, statali e
non, con Istituzioni pubbliche politiche e amministrative, perché nello
svolgimento del loro ruolo servano la persona nella sua integralità.

Partito da una necessità dell'Europa, il Processo sta interpellando
vari Paesi nella realizzazione di uno Spazio Europeo dell'Istruzione
Superiore. Vengono alla luce i limiti di una Comunità Europea centrata
quasi esclusivamente su interessi economici e politici, dentro la crisi dei
valori che hanno caratterizzato la sua identità e civiltà. Si pensi alla difficoltà nel riconoscere le "radici cristiane".

Il richiamo a tali radici, però, non può essere confinato nella Carta
Costituzionale, né si possono avanzare pretese se tali "radici" non costituiscono il tessuto e il sentire concreto dei cittadini europei.

Qui è chiamata in causa l'evangelizzazione come nuova evangelizzazione e l'educazione come nuova educazione, con l'ambito della
comunicazione e trasmissione dei valori, dei saperi e delle competenze
professionali.

---

[4]   Già nell'incontro internazionale, promosso dal Pontificio Consiglio dei Laici, sulla
Piattaforma della Conferenza ONU di Pechino, svoltosi a Roma dal 9 al 10 giugno 1995,
era emersa questa istanza fondamentale.

Talvolta il giudizio di minorità proferito sul cristianesimo, specie sul cattolicesimo, appare come una strategia massmediale finalizzata al suo isolamento e alla sua emarginazione dalla storia[5].

A partire da queste annotazioni e questi rilievi ho riletto il titolo, *La verità di Cristo nella storia: testimonianza e dialogo*, e ho articolato la riflessione in due nuclei, valorizzando soprattutto il magistero dei due ultimi Pontefici.

2. «Solamente nel mistero del Verbo incarnato trova vera luce il mistero dell'uomo» (GS 22)

2.1. *Un compito arduo e impegnativo*

La X Seduta pubblica delle Pontificie Accademie, svoltasi in Vaticano il 15 novembre 2005, ha avuto come tema *Cristo, Figlio di Dio, uomo perfetto, «misura del vero umanesimo»*[6].

Il Santo Padre nel suo saluto ha segnalato quanto il tema gli stia particolarmente a cuore, «data la sua centralità ed essenzialità tanto nella riflessione teologica quanto nella esperienza di fede di ogni cristiano»[7].

Ha affidato ai partecipanti l'arduo compito e l'alta missione di «promuovere con entusiasmo e con passione, ciascuno nel proprio campo di studio e di ricerca, l'edificazione di questo *nuovo umanesimo*»; di riproporre con competenza «la bellezza, la bontà, la verità del volto di Cristo, in cui ogni uomo è chiamato a riconoscere i suoi tratti più autentici ed originali, il modello da imitare sempre meglio»; di «additare Cristo all'uomo d'oggi, presentandolo come la vera misura della maturità e della pienezza umana».

---

[5] Potrebbero far riflettere le annotazioni proposte in M. SCHOOYANS, *Nuovo disordine mondiale*, San Paolo, Cinisello Balsamo (Milano) 2000, con la Presentazione del Card. Joseph Ratzinger; E. ROCCELLA – L. SCARAFFIA, *Contro il cristianesimo. L'ONU e l'Unione Europea come nuova ideologia,* Piemme, Casale Monferrato (Alessandria) 2005.

[6] Cfr. PONTIFICIO CONSIGLIO DELLA CULTURA – CONSIGLIO DI COORDINAMENTO FRA ACCADEMIE PONTIFICIE, *Cristo, Figlio di Dio, Uomo perfetto, "misura del vero umanesimo"*, Libreria Editrice Vaticana, Città del Vaticano 2005.

[7] GIOVANNI PAOLO II, *Messaggio*, 5 novembre 2005, in *Ivi*, 5; vedi pure: http://www.vatican.va/holy_father/benedict_xvi/letters/2005/documents/hf_ben-xvi_let_20051105_pontificie-accademie_it.html.

Ha ricordato pure la finalità del Consiglio di Coordinamento tra Accademie Pontificie:

> «Offrire alla Chiesa, come pure al mondo della cultura e delle arti, un progetto rinnovato di *autentico umanesimo cristiano*, valido e significativo per gli uomini e le donne del terzo millennio».

L'edificazione di tale umanesimo è particolarmente urgente e necessaria nella cultura odierna segnata dal soggettivismo che sovente sfocia nell'individualismo estremo e nel relativismo. Ne consegue che la persona non si confronta se non con se stessa, in un narcisismo asfittico, rimuovendo i grandi ideali, la sua apertura alla trascendenza, a Dio. Al contrario, ella, nella misura in cui si trascende, si apre agli altri, riconosce la sua creaturalità

> «in continuo divenire, la sua chiamata ad una crescita armoniosa in tutte le sue dimensioni, a cominciare proprio dall'interiorità, per giungere alla compiuta realizzazione di quel progetto che il Creatore ha impresso nel suo essere più profondo».

Così, mentre alcuni orientamenti o correnti culturali tendono a fare degli uomini dei minori, la Parola di Dio sprona decisamente verso la piena maturità in Cristo.

> «È [...] Gesù Cristo, Figlio di Dio, donato dal Padre all'umanità per restaurarne l'immagine sfigurata dal peccato, l'uomo perfetto, su cui si misura il vero umanesimo. Con Lui deve confrontarsi ogni uomo, è a Lui che, con l'aiuto della grazia, egli deve tendere con tutto il cuore, con tutta la mente, con tutte le forze, per realizzare pienamente la sua esistenza, per rispondere con gioia ed entusiasmo all'altissima vocazione inscritta nel suo cuore (cfr. *Gaudium et spes*, 22)»[8].

L'arduo compito di additare Cristo come la misura vera della maturità e pienezza umana è proposto pure alle altre Pontificie Accademie, come emerge sistematicamente dai messaggi ad esse inviati, ove il Papa

---

[8] *Ib.*, 6 ss.

sottolinea come la realtà antropologica sia parte integrante del pensiero cristiano, proprio per la natura stessa della Rivelazione[9].

L'appello ritorna costantemente nei suoi interventi anche quando si rivolge a chi non si professa cristiano e/o a chi opera in istituzioni laiche. A tutti ricorda l'alto dovere morale di promuovere la crescita della persona, di ogni persona e di tutta la persona, riconoscendone e rispettandone la sublime dignità di immagine di Dio.

Un'attenzione particolare riserva alle Università, Facoltà e Centri di studio e di ricerca, ricordando soprattutto ai docenti e agli studenti la nobile vocazione della ricerca della verità[10].

In tal senso si possono ricordare sia il discorso fatto in occasione dell'inaugurazione dell'anno accademico dell'Università Sacro Cuore, il 25 novembre, sia quello rivolto agli universitari degli Atenei romani al termine della celebrazione eucaristica pre-natalizia, il 15 dicembre 2005.

È di grande utilità ripercorrere in tal senso pure la produzione letteraria del prof. Joseph Ratzinger, del Vescovo e del Prefetto della Congregazione per la dottrina della fede[11].

Nel primo discorso, richiamando il ricchissimo patrimonio di insegnamento lasciato da Giovanni Paolo II, culminante nella Costituzione *Ex Corde Ecclesiae*, indica i valori ideali e i compiti di una università cattolica sia nell'ambito della ricerca e della didattica, sia in quello della formazione e della testimonianza. Quale grande laboratorio, deve favorire la sintesi armonica tra fede e ragione, facendo scienza nell'orizzonte di una razionalità diversa da quella oggi ampiamente dominante, ossia secondo una ragione aperta a Dio.

---

[9] Cfr. ad esempio il *Discorso* del Santo Padre ai partecipanti alla XX Conferenza Internazionale promossa dal Pontificio Consiglio per la Pastorale della salute sul tema *Il genoma umano*, 19 novembre 2005; il *Discorso* ai Membri delle Pontificie Accademie delle Scienze e delle Scienze Sociali, 21 Novembre 2005, dal tema *La concettualizzazione della persona nelle scienze sociali*; il *Discorso* ai Membri della Commissione Teologica Internazionale, 1° dicembre 2005.

[10] È un'attenzione che si inserisce nella lunga tradizione ecclesiale e che ha trovato una eloquente espressione in Giovanni Paolo II. Nel clima spirituale ed educativo da lui promosso e favorito si collocano pure numerose iniziative di pastorale universitaria offerte a docenti e studenti (cfr. http://www.universitas2000.org/altre/pu_lazio.htm; http://www.ccee.ch/italiano/ambiti/default.htm; http://www.ccee.ch/italiano/agenda/default.htm).

[11] Vi è una esplosione editoriale al riguardo. Anche nei siti internet si stanno moltiplicando i riferimenti alle sue proposte.

«Noi sappiamo che questo è possibile proprio alla luce della rivelazione di Cristo, che ha unito in sé Dio e uomo, eternità e tempo, spirito e materia. "In principio era il Verbo [...] E il Verbo si è fatto carne" (*Gv* 1, 1.14). Il *Logos* divino è all'origine dell'universo e in Cristo si è unito una volta per sempre all'umanità, al mondo e alla storia. Alla luce di questa capitale verità di fede e al tempo stesso di ragione è nuovamente possibile, nel 2000, coniugare fede e scienza. Su questa base, vorrei dire, si svolge il lavoro quotidiano di una Università cattolica. Non è un'avventura entusiasmante? Sì, lo è perché, *muovendosi all'interno di questo orizzonte di senso, si scopre l'intrinseca unità che collega i diversi rami del sapere: la teologia, la filosofia, la medicina, l'economia, ogni disciplina, fino alle tecnologie più specializzate, perché tutto è collegato* [...] .

Pertanto, cari amici, con rinnovata passione per la verità e per l'uomo *gettate le reti al largo*, nell'alto mare del sapere, confidando nella parola di Cristo, anche quando succede di sperimentare la fatica e la delusione del non avere "pescato" nulla. Nel vasto mare della cultura Cristo ha sempre bisogno di "pescatori di uomini", cioè di persone di coscienza e ben preparate che mettano le loro competenze professionali al servizio del Regno di Dio. Anche il lavoro di ricerca all'interno dell'Università, se svolto in una prospettiva di fede, fa già parte di questo servizio al Regno e all'uomo!».

Ugualmente nel secondo discorso incoraggia:

«Continuate, cari amici, a portare avanti insieme la riflessione sul *nuovo umanesimo*, tenendo conto delle grandi sfide dell'epoca contemporanea e cercando di coniugare in modo armonioso fede e cultura. Quanto necessario è in questo momento storico coltivare un'attenta ricerca culturale e spirituale! [...]. A voi, cari giovani [...] auguro di compiere con gioia il vostro itinerario di formazione cristiana, coniugandolo con lo sforzo quotidiano di approfondimento delle conoscenze proprie dei rispettivi percorsi accademici. Occorre riscoprire *la bellezza di avere Cristo come Maestro* di vita e giungere così a rinnovare in modo libero e consapevole la propria professione di fede».

Ripercorrendo la vasta produzione letteraria del Pontefice nel suo lungo cammino di ricerca e di insegnamento, dai suoi interventi proposti in convegni e incontri di studio ai suoi scritti, si può notare il costante riferimento alla Rivelazione che si compie in Cristo quale principio e senso del discernimento nella storia, raccordato non estrinsecamente, ma con intelligenza critica e contemplativa, con l'attenzione e l'ascolto dei suoi interlocutori, in un dialogo nel quale considera, insieme a loro, la ragionevolezza della proposta cristiana come proposta di salvezza per tutti. Così, nella ricerca della verità apre un dialogo a tutto campo anche con coloro che non appartengono alla Chiesa. Ad essi il messaggio evangelico, quindi la vicenda di *Gesù*, può essere proposta come un *anticipo di significati* con i quali vale la pena confrontarsi.

Egli può affermare a ragion veduta che

> «la secolarizzazione, nella forma del *secolarismo* radicale, *non soddisfa più gli spiriti maggiormente consapevoli ed attenti.* Ciò vuol dire che si aprono spazi possibili e forse nuovi per *un dialogo proficuo* con la società e non soltanto con i fedeli, specialmente su temi importanti come quelli attinenti la vita»[12].

La Chiesa non può non incrociare questa domanda, talvolta solo implicita, di umanesimo integrale, annunciando Cristo. Tutta la comunità cristiana, nella varietà di vocazioni e di servizi missionari, è interpellata a rispondere con le enormi ricchezze della fede.

In maniera eloquente il Papa annota che questo campo missionario appartiene ad ogni persona che assume con responsabilità la sua vocazione umana, perché porta impressa in sé l'immagine di Dio.

2.2. *Nella via profetica del Concilio*

In occasione del quarantesimo anniversario del Vaticano II, nel Sesto Forum del Progetto Culturale, il card. Camillo Ruini ha messo in rilievo che alla base dell'apertura conciliare alla modernità

> «sta senza dubbio l'assunzione, anch'essa libera e critica ma sostanzialmente positiva, della sua radice, istanza di fondo e centro propulsore, cioè, la centralità del soggetto umano, ossia quella *"svolta antropologica"* che ha caratterizzato lo sviluppo storico dell'occidente almeno a partire dall'umanesimo e dal rinascimento. La centralità dell'uomo è in effetti il filo conduttore sia della *Gaudium et Spes* sia della Dichiarazione sulla libertà religiosa e viene organicamente tematizzata nei primi tre capitoli della prima parte della *Gaudium et Spes*, dedicati all'antropologia: basti ricordare l'affermazione iniziale del primo capitolo: "credenti e non credenti sono

---

[12] *Discorso* del Santo Padre Benedetto XVI ai partecipanti alla XX Conferenza Internazionale promossa dal Pontificio Consiglio per la Pastorale della salute sul tema *Il genoma umano*, 19 novembre 2005.

quasi concordi nel ritenere che tutto quanto esiste sulla terra deve essere riferito
all'uomo come a suo centro e a suo vertice"»[13].

Riprendo questo contributo perché, mentre offre una rilettura sintetica del percorso dal concilio agli snodi problematici attuali, in maniera
propositiva ne sviluppa alcune coordinate e ne indica alcuni percorsi
futuri in un dialogo aperto con il mondo laico, fino a parlare della plausibilità della proposta di fede. Non a caso nel dibattito le sue riflessioni
sono state riprese ed evidenziate dai numerosi interventi.

Egli ha sottolineato che

> «l'unità di fondo dell'evento e dell'insegnamento conciliare sta proprio nel fatto
> che il concentrarsi sul mistero di Cristo e della Chiesa, ricuperando le ricchezze
> della sacra Scrittura e dell'epoca patristica, ha fornito le basi per l'apertura missio-
> naria e dialogica all'umanità del nostro tempo»[14].

In questa prospettiva ha sintetizzato il magistero post-conciliare, raccordando i contenuti del Vaticano II con gli apporti di Giovanni Paolo II
e del card. Ratzinger. Ha individuato degli snodi teoretici e pastorali da
prendere in considerazione proprio nell'evangelizzazione come servizio
alla crescita della persona.

Il principio interpretativo e le possibilità di risposta e di significato
sono individuati nell'evento Gesù Cristo, secondo l'incisiva espressione di
GS 22. Di questa vede il commento più autorevole e l'ulteriore esplicitazione ed approfondimento in *Dives in Misericordia* ove, fin dalle prime
battute, si raccorda teocentrismo e antropocentrismo nel cristocentrismo
(cfr. n. 1).

E su questa solida base si fonda la missione della Chiesa.

Secondo Giovanni Paolo II, è questo uno dei principi, forse il più
importante, del magistero dell'ultimo concilio.

---

[13] C. RUINI, *A quarant'anni dal Concilio. Ripensare il Vaticano II di fronte alle attuali
sfide culturali e storiche*, in SERVIZIO NAZIONALE PER IL PROGETTO CULTURALE DELLA
CONFERENZA EPISCOPALE ITALIANA, *A quarant'anni dal Concilio*, Dehoniane, Bologna 2005,
17 (il *Forum* si è svolto a Roma dal 3 al 4 dicembre 2004). L'affermazione della GS certamente oggi non è così pacifica. Esistono vari tentativi di ridurre la persona umana a un
oggetto della natura come pure, paradossalmente, a contrapporla ad essa e relegarla nella
virtualità massmediale (cfr. R. BRAGUE, *Da un trascendentale all'altro*, in *Ib.*, 33-47)

[14] C. RUINI, *A quarant'anni dal Concilio*, o.c., 20.

Al Vaticano II egli ha partecipato, offrendo il suo contributo nella direzione dell'umanesimo cristologico, come si può intravedere dalla sua biografia, dai suoi studi, dalla sua attività pastorale in Polonia, dal suo pontificato, fin dall'accorato appello «Aprite le porte a Cristo».

Così, considera sempre la persona umana alla luce del mistero di Cristo. Dalle *Lettere* encicliche alle Lettere apostoliche, ai *Discorsi* e *Messaggi*, dagli appelli all'ONU e ai diversi Organismi nazionali e internazionali; dalla dedizione paterna ai giovani, in particolare agli universitari, ai bambini, ai poveri, alla coraggiosa denuncia dei peccati personali e sociali, alla proclamazione della dignità della persona; dall'incoraggiamento rivolto a Istituzioni ecclesiastiche alla creazione di nuovi Organismi di studio e di attività pastorale, Giovanni Paolo II orienta tutto alla salvezza integrale della persona.

Di qui l'indicazione alla Chiesa del compito di rivelare

> «Cristo al mondo, aiutare ciascun uomo perché ritrovi se stesso in Lui, aiutare le generazioni contemporanee dei nostri fratelli e sorelle, popoli, nazioni, stati, umanità, paesi non ancora sviluppati e paesi dell'opulenza, tutti insomma, a conoscere le "imperscrutabili ricchezze di Cristo", perché queste sono per ogni uomo e costituiscono il bene di ciascuno»[15].

In questa prospettiva lavora in difesa dei diritti umani, specie della libertà e della libertà religiosa (cfr. RH n. 17 ss.), proclamando la verità sull'uomo (cfr. RH n. 19).

La sua costante riflessione, testimonianza, ricerca dialogica e mistica hanno come filo rosso GS 22, affermando con la chiarezza della dottrina e la luminosa testimonianza di vita la centralità di Cristo.

Dalla GS 22 attinge nella *Mulieris dignitatem* per instaurare un rapporto tra Cristo e Maria come un criterio interpretativo dell'antropologia uniduale[16].

La preparazione, la celebrazione e l'eredità del Grande Giubileo sono come il luogo di sintesi di questo percorso fatto di ricerca e di operosità

---

[15] GIOVANNI PAOLO II, Lettera enciclica *Redemptor Hominis* (RH), n. 11; cfr. n. 13-16, con un riferimento particolare alla Dichiarazione conciliare *Dignitatis humanae*, ove si sottolinea che all'uomo la libertà va riconosciuta più ampia possibile (cfr. n. 7).

[16] Cfr. pure RH 22.

del suo teocentrismo antropocentrico in prospettiva eminentemente cristocentrica[17].

Si pensi a *Novo Millennio Ineunte*: la missione della Chiesa come servizio alla persona ha la sua sorgente, il suo senso, il suo valore ideale, la sua meta in Cristo.

Sulla scia di Giovanni Paolo II, Benedetto XVI ripropone il messaggio conciliare, arricchito dalla lunga e profonda meditazione del mistero della salvezza. Con gratitudine e semplicità ricorda sovente il suo predecessore:

> «Mi sta dinanzi, in particolare, la testimonianza del Papa Giovanni Paolo II. Egli lascia una Chiesa più coraggiosa, più libera, più giovane. Una Chiesa che, secondo il suo insegnamento ed esempio, guarda con serenità al passato e non ha paura del futuro. Col Grande Giubileo essa si è introdotta nel nuovo millennio recando nelle mani il Vangelo, applicato al mondo attuale attraverso l'autorevole rilettura del Concilio Vaticano II. Giustamente il Papa Giovanni Paolo II ha indicato il Concilio quale "bussola" con cui orientarsi nel vasto oceano del terzo millennio (cfr. Lett. ap. *Novo millennio ineunte*, 57-58). Anche nel suo Testamento spirituale egli annotava: "Sono convinto che ancora a lungo sarà dato alle nuove generazioni di attingere alle ricchezze che questo Concilio del XX secolo ci ha elargito" (17.III.2000).
>
> Anch'io, pertanto, nell'accingermi al servizio che è proprio del Successore di Pietro, voglio affermare con forza la decisa volontà di proseguire nell'impegno di attuazione del Concilio Vaticano II, sulla scia dei miei Predecessori e in fedele continuità con la bimillenaria tradizione della Chiesa. Ricorrerà proprio quest'anno il 40mo anniversario della conclusione dell'Assise conciliare (8 dicembre 1965). Col passare degli anni, i Documenti conciliari non hanno perso di attualità; i loro insegnamenti si rivelano, anzi, particolarmente pertinenti in rapporto alle nuove istanze della Chiesa e della presente società globalizzata»[18].

Nel suo discorso ai membri delle Pontificie Accademie delle scienze e delle scienze sociali, il 21 novembre 2005, sottolinea:

> «È provvidenziale il fatto che stiamo discutendo del tema della persona mentre tributiamo particolare onore al mio venerato predecessore Papa *Giovanni Paolo II*. In un certo qual modo, il suo *contributo indiscusso al pensiero cristiano può essere compreso quale meditazione profonda sulla persona.* Ha arricchito e ampliato tale

---

[17] Cfr. M. FARINA, *Nell'ordine dell'amore*, in "Rivista di Scienze dell'Educazione" 43 (2005), 362-382.

[18] BENEDETTO XVI, *Udienza* di mercoledì 20 aprile 2005.

concetto nelle sue Encicliche e in altri scritti. Questi testi sono un patrimonio da accogliere, serbare e assimilare con cura, in particolare da parte delle Pontificie Accademie [...] . La scultura con le due iscrizioni commemorative [...] ci ricorda l'interesse speciale del Servo di Dio per l'opera delle vostre Accademie, in particolare della Pontificia Accademia delle Scienze Sociali, da lui fondata nel 1994. Esse sottolineano anche la sua disponibilità illuminata a raggiungere in *un dialogo di salvezza il mondo della scienza e della cultura*, un desiderio affidato in particolare alle Pontificie Accademie».

Il card. Ruini ricorda che proprio il card. Ratzinger ha individuato che

«nel n. 22 di GS c'è *in nuce* una grande teologia o *riflessione cristologica*, che perciò è anche *teologica*, cioè riguarda Dio, e *antropologica*, cioè riguarda l'uomo, ed è importantissima *chiave ermeneutica per il Concilio e per tutta la teologia attuale*»[19].

Su questa base matura la sua apertura al dialogo sincero con tutti nel cammino verso la verità tutta intera. È l'umanesimo universale testimoniato e proclamato da Gesù, il Verbo Incarnato. Esso è capace di raggiungere ogni cuore, ogni coscienza, perché è proposto dal Figlio di Dio che ha assunto pienamente e radicalmente l'umanità.

Il principio calcedonese orienta il dialogo-confronto e lo rende propositivo.

2.3. *In dialogo aperto e costruttivo con il mondo laico*

«Grazie ad incontri e discussioni con naturalisti, fisici, biologi ed anche storici ho imparato ad apprezzare l'importanza delle altre branchie del sapere riguardanti le discipline scientifiche, alle quali pure è dato di poter giungere alla verità sotto angolature diverse. Bisogna quindi che lo splendore della verità – *Veritatis splendor* – le accompagni continuamente, permettendo agli uomini di incontrarsi, di scambiarsi le riflessioni e di arricchirsi reciprocamente. Ho portato con me da Cracovia a Roma la tradizione di periodici incontri interdisciplinari, che si svolgono regolarmente nel periodo estivo a Castel Gandolfo. Cerco di essere fedele a questa buona consuetudine»[20].

---

[19] C. RUINI, *Conclusione*, in *A quarant'anni dal Concilio*, o.c., 363.
[20] GIOVANNI PAOLO II, *Dono e mistero*, 105.

È la testimonianza di Giovanni Paolo II che, nella sua meditazione sul mistero della persona umana alla luce del Verbo Incarnato, evidenziando i valori che ne strutturano l'identità e la dignità, si è confrontato con studiosi di svariati ambiti disciplinari.

Pure Benedetto XVI, il Papa teologo, in questa prassi ha una lunga e consolidata esperienza. La reazione di credenti e non credenti, di religiosi e laici alla sua elezione segnala come, sebbene con stile diverso, egli, con paternità evangelica e luminosa semplicità, abbracci tutta la famiglia umana e ciascuna persona unicamente per offrire loro la salvezza di Cristo. La prospettiva di servire la persona come umile servitore nella vigna del Signore lo rende particolarmente vicino alla gente[21].

Al centro del suo servizio di Successore di Pietro vi è, quindi, la creatura umana nella sua sublime dignità di immagine di Dio, redenta da Cristo e resa creatura nuova, capace di intessere relazioni rinnovate con l'universo intero.

È il nucleo tematico fondamentale che ritorna nelle sue udienze del mercoledì, quindi nel suo magistero offerto al popolo.

È pure la base del dialogo con gli studiosi, dai giovani universitari ai ricercatori più qualificati ed esperti.

Nell'udienza del 23 novembre, commentando il cantico di *Ef* 1, 3-10, per illustrare la meravigliosa opera di Dio a favore della sua creatura, ne riprende tre espressioni con i relativi verbi: «ci ha scelti in lui», «la grazia che ci ha dato nel suo Figlio diletto», «la grazia abbondantemente riversata»[22].

---

[21]   Cfr. http://www.ratzinger.it/.

[22]   «I tre verbi principali di questo lungo e compatto *Cantico* ci conducono sempre al Figlio. "Dio ci ha scelti in lui" (*Ef* 1, 4): è la nostra vocazione alla santità e alla figliazione adottiva e quindi alla fraternità col Cristo. Questo dono, che trasforma radicalmente il nostro stato di creature, è a noi offerto "per opera di Gesù Cristo" (v. 5), un'opera che entra nel grande progetto salvifico divino, in quell'amoroso "beneplacito della volontà" (v. 6) del Padre che l'Apostolo con commozione sta contemplando. Il secondo verbo, dopo quello dell'elezione ("ci ha scelti"), designa il dono della grazia: "La grazia che ci ha dato nel suo Figlio diletto" (*Ibidem*). In greco abbiamo per due volte la stessa radice *charis* e *echaritosen*, per sottolineare la gratuità dell'iniziativa divina che precede ogni risposta umana. La grazia che il Padre dona a noi nel Figlio unigenito è, quindi, epifania del suo amore che ci avvolge e ci trasforma. Ed eccoci al terzo verbo fondamentale del *Cantico* paolino: esso ha per oggetto sempre la grazia divina che è stata "abbondantemente riversata" in noi (v. 8). Siamo, dunque, davanti a un verbo di pienezza, potremmo dire – stando al suo tenore originario – di eccesso, di donazione senza limiti e riserve».

Quindi conclude:

«Giungiamo così nella profondità infinita e gloriosa del mistero di Dio, aperto e svelato per grazia a chi è stato chiamato per grazia e per amore, essendo questa rivelazione impossibile a raggiungersi con la sola dotazione dell'intelligenza e delle capacità umane. "Quelle cose che occhio non vide, né orecchio udì, né mai entrarono in cuore di uomo, queste ha preparato Dio per coloro che lo amano. Ma a noi Dio le ha rivelate per mezzo dello Spirito; lo Spirito infatti scruta ogni cosa, anche le profondità di Dio" (*1 Cor* 2, 9-10).

Il "mistero della volontà" divina ha un centro che è destinato a coordinare tutto l'essere e tutta la storia conducendoli alla pienezza voluta da Dio: è "il disegno di ricapitolare in Cristo tutte le cose" (*Ef* 1, 10). In questo "disegno", in greco *oikonomia*, ossia in questo piano armonico dell'architettura dell'essere e dell'esistere, si leva Cristo capo del corpo della Chiesa, ma anche asse che ricapitola in sé "tutte le cose, quelle del cielo come quelle della terra". La dispersione e il limite vengono superati e si configura quella "pienezza" che è la vera meta del progetto che la volontà divina aveva prestabilito fin dalle origini.

Siamo, dunque, di fronte a un grandioso affresco della storia della creazione e della salvezza».

La meditazione sulla bellezza della creazione, in particolare della creatura umana e della sua missione nell'universo, prosegue nelle udienze come la proposta di una formazione permanente offerta al popolo cristiano. Penso in particolare alle incisive sottolineature proposte il 9 e il 16 novembre ove raccorda mistero della creazione e mistero della storia della salvezza.

Vorrei richiamare alcune sottolineature presenti nel discorso del 21 novembre alle Pontificie Accademie delle scienze e delle scienze sociali.

«*La persona umana* è al *centro* di tutto l'ordine sociale e, di conseguenza, al centro del vostro ambito di studio [...]. Gli esseri umani fanno parte della natura e, tuttavia, quali liberi soggetti con valori morali e spirituali, la trascendono. Questa realtà antropologica è parte integrante del pensiero cristiano e risponde direttamente ai tentativi di abolire il confine fra scienze sociali e scienze naturali, spesso proposti nella società contemporanea. Compresa in maniera corretta, questa realtà offre una risposta profonda alle questioni poste oggi sullo *status* dell'essere umano. È un tema che deve continuare a far parte del dialogo con la scienza. L'insegnamento della Chiesa si basa sul fatto che Dio ha creato *l'uomo e la donna* a sua immagine e somiglianza e ha concesso loro una *dignità superiore* e una missione condivisa verso *tutto il Creato* (cfr. *Gn* 1 e 2). Secondo il disegno di Dio, le persone non possono essere separate dalle dimensioni fisiche, psicologiche e spirituali della natura umana. Anche se le culture mutano nel tempo, sopprimere o ignorare la natura che esse sostengono di "coltivare" può avere conseguenze gravi. Parimenti, i singoli individui troveranno la propria realizzazione autentica solo quando accetteranno quegli elementi genuini della natura che li costituiscono come persone. *Il concetto di persona continua a offrire una comprensione profonda del carattere unico e della dimensione sociale di ogni essere umano.* Ciò è particolarmente vero negli istituti legali e sociali, in cui la nozione di "persona" è fondamentale. A volte, tuttavia, anche se ciò è riconosciuto da dichiarazioni internazionali e statuti legali, alcune culture, in particolare quando non toccate profondamente dal Vangelo, vengono fortemente influenzate da ideologie gruppo-centriche o da una visione della società secolare e individualistica. La Dottrina sociale della Chiesa cattolica, che pone la persona umana al centro e alla base dell'ordine sociale, può offrire molto alla riflessione contemporanea sui temi sociali».

E nel discorso al Pontificio Consiglio di pastorale per la salute, nella conferenza internazionale svoltasi in Vaticano dal 17 al 19 novembre, il Papa invita scienziati, medici, filosofi, teologi a tematizzare la verità sulla persona, senza lasciarsi rinchiudere in visioni riduttive.

«Soprattutto *nell'ambito dei nuovi apporti della scienza medica, è offerta alla Chiesa un'ulteriore possibilità di svolgere una preziosa opera di illuminazione delle coscienze,* per far sì che ogni nuova scoperta scientifica possa servire al bene integrale della persona, nel costante rispetto della sua dignità [...] . Il mondo attuale è segnato dal processo di secolarizzazione che, attraverso complesse vicende culturali e sociali, ha non soltanto rivendicato una giusta autonomia della scienza e dell'organizzazione sociale, ma spesso ha anche obliterato il legame delle realtà temporali con il loro Creatore, giungendo anche a trascurare la salvaguardia della dignità trascendente dell'uomo ed il rispetto della sua stessa vita».

Questo secolarismo oggi è in crisi. E la Chiesa è interpellata da una nuova domanda di umanesimo. Infatti,

«nelle popolazioni di lunga tradizione cristiana rimangono presenti *semi di umanesimo* non raggiunti dalle dispute della filosofia nichilista, semi che tendono, in realtà, a rafforzarsi quanto più gravi diventano le sfide [...] .
Anche uomini che non si riconoscono più come membri della Chiesa o che hanno perduto addirittura la luce della fede restano comunque attenti ai valori umani ed ai contributi positivi che il Vangelo può apportare al bene personale e sociale».

Ciò emerge con particolare chiarezza quando si parla della persona umana in relazione alle nuove frontiere della scienza e della tecnica.

«Sono in grado di ben comprendere come la dignità dell'uomo non si identifichi con i geni del suo DNA e non diminuisca per l'eventuale presenza di diversità fisiche o di difetti genetici. Il principio di "non discriminazione" sulla base di fattori fisici o genetici è profondamente entrato nelle coscienze ed è formalmente enunciato nelle Carte sui diritti dell'uomo. Tale principio ha la sua fondazione più vera nella dignità insita in ogni uomo per il fatto di essere creato ad immagine e somiglianza di Dio (cfr. *Gn* 1, 26). *L'analisi serena dei dati scientifici, peraltro, porta a riconoscere la presenza di tale dignità in ogni fase della vita umana*, a cominciare dal primo momento della fecondazione. *La Chiesa annuncia e propone queste verità* non soltanto *con l'autorità del Vangelo*, ma anche *con la forza derivante dalla ragione*, e proprio per questo sente il dovere di fare appello ad ogni uomo di buona volontà, nella certezza che l'accoglienza di queste verità non può che giovare ai singoli ed alla società. Occorre infatti guardarsi dai rischi di una scienza e di una tecnologia che si pretendano completamente autonome nei confronti delle norme morali inscritte nella natura dell'essere umano».

Di qui l'appello alla ricerca scientifica, teoretica, metodologica, educativa e formativa perché i credenti siano aiutati a offrire il loro contributo all'umanizzazione del mondo e possano con luminosità rendere ragione della loro fede.

«Se manca un'*istruzione* adeguata, anzi una *formazione adeguata* delle coscienze, facilmente possono prevalere, nell'orientamento dell'opinione pubblica, falsi valori o informazioni deviate [...]. Di fronte a queste aumentate esigenze della pastorale, la Chiesa, mentre continua a confidare nella luce del Vangelo e nella forza della Grazia, esorta i responsabili a *studiare la metodologia adeguata* per portare aiuto alle persone, alle famiglie ed alla società, *coniugando fedeltà e dialogo, approfondimento teologico e capacità di mediazione*».

E nel discorso all'Università Cattolica del Sacro Cuore, ponendo la domanda sulla formazione delle nuove generazioni, incoraggia alla elaborazione di *una nuova sintesi culturale scientifica, dialogica, illuminata costantemente dal Vangelo* come possibilità ulteriore di scoperta della verità; sottolinea l'urgenza di tradurre questa sintesi in *proposta educativa* che formi le persone, docenti e studenti, e testimoni l'originalità di una università cattolica.

«L'essere "cattolica" non mortifica in nulla l'Università, ma piuttosto la valorizza al massimo. Infatti, se missione fondamentale di ogni università è "la continua indagine della verità mediante la ricerca, la conservazione e la comunicazione del sapere per il bene della società" (*Ex Corde Ecclesiae*, n. 30), una comunità accademica cattolica si distingue per l'ispirazione cristiana dei singoli e della comunità stessa, per la luce di fede che illumina la riflessione, per la fedeltà al messaggio cristiano così come è presentato dalla Chiesa e per l'impegno istituzionale al servizio del popolo di Dio (cf. *Ivi*, 13). L'Università cattolica è perciò un grande laboratorio in cui, secondo le diverse discipline, si elaborano sempre nuovi percorsi di ricerca in un confronto stimolante tra fede e ragione che mira a ricuperare la sintesi armonica raggiunta da Tommaso d'Aquino e dagli altri grandi del pensiero cristiano, una sintesi contestata purtroppo da correnti importanti della filosofia moderna. La conseguenza di tale contestazione è stata che come criterio di razionalità è venuto affermandosi in modo sempre più esclusivo quello della dimostrabilità mediante l'esperimento. Le questioni fondamentali dell'uomo – come vivere e come morire – appaiono così escluse dall'ambito della razionalità e sono lasciate alla sfera della soggettività. Di conseguenza scompare, alla fine, la questione che ha dato origine all'università – la questione del vero e del bene – per essere sostituita dalla questione della fattibilità. Ecco allora la grande sfida delle Università cattoliche: *fare scienza nell'orizzonte di una razionalità diversa da quella oggi ampiamente dominante, secondo una ragione aperta al trascendente, a Dio*».

Nel sito internet citato si possono consultare al riguardo gli interventi di Joseph Ratzinger dal 1982.

È una miniera di riflessioni e di indicazioni per un dialogo con il mondo intellettuale e non, anche con quello non legato alla fede cristiana.

La creazione è la base per tale dialogo; è il libro posto davanti a tutti e che oggi richiede di essere come riaperto[23]. In profonda sintonia, come

---

[23] Commentando il *Sal* 135, 1-9, nell'udienza di mercoledì 9 novembre, afferma: «Abbiamo qui la raffigurazione sintetica del legame profondo e interpersonale instaurato dal Creatore con la sua creatura. All'interno di tale rapporto, Dio non appare nella Bibbia come un Signore impassibile e implacabile, né un essere oscuro e indecifrabile, simile al fato, contro la cui forza misteriosa è inutile lottare. Egli si manifesta invece come una persona che ama le sue creature, veglia su di esse, le segue nel cammino della storia e soffre per le infedeltà che spesso il popolo oppone al suo *hesed*, al suo amore misericordioso e paterno. Il primo segno visibile di questa carità divina – dice il Salmista – è da cercare nel creato. Poi sarà di scena la storia. Lo sguardo, colmo di ammirazione e di stupore, si sofferma innanzitutto sulla creazione: i cieli, la terra, le acque, il sole, la luna e le stelle. Prima ancora di scoprire il Dio che si rivela nella storia di un popolo, c'è una rivelazione cosmica, aperta a tutti, offerta all'intera umanità dall'unico Creatore, "Dio degli dei" e "Signore dei

compimento-pienezza, si pone il Libro della Rivelazione che si compie in Cristo[24].

La riflessione fa appello alla responsabilità quando viene rivolta a Capi di Stato, Istituzioni politiche nazionali e internazionali, Organismi vari.

L'apertura e la propositività sono come una irradiazione della logica evangelica.

Come esemplificazione si potrebbe ripercorrere il cammino dialogico con Marcello Pera, Presidente del Senato Italiano.

Solo per indicare qualche concretizzazione rimando alla *Premessa* redatta da Pera al libro "scritto a quattro mani", *Senza radici. Europa, relativismo, cristianesimo, islam*. In essa sottolinea la singolare e profonda convergenza nelle riflessioni offerte in due loro rispettivi interventi, succedutisi in modo casuale: la sua *Lectio magistralis* alla Pontificia Università Lateranense, il 12 maggio 2004, e la conferenza del card. Ratzinger presso la Sala del Capitolo del Senato, il 13 maggio.

«Non fu casuale la convergenza, e talvolta la piena coincidenza che, del tutto indipendentemente e da prospettive così diverse, trovammo nelle nostre preoccupazio-

---

signori" (cfr. vv. 2-3). Come aveva cantato il Salmo 18, "i cieli narrano la gloria di Dio, e l'opera delle sue mani annunzia il firmamento. Il giorno al giorno ne affida il messaggio e la notte alla notte ne trasmette notizia" (vv. 2-3). Esiste, dunque, un messaggio divino, segretamente inciso nel creato e segno del *hesed*, della fedeltà amorosa di Dio che dona alle sue creature l'essere e la vita, l'acqua e il cibo, la luce e il tempo. Bisogna avere occhi limpidi per contemplare questo svelamento divino, ricordando il monito del Libro della Sapienza, che ci invita a "conoscere dalla grandezza e bellezza delle creature per analogia l'Autore" (*Sap* 13, 5; cfr. *Rm* 1, 20). La lode orante sboccia allora dalla contemplazione delle "meraviglie" di Dio (cfr. *Sal* 135, 4), dispiegate nel creato e si trasforma in gioioso inno di lode e di ringraziamento al Signore. Dalle opere create si ascende, dunque, alla grandezza di Dio, alla sua amorosa misericordia. È ciò che ci insegnano i Padri della Chiesa, nella cui voce risuona la costante *Tradizione cristiana*».

[24] Nel mercoledì successivo ha proseguito segnalando che «col Salmo 135 si intrecciano due modalità dell'unica Rivelazione divina, quella cosmica (cfr. vv. 4-9) e quella storica (cfr. vv. 10-25). Il Signore è, certo, trascendente come creatore e arbitro dell'essere; ma è anche vicino alle sue creature, entrando nello spazio e nel tempo. Non rimane fuori, nel cielo lontano. Anzi, la sua presenza in mezzo a noi raggiunge il suo apice nell'Incarnazione di Cristo. È ciò che la rilettura cristiana del Salmo proclama in modo limpido, come è attestato dai Padri della Chiesa che vedono il vertice della storia della salvezza e il segno supremo dell'amore misericordioso del Padre nel dono del Figlio, quale salvatore e redentore dell'umanità (cfr. *Gv* 3, 16)».

ni circa la situazione spirituale, culturale e politica dell'Occidente e in particolare
dell'Europa di oggi, e anche circa le cause che l'hanno determinata e i rimedi
prevalentemente culturali che potrebbero migliorarla».

La presa di coscienza di tanta affinità ha spinto a proseguire il
dialogo con un arricchimento reciproco in «uno scambio diretto in cui
ciascuno cerca di comprendere le ragioni dell'altro, precisare le proprie e
confrontarle con quelle di un pubblico più vasto», con l'intento di «esaminare e riflettere su problemi così epocali come l'Occidente, l'Europa,
il cristianesimo, l'islam, la guerra, le questioni bioetiche», per contribuire
«a perforare quella cortina di reticenza e timidezza che oggi ostacola la
discussione sul nostro destino. Peggio di vivere senza radici c'è soltanto
tirare a campare senza futuro»[25].

3. Verso la piena maturità in Cristo

3.1. *Oltre la vanità della mente*

Sempre nella X Seduta pubblica delle Pontificie Accademie, il Papa,
affidando il compito di elaborare e testimoniare l'umanesimo che ha in
Cristo la sua vera misura, ispirandosi al testo di *Ef* 4, 17-18, delinea come
un itinerario:

> «Non comportarsi come i pagani "nella vanità della loro mente, accecati nei loro
> pensieri, estranei alla vita di Dio" (*Ef* 4, 17-18). Al contrario, i veri discepoli del
> Signore, lungi dal restare nello stato di bambini sballottati da ogni vento di dottrina
> (cfr. *Ef* 4, 14), si sforzano di arrivare "allo stato di uomo perfetto, nella misura che
> conviene alla piena maturità di Cristo" (*Ef* 4, 13)».

È un cammino che abbraccia tutta la vita, non solo la ricerca, ed
esige il quotidiano discernimento evangelico.

Il Processo di Bologna ci interpella a individuare dei passi concreti
fondamentali per un umanesimo che favorisca l'itinerario verso la piena
maturità della persona che per noi credenti si identifica con la configurazione a Gesù Cristo.

---

[25] M. Pera – J. Ratzinger, *Senza radici. Europa, relativismo, cristianesimo, islam*,
Mondatori, Milano 2004, 3 ss.

In tal senso sarebbe auspicabile rileggere gli obiettivi specifici e le priorità che nei diversi *Summit* biennali i Ministri dell'Istruzione dei Paesi aderenti hanno fissato, per ricomprenderli, allargarne gli orizzonti, esplicitarne e completarne le finalità, innalzarne le mete ideali aprendole al progetto salvifico[26].

Si potrebbe osservare che l'impresa è troppo regionale, riguarda un contesto socio-culturale e socio-ecclesiale particolare. In realtà, al Processo di Bologna desiderano participare anche altri Paesi. Inoltre la "crisi dell'Europa" potrebbe rappresentare un "segno dei tempi" con cui misurarsi, per testimoniare e annunciare Cristo con più coraggio e ardore non solo in questa Regione[27]. Potrebbe essere il contesto concreto in cui tradurre il *"Duc in altum"* lanciato da Giovanni Paolo II alla Chiesa del terzo millennio e rivolto pure ai docenti universitari, ai ricercatori, agli studiosi[28].

Quindi, vale la pena cercare le vie del dialogo con questa istituzione e il relativo programma di azione.

Il Magistero con insistenza invita a dialogare con tutti, ad uscire anche dai propri ambiti disciplinari, non per una sorta di enciclopedismo, ma per lavorare alla elaborazione di quella sintesi sapienziale – nuovo umanesimo – tanto necessaria oggi, per superare il relativismo e secolarismo[29].

Il dialogo tra le scienze – in concreto tra gli scienziati e le molteplici comunità di ricerca – è possibile al di là delle appartenenze disciplinari e confessionali.

Lo si vede in concreto nell'esperienza luminosa e semplice dei due Pontefici.

---

[26]   Dopo il primo incontro a Bologna nel 1999, si sono riuniti a Praga nel 2001, a Berlino nel 2003, a Bergen nel 2005; si ritroveranno nel 2007 a Londra sempre per verificare il cammino percorso e precisare nuovi obiettivi comuni.

[27]   Cfr. GIOVANNI PAOLO II, Esortazione apostolica post-sinodale *Ecclesia in Europa, Gesù Cristo, vivente nella sua Chiesa, sorgente di speranza per l'Europa*, Città del Vaticano 2003, specie n. 6-17; 106-124.

[28]   Giovanni Paolo II lo ha proposto così ai docenti universitari il 4 ottobre 2001; Benedetto XVI lo ha ripreso nel discorso all'Università Cattolica.

[29]   Cfr. in particolare J. RATZINGER, *L'Europa di Benedetto nella crisi delle culture*, Edizioni Cantagalli - Libreria Editrice Vaticana, Siena-Roma, 2005 (interessante è pure l'acuta *Introduzione* di Marcello Pera); ID., *Fede Verità Tolleranza*, Edizioni Cantagalli, Siena 2003; cfr. pure i saggi e le interviste al riguardo in www.ratzinger.it.

Suppone previamente che gli studiosi, ai diversi livelli, percorrano il cammino educativo come un processo di formazione e autoformazione permanente. È l'esigenza di pensare la verità fino in fondo, tipica della persona umana che ha il dovere morale di non fermarsi a metà strada, nell'opinione, quando si tratta delle questioni fondamentali relative alla sua identità e missione nell'universo. Infatti, un grave impedimento all'accesso alla verità e al confronto reciproco è da individuare proprio nel cedimento precritico all'ovvietà e all'automatismo, nella poca vigilanza sui propri pregiudizi e nella scarsa disponibilità a mettere in discussione le proprie idee, in una certa indolenza mentale spirituale.

L'attenzione educativa e formativa è, pertanto, fondamentale anche per chi svolge la missione del teologare. Anzi, chi fa teologia a titolo speciale deve percorrere il cammino di crescita spirituale, raccordando virtù dell'intelligenza e santità nel pensare, nel volere e nell'operare.

«Poiché oggetto della teologia è la Verità, il Dio vivo e il suo disegno di salvezza rivelato in Gesù Cristo, il teologo è chiamato a intensificare la sua vita di fede e a unire sempre ricerca scientifica e preghiera [...] . Sarà così più aperto al "senso soprannaturale della fede" da cui dipende e che gli apparirà come una sicura regola per guidare la sua riflessione e misurare la correttezza delle sue conclusioni. Nel corso dei secoli la teologia si è progressivamente costituita in vero e proprio sapere scientifico. È quindi necessario che il teologo sia attento alle esigenze epistemologiche della sua disciplina, alle esigenze di rigore critico, e quindi al controllo razionale di ogni tappa della sua ricerca. Ma l'esigenza critica non va identificata con lo spirito critico, che nasce piuttosto da motivazioni di carattere affettivo o da pregiudizio. Il teologo deve discernere in se stesso l'origine e le motivazioni del suo atteggiamento critico e lasciare che il suo sguardo sia purificato dalla fede. L'impegno teologico esige uno sforzo spirituale di rettitudine e di santificazione»[30].

Queste esigenze e urgenze sono presenti, conseguentemente, nell'itinerario di ricerca della PATH fin dalle origini. Nella rivista si possono rintracciare alcune coordinate, esigenze, prospettive a livello teologico e antropologico[31].

---

[30] CONGREGAZIONE PER LA DOTTRINA DELLA FEDE, *Donum Veritatis*, n. 8-9.
[31] Cfr. in particolare M. BORDONI, *Prospettive di sintesi I*, in *Path* 3 (2004/1) 257-263; P. CODA, *Prospettive di sintesi II*, in *Ib.*, 265-272.

Sorge l'interrogativo su *come* procedere.

Senza alcuna pretesa esprimo qualche considerazione.

Preliminarmente, credo che bisogna partire valorizzando le risorse multidisciplinari già presenti *ad intra* nell'ambito del sapere teologico nelle sue molteplici articolazioni, intessendo un dialogo-confronto e testimoniando, così, il superamento di "quella forma di gelosia" che ancora pone barricate nei confini tra le scienze[32].

Nel campo teologico queste barriere non dovrebbero esistere proprio per la natura della Rivelazione divina quale realtà teoantropologica. Il Vaticano II lo ha sottolineato in più occasioni.

Donum Veritatis ne ha richiamato le coordinate:

«Pur trascendendo la ragione umana, la verità rivelata è in profonda armonia con essa. Ciò suppone che la ragione sia per sua natura ordinata alla verità in modo che, illuminata dalla fede, essa possa penetrare il significato della rivelazione [...]. Il compito proprio alla teologia di comprendere il senso della rivelazione esige pertanto l'utilizzo di acquisizioni filosofiche che forniscano "una solida e armonica conoscenza dell'uomo, del mondo e di Dio" [Decr. *Optatam totius* (OT), n. 15: EV 1/802], e possano essere assunte nella riflessione sulla dottrina rivelata. Le scienze storiche sono egualmente necessarie agli studi del teologo, a motivo innanzitutto del carattere storico della rivelazione stessa, che ci è stata comunicata in una "storia di salvezza". Si deve infine fare ricorso anche alle "scienze umane", per meglio comprendere la verità rivelata sull'uomo e sulle norme morali del suo agire, mettendo in rapporto con essa i risultati validi di queste scienze.

In questa prospettiva è compito del teologo assumere dalla cultura del suo ambiente elementi che gli permettano di mettere meglio in luce l'uno o l'altro aspetto dei misteri della fede. Un tale compito è certamente arduo e comporta dei rischi, ma è in se stesso legittimo e deve essere incoraggiato.

A questo proposito è importante sottolineare che l'utilizzazione da parte della teologia di elementi e strumenti concettuali provenienti dalla filosofia o da altre discipline esige un discernimento che ha il suo principio normativo ultimo nella dottrina

---

[32] «La situazione dei nostri studi è ancora afflitta dalla gelosa separazione dei campi e delle discipline: una separazione che è persino materiale fra le istituzioni accademiche del sapere teologico e quelle che presiedono al campo delle scienze umanistiche. Il compito resta ancora oggi quello di una seria ricerca interdisciplinare: un progetto culturale di grande difficoltà e di grande impegno, che però non potrà svilupparsi senza trovare una sua articolazione strategica, senza esporsi a un serio esercizio dialettico fra unità e molteplicità di saperi» (V. MELCHIORRE, *Per una metafisica del vissuto*, in *A quarant'anni dal Concilio*, o.c., 157).

rivelata. È essa che deve fornire i criteri per il discernimento di questi elementi e strumenti concettuali e non viceversa»[33].

Le scienze umane sottolineano che ciascuno è dotato di intelligenze multiple, quindi può attivare la capacità di esprimere il proprio pensiero ed entrare nel processo argomentativo dell'altro[34].

La molteplicità degli approcci è indice dei limiti e della grandezza della creatura umana, capace di trascendenza, quindi di *intus/inter-legere*, ma pure consapevole del suo procedere sempre tra il "già" e "non ancora". Ella con le sue teorizzazioni ed ipotesi cuce, per così dire, una veste all'universo, la quale man mano che l'universo cresce va cambiata, perché non corrisponde più a quella realtà che riveste.

La verità ci trascende, di essa siamo umili e poveri servitori.

Né si edifica l'unità del sapere e con la gerarchizzazione delle scienze o con la loro contrapposizione. Il dialogo esige il rispetto delle relative epistemologie e metodologie, come pure degli specifici contenuti e della loro natura, facendo convergere il tutto verso il servizio alla persona secondo il progetto di Dio[35].

Per questo dialogo, in spirito di servizio, occorre un processo di elementarizzazione delle acquisizioni raggiunte nel proprio ambito, per facilitare la comprensione a coloro che provengono da altri, per superare il regionalismo negli studi, il loro superficiale accostamento e la frettolosa reciproca strumentalizzazione. Questa operazione che conduce a semplicità e chiarezza porta con sé anche il frutto di ridurre la distanza-sepa-

---

[33] *Donum Veritatis*, n. 10; cfr. T. CANTELMI – P. LASELVA – S. PALUZZI, *Psicologia e teologia in dialogo. Aspetti tematici per la pastorale odierna*, San Paolo, Cinisello Balsamo (Milano) 2004; più direttamente relative alle scienze dell'educazione cfr. G. GROPPO, *Teologia e scienze dell'educazione. Premesse per una collaborazione interdisciplinare finalizzata a risultati transdisciplinari*, in *Dilexit Ecclesiam. Studi in onore del prof. Donato Valentini*, a cura di G. COFFELE, LAS, Roma 2003, 245-276. L'autore, studioso di problemi epistemologici e metodologici delle scienze di confine, in concreto della teologia dell'educazione, riconosce a quest'ultima una funzione critica, stimolatrice, integratrice. Mi pare che la sua posizione sia molto legata alla teoresi; oggi, mi pare che si possa andare oltre.

[34] Il dialogo tra Ratzinger e Pera lo illustra, un dialogo che continua in internet perché le loro riflessioni e confronti sono disponibili ad un pubblico davvero più vasto dei testi pubblicati.

[35] Anche il senso di questo rispetto e di questa possibilità è espresso chiaramente nelle *Prospettive* indicate da Bordoni e Coda nei saggi già citati.

ratezza tra la ricerca scientifica, teologica e non, e i bisogni educativi e formativi della persona e della comunità cristiana.

I limiti personali e i campi investigativi ancora inesplorati non costituiscono un ostacolo insuperabile nel dialogo-confronto. L'unico ostacolo incompatibile è la complicità con lo spirito di menzogna[36]. Bisogna liberarsi da esso, purificare costantemente il cuore.

Nel nostro caso il teologo, ma la riflessione serve per ogni studioso,

> «deve discernere in se stesso l'origine e le motivazioni del suo atteggiamento critico e lasciare che il suo sguardo sia purificato dalla fede. L'impegno teologico esige uno sforzo spirituale di rettitudine e di santificazione»[37].

È la limpidezza della intelligenza che conduce alla santità della mente, un itinerario reso possibile dal dono dello Spirito di verità e di testimonianza.

Alla scuola del duplice libro della creazione e della Rivelazione la persona fa esperienza della gratuità infinita con cui il Signore della vita viene e manifesta Se stesso e i segreti della sua volontà[38].

Le scienze umane possono favorire il processo di apprendimento e la crescita nella verità individuando e segnalando quei meccanismi più o meno inconsci che ostacolano l'accesso alla verità e la sua accoglienza.

Difatti il consentire alla verità non è un'operazione unicamente teoretica; riguarda piuttosto i complessi fenomeni legati all'esercizio della libertà come paura o come amore, coinvolge i dinamismi più profondi e totalizzanti con cui la persona accede al mondo e l'accoglie.

Anche dalle socio-culture vengono i condizionamenti, non solo nel senso che queste favoriscono l'attivazione di alcune qualità della mente, ma pure nel senso che possono mettete in atto strategie di persuasione e di pressione che riducono o amplificano gli spazi dell'autonomia e della responsabilità.

---

[36] Cfr. BENEDETTO XVI, *Nella verità la pace. Messaggio per la celebrazione della giornata mondiale della pace*, 1° gennaio 2006.

[37] CONGREGAZIONE PER LA DOTTRINA DELLA FEDE, *Donum veritatis*, 9.

[38] Penso ad esempio al volume di AA. Vv., *Risvegliare l'esperienza di Dio nell'uomo*, (Esperienza e fenomenologia mistica), Libreria Editrice Vaticana, Città del Vaticano 2004.

In ogni cultura vi sono valori, ma anche elementi incompatibili con la dignità umana e, quindi, con il messaggio evangelico. Di qui la necessità e l'urgenza del discernimento.

Da questi condizionamenti non è esente il teologare nella sua concreta realizzazione; per questo vanno sempre tenuti presenti i principi e i criteri della genuina teologia.

Benedetto XVI in tal senso ha sottolineato che la teologia nasce

«dall'obbedienza all'impulso della verità e dell'amore che desidera conoscere sempre meglio colui che ama, in questo caso Dio stesso, la cui bontà abbiamo riconosciuto nell'atto di fede (cf. *Donum veritatis*, n. 7). Conosciamo Dio perché egli, nella sua infinita bontà, si è fatto conoscere, soprattutto nel suo Figlio Unigenito che si è fatto uomo per noi, è morto ed è risorto per la nostra salvezza. [...] Il lavoro teologico richiede evidentemente la competenza scientifica, ma anche, e non meno, lo spirito di fede e l'umiltà di chi sa che il Dio vivo e vero, oggetto della sua riflessione, oltrepassa infinitamente le capacità umane. Soltanto con la preghiera e la contemplazione si può acquisire il senso di Dio e la docilità all'azione dello Spirito Santo, che renderanno la ricerca teologica feconda per il bene di tutta la Chiesa. Qui si potrebbe obiettare: ma una teologia così definita è ancora scienza, e in conformità con la nostra ragione? Sì – razionalità, scientificità e pensare nella comunione della Chiesa non solo non si escludono, ma vanno insieme. Lo Spirito Santo introduce la Chiesa nella pienezza della verità (cfr. *Gv* 16, 13), la Chiesa è a servizio della verità e la sua guida è educazione alla verità»[39].

Questi criteri di discernimento non potrebbero interpellare anche coloro che coltivano altre scienze?

Potrebbero orientare nella direzione del *Veluti si Deus daretur?*

3.2. «*Veluti si Deus daretur*»

Confrontarsi a livello scientifico con la precomprensione religiosa è una scommessa che risulta sempre più un guadagno umanistico.

È una scommessa anche per i credenti, specie per alcuni, perché li spinge ad uscire dalla tiepidezza e dal relativismo, da quella forma di autocensura che blocca nel pronunciarsi in modo collettivo e pubblico su ciò che è bene e ciò che è male, ciò che è vero e ciò che è falso.

---

[39]   BENEDETTO XVI, *Discorso* ai membri della Commissione teologica internazionale, 1° dicembre 2005.

È una scommessa a non offuscare la luminosità della testimonianza di fede in Dio, in un contesto e momento della storia che richiede la presenza di uomini i quali

> «attraverso una fede illuminata e vissuta, rendano Dio credibile in questo mondo. La testimonianza negativa di cristiani che parlavano di Dio e vivevano contro di Lui, ha oscurato l'immagine di Dio e ha aperto la porta all'incredulità»[40].

La testimonianza si raccorda costantemente con la ragione perché

> «il cristianesimo [...] è la religione del *Logos* [...] . Nel dialogo, così necessario, tra laici e cattolici, noi cristiani dobbiamo stare molto attenti a restare fedeli a questa linea fondamentale: a vivere una fede che proviene dal Logos»[41].

La tesi illuminista secondo la quale è possibile intendere e definire le norme morali fondandole sulla comune natura umana *etsi Deus non daretur* è in crisi, non si sostiene più[42].

Si apre un cammino che è possibile percorrere anche con i non credenti. È un cammino non sulle ceneri delle crisi, ma scommettendo sulla strutturale apertura della persona alla verità, proprio perché per creazione ella porta in sé impressa l'immagine di Dio, pure dove è smarrita o confusa; ha iscritto in sé il riferimento al Creatore.

«Veluti si Deus daretur. È una scommessa che ha come posta il nostro impegno e come premio la nostra salvezza»[43].

Per questo il Papa incoraggia costantemente tutti a vivere senza prescindere da Dio, lasciandosi ammaestrare dal libro della creazione e permettendo al Signore di risvegliare la ragione mediante la Sacra Scrittura. Anche noi credenti abbiamo bisogno di liberarci dal nostro ateismo, dall'idolatria, per camminare davanti al Signore della vita nell'intelligenza, nella libertà, nei sentimenti.

---

[40] J. RATZINGER, *L'Europa di Benedetto*, o.c., 63.

[41] *Ib.*, 59 ss.

[42] È stata messa in crisi già dalla posizione di Nietzsche per il quale l'uccisione di Dio segna l'eliminazione dei punti di riferimento precedenti e porta alla trasformazione di tutti i valori (cfr. M. PERA, *Introduzione*, 7-25).

[43] *Ib.*, 25.

La ricerca scientifica, senza dubbio, ne guadagna nell'accogliere come orizzonte la prospettiva della creazione e nello scorgere in essa la parola creatrice piuttosto che il caso o il caos.

È ormai quasi unanimemente condivisa la consapevolezza che in qualunque ambito disciplinare non si parte dalla neutralità; si parte da presupposti, da una visione del mondo e della vita; ci si mette in moto per il desiderio di conoscere il vero e per la fiducia nelle possibilità della ragione.

Vi sono delle condizioni preliminari alla ricerca, *in primis* la libertà che si fa perseverante e umile disponibilità alla verità e alla verità incondizionata, senza presunzioni e senza preclusioni, mantenendo desto il senso del mistero dell'universo.

Al di là delle appartenenze culturali o confessionali, per tutti vi è il compito morale di pensare fino in fondo, soprattutto relativamente al senso della vita nell'universo, alla dignità e identità della persona e alla sua missione nel mondo, ai valori fondamentali della convivenza.

Uscendo dal relativismo, anche da quel relativismo che è la tolleranza, si fa strada la possibilità di un dialogo che umanizza la ricerca scientifica e la fa convergere proprio nel bene dell'umanità.

Le scienze dell'educazione in questo processo potranno dare un grande contributo sia favorendo le condizioni di possibilità antropologiche del conoscere, segnalando i meccanismi che ostacolano o facilitano la conoscenza, sia mediando le acquisizioni scientifiche e proporzionandole in percorsi formativi pertinenti.

Si può affermare *veluti si Christus daretur?*

Nella mia esperienza di docenza in una Facoltà di Scienze dell'Educazione constato che è possibile.

Anzi, la vicenda di Gesù Cristo e la sua verità risultano un orizzonte di senso così concreto e così universale che interpella al di là delle appartenenze culturali e religiose.

Il principio fondamentale operante è quello calcedonese[44].

---

[44] Cfr. M. FARINA – M. MARCHI (edd.), *Maria nell'educazione di Gesù Cristo e del cristiano. La pedagogia interroga alcune fonti biblico-teologiche*, LAS, Roma 2002; M.P. MANELLO – G. LOPARCO (edd.), *Maria nell'educazione di Gesù Cristo e del cristiano. Approccio interdisciplinare a Gv 19, 25-27*, LAS, Roma 2003; AA. VV., *"Io ti darò la maestra…". Il coraggio di educare alla scuola di Maria*, LAS, Roma 2005.

Da esso, rimandando alla vicenda umana del Salvatore, si possono intuire possibili percorsi di crescita, fino alla coniugazione della propria vita nell'interpersonalità eucaristica e mariana.

3.3. *Rendere ragione della speranza*

Quale incremento di senso e di metodo in questo confronto con la storia di Gesù?

Alcune annotazioni.

La comunità cristiana, specie nel lavoro teologico in dialogo con le altre scienze, nel raccordare fede e ragione, è interpellata a manifestare la vittoria dell'amore sulla paura e sulla prepotenza, grazie al dono del Signore.

È chiamata a svolgere un servizio educativo a diversi livelli o in diversi ambiti. Ne segnalo qualcuno.

È interpellata a svolgere un compito di natura teorica e pratica nel rieducare la persona alla trascendenza, tenendo desto il senso della verità incondizionata, quindi invitando ad attivare una razionalità diversa, quella razionalità che fa riferimento a Dio.

Di qui l'esigenza più propriamente teologica nel mostrare che il trascendente non è un teorema; è Dio amore. L'amore è il nome laico di Dio.

Ma occorre l'ermeneutica dell'amore che, per essere veramente salvato ed essere forza vittoriosa sulla paura e sul peccato, deve radicarsi nel Dio Amore, quel Dio che si è rivelato nella storia nel Cristo, quindi nella Trinità santissima.

Il vero antropocentrismo rimanda al teocentrismo per il cristocentrismo.

Di fatti l'orientamento alla trascendenza rischia di scivolare in identificazioni idolatriche, se si chiude aprioristicamente alla luce che scaturisce dalla rivelazione del Dio di Gesù Cristo.

In Lui Dio si rende effettivamente presente nella storia, la sua trascendenza non è assenza ma presenza che salva, la sua unità non è solitudine ma comunione.

Gesù rivela il mistero dell'uomo. In Lui nulla di ciò che è umano è emarginato o rimosso, nessuna creatura è ritenuta superflua. Tutto è ricapitolato e salvato.

Ma, nel rendere ragione di questa speranza, è necessario elaborare un accesso storico-critico alla vicenda di Gesù, Rivelatore del volto di Dio e della verità dell'umanità e dell'universo. Questo lavoro va pure nel senso di sconfessare le varie costruzioni pseudostoriche che banalizzano tale vicenda.

Inoltre, proprio in un contesto culturale che sembra aver smarrito il rapporto con il tempo – passato e futuro – il riferimento alla storia di Gesù è carico di senso umanistico e umanizzante[45].

In questa prospettiva è possibile tracciare più in profondità i percorsi nel discernimento della fede, perché la persona accolga la vicenda di Lui nella propria esistenza e ne assuma il senso profondo, cioè la logica della carità che porta ad intessere rapporti vitali in senso diacronico e sincronico.

È la realtà del rapporto interpersonale eucaristico e mariano.

Nella persona di Gesù, Figlio di Dio e Figlio dell'Uomo, è messa in crisi contemporaneamente sia la deificazione idolatrica della creatura sia l'antropologizzazione o cosmologizzazione di Dio, come pure ogni pretesa di autosalvezza.

In quanto automanifestazione e autocomunicazione di Dio Egli è la Verità assoluta e l'Assolutezza della verità, perché rivela Dio, verità ultima e definitiva oltre la quale non si può procedere, e rivela la persona umana, precisamente perché la apre su Dio e a Dio, quindi la apre alla definitiva verità di se stessa, oltre le conoscenze che può acquisire dalle scienze antropologiche.

Gesù si pone come principio e meta di un nuovo sapere per la sua assolutezza e singolarità, in quanto Dio con noi, Dio nella nostra storia, in profonda coerenza con l'essere stesso della creatura umana che si autocomprende nella storia e nel rimando all'Oltre e all'Altro.

Egli è Rivelatore nella sua esistenza terrena, quindi la riscatta dalla caducità. È Rivelatore escatologico, definitivo, perché è il Figlio, l'Unigenito che conosce i segreti del Padre.

Rivela, assumendo le nostre modalità espressive, fino ad incarnarsi, cosicché realizza in modo irrevocabile e incontrovertibile il dialogo di Dio con la sua creatura, essendo la sua storia una storia umana gestita

---

[45] R. BRAGUE, *Da un trascendente all'altro*, o.c., 33-47.

in proprio da Dio. È, quindi, il Mediatore della nostra comunione con la Trinità e della nostra solidarietà tra noi e con l'universo.

È misura del vero umanesimo proprio perché è il fondamento pro-tologico ed escatologico della creazione, in particolare della creatura umana. Per essa è pure la Via della Verità che dà Vita.

Le scienze dell'educazione possono aiutare a chiarire i rapporti tra le varie dimensioni dell'esperienza umana, le condizioni della loro unificazione nel cammino di maturazione, le possibilità di una sintesi esistenziale dei valori evangelici e della sua efficacia nella vita concreta, le controindicazioni nel cammino di fede, il contesto antropologico del-l'esperienza religiosa, le sue condizioni di possibilità e di autenticità.

3.4. La "diaconia della verità"

«La *diaconia della verità* rappresenta un compito epocale per l'Università. Essa richiama quella dimensione contemplativa del sapere che disegna il tratto umani-stico di ogni disciplina [...] . Da questo atteggiamento interiore deriva la capacità di scrutare il senso degli eventi e di valorizzare le più ardite scoperte. La diaconia della verità è il sigillo dell'intelligenza libera e aperta.

Solo incarnando queste convinzioni nello stile quotidiano il docente universitario diventa portatore di speranza per la vita personale e sociale.

I cristiani sono chiamati a rendere testimonianza della dignità della ragione umana, delle sue esigenze e della sua capacità di ricercare e conoscere la realtà, superando in tal modo lo scetticismo epistemologico, le riduzioni ideologiche del razionalismo e le derive nichiliste del pensiero debole»[46].

Il Signore convoca tutti alla diaconia della verità, soprattutto coloro che hanno la vocazione-missione della ricerca e della docenza. Egli è l'unico nostro Maestro, sorgente viva, centro di irradiazione, alimento nella Parola e nell'Eucaristia.

Giovanni Paolo II propone un itinerario educativo.

In primo luogo sottolinea che l'esperienza del Giubileo è stata per i docenti l'occasione per ricentrare più profondamente la propria vita nel mistero del Verbo Incarnato, per prendere coscienza della propria

---

[46] GIOVANNI PAOLO II, *Messaggio ai partecipanti al VI Incontro Nazionale dei Docenti Universitari Cattolici*, in http://www.vatican.va/holy_father/john_paul_ii/speeches/2001/october/documents/hf_jp-ii_spe_20011005_docenti-cattolici_it.html.

appartenenza alla Chiesa e rinnovare *l'impegno di testimoniare* la fede nel quotidiano lavoro universitario con una presenza significativa, generosa, autentica.

Di qui l'invito a *"prendere il largo"*, nella speranza, per riflettere sulle implicazioni concrete che la prospettiva del nuovo umanesimo comporta per l'Università.

È la loro vocazione:

> «Lì, sulla cattedra, Dio vi ha chiamato per nome, a un servizio insostituibile alla verità dell'uomo. È questo *il cuore del nuovo umanesimo*. Esso si concretizza nella capacità di mostrare che la parola della fede è davvero una forza che illumina la conoscenza, la libera da ogni servitù, la rende capace di bene. Le giovani generazioni attendono da voi nuove sintesi del sapere; non di tipo enciclopedico, ma umanistico. È necessario vincere la dispersione che disorienta e delineare profili aperti, capaci di motivare l'impegno della ricerca e della comunicazione del sapere e, al tempo stesso, di formare persone che non finiscano per ritorcere contro l'uomo le immense e tremende possibilità che il progresso scientifico e tecnologico ha ottenuto nel nostro tempo. Come agli inizi dell'umanità, anche oggi, quando l'uomo vuole disporre a proprio arbitrio dei frutti dell'albero della conoscenza finisce per ritrovarsi triste operatore di paura, di scontro e di morte».

Il Santo Padre traccia, quindi, il profilo del docente.

È un maestro, perché non trasmette solo concetti, ma stabilisce una relazione sapienziale con gli studenti e comunica una parola di vita.

Istruisce, in quanto offre un apporto sostanziale alla strutturazione della loro personalità.

Educa, aiutando a scoprire e ad attivare le capacità e i doni di ciascuno.

Forma, in quanto inquadra le acquisizioni di competenze professionali in una correlazione trasparente di significati di vita.

A livello istituzionale, nella *riforma in atto* nelle università, i docenti cattolici devono impegnarsi

> «sia per superare forme di stagnazione nel dialogo culturale, sia per promuovere in modo nuovo l'incontro tra le intelligenze umane, incentivando la ricerca della verità, l'elaborazione scientifica e la trasmissione culturale.
> Si dovrebbe riscoprire anche oggi una rinnovata tensione all'unità del sapere – quello proprio della *uni-versitas* – con coraggio innovativo nel disegnare gli ordi-

namenti degli studi su un progetto culturale e formativo di alto profilo, a servizio dell'uomo, di tutto l'uomo».

«In quest'opera la Chiesa [...] ha qualcosa da donare. Anzitutto, ricordando senza sosta che "il cuore di ogni cultura è costituito dal suo approccio al più grande dei misteri: il mistero di Dio"[47]. Ricordando, inoltre, che solo in questa verticalità assoluta – di chi crede, e perciò sempre cerca di approfondire la verità incontrata, ma anche di chi cerca, e perciò è sulla via della fede – la cultura e il sapere si illuminano di verità e si offrono all'uomo come dono di vita».

«L'umanesimo cristiano non è astratto. La libertà di ricerca [...] non può significare neutralità indifferente di fronte alla verità. L'Università è chiamata a divenire sempre più un laboratorio, in cui si coltiva e si sviluppa un umanesimo universale, aperto alla dimensione spirituale della verità [...] .

La fede è capace di generare cultura; non teme il confronto culturale aperto e franco; la sua certezza in nulla assomiglia all'irrigidimento ideologico preconcetto; è luce chiara di verità, che non si contrappone alle ricchezze dell'ingegno, ma soltanto al buio dell'errore. La fede cristiana illumina e chiarisce l'esistenza in ogni suo ambito. Animato da questa interiore ricchezza, il cristiano la diffonde con coraggio e la testimonia con coerenza».

Nella cultura «*al centro è e deve rimanere l'uomo*, con la sua dignità e la sua apertura all'Assoluto. L'opera delicata e complessa di "evangelizzazione della cultura" e di "inculturazione della fede" non si accontenta di semplici aggiustamenti, ma esige un fedele ripensamento ed una creativa riespressione [...] . "La sintesi tra cultura e fede non è solo un'esigenza della cultura ma anche della fede [...] . Una fede che non diventa cultura è una fede non pienamente accolta e interamente pensata, non fedelmente vissuta".

A questa esigenza profonda risponde l'esercizio della carità intellettuale. È questo l'impegno specifico che gli universitari cattolici sono chiamati a realizzare, nella convinzione che la forza del Vangelo è capace di rinnovamento profondo. Che il "*Logos*" di Dio si incontri con il "*logos*" umano e diventi il "*dia-logos*": questa è l'attesa e l'auspicio della Chiesa per l'università e il mondo della cultura.

Il nuovo umanesimo sia per voi prospettiva, progetto, impegno. Esso diventerà allora una vocazione alla santità per quanti operano nell'Università. A questa "*misura alta*" siete chiamati all'inizio del nuovo millennio»[48].

Anche per noi può risuonare il "*Duc in altum*" come misura alta con cui vivere la vocazione del teologare.

---

[47] ID., *Discorso alle Nazioni Unite in occasione del 50° di fondazione*, n. 9, in *Insegnamenti di Giovanni Paolo II*, vol. XVIII/2, 1995, 738.

[48] ID., *Messaggio ai partecipanti al VI Incontro Nazionale dei Docenti Universitari Cattolici*, 4 Ottobre 2001.

L'amore di Cristo come luogo della Verità: Teresa di Lisieux

François-Marie Léthel

Il Concilio Vaticano II ha messo in piena luce il *primato della santità* nella Chiesa come *primato della carità* (o amore: *agápe*). La santità infatti non è altro che la perfezione della carità (cfr. LG 40).

Tutti sono chiamati alla santità (cap. V) e Maria rappresenta perfettamente questa santità della Chiesa (cap. VIII). Così *il fondamento essenziale della "teologia dei santi" è la carità*, che è "più grande" della fede e della speranza (cfr. *1 Cor* 13, 13) e che è l'anima della fede e della speranza. Infatti, la carità «crede tutto e spera tutto» (*1 Cor* 13, 7).

L'amore di carità abbraccia tutta la verità della fede in Cristo Gesù, rendendola sempre più luminosa e attraente per il cuore dell'uomo. Questa è la teologia di "tutti i Santi" (cioè di tutta la Chiesa come Popolo santo), che consiste nel «conoscere l'amore di Cristo che sorpassa ogni conoscenza» (*Ef* 3, 19).

Allo stesso modo san Giovanni afferma che «chiunque ama è nato da Dio e conosce Dio, mentre invece chi non ama non ha conosciuto Dio, perché Dio è Amore» (*1 Gv* 4, 7-8).

In questa luce del Concilio, il testo più caratteristico del Magistero riguardo a una tale *teologia dei santi* è sicuramente la Lettera Apostolica *Novo Millennio Ineunte* di Giovanni Paolo II, che dà anche un posto privilegiato a santa Teresa di Lisieux[1]. All'inizio del n. 27, troviamo l'affermazione:

---

[1] Cfr. la mia relazione al primo Forum della Pontificia Accademia Teologica: F-M. LETHEL, *Verità e Amore di Cristo nella teologia dei santi. L'orientamento teologico della Lettera Apostolica "Novo Millennio Ineunte"*, in PATH 2 (2002).

«Di fronte a questo mistero [la Passione di Cristo], accanto *all'indagine teologica*, un aiuto rilevante può venirci da quel grande patrimonio che è *la "teologia vissuta" dei Santi*».

Questo binomio: "indagine teologica" e "teologia vissuta dei santi", ha un valore programmatico (superando il binomio: "teologia" e "spiritualità") indicando come un "binario" per la teologia del terzo millennio. La "teologia vissuta dei santi" viene subito illustrata con due citazioni di Caterina da Siena e di Teresa di Lisieux riguardo al paradosso di Gesù nella sua Passione, che unisce in se stesso la beatitudine e la più grande sofferenza. Poi, nel n. 42, Giovanni Paolo II spiega il significato del titolo di *Dottore della Chiesa* dato da lui stesso a Teresa di Lisieux «Come esperta della *Scientia Amoris*»[2]. Così, attraverso i due riferimenti alla stessa santa, appare chiaramente perché la "teologia vissuta dei santi" è definita come *Scientia Amoris*, la "Scienza dell'Amore"[3]. Alla luce di questa espressione, si può capire anche meglio il primo termine del binomio che è "l'indagine teologica". Si tratta della classica *Scientia Fidei*, come viene definita da san Tommaso all'inizio della *Somma Teologica* (cfr. I q. 1 art. 2). Qui è evidente la complementarità tra le due Lettere Pontificie: *Novo Millennio Ineunte* e *Fides et Ratio*. Nella *Fides et Ratio*, i santi Dottori più citati erano Tommaso e Anselmo, come esperti della *Scientia Fidei*. Queste due "Scienze" sono in realtà due modalità distinte, complementari ed inseparabili della stessa Teologia della Chiesa, animata dai due dinamismi: *Fides et Ratio* per "l'indagine teologica", *Fides et Amor* per la "teo-

---

[2] «La carità è davvero il "cuore" della Chiesa, come aveva ben intuito santa Teresa di Lisieux, che ho voluto proclamare Dottore della Chiesa proprio come esperta della *scientia amoris*: "Capii che la Chiesa aveva un Cuore e che questo Cuore era acceso d'Amore. Capii che solo l'Amore faceva agire le membra della Chiesa [...]. Capii che l'Amore racchiudeva tutte le Vocazioni, che l'Amore era tutto"» (GIOVANNI PAOLO II, *Novo Millennio Ineunte*, n. 42, che cita il *Manoscritto B*, 3v).

[3] L'espressione "Scienza d'Amore" è usata da Teresa stessa (MS B, 1r). Tutti i testi di Teresa sono citati a partire dal volume delle sue *Opere Complete* (S. TERESA DI GESÙ BAMBINO, *Opere Complete*, Roma 1997, Libreria Editrice Vaticana e Edizioni OCD). I tre *Manoscritti Autobiografici* sono indicati con le sigle MS A, B e C. Gli altri scritti sono le *Lettere* (LT), le *Poesie* (P), le *Pie Ricreazioni* (PR) e le *Preghiere* (Pr). Più volte, la traduzione è modificata a partire dal testo originale francese (*Oeuvres Complètes*, Ed. Cerf/DDB, Paris 1992).

logia vissuta dei santi"[4]. Dottori della Chiesa, Caterina da Siena e Teresa di Lisieux sono le grandi maestre di tale teologia e scienza. *La fede e la carità, insieme alla speranza*, sono dunque la base e l'anima di ogni forma di autentica teologia nella Chiesa. Traducendo letteralmente l'espressione di san Tommaso *Virtutes theologicae*[5], conviene chiamarle *virtù teologiche* (piuttosto che "teologali").

Teresa di Lisieux, già riconosciuta da san Pio X come "la più grande santa dei tempi moderni", dichiarata Patrona delle Missioni da Pio XI e Dottore della Chiesa da Giovanni Paolo II, è sicuramente una delle figure più illuminanti per la Chiesa del Terzo Millennio. La sua straordinaria recezione ecclesiale da parte di tutto il Popolo di Dio coinvolge sempre di più il nostro ambiente della teologia accademica[6]. Gli *Scritti* di Teresa sono una inesauribile sorgente di vita e di pensiero. Infatti, attraverso questi *Scritti* la

---

[4]   Nella mia propria prospettiva riguardo alla teologia dei santi, io definirei "l'indagine teologica" come "la teologia pensata dei santi" (per esempio Anselmo e Tommaso), cioè la *Scientia Fidei*, che è anche illuminata e penetrata dalla *Scientia Amoris* (comune a tutti i santi). È una teologia noetica, intellettuale o speculativa, che usa la filosofia come ancella (e anche le altre scienze umane). Così, la teologia dei santi possiede questi due versanti della "teologia vissuta" e della "teologia pensata". Nel mio recente libro su santa Gemma Galgani, ho presentato, circa lo stesso Mistero della Redenzione, la "teologia vissuta" di questa mistica in rapporto con la "teologia pensata" di sant'Anselmo (cfr. F.-M. LÉTHEL, *L'Amore di Gesù Crocifisso Redentore dell'uomo. Gemma Galgani*, Libreria Editrice Vaticana, 2004). Cfr. anche il mio articolo: F.-M. LETHEL, *La teologia dei santi. I santi come teologi*, in "Alpha Omega" 1 (2005).

[5]   Cfr. *S. Th.* I-II q 62.

[6]   Infatti, gli Scritti di Teresa sono una fonte inesauribile di ottimi studi teologici che mettono in luce gli innumerevoli aspetti della sua dottrina. Da parte mia, negli ultimi anni, ho avuto la gioia di accompagnare delle tesi veramente eccellenti che voglio ricordare secondo l'ordine cronologico. La prima, fatta da un sacerdote vietnamita riguarda la relazione di Teresa con gli atei: J. NGUYEN THUONG, *La "Kénose de la foi" de sainte Thérèse de Lisieux, lumière pour présenter l'Evangile aux incroyants d'aujourd'hui* (Teresianum, Roma 2001). Poi, un'altra tesi, fatta in collaborazione con l'Università Gregoriana, riguarda l'ecclesiologia di Teresa: R.J. SALVADOR CENTELLES, *"En el corazon de la Iglesia, mi Madre, yo seré el Amor". Jesus y la Iglesia como Misterio de Amor en Teresa de Lisieux* (Analecta Gregoriana, Roma 2003). Questa tesi ha vinto il Premio Bellarmino 2001 (la migliore tesi dell'anno alla Gregoriana). Di particolare importanza è la tesi di B. Brudere, presentata al Teresianum: B. BRUDERE, *«Je me sens la vocation de prêtre»* (MS B, 2v). *Enquête sur le sacerdoce commun chez Thérèse de l'Enfant Jésus de la Sainte Face et l'apport de son expérience pour l'accomplissement de cette vocation aujourd'hui*). Questa tesi ha ricevuto il "Premio Henri de Lubac" (per la migliore tesi in francese a Roma) dal Cardinale Paul Poupard il 25 novembre 2005. Ultimamente, abbiamo avuto al Teresianum (nell'ottobre 2005) l'eccellente tesi di P. MOSTARDA, *La simbolica della natura nella teologia di S. Teresa di Lisieux* (Prossima pubblicazione alle Edizioni OCD).

santa comunica la sua visione semplice, geniale, e per molti aspetti nuova, di tutti i Misteri di Dio e dell'uomo, del cosmo e della storia. Ne fa risplendere tutta la bellezza e armonia a partire da un unico centro che è *l'Amore di Cristo*. È fondamentalmente una teologia della Comunione con Cristo che abbraccia i Misteri della Trinità, della Creazione e della Salvezza. La Comunione con Cristo è comunione nello Spirito Santo, comunione d'Amore vissuta con Maria nella Chiesa[7]. Con la sua simbologia semplice e universale, la santa possiede una straordinaria capacità di far entrare nel più profondo dei cuori tutte le verità della fede cristiana, facendole risplendere nell'Amore. Teresa rappresenta perfettamente per il nostro tempo la Tradizione Viva della Chiesa, che lungo la storia scopre sempre nuove meraviglie nel Mistero di Cristo[8].

Mi sforzerò adesso di presentare la sintesi teologica di Teresa secondo questi quattro punti:

1. La *Scientia Amoris* di "tutti i santi":
«Conoscere l'Amore di Cristo che supera ogni conoscenza» (*Ef* 3, 19)

2. L'uomo *capax Christi*:
Un'antropologia cristologica fondata nei Misteri della Creazione e della Salvezza

3. «Nel Cuore della Chiesa, io sarò l'Amore»:
Lo Spirito Santo e le "virtù teologiche" di carità, speranza e fede

---

[7]   Lo stesso tema della comunione con Cristo è anche al centro del pensiero di Charles Péguy (1873-1914). Questo grande contemporaneo di Teresa è stato giustamente valutato da Balthasar sul piano teologico. Le opere di Péguy presentano una profondissima *teologia dei santi*. Si vede come la figura di santa Giovanna d'Arco è interpretata nelle più ampie prospettive della storia della salvezza. Una santa particolare diventa come uno specchio limpido del Mistero della Comunione con Cristo. Nel capitolo V del mio libro: F.-M. LETHEL, *Connaître l'Amour du Christ qui surpasse toute connaissance*, ho cercato di presentare la sintesi teologica di Péguy.

[8]   Qui conviene citare un bellissimo testo di san Giovanni della Croce, che è una delle principali fonti di Teresa: «Per quanti misteri e meraviglie abbiano scoperto i santi dottori o abbiano contemplato le anime sante in questa vita, la maggior parte è rimasta inespressa e ancora da comprendere. Resta *molto da approfondire in Cristo!* Egli è come una ricca miniera piena di molte vene di tesori, delle quali, per quanto sfruttate, non si riuscirà mai a toccare il fondo o a vedere il termine; anzi in ogni sinuosità, qua e là, si trovano nuovi filoni di altre ricchezze» (*Cantico Spirituale B*, 37/4).

4. La teologia della Chiesa come conoscenza amorosa della Verità di Cristo:

La perfetta *adaequatio* tra le "quattro corde" del cuore e le "quattro dimensioni" del Mistero (cfr. *Ef* 3, 18)

1. La *Scientia Amoris* di "tutti i santi": «Conoscere l'Amore di Cristo che supera ogni conoscenza» (*Ef* 3, 19)

1.1. *Un testo chiave di Teresa sulla teologia di tutti i santi: Padri, Dottori, Mistici*

Nelle ultime pagine del *Manoscritto C*, Teresa commenta le parole della Sposa nel *Cantico dei Cantici*: «Attirami, noi correremo» (*Ct* 1, 4), usando i simboli del fuoco e del ferro:

> «Che cos'è dunque chiedere di essere *attirati*, se non unirsi in modo intimo all'oggetto che avvince il cuore? Se il fuoco e il ferro avessero intelligenza e quest'ultimo dicesse all'altro: Attirami, dimostrerebbe che desidera identificarsi col fuoco in modo che questo lo penetri e lo impregni con la sua sostanza bruciante e sembri formare una cosa sola con lui. Madre amata, ecco la mia preghiera: chiedo a Gesù di attirarmi nelle fiamme del suo amore, di unirmi così strettamente a Lui, che Egli viva ed agisca in me. Sento che quanto più il fuoco dell'amore infiammerà il mio cuore, quanto più dirò: Attirami, tanto più le anime che si avvicineranno a me (povero piccolo rottame di ferro inutile, se mi allontanassi dal braciere divino) correranno rapidamente all'effluvio dei profumi del loro Amato, perché un'anima infiammata d'amore non può rimanere inattiva [...] . Tutti i santi l'hanno capito e in modo più particolare forse quelli che riempirono l'universo con l'irradiazione della dottrina evangelica.
> Non è forse dall'orazione che i Santi Paolo, Agostino, Giovanni della Croce, Tommaso d'Aquino, Francesco, Domenico e tanti altri illustri Amici di Dio hanno attinto questa scienza divina che affascina i geni più grandi? Uno scienziato ha detto: "Datemi una leva, un punto d'appoggio, e solleverò il mondo". Quello che Archimede non ha potuto ottenere perché la sua richiesta non era rivolta a Dio ed era espressa solo dal punto di vista materiale, i Santi l'hanno ottenuto in tutta la sua pienezza. L'Onnipotente ha dato loro come punto d'appoggio: Se stesso e Sé Solo. Come leva: l'orazione, che infiamma di un fuoco d'amore, ed è così che essi hanno sollevato il mondo, è così che i Santi ancora militanti lo sollevano e i Santi futuri lo solleveranno fino alla fine del mondo»[9].

---

[9] MS C, 36r-v.

È uno dei testi più luminosi sulla *teologia dei santi come "scienza divina"* attinta da tutti alla stessa fonte della *preghiera*. Dopo gli Apostoli (Paolo), è la stessa scienza dei *Padri* (Agostino), dei *Dottori* (Tommaso), dei *Mistici* (Francesco e Giovanni della Croce). La complementarità dei Padri, Dottori e Mistici è come il "prisma" della teologia dei santi. Proprio perché lei stessa è una santa, la carmelitana percepisce "dal di dentro" l'unità della scienza dei santi, della "teologia dei santi"[10], che è propriamente questa "scienza divina" più che geniale. È una medesima scienza che sgorga da una medesima sorgente profonda: la preghiera, «l'orazione che infiamma di un fuoco d'amore»[11].

La stessa "scienza divina" dei santi, che si esprime in san Tommaso come *teologia noetica* (cioè intellettuale o speculativa), si presenta in Teresa come *teologia simbolica* (e allo stesso tempo mistica e pratica)[12].

---

[10]   Questo testo di Teresa ha veramente guidato tutta la mia ricerca sulla teologia dei santi, e per questo l'ho citato all'inizio della mia tesi dottorale: F.-M. LETHEL, *Connaître l'Amour du Christ qui surpasse toute connaissance. La théologie des saints* (Ed. du Carmel, Venasque 1989). L'ultimo capitolo (cap. VI) riguarda la teologia di Teresa. Cfr. anche il mio libro: F.-M. LETHEL, *L'Amore di Gesù. La cristologia di santa Teresa di Gesù Bambino* (Libreria Editrice Vaticana, Roma 1999).

[11]   Il riferimento a san Francesco è particolarmente interessante. Come lui, Teresa non aveva studiato la teologia universitaria, non possedeva quindi questa "scienza" che è l'intelligenza speculativa della fede (è lo stesso per Caterina da Siena e Teresa d'Avila), ma aveva ricevuto come lui la medesima conoscenza amorosa che merita pienamente il nome di *scienza* e di *teologia*. In questo senso, san Bonaventura non esitava a parlare della "scienza" e della "teologia" di san Francesco (cfr. *Legenda Major*, cap. 11, n. 2).

[12]   A questo proposito, una delle migliori chiavi della teologia simbolica di Teresa è l'ultima pagina del *Manoscritto A*, che presenta, dopo una breve cronologia spirituale, il disegno e il commento degli *Stemmi di Gesù e di Teresa*. In rapporto con i misteri della fede e gli avvenimenti della sua propria vita, la santa ci offre la sintesi dei principali simboli usati da lei in tutti i suoi scritti. Ecco la "Spiegazione degli Stemmi" scritta da Teresa: «Il blasone JHS è quello che Gesù si è degnato di portare in dote alla sua povera piccola sposa. L'orfanella della Bérésina è diventata Teresa di GESÙ BAMBINO del VOLTO SANTO, sono quelli i suoi titoli di nobiltà, la sua ricchezza e la sua speranza. – La Vite che divide in due il blasone è simbolo di Colui che si degnò di dirci: "Io sono la Vite e voi i tralci, voglio che portiate molto frutto". I due rametti che circondano, l'uno il Volto Santo, l'altro il Gesù Bambino sono immagine di Teresa che ha solo un desiderio quaggiù, quello di offrirsi come un grappolino di uva per ristorare Gesù Bambino, per divertirlo, lasciarsi spremere da Lui secondo i suoi capricci e poter così estinguere la sete ardente che Egli soffrì durante la sua passione. L'arpa rappresenta ancora Teresa che vuole cantare incessantemente a Gesù melodie d'amore. Il blasone FMT è quello di Maria - Francesca - Teresa, il piccolo fiore della Madonna: perciò questo piccolo fiore è rappresentato sotto i raggi benefici della Dolce Stella del mattino. – La terra verdeggiante rappresenta la famiglia

Secondo santa Teresa Benedetta della Croce (Edith Stein), Gesù è «il Simbolo Primordiale» come Parola Incarnata[13]. Nella stessa luce dell'Incarnazione, la Vergine Maria è per eccellenza "teologa simbolica", Colei che «ha accolto il Verbo di Dio nel suo cuore e nel suo corpo»[14]. Maria è beata nel suo cuore che ha accolto con fede e amore la Parola, e nel suo seno che ha portato e nutrito la stessa Parola diventata carne (cfr. *Lc* 11, 27-28). La Vergine Madre «raccoglie nel cuore» (*sumbállousa en tè kardía*, cfr. *Lc* 2, 19) e «concepisce nel grembo» (*sullábousa en tè koilia*, cfr. *Lc* 2, 21) la stessa Parola del Padre per opera dello stesso Spirito Santo. Questa teologia simbolica è comunione intima al Mistero dell'Incarnazione, vissuta con Maria. A tutti i discepoli di Gesù, Maria dice sempre: «fate tutto ciò che egli vi dirà» (*Gv* 2, 5), insegnando come custodire la Parola.

1.2. *Centralità e assoluto dell'Amore di Cristo: il Nome di Gesù negli Scritti di Teresa*

Il cuore della teologia teresiana è la conoscenza amorosa della Persona e dell'opera di Gesù. Nella prospettiva di Teresa, che corrisponde a quella di san Paolo e degli antichi Padri della Chiesa, il Mistero di Gesù abbraccia veramente tutte le realtà della fede: la Trinità, la Creazione, la Salvezza, la Chiesa... Il *cristocentrismo* è la caratteristica essenziale di tutta la sua teologia. Questo cristocentrismo appare innanzitutto in modo impressionante nell'uso del *Nome di Gesù*. Nel *Corpus* degli Scritti, è utilizzato più di 1600 volte, il doppio del

---

benedetta in seno alla quale il piccolo fiore è cresciuto; in lontananza si vede una montagna che rappresenta il Carmelo. È in quel luogo benedetto che Teresa ha scelto per raffigurare nei suoi stemmi il dardo infiammato dall'amore che deve meritarle la palma del martirio in attesa di poter veramente dare il sangue per Colui che ama. Perché per contraccambiare tutto l'amore di Gesù vorrebbe fare per Lui quello che Lui ha fatto per lei [...] ma Teresa non dimentica di essere soltanto una debole *canna*, per questo l'ha posta sul suo blasone. Il triangolo luminoso rappresenta l'Adorabile Trinità che non cessa di effondere i suoi doni inestimabili sull'anima della povera piccola Teresa, perciò nella sua riconoscenza ella non dimenticherà mai questo motto: "L'Amore si paga solo con l'Amore"» (MS A, 85v). Troviamo uno splendido commento di questo testo nella tesi di P. MOSTARDA, *La simbolica della natura nella teologia di Teresa di Lisieux*, Teresianum, Roma 2005, 336-393).

[13]   Sono le ultime parole del suo studio sulla teologia simbolica di Dionigi Areopagita: E. STEIN, *Vie della Conoscenza di Dio*, ed. Messaggero, Padova 1983, 187).

[14]   *Lumen Gentium*, cap. VIII n. 53.

Nome di Dio (circa 800 volte). E lo stesso Nome di Dio significa più spesso la Persona di Gesù. Il Nome di Gesù designa sempre la Persona del Verbo Incarnato, "Dio in fasce", "Dio che si è fatto piccolo". Prima di essere un Nome umano, "economico", è innanzitutto *un Nome divino*, *"teologico"*; non indica per prima cosa "la santa Umanità" (come in Teresa d'Avila), ma la Persona Divina che ha preso quest'umanità e che sempre sussiste nella Divinità. In Teresa di Lisieux come nel Cardinale de Bérulle (che ha esercitato un grande influsso sulle carmelitane di Francia; il carmelo di Lisieux era "berulliano"), il cristocentrismo è un vero "teo-antropocentrismo". Il centro di tutto è Gesù come Dio-Uomo. In tale prospettiva non si può neanche distinguere il cristocentrismo dal teocentrismo, perché tale cristocentrismo è *teocentrico e trinitario*. Negli scritti di Teresa, il Nome di Gesù è il Nome Divino per eccellenza, utilizzato spesso come sinonimo del Nome di Dio, con la frequente alternanza e il parallelismo delle espressioni: "Mio Dio/Mio Gesù". Senz'altro il Nome di Dio indica certe volte tutta la Trinità o la Persona del Padre o quella dello Spirito, ma sempre in una prospettiva cristologica, cristocentrica.

Troviamo un esempio particolarmente significativo di questo primato del Nome di Gesù come Nome divino, "teologico", nell'iscrizione incisa da Teresa sulla parete divisoria della sua cella: «Gesù è il mio unico Amore»[15]. Quest'iscrizione è l'interpretazione di Teresa all'affermazione centrale della Rivelazione di Dio in Gesù Cristo: «Dio è Amore» (*1 Gv* 4, 8).

Il carattere trinitario di questo cristocentrismo appare in modo luminoso nei tre versi della poesia *Vivere d'Amore*:

> «Ah! Tu lo sai, Divino Gesù ti amo
> Lo Spirito d'Amore m'incendia con il suo fuoco
> Amando te attiro il Padre» (P 17, 2).

La Persona di Gesù rimane come il punto d'applicazione centrale dell'atto d'amore, con la ripetizione «Gesù ti amo [...] amando te», ma con riferimento alle altre due Persone divine, il Padre e lo Spirito.

---

[15] Troviamo la fotografia di quest'iscrizione nel libro di P. Descouvemont e H.N. Loose, *Thérèse et Lisieux*, Ed. du Cerf, Paris 1991, 261.

È primariamente amando Gesù che Teresa vive nella comunione della Trinità[16].

2. L'uomo *capax Christi*: un'antropologia cristologica fondata nei Misteri della Creazione e della Salvezza

Teresa contempla Gesù al centro della Trinità e anche al centro del cosmo e della storia come *Creatore e Salvatore*[17]. La santa non perde

---

[16] L'articolo del Simbolo di Nicea-Costantinopoli su Gesù è la chiave migliore per interpretare e sintetizzare l'inesauribile dottrina di Teresa riguardante la Persona e l'opera di Gesù. Gesù è contemplato al centro della Trinità, tra il Padre e lo Spirito Santo. Dopo il primo articolo sulla Persona del Padre e il mistero della creazione, il Simbolo contempla la Persona di Gesù nella sua Divinità, come Figlio eterno del Padre e Creatore di tutte le cose, "colui per mezzo del quale tutto è stato fatto"; e poi nella sua Umanità, successivamente nei misteri del suo abbassamento e della sua esaltazione: l'Incarnazione e la Passione, la Risurrezione, l'Ascensione. Infine vengono gli articoli sullo Spirito Santo, la Chiesa, i Sacramenti e la Vita eterna. Con questo cristocentrismo teocentrico e trinitario, Teresa di Lisieux è di fatto più vicina alla prospettiva del simbolo di Nicea-Costantinopoli, che presenta Gesù nella Trinità, tra il Padre e lo Spirito Santo, che alla prospettiva del simbolo agostiniano *Quicumque*, che presenta prima la Trinità (senza usare il Nome di Gesù) e poi solamente Gesù a partire dall'Incarnazione. Nel Simbolo di Nicea-Costantinopoli, il Nome di Gesù precede quello di Figlio; esso sintetizza tutta la teologia e l'economia. Lo stesso "Signore Gesù-Cristo" è innanzitutto contemplato nella sua Divinità come Figlio Unigenito del Padre, vero Dio nato dal vero Dio e creatore, prima di essere contemplato nella sua umanità come Figlio di Maria. Non vi è certamente alcuna contraddizione tra le due prospettive, ma è importante distinguerle poiché la "cristologia" non ha esattamente lo stesso senso e la stessa estensione a seconda che ci si situi nell'una o nell'altra. Per santa Teresa d'Avila, così come per san Tommaso d'Aquino, la prospettiva è nettamente quella del simbolo *Quicumque*: sia l'una che l'altro parlano della *Trinità e del Cristo*, cioè di *Dio Trinità e del Cristo come uomo*. Tale è la struttura fondamentale della *Somma Teologica* di Tommaso d'Aquino e del *Castello Interiore* di Teresa d'Avila: la contemplazione della Trinità è seguita dalla contemplazione della "Santa Umanità" (Prima e terza Parte della *Somma*; primo e secondo capitolo delle Settime Mansioni nel *Castello Interiore*).

[17] Così infatti afferma la *Positio* del Dottorato: «Nella teologia di Teresa, così come in quella di Francesco d'Assisi, c'è un'armonia molto profonda tra i Misteri della Creazione e della Salvezza perché essi sono contemplati centralmente in Gesù. È lo stesso Gesù che è creatore di tutte le cose per mezzo della sua Divinità e salvatore dell'uomo per mezzo della sua umanità unita alla sua Divinità. In questa prospettiva così fortemente cristocentrica, la creazione, l'incarnazione, il peccato e la redenzione sono realtà assolutamente inseparabili. La creazione dell'uomo ad immagine e somiglianza di Dio richiama l'Incarnazione come manifestazione visibile di Colui che è l'Immagine del Dio invisibile (cfr. *Col* 1, 15). Questa

l'occasione per ricordare che Gesù Bambino, così debole e piccolo, è nello stesso tempo il Dio Onnipotente, creatore di tutte le cose: «Con la tua piccola mano che accarezzava Maria/ Tu reggevi il mondo e gli davi vita/ E pensavi a me»[18]. Esattamente come Francesco, Teresa ama tanto più la creazione visibile, in quanto la contempla in relazione con Gesù: essa è nella sua mano, essa parla di lui. Ma soprattutto, Gesù è il creatore dell'uomo e si è fatto uomo per salvarlo colmandolo del suo Amore. L'antropologia teresiana è un'antropologia cristologica che sintetizza fortemente i punti di vista della *creazione* e della *salvezza*. La carmelitana esprime ciò principalmente attraverso due grandi simboli: il *fiore*, che è il simbolo primo dell'umanità nella sua condizione terrena, e la *lira*, che è il simbolo principale del cuore umano.

2.1. *Il simbolo del fiore, nei "libri" della Natura e della Scrittura*

Il *fiore* è un simbolo inesauribile che Teresa utilizza riferendosi inseparabilmente al Libro della Sacra Scrittura e al "libro della Natura" (cfr. MS A, 2). Il fiore significa la condizione presente della nostra umanità, in tutta la sua bellezza, ed ancor di più nella sua piccolezza e fragilità. La carmelitana indica se stessa come un piccolo fiore, applica questo simbolo a tutta l'umanità, e soprattutto a Gesù stesso "nei giorni della sua carne". Questo simbolo permette a Teresa di esprimere in modo particolare la realtà del corpo umano e della corporeità, "soggetto tabù" nella sua epoca e nel suo contesto culturale. Negli scritti teresiani, mentre il termine "anima" appare circa 900 volte, il termine "corpo" è usato

---

dottrina era già stata sviluppata da sant'Ireneo. Quanto al peccato, esso è "la felice colpa", che rende necessaria la Redenzione nel Sangue del Figlio di Dio. Per Teresa, così come per Paolo, l'uomo è impensabile senza Gesù, essendo Adamo la figura di Colui che doveva venire (cfr. *Rm* 5, 14) [...] . Gesù è il Verbo divino attraverso il quale il Padre ha creato tutto (cfr. *Gv* 1, 3). "Per mezzo di Lui tutte le cose sono state create, quelle nei cieli e quelle sulla terra, quelle visibili e quelle invisibili [...] . Tutte le cose sono state create per mezzo di Lui e in vista di Lui. Egli è prima di tutte le cose e tutte sussistono in Lui" (*Col* 1, 16-17)», (p. 223).

[18] P 24, 6. Qui viene espressa una certezza fondamentale della cristologia di Teresa, la certezza di essere stata sempre conosciuta ed amata personalmente da Gesù durante tutta la sua vita terrena. Per giustificare teologicamente questa certezza di Teresa (e di tutti i mistici), bisogna ritrovare il grande tema della *visione beatifica* sempre presente nell'anima di Gesù secondo san Tommaso.

solo sei volte! Eppure quest'apparenza è ingannatrice poiché, in realtà, Teresa parla molto del corpo, ma in modo criptico, soprattutto grazie al linguaggio dei fiori. "Ditelo con i fiori"! Ella dice il corpo con i fiori[19].

Infine, con il simbolo del fiore, Teresa dirà, in modo velato, criptico, la realtà più tragica della sua passione. Una delle sue ultime poesie ha come tema *La rosa sfogliata* (cfr. P 51). Grazie a questo simbolo, la carmelitana può trasformare nell'Amore di Gesù il terribile pensiero del nulla che l'assale continuamente[20]. Questa sconvolgente poesia mostra fino a dove arriva il linguaggio dei fiori. Questo simbolo del fiore, ben lungi dall'essere sdolcinato, permette a Teresa di dire con forza le grandi realtà umane del corpo, dell'amore, della sofferenza e della morte.

2.2. *Il simbolo della lira e delle sue quattro corde: l'Amore di sposa e di madre, di figlia e di sorella*

Ma Teresa è teologa del cuore, più ancora che del corpo[21]. E per esprimere la meraviglia del cuore umano, ella utilizza l'altro grande sim-

---

[19]   Così, nella sua prima poesia, con il simbolo del fiore, Teresa può esprimere tutto il realismo più corporeo dell'Incarnazione: Maria che dà il seno a Gesù. Come il piccolo fiore è riscaldato dal sole e nutrito dalla rugiada del mattino, così Gesù neonato è «il fiore appena schiuso». Teresa gli dice allora: «Il tuo dolce sole è il seno di Maria/ E la tua rugiada è il latte verginale» (P 1/3). Questa rugiada diventa il Sangue di Gesù: è la stessa «rugiada divina» che Egli verserà quando sarà «sulla croce, Fiore ormai sbocciato» e che ci lascerà nell'eucaristia, sacramento del suo Corpo e del suo Sangue. Allo stesso modo, nella Poesia 24, Teresa raccoglie questa medesima «rugiada d'amore» sul Volto di Gesù al Getsèmani. Lei stessa è uno dei «fiori verginali» che questo Sangue ha fatto germogliare e ha reso fecondi. Ed ancora con il linguaggio dei fiori, Teresa esprime in modo audace tutto il mistero della sua sponsalità e della sua maternità verginali: «Ricordati che la tua Rugiada feconda, / verginizzando le corolle dei fiori, / li ha resi capaci fin da quaggiù / di partorirti un gran numero di cuori./ Sono vergine, o Gesù! Tuttavia, quale mistero, / unendomi a te, di anime sono madre» (P 24, 21-22).

[20]   «Ma *la rosa sfogliata*, la si getta semplicemente, / Come gira il vento; / Una *rosa sfogliata* senza ricercatezza si dona / Per *non essere* più. [...] / Nello sfogliarmi voglio mostrarti che t'amo, / O mio Tesoro! / Sotto i tuoi passi di bimbo qui nel mistero / Voglio vivere; / E vorrei ancora addolcire verso il Calvario / I tuoi ultimi passi! [...] » (P 51/3, 5).

[21]   Invece, la più grande teologa del corpo è indubbiamente santa Caterina da Siena, anche lei Dottore della Chiesa, con il suo continuo riferimento alla carne e al sangue di Cristo. Sappiamo anche come la "teologia del corpo" è stato uno dei principali argomenti dell'insegnamento di Giovanni Paolo II, durante i primi anni del suo pontificato.

bolo, quello della *lira* e delle sue *corde*: «Tu fai vibrare della tua lira le corde / E questa lira, o Gesù, è il mio cuore» (P 48/5).

Per lei il cuore umano è essenzialmente caratterizzato dall'amore, da una capacità infinita di amare e di essere amato, che può realizzarsi solo nell'Amore di Gesù, Amore verginale, divino e umano. La carmelitana sperimenta presto questa realtà nel suo proprio cuore. Lo dice in modo molto bello in una lettera scritta all'inizio del suo noviziato:

> «È incredibile come il cuore mi sembra grande quando considero tutti i tesori della terra, poiché vedo che tutti riuniti non potrebbero appagarlo! Ma quando considero Gesù, allora come mi sembra piccolo! Vorrei tanto amarlo! [...] Amarlo più di quanto sia mai stato amato» (LT 74).

La natura profonda del cuore umano è la sua capacità di Dio, *"capax Dei"*. Teresa capisce questa capacità come capacità dell'Amore di Gesù. Potremmo affermare che, per lei, il nostro cuore è essenzialmente *"capax Christi"*, cioè *"capax Dei Hominis"*. La sua capacità d'amore può essere colmata solo da Gesù, le sue ferite possono essere guarite solo dall'Amore di Gesù, vero Dio e vero Uomo.

Il simbolo teresiano della lira e delle corde permette di capire meglio questa capacità d'amore che caratterizza il cuore umano. Lo studio attento di questo simbolo, molto frequente nei suoi scritti, ci permette d'identificare chiaramente quattro corde essenziali che sono *l'amore sponsale e l'amore materno, l'amore filiale e l'amore fraterno*. Teresa ha un cuore di sposa e di madre, di figlia e di sorella. Ed è una verità antropologica universale: ogni donna, nel più intimo di sé, ha queste quattro corde. Allo stesso modo, ogni uomo ha un cuore di sposo e di padre, di figlio e di fratello. Queste quattro corde caratterizzano l'essere umano, creato ad immagine e somiglianza del Dio-Amore in tutta la sua realtà spirituale e corporea. Esse sono state ferite dal peccato, ma non distrutte. Sono come "scordate". Attraverso il suo Amore, Gesù le salva e le "riaccorda". Questa simbolica musicale è una delle chiavi della teologia di Teresa. I suoi scritti sono "un canto d'Amore", la testimonianza di una donna che ama con tutto il suo cuore, che abbraccia tutta la realtà di Dio e dell'Uomo nell'unico Amore di Gesù. Quest'espressione così precisa, così bella e potente di un cuore umano pienamente realizzato nell'amore, trova un'eco molto profonda in qualsiasi altro cuore umano che l'accoglie.

Questa è certamente una delle ragioni profonde dell'influsso di Teresa oltre tutte le frontiere culturali o religiose.

Così, le espressioni di Teresa: «Vivere d'Amore», «la mia vocazione è l'Amore», hanno un significato antropologico universale. L'Amore è il più grande dono e il più grande comandamento di Dio: «Tu amerai con tutto il cuore» significa: con tutte le corde. Queste corde corrispondono anche alle più fondamentali *relazioni umane come relazioni d'amore: tra lo Sposo e la Sposa, tra la Madre e il Figlio, tra la Figlia e il Padre (o la Madre), tra la Sorella e tutti i suoi Fratelli.* Sono delle relazioni fondamentali dell'umanità creata da Dio come uomo e donna, e che costituiscono l'umanità come famiglia. Teresa vive queste relazioni d'Amore nella Verginità Consacrata. Il tema della Verginità è molto importante nei suoi scritti. Si tratta di una realtà dinamica, particolarmente espressa con il verbo "verginizzare". Così, *l'Amore verginale di Gesù* è precisamente questo *Amore inseparabilmente umano e divino che integra e sintetizza in modo completamente nuovo tutte queste relazioni umane nelle relazioni divine della Trinità*[22].

---

[22]   Sullo stesso argomento, il testo più illuminante è stato scritto da san Francesco d'Assisi, nella sua *Lettera ai Fedeli* (Prima Recensione). Il santo mostra come, *in Cristo Gesù, la carità è proprio la sintesi di tutte le relazioni divine tra il Padre, il Figlio e lo Spirito Santo, e di tutte le relazioni umane tra lo Sposo e la Sposa, il Figlio e la Madre, il Fratello e tutti i fratelli.* Così, secondo le sue parole, *tutti i fedeli che vivono nella carità sono animati dallo Spirito Santo che li fa non solo Figli del Padre, ma anche Sposi, Fratelli e Madri di Gesù.* E questo lo dice ugualmente *per gli uomini e per le donne, per le persone sposate come per le persone consacrate.* Bisogna citare questo testo straordinariamente sintetico di Francesco: «Tutti coloro che amano il Signore con tutto il cuore, con tutta l'anima e la mente, con tutta la forza e amano i loro prossimi come se stessi [...] e ricevono il corpo e il sangue del Signore nostro Gesù Cristo, e fanno frutti degni di penitenza: Oh, come sono beati e benedetti quelli e quelle, quando fanno tali cose e perseverano in esse; perché riposerà su di essi lo Spirito del Signore, e farà presso di loro la sua abitazione e dimora; e sono figli del Padre celeste, del quale compiono le opere, e sono sposi, fratelli e madri del Signore nostro Gesù Cristo. Siamo sposi, quando nello Spirito Santo l'anima fedele si congiunge al Nostro Signore Gesù Cristo. Siamo suoi fratelli, quando facciamo la volontà del Padre che è nei cieli. Siamo madri, quando lo portiamo nel cuore e nel corpo nostro per mezzo del divino amore e della pura e sincera coscienza, e lo diamo alla luce per mezzo della santa operazione che deve risplendere agli altri in esempio. Oh, come è glorioso, santo e grande avere in Cielo un Padre! Oh, come è santo, fonte di consolazione, bello e ammirabile avere un tale Sposo! Oh, come è santo e come è caro, piacevole, umile, pacifico, dolce, amabile e desiderabile sopra ogni cosa avere un tale Fratello e un tale Figlio, il Signore nostro Gesù Cristo, il quale offrì la sua vita per le sue pecorelle, e pregò il Padre dicendo: "Padre santo,

2.3. *Il* Cur Deus Homo *teresiano:*
la "necessità" dell'Incarnazione, della Redenzione e dell'Eucaristia

L'antropologia cristologica di Teresa permetterebbe sicuramente di riprendere e di approfondire la grande questione del "motivo dell'Incarnazione": *Cur Deus Homo*, (Perché il Dio-Uomo)? Sappiamo come sant'Anselmo si sia sforzato di rispondere a questa domanda, elaborando una nuova e geniale "dimostrazione" dell'esistenza del Dio-Uomo. Troviamo, negli scritti teresiani, una maniera originale di rispondere alla stessa domanda, che completa quella di sant'Anselmo. Nella sua poesia *Al Sacro Cuore di Gesù* (cfr. P 23), la carmelitana afferma la necessità dei Misteri dell'Incarnazione, della Croce e dell'Eucaristia a partire dal suo stesso cuore, dal suo desiderio d'amare e di essere amata:

> «Ho bisogno di un cuore ardente di tenerezza,
> Che rimanga il mio sostegno senza alcun ricambio,
> Che ami tutto in me, perfino la mia debolezza.
> Che non mi lasci mai, né giorno né notte.
> Non ho potuto trovare alcuna creatura,
> Che mi amasse sempre, senza mai morire.

custodiscili nel tuo nome, coloro che mi hai dato nel mondo; erano tuoi e tu li hai dati a me [...]"» (*Fonti Francescane*, editio minor, n. 178/1-3). Questo testo di Francesco mi sembra tanto importante per capire la profondità teologica ed antropologica dell'insegnamento di Teresa sulle "quattro corde" del cuore umano. Nei due santi, troviamo lo stesso cristocentrismo trinitario, ma il riferimento al Padre e allo Spirito Santo è più esplicito in Francesco, e anche l'insistenza sulle relazioni nella loro reciprocità: *Noi siamo veramente sposi, fratelli e madri di Gesù, essendo figli del suo Padre / Dio è veramente nostro Padre, Gesù è veramente nostro Sposo, Fratello e Figlio.* Mediante il dono della Carità, lo Spirito Santo ci conduce al Padre "per Cristo, con Cristo e in Cristo". In rapporto con la relazione filiale al Padre, Francesco descrive una triplice relazione d'Amore con Gesù Sposo, Fratello e Figlio. È evidente che mediante la carità, lo Spirito Santo fa vibrare tutte le corde del cuore. Così, l'essere umano si sviluppa e si unifica perfettamente in Cristo Gesù Dio-Uomo, in un Amore pienamente divino e pienamente umano, che abbraccia tutti i Misteri della Divinità e dell'Umanità. Santa Chiara, nelle sue quattro *Lettere ad Agnese di Praga* (cfr. *Fonti Francescane*, n. 2859-2911), riprende questo insegnamento di Francesco, ma in modo nuovo e abbastanza diverso: non è più un uomo che scrive a tutti i fedeli, ma una donna consacrata che scrive a un'altra donna consacrata. La prospettiva è dunque più limitata, ma con una nuova intensità nell'espressione dell'Amore di Gesù Sposo e Figlio. È evidente che il cuore femminile come cuore di Sposa e di Madre è "privilegiato" per amare l'Uomo-Dio come Sposo e Figlio. Lo stesso si vede negli scritti di Teresa, e specialmente nelle sue *Lettere alla sorella Celina*.

Per me ci vuole un Dio, che assunta la mia natura,
Divenga mio fratello capace di soffrire!
Mi hai udita, unico Amico che amo,
Per rapirmi il cuore, facendoti mortale,
Tu versasti il tuo sangue, che mistero supremo! [...]
E vivi ancora per me sull'Altare» (P 23/4-5).

Qui, la teologia teresiana illumina e completa la teologia anselmiana della "soddisfazione". Attraverso vie differenti ma complementari, i due Dottori della Chiesa "dimostrano" come nessuna creatura può "soddisfare" per la salvezza dell'uomo. Ma se l'uomo, da solo, non "soddisfa", nemmeno Dio, da solo, "soddisfa". È necessario quindi un Dio-Uomo per "soddisfare" a tutte le esigenze della salvezza dell'uomo. Facendosi uomo, versando il suo Sangue sulla Croce e dandoci il suo Corpo e il suo Sangue nell'Eucaristia, il Figlio di Dio "soddisfa" pienamente alla Giustizia misericordiosa del Padre, e contemporaneamente, "soddisfa" pienamente il cuore dell'uomo che Egli salva, colmandolo del suo Amore[23]. Qui è un cuore di sorella e di sposa che "esige" l'Incarnazione, la Croce e l'Eucaristia!

Nella *Fuga in Egitto* (cfr. PR 6), Teresa esprime la stessa "necessità" dell'Incarnazione, ma a partire da un "cuore di madre", facendo parlare Susanna, la madre del piccolo Dimas (il futuro buon ladrone del Vangelo). È una donna peccatrice, una pagana, che non conosce il libro della Sacra Scrittura ma solamente "il libro della natura". Pur non conoscendo la legge di Mosé ha però «la legge naturale per sapere come comportarsi» (MS A, 3r). E questa legge è già una meravigliosa legge d'amore: è l'amore materno in ciò che possiede di più doloroso, di più sconvolgente. Una madre addolorata il cui figlio sta per morire. Allora sgorga dal più profondo del suo cuore una preghiera al Dio sconosciuto:

---

[23] Lo stesso sant'Anselmo apre queste prospettive mistiche nella sua *Meditatio Redemptionis Humanae*, che è la ripresa del *Cur Deus Homo* in forma di preghiera. Ho pubblicato la traduzione di questa preghiera alla fine del mio libro su santa Gemma Galgani (cfr. F.-M. LÉTHEL, *L'Amore di Gesù Crocifisso Redentore dell'uomo. Gemma Galgani*, Libreria Editrice Vaticana 2004). Infatti, questa grande mistica della Passione Redentrice di Gesù, contemporanea di Teresa, attinge a queste preghiere di Anselmo negli ultimi mesi della sua vita.

«Dio non respingerebbe la preghiera di un cuore di madre che a Lui si affida! Io sento che Egli deve essere infinitamente buono, l'Essere sconosciuto che mi ha creato […] . Bisognerebbe che Lui stesso si abbassasse fino a me perché il mio desiderio non fosse una chimera […] . Solo una madre può formulare un simile sogno. Ahimè, perché non è realizzabile! (*Piange*)» (PR 6, 5v).

Ora, è un "cuore di madre" che chiede, che "esige" l'Incarnazione: "Bisognerebbe" che il Dio infinitamente buono "si abbassasse" fino alla sua povera creatura così dolente. Dio stesso ha ispirato a Susanna questo desiderio nel momento in cui Egli voleva donarle suo Figlio. Si è abbassato, si è fatto uomo per lei e per suo figlio, e ora le va incontro, piccolo bambino nelle braccia di Maria. È qui alla porta!

Riprendendo ed elaborando teologicamente le grandi intuizioni di Teresa, sarebbe possibile proporre una vera *dimostrazione dell'esistenza del Dio-Uomo* a partire dal cuore umano, dal suo abissale bisogno d'amare e di essere amato, di essere salvato amando ed essendo amato.

3. «Nel Cuore della Chiesa, io sarò l'Amore»: lo Spirito Santo e le "virtù teologiche" di carità, speranza e fede

Teresa è teologa del Mistero del Cristo e della Chiesa. Insieme alla cristologia, l'ecclesiologia è una delle componenti più originali della teologia di Teresa. Ed è un'ecclesiologia in armonia profonda con quella del Vaticano II.

Quest'ecclesiologia trova la sua espressione culminante nel *Manoscritto B*, capolavoro di Teresa. La carmelitana vede tutta la realtà a partire dall'Amore, dal punto di vista dell'Amore, e sempre con riferimento al centro che è Gesù. Così, «parlando a Gesù» (MS B, 1v), ella scopre tutta la profondità del Mistero della Chiesa come *Mistero d'Amore*. Sviluppa la sua ecclesiologia in una preghiera a Gesù, raccontando la scoperta del Cuore della Chiesa e della sua Vocazione nel Cuore della Chiesa. La sua teologia conserva sempre un fondamentale carattere narrativo, autobiografico. Se l'aspetto cristologico è sempre esplicito, al contrario quello pneumatologico rimane implicito. Nell'insieme dei suoi scritti, Teresa nomina raramente lo Spirito Santo (23 volte) mentre nomina Gesù più di 1600 volte! Addirittura, lo Spirito Santo non è nominato una sola volta nella lunga preghiera a Gesù che è il cuore del

Manoscritto B, come non è nominato nella *Preghiera d'Offerta all'Amore Misericordioso* (cfr. Pr 6). Tuttavia, sono i due testi più pneumatologici di Teresa, dove lo Spirito Santo è significato per mezzo del medesimo simbolo del Fuoco, utilizzando proprio l'espressione del "Cuore ardente d'Amore". Nella *Preghiera d'Offerta* si riferisce al Cuore di Gesù, invece nel *Manoscritto B* si riferisce al Cuore della Chiesa. Teresa scopre questo Cuore interpretando in modo geniale i capitoli XII e XIII della Prima Lettera ai Corinzi. Ella spiega il testo del capitolo XIII sulla Carità, ampliando il simbolo del Corpo e delle membra usato da san Paolo nel capitolo XII. Quindi scaturisce dalla sua penna questo testo stupendo:

> «Considerando il corpo mistico della Chiesa, non mi ero riconosciuta in nessuno dei membri descritti da San Paolo: o meglio, volevo riconoscermi in *tutti*!... *La Carità* mi diede la chiave della mia *vocazione*. Capii che se la Chiesa aveva un corpo, composto da diverse membra, il più necessario, il più nobile di tutti non le mancava: capii che la Chiesa *aveva un Cuore e che questo Cuore era* ACCESO *d'*AMORE. Capii che *solo l'Amore* faceva agire le membra della Chiesa: che se *l'Amore* si dovesse spegnere, gli Apostoli non annuncerebbero più il Vangelo, i Martiri rifiuterebbero di versare il loro sangue... Capii che L'AMORE RACCHIUDE-VA TUTTE LE VOCAZIONI, CHE L'AMORE ERA TUTTO, CHE ABBRACCIAVA TUTTI I TEMPI E TUTTI I LUOGHI!... INSOMMA CHE È ETERNO!... Allora, nell'eccesso della mia gioia delirante ho esclamato: O Gesù, mio Amore... la mia *vocazione* l'ho trovata finalmente! LA MIA VOCAZIONE È L'AMORE!... Sì, ho trovato il mio posto nella Chiesa e questo posto, o mio Dio, sei tu che me l'hai dato: nel Cuore della Chiesa, mia Madre, sarò *l'Amore*!... e così sarò tutto... così il mio sogno sarà realizzato!!!...» (MS B, 3r-v).

Il Fuoco d'Amore che arde nel Cuore della Chiesa è evidentemente il Fuoco della Pentecoste, cioè dello Spirito Santo stesso: è il medesimo Fuoco che arde nel Cuore di Gesù e nel Cuore della sua Sposa. «Lo Spirito d'Amore m'incendia con il suo Fuoco», scriveva Teresa (P 17, 2). L'Amore, cioè la carità (*agápe*) è il più grande dono dello Spirito Santo nella Chiesa. È come il "cuore" del Corpo Mistico, che unifica tutte le diverse vocazioni nella comune vocazione alla santità[24]. Nella

---

[24] Questa visione del Mistero della Chiesa è singolarmente vicina a quella del Vaticano II. La Costituzione *Lumen Gentium* ha, in effetti, privilegiato il punto di vista della *Santità* della Chiesa che è essenzialmente l'Amore, la Carità. Perciò, all'interno dell'unico Popolo

Chiesa Celeste, l'Amore è vissuto nella visione faccia a faccia, mentre nella Chiesa Pellegrinante, lo stesso Amore è vissuto nella Fede e nella Speranza. Qui, la dottrina di Teresa va interpretata nelle prospettive di san Tommaso e di san Giovanni della Croce, per i quali queste tre "virtù teologiche" sono il fondamento e l'anima di tutta la teologia e di tutta la vita spirituale. Attraverso esse lo Spirito Santo dà alla Chiesa terrena la più profonda conoscenza di Dio. Poiché la carmelitana mostra sempre il *primato dell'Amore*, bisogna per prima cosa considerare la Carità, e in seguito la Fede e la Speranza. Essendo "la più grande delle tre" (cfr. *1 Cor* 13, 13).

3.1. *La carità "più grande" e "più teologica"*

Con tutti i suoi scritti, Teresa rivela la grandezza e lo splendore della Carità che è il più grande dono dello Spirito Santo, come unico Amore di Dio e dell'uomo in Gesù, il Dio-Uomo. Ella mostra ciò primariamente attraverso il semplicissimo atto d'amore: «*Gesù ti amo*», che anima i suoi scritti e che ella ha espresso nel suo ultimo respiro. Le sue ultime parole sono state: «Mio Dio vi amo»; parlava a Gesù, fissando gli occhi sul Crocifisso che stringeva nelle sue mani. Teresa desiderava rinnovare l'atto d'Amore «ad ogni battito del suo cuore [...] un numero infinito di volte» (Pr 6). Conformemente alla sua missione: «*amare Gesù e farlo amare*» (LT 220), insegna come sia possibile per tutti vivere, attraverso il cammino della fiducia, un tale amore. In realtà, «è la fiducia e solo la fiducia che deve condurci all'Amore» (LT 197). Nel Vangelo, è l'amorosa audacia, prima di Maria Maddalena (cfr. MS C, 36v; LT 247), la peccatrice, che osa avvicinarsi a Gesù (cfr. *Lc* 7, 36-50), e poi dell'Apostolo Pietro, che, alla domanda di Gesù, ripara il suo triplice rinnegamento con un triplice atto d'amore: «Signore tu sai che ti amo» (*Gv* 21, 15-17, citato da Teresa in P 17, 2 e sull'importantissima immagine I[25]). Le poesie di Teresa mostrano come l'atto d'Amore è la sua principale chiave interpretativa

di Dio (cap. II), tutte le vocazione particolari (la gerarchia, cap. II; i laici, cap. III; i religiosi, cap. VI) sono situate in rapporto alla comune e fondamentale vocazione alla santità (cap. V), in comunione con la Chiesa del Cielo (cap. VII), e soprattutto nella luce di Maria (cap. VIII) che riflette perfettamente questa Santità della Chiesa.

[25] Cfr. *Opere Complete*, 1199-1200. L'Immagine è riprodotta fuori del testo tra le pagine 416 e 417.

del Vangelo. Mediante questo «Gesù ti amo», lo Spirito Santo la rende immediatamente presente a tutti i Misteri rivelati nel Vangelo. Questo si vede per esempio nella lunga Poesia: *Gesù, mio Diletto, Ricordati!* (cfr. P 24) e nell'ultima: *Perché ti amo, o Maria!* (cfr. P 54, dove lo stesso atto d'Amore è rivolto anche a Maria).

Mentre la Fede e la Speranza passeranno con questa vita, la Carità non passerà mai (cfr. *1 Cor* 13, 8). Per Teresa, la Carità è «questo Fuoco della Patria» (P 45, 7), che le permette di vivere già un "cuore a cuore" con Gesù, totale e perfettamente reciproco, mentre il "faccia a faccia" non sarà dato che in Cielo (cf. LT 122). Ella illustra ciò che Pietro scriveva ai fedeli, parlando di Gesù: «Voi lo amate, pur senza averlo visto; e ora senza vederlo credete in lui. Perciò esultate di gioia indicibile e gloriosa [...] » (*1 Pt* 1, 8). Tale è davvero la gioia di Teresa: «Gesù, la mia gioia è amare Te» (P 45, 7).

La carmelitana fa vedere come la Carità è veramente *l'amore assoluto* già dato in questa vita, mentre il *sapere assoluto* della visione di Dio "così com'è" (cfr. *1 Gv* 3, 2) sarà dato solo nell'escatologia. Quaggiù, quest'amore assoluto può essere vissuto solo nel *sapere relativo* della fede che è essenzialmente "non visione". In questa vita l'uomo è radicalmente limitato nella sua possibilità di conoscere, ma è illimitato nella sua possibilità di amare. Secondo san Tommaso, noi possiamo già amare immediatamente, totalmente e smisuratamente Colui che conosceremo perfettamente solo nell'altra vita[26]. Teresa dà una splendida verifica di questa affermazione del Dottore Angelico. Mostra, in modo particolare, la dismisura della Carità come *totalità* e *infinito*. Le parole "tutto" e "infinito", che sono tra le più caratteristiche del vocabolario teresiano, non esprimono mai delle "pie esagerazioni", ma una conoscenza molto esatta del Mistero della Carità[27]. Perciò, quando parlando di Gesù scrive: «vorrei amarLo tanto [...] amarLo più di quanto sia mai stato amato» (LT 74), ella non esagera ma verifica ciò che scriveva san Tommaso:

---

[26]   Cfr. S. Th. II-II q. 27 artt. 4, 5 e 6.
[27]   Infatti, secondo la bella espressione di Péguy, «il cristianesimo ha messo l'infinito dappertutto» (*Le Christianisme a mis l'infini partout*).

«la carità può sempre crescere, fino all'infinito; non c'è alcun limite al suo aumento poiché è una certa partecipazione alla Carità Infinita che è lo Spirito Santo»[28].

Nel giorno della sua Professione, Teresa domanda a Gesù il dono «dell'Amore Infinito» (Pr 2), e il *Manoscritto B*, scritto esattamente sei anni dopo, rivela come questa preghiera sia stata pienamente esaudita. Solo la Carità, l'Amore Infinito ed Eterno che abbraccia tutti i tempi, tutti i luoghi, tutte le vocazioni, tutta l'umanità, dà a Teresa la possibilità di essere veramente tutto, senza cedere alla vertigine del panteismo: «Nel Cuore della Chiesa [...] sarò *l'Amore* [...] così sarò tutto» (MS B, 3v).

Questo Amore di Carità è la vocazione dell'essere umano. Egli è fatto per un tale Amore, che gli è dato pienamente da Gesù nello Spirito Santo. L'antropologia dei santi è fondamentalmente un'antropologia della carità, inseparabilmente cristologica e pneumatologica. Quindi, per san Tommaso la carità è la «madre, la radice e la forma di tutte le virtù»[29]. Allo stesso modo, santa Caterina da Siena afferma: «la vostra materia è l'Amore»[30]; per lei, l'essere umano «non è fatto d'altro che d'amore, secondo l'anima e secondo il corpo»[31].

Attraverso tutti i suoi scritti, Teresa dimostra in modo mirabile questa verità essenziale sull'uomo. Manifesta soprattutto come la carità realizzi lo sviluppo totale del cuore umano in tutte le sue dimensioni. La carità fa "vibrare" in pienezza le "quattro corde" del cuore, delle quali abbiamo parlato precedentemente: *sponsale e materna, filiale e fraterna*. Nel cuore di Teresa, lo stesso amore di carità si manifesta come *amore di sposa e di madre, di figlia e di sorella*. Questa maturazione piena della sua umanità, della sua femminilità, è uno degli aspetti più convincenti della sua testimonianza.

Come donna adulta, Teresa è per prima cosa sposa e madre, ed è in questi termini che lei stessa definisce la sua vocazione carmelitana: «essere tua *sposa*, o Gesù [...] essere per la mia unione con te, *madre* di anime» (MS B, 2v). I suoi scritti contengono un ricchissimo insegnamento sulla *verginità* cristiana, verginità feconda che è inseparabilmente sponsalità

---

[28] S. Th. II-II q. 24 artt. 4 e 7.
[29] S. Th. I-II q. 62 art. 4.
[30] *Dialogo* cap. 110.
[31] *Lettera* 196.

e maternità, partecipazione al Mistero di Gesù nella Comunione dello Spirito Santo, con Maria e nella Chiesa. Come san Giovanni della Croce, ella mette al primo posto l'amore sponsale di Gesù, amore appassionato che purifica e integra tutte le dimensioni dell'*eros*[32], amore geloso ed esclusivo caratterizzato dall'espressione: «Gesù solo». L'amore sponsale di Gesù è la sorgente di un amore materno che si estende a tutti gli uomini. Per Teresa, un "cuore di madre" è un cuore che desidera e spera fermamente la salvezza eterna di ogni figlio, mettendo tutta la sua fiducia nella misericordia infinita di Gesù. Ella fa dire ciò alla Vergine Maria, nella *Fuga in Egitto*[33]. Ma era già con un cuore di madre che ella aveva sperato e ottenuto la salvezza di Pranzini, il suo "primo figlio". L'*amore filiale* si esprime attraverso la simbolica dell'*infanzia spirituale*. Questo è uno degli aspetti più conosciuti della dottrina teresiana. È evidentemente molto importante, ma qualche volta è stato falsato e assolutizzato. Se si dimentica la sponsalità e la maternità, si rischia di trasformare "l'infanzia spirituale" in "infantilismo spirituale". In realtà, più Teresa diventa "bimba piccola", più è nello stesso tempo, donna adulta, sposa e madre. Quest'amore filiale è partecipazione all'Amore di Gesù per il Padre suo: "Abbà!" Infine, l'*amore fraterno* è scoperto pienamente da Teresa solo

---

[32] L'*eros* è propriamente l'amore innamorato, amore sponsale che ha per oggetto principale la bellezza dell'essere amato. Questo tema maggiore della cultura greca, approfondito in modo particolare da Platone, è stato purificato e trasfigurato dalla stessa Rivelazione biblica, come mostra l'autore del Libro della Sapienza che dichiara, riguardo alla Sapienza divina: «Ho desiderato prenderla come Sposa, sono diventato innamorato (*érastès*) della sua Bellezza» (*Sap* 8, 2). Origene, Gregorio di Nissa e Dionigi Areopagita hanno approfondito questa sintesi tra l'*agápe* e l'*éros*. Tutti i mistici ne danno una verifica. In santa Gemma, questa componente amorosa è fortissima e si esprime in un linguaggio incandescente.

[33] Maria dice a Susanna, la madre del piccolo Dimas, il futuro "buon ladrone" del Vangelo, queste parole: «Certo, coloro che voi amate offenderanno il Dio che li ha colmati di ogni bene. Tuttavia, abbiate fiducia nella Misericordia Infinita del Buon Dio; è così grande da cancellare i più grandi crimini quando trova un cuore di madre che pone in essa tutta la sua fiducia. Gesù non desidera la morte del peccatore, ma che si converta e viva in eterno. Questo Bambino, che senza sforzo ha guarito vostro figlio dalla lebbra, lo guarirà un giorno da una lebbra ben più pericolosa. Allora un semplice bagno non basterà più; occorrerà che Dimas sia lavato nel Sangue del Redentore. Gesù morirà per dare la vita a Dimas ed egli entrerà nel Regno Celeste nello stesso giorno del Figlio di Dio» (PR 6, 10r).

negli ultimi mesi della sua vita. Lo descrive lungamente nel *Manoscritto C* (11v-31r).

3.2. *La speranza come "fiducia nella Misericordia infinita di Gesù": mediante la speranza, il "cuore di madre" conosce le profondità della Misericordia*

Negli scritti di Teresa, una delle parole chiavi è la *confiance*, cioè la fiducia o confidenza. Questa fiducia si identifica con la speranza che si appoggia unicamente sulla Misericordia Infinita di Gesù Salvatore. La speranza della nostra santa riguarda inseparabilmente il compimento della sua vocazione alla santità e la salvezza di tutti i suoi fratelli.

Per se stessa, Teresa esprime non solo il desiderio della santità, ma la sua sicura speranza di diventare santa, anzi una grande santa. Un desiderio d'infanzia è diventato una forte e matura speranza nel cuore della carmelitana. Secondo le sue parole, è la «fiducia audace di diventare una grande Santa»[34]. È una componente essenziale della speranza di Teresa, che rimarrà sempre presente fino alla fine della sua vita. Sarà spesso riaffermata, con il desiderio di comunicare la stessa fiducia agli altri: le consorelle e i fratelli spirituali missionari, e finalmente a tutti quelli

---

[34] Troviamo questa espressione nel *Manoscritto A*, nella rilettura che Teresa fa della sua infanzia. Parlando del suo grande amore per la lettura, la nostra santa scrive: «Leggendo i racconti delle gesta patriottiche delle eroine Francesi, in particolare quelle della *Venerabile* GIOVANNA D'ARCO, avevo un grande desiderio di imitarle, mi sembrava di sentire in me lo stesso ardore da cui erano animate, la stessa ispirazione Celeste: allora ricevetti una grazia che ho sempre ritenuto come una delle più grandi della mia vita, poiché a quell'età non ricevevo *luci* come adesso che ne sono inondata. Pensai che ero nata per la *gloria*, e mentre cercavo il mezzo di giungervi, il Buon Dio mi ispirò i sentimenti che ho appena scritto. Mi fece capire anche che la mia *gloria* non sarebbe apparsa agli occhi mortali, che consisteva nel divenire una grande *Santa*! [...] . Questo desiderio potrebbe sembrare temerario se si considera quanto ero debole e imperfetta e quanto lo sono ancora dopo sette anni passati in religione: tuttavia sento sempre la stessa fiducia audace di diventare una grande Santa, perché non faccio affidamento sui miei meriti visto che non ne ho *nessuno*, ma spero in Colui che è la Virtù, la Santità Stessa, è Lui solo che accontentandosi dei miei deboli sforzi mi eleverà fino a Lui e, coprendomi dei suoi meriti infiniti, mi farà *Santa*» (*MS A*, 32r). Quando Teresa scrive questo, dopo sette anni al Carmelo, tale «fiducia audace di diventare una grande santa» non è più il bel sogno della bambina, ma la certezza matura e realista della carmelitana che ha sperimentato la propria debolezza ed imperfezione. Non è per niente "desiderio temerario", perché questa sicura speranza non si appoggia sui propri meriti, ma unicamente su quelli di Gesù.

che riceveranno la sua dottrina spirituale. Questo è proprio il senso dell'esclamazione che troviamo all'inizio del *Manoscritto B*:

> «Ah, se tutte le anime deboli e imperfette sentissero ciò che sente la più piccola fra tutte, l'anima della piccola Teresa, non una sola di esse dispererebbe di giungere in cima della montagna dell'amore!» (MS B, 1v).

Nella simbologia di san Giovanni della Croce, questa cima della montagna significa la santità. E Teresa usa proprio il vocabolario della speranza: «non una sola dispererebbe». La sua "piccola via di fiducia e d'amore" conduce sicuramente a questa cima, escludendo ogni forma di disperazione.

Il fondamento della speranza è la Misericordia divina rivelata e comunicata a noi in Cristo Redentore. Teresa è per eccellenza Dottore della Misericordia, teologa della Misericordia. In questo senso può scrivere alla fine del *Manoscritto A*:

> «A me Egli ha donato la sua *Misericordia infinita* ed è *attraverso essa* che contemplo ed adoro le altre perfezioni Divine! Allora tutte mi appaiono raggianti *d'amore*, perfino la Giustizia (e forse anche più di ogni altra) mi sembra rivestita *d'amore*» (MS A, 83v).

Nello stesso *Manoscritto A*, Teresa ci racconta la sua prima grande esperienza della Misericordia e della Speranza riguardo al criminale Pranzini, chiamato da lei: «il mio primo figlio» (MS A, 46v). All'età di 14 anni, prima della sua entrata al Carmelo, Teresa ha ricevuto da Gesù Redentore come primo figlio l'uomo apparentemente più disperato: un criminale condannato a morte e impenitente. Cosciente dell'estremo pericolo, Teresa scrive: «volli ad ogni costo impedirgli di cadere nell'inferno» (*Ivi*, 45v). Ma allo stesso tempo afferma la sua assoluta certezza che sarà finalmente salvato, anche «se non si confessa e non dà nessun segno di penitenza» (*Ivi*, 46r). Si tratta della certezza della speranza come speranza per un altro, di cui Teresa afferma chiaramente l'unico motivo: «Tanta fiducia avevo nella Misericordia Infinita di Gesù» (*Ivi*, 46r). Attraverso la preghiera, la giovane può mettere questo grande peccatore a contatto con il Sangue del Redentore[35]. Nel gior-

---

[35] C'è una somiglianza profonda tra il racconto di Teresa riguardo alla salvezza di Pranzini e il racconto di Caterina da Siena riguardo alla morte di Nicolo Tuldo (L 273). In

no della sua Professione, l'8 settembre 1890, Teresa estenderà questa speranza alla salvezza di tutti gli uomini: «Gesù, fa che io salvi molte anime: che oggi non ce ne sia una sola dannata» (Pr 2). Allo stesso modo, nella sua *Offerta all'Amore Misericordioso come Vittima d'Olocausto* (9 giugno 1895), Teresa riafferma questo duplice oggetto della sua speranza: inseparabilmente «salvare le anime» e «essere santa» (Pr 6). Finalmente, nella sua grande prova della fede, la santa pregherà con la stessa fiducia per la salvezza degli atei e nemici della Chiesa, chiamati da lei «i suoi fratelli» (MS C, 6r).

Si può dire che come Dottore della Chiesa, Teresa ha a aperto dei nuovi orizzonti della speranza, fino a «sperare per tutti»[36].

3.3. *La "kenosi della fede": Maria e la Chiesa vicino alla Croce di Gesù*

In ciò che concerne la fede, Teresa è particolarmente vicina a san Giovanni della Croce. Come lui, ella preferisce *la fede pura e oscura* a qualsiasi visione. Maria è «beata perché ha creduto» (*Lc* 1, 45), e Gesù ha proclamato «beati quelli che pur non avendo visto crederanno» (*Gv* 20, 29). Come risposta alla beatitudine della fede, Teresa dice a Gesù:

> «Nell'ombra della Fede, ti amo e ti adoro,
> O Gesù! Per vederti, aspetto in pace l'aurora,
> Il mio desiderio
> Non è di vederti quaggiù,
> Ricordati» (P 24, 27).

Tale desiderio è stato totalmente esaudito. A differenza di molti altri grandi mistici, non ha mai avuto visioni né rivelazioni.

Tuttavia, nell'ultimo periodo della sua vita, dalla Pasqua del 1896 fino alla sua morte (30 settembre 1897), la sua esperienza di fede entra in una nuova dimensione che possiamo caratterizzare con le parole usate da Giovanni Paolo II a proposito della fede di Maria nella Passione di

---

due contesti completamente diversi, si tratta della stessa maternità verginale di una santa riguardo ad un uomo disperato, per la fecondità del Sangue di Gesù.

[36] Gli stessi orizzonti illimitati della speranza si ritrovano nell'opera di Charles Péguy: *Il Portico del Mistero della seconda Virtù*, e più recentemente in una delle ultime opere di Hans Urs Von Balthasar: *Sperare per tutti*.

Gesù: «*La kenosi della fede*»[37]. Per lei come per Maria, non si tratta evidentemente del crollo o della perdita della fede, ma al contrario della fede più eroica vissuta nelle tenebre del Calvario, nell'intima comunione alla "kenosi" (o annientamento) del Redentore Crocifisso, per la salvezza dei fratelli. Teresa ha raccontato questa sua esperienza all'inizio del *Manoscritto C* (4v-7v). Sono pagine sconvolgenti e di grandissima attualità, che ci rivelano il vero volto di Teresa come «la più grande santa dei tempi moderni» (San Pio X), portando nell'Amore di Gesù Redentore il peso tanto doloroso dell'ateismo moderno, affinché questi poveri fratelli siano anch'essi tutti salvati. Si vede come Teresa, pur vivendo terribili tentazioni contro la fede, non abbia mai dubitato[38]. Unita alla carità e alla speranza, la sua fede è veramente eroica:

---

[37] *Redemptoris Mater* n. 18. Cfr. la tesi di dottorato di P. J. NGUYEN THUONG, *La "kénose de la foi" de sainte Thérèse de Lisieux, lumière pour présenter l'Evangile aux incroyants d'aujourd'hui*, Teresianum 2001.

[38] Teresa scrive: «Gesù mi ha fatto sentire che ci sono veramente delle anime che non hanno fede [...] . Egli ha permesso che la mia anima fosse invasa dalle tenebre più fitte» (MS C, 5v). Qui, il linguaggio della nostra santa è molto preciso dal punto di vista teologico. Non scrive infatti che Gesù "ha voluto" o "ha fatto", ma che "ha permesso" questa "invasione delle tenebre" nella sua anima. Le recenti ricerche storiche su Teresa ci hanno rivelato il drammatico fatto che sta dietro queste sue semplici parole. Come il Padre, volendo la nostra salvezza, ha permesso che il suo Figlio fosse crocifisso dai peccatori, così anche Gesù ha permesso che Teresa fosse profondamente ferita dall'ateismo del suo tempo. Concretamente questo è avvenuto attraverso la lettura degli scritti del massone Leo Taxil sotto il nome di Diana Vaughan, testi apparentemente edificanti, ma in realtà estremamente pericolosi, perversi e velenosi. La penultima "Pia Ricreazione" di Teresa, intitolata *Il trionfo dell'umiltà* (PR 7), scritta nel giugno 1896, cioè all'inizio di questo periodo, è tutta ispirata alla storia di Diana e ci mostra come la santa ha assorbito tutto il veleno contenuto negli scritti di Taxil. Questa operetta teatrale di Teresa è l'unico fiore velenoso che troviamo nei suoi scritti, ma è importante per capire la profondità del suo dramma. Come i cattolici francesi del suo tempo, Teresa ha creduto a questa storia totalmente inventata da Taxil. Diana era presentata come una giovane americana convertita dalla massoneria alla fede cattolica grazie a Giovanna d'Arco. Come massone, Diana era stata Figlia prediletta di Lucifero e fidanzata al demonio Asmodeo; poi, come cattolica, diventava Figlia del Padre e Sposa di Gesù. Teresa aveva non solo pregato intensamente per lei, ma le aveva anche scritto mandando la sua foto nel ruolo di Giovanna d'Arco, sperando la sua entrata al Carmelo. Poi era venuta una risposta di Diana, evidentemente scritta da Taxil. Finalmente, nell'aprile del 1897, lo stesso Taxil aveva rivelato al pubblico la non esistenza di Diana, Figlia del Nulla e Sposa del Nulla. Teresa conosce tutta questa dolorosa verità quando scrive il *Manoscritto C*. I testi di Taxil erano un gioco perverso che metteva sullo stesso piano il vero e il falso, l'essere e il nulla, Dio e il diavolo, il Cielo e l'Inferno, l'amore verginale di figlia e di sposa verso Dio e verso il diavolo. Ed è proprio questo veleno del nulla

«Credo di aver fatto più atti di fede da un anno fino ad ora che non durante tutta la mia vita. Ad ogni nuova occasione di lotta, quando i miei nemici vengono a sfidarmi, mi comporto da coraggiosa: sapendo che è viltà battersi in duello, volto le spalle ai miei avversari senza degnarli di uno sguardo: corro verso il mio Gesù, Gli dico che sono pronta a versare fino all'ultima goccia il mio sangue per confessare che esiste un *Cielo*. Gli dico che sono felice di non godere quel bel Cielo sulla terra, affinché Egli lo apra per l'eternità ai poveri increduli» (MS C, 7r).

4. La teologia della Chiesa come conoscenza amorosa della Verità di Cristo: la perfetta *adæquatio* tra le "quattro corde" del cuore e le "quattro dimensioni" del Mistero (cfr. *Ef* 3, 18)

Attraverso Teresa, è la Chiesa stessa che rende testimonianza alla Verità di Cristo, una testimonianza forte, luminosa, e anche drammatica. Alla fine di questo percorso, conviene considerare la sintesi teologica di Teresa che si identifica con la sua vita vissuta in Cristo Gesù. Come *scientia amoris* la sua teologia è una conoscenza amorosa del Mistero di Gesù che coinvolge tutte le dimensioni più profonde del suo essere. Si verifica infatti una perfetta corrispondenza tra le *dimensioni oggettive del Mistero dei Gesù e le dimensioni soggettive della persona di Teresa*. E come Teresa vive nel Cuore della Chiesa, si tratta sempre della comunione tra Gesù e la Chiesa. Dove la teologia speculativa definisce la verità come *adaequatio intellectus et rei*, la teologia mistica e simbolica mette in evidenza una *adaequatio cordis et rei* di carattere "multidimensionale". Si tratta proprio della corrispondenza tra le "quattro dimensioni" del Mistero di Gesù (lunghezza, larghezza, altezza e profondità (cfr. *Ef* 3, 18) e le "quattro corde" del cuore di Teresa (sposa e madre, figlia e sorella). Così, lo sviluppo umano soggettivo della santa non è altro che lo sviluppo della sua conoscenza oggettiva di Gesù nei Misteri dell'Incarnazione e della Redenzione, secondo il "programma" del suo nome di religione: *Teresa di Gesù Bambino del Santo Volto*. Con amore di Sposa e di Madre, di Figlia e di Sorella, la carmelitana conosce le "quattro dimensioni" dell'Incarnazione e della Redenzione: *la Grandezza e la Piccolezza, la Luce*

(*le néant*) che è penetrato nell'anima tanto sensibile di Teresa, provocando un profondo cambiamento "climatico" della sua vita, come le tenebre che hanno ricoperto la terra al momento della Passione di Gesù.

e le Tenebre. Queste quattro dimensioni possono essere rappresentate simbolicamente intorno alla Croce:

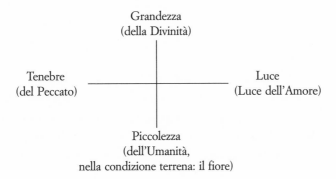

Grandezza
(della Divinità)

Tenebre   Luce
(del Peccato)   (Luce dell'Amore)

Piccolezza
(dell'Umanità,
nella condizione terrena: il fiore)

Oggettivamente, questo simbolo rappresenta le principali realtà riunite nel Mistero di Gesù, Verbo Incarnato e Redentore, il Dio-Uomo crocifisso (cfr. S. Anselmo). La linea verticale, che unisce la Grandezza e la Piccolezza caratterizza il *Mistero dell'Incarnazione*, come unione senza confusione tra la Grandezza della Divinità e la Piccolezza dell'Umanità nella Persona di Gesù (dogma di Calcedonia, nel 451). La linea orizzontale corrisponde al *Mistero Pasquale della Redenzione* come incontro drammatico tra la Luce dell'Amore e tutte le Tenebre del Peccato del Mondo nella Passione e la Risurrezione di Gesù. Nel Mistero dell'Incarnazione, il Figlio di Dio ha sposato la Piccolezza della nostra Umanità, poi, nel Mistero della Redenzione, egli si è abbassato all'estremo, sposando la più grande miseria nostra, prendendo su di sé il nostro peccato nella sua sofferenza e morte. «È proprio dell'Amore abbassarsi» (MS A, 2v).

Soggettivamente, Teresa ha pienamente corrisposto all'Amore di Gesù, sposando gli stessi Misteri dell'Incarnazione e della Redenzione, abbracciando questi estremi di Piccolezza e di Grandezza, di Luce e di Tenebre. Infatti, la Piccolezza teresiana è sempre in relazione con la Grandezza infinita, e le profonde Tenebre che caratterizzano la sua passione sono incontrate dalla meravigliosa Luce, la Luce dell'Amore di Gesù. Teresa comunica al duplice "ammirabile scambio" dell'Incarnazione e della Redenzione: nell'Incarnazione, Dio è diventato uomo affinché l'uomo diventasse Dio, e poi nella Redenzione, Colui che era senza peccato è per noi diventato peccato affinché noi diventassimo in

Lui Giustizia di Dio (cf. *2 Cor* 5, 21). A questa piccolezza teresiana corrisponde esattamente la povertà francescana.

In rapporto con le *quattro dimensioni del Mistero di Gesù e le quattro corde del cuore di Teresa, possiamo distinguere quattro tappe essenziali della sua Vita in Cristo.* Qui, possiamo riprendere in modo sintetico ciò che abbiamo visto precedentemente.

La prima e fondamentale tappa è la duplice *Grazia di Natale e della Salvezza di Pranzini* (1886-1887), raccontata al cuore del *Manoscritto A* (MS A, 44v-46v). Si tratta d'una grazia fondatrice, prima dell'entrata di Teresa al Carmelo, che manifesta già una profondissima comunione ai Misteri dell'Incarnazione e della Redenzione. Il racconto della carmelitana contiene una bellissima teologia dell'Incarnazione e della Redenzione. All'età di 14 anni, Teresa è già consapevole di essere Sposa e Madre, Sposa del Redentore e Madre dell'uomo redento dal suo sangue: concretamente questo criminale Pranzini che lei stessa chiama «*il mio primo figlio*». Con la stessa "corda materna" del suo cuore, Teresa sperimenta una speranza nuova e straordinaria nella Misericordia Infinita di Gesù. Nella sua operetta teatrale sulla *Fuga in Egitto* (cfr. PR 6), Teresa contempla in Maria la realizzazione perfetta di questo "*cuore di madre*" che, nel suo amore per il figlio ferito dal peccato, spera invincibilmente la sua salvezza eterna.

La seconda tappa è centrata sul Mistero della *piccolezza.* Insieme alla "*corda materna*", è la "corda sponsale" del cuore di Teresa che vibra nei testi essenziali del 1893 sulla *piccolezza evangelica.* Infatti, Teresa sposa pienamente la Piccolezza di Gesù, in tutti i Misteri della sua Vita terrena, esattamente come Francesco e Chiara avevano sposato la sua povertà. *Piccolezza e povertà sono infatti lo stesso "privilegio" di tutta la vita terrena di Gesù, dall'Incarnazione alla Croce.* È proprio «l'Amore di questo Dio, che povero fu deposto nel presepio, povero visse in questo mondo e nudo rimase sulla Croce»[39]. I due testi essenziali, scritti nei primi mesi del 1893, sono la prima *Poesia* (cfr. P 1) e una *Lettera* di Teresa a Celina (cfr. LT 141), dove si trovano gli stessi simboli del *fiore* applicato a Gesù come Figlio e Sposo e della *rugiada* per esprimere l'amore della Madre

---

[39] *Fonti Francescane*, n. 2841. Traduciamo letteralmente dal latino: «Amore illius Dei, qui pauper positus est in praesepio, pauper vixit in saeculo et nudus remansit in patibulo».

e della Sposa. Insieme all'amore sponsale viene anche espresso *l'amore filiale* con il simbolo dell'*infanzia*. Secondo le parole di Teresa, in una lettera dello stesso periodo, il cuore che Gesù desidera è «un cuore di figlia (o di *bambina: "enfant"*), un cuore di *sposa*» (LT 144). Più tardi, nel *Manoscritto C*, Teresa parlerà del *bambino piccolo* nelle braccia di Gesù (cfr. MS C, 2v-3r). L'*infanzia spirituale* corrisponde evidentemente alla "corda filiale".

La terza tappa è invece la comunione con la *grandezza di Gesù, grandezza infinita della sua Divinità nella Trinità*. È il senso dell'*Offerta all'Amore Misericordioso*, come viene raccontata nelle ultime pagine del *Manoscritto A* (cfr. MS A, 83v-84v) e come viene espressa nello stesso *Atto d'Offerta* (cf. Pr 6). Qui, il cristocentrismo di Teresa diventa esplicitamente trinitario: all'Amore del Padre che ha dato a Teresa il suo Unico Figlio come Salvatore e Sposo, e che la vede e l'ama sempre attraverso il Volto di Gesù e nel suo Cuore, che arde d'Amore nel Fuoco dello Spirito, la stessa Teresa risponde con il dono totale di se stessa come "vittima d'olocausto" per la salvezza di tutti: si offre al Padre per Cristo nello Spirito, attraverso le mani di Maria. Questa Offerta è centrale nella dottrina di Teresa. È la sua fondamentale proposta di santità per tutti i battezzati. Possiamo anche dire che è al cuore della sua metodologia teologica, perché questo dono totale di sé a Gesù nell'Amore è assolutamente indispensabile per conoscere il Mistero dell'Amore di Gesù. In questo senso, la santa afferma che Gesù, «tra i suoi discepoli, trova pochi cuori che si diano a Lui senza riserve, che comprendano tutta la tenerezza del suo Amore Infinito»[40].

---

[40] MS B, 1v. Nella *Positio* del Dottorato, l'Offerta di Teresa è messa in rapporto con quella che san Luigi Maria Grignion de Montfort proponeva a tutti i battezzati: vivere la grazia del proprio battesimo dandosi totalmente a Gesù per le mani di Maria come "schiavo d'amore". L'accostamento è fondato storicamente e teologicamente. Storicamente, le due offerte si radicano nella spiritualità della Scuola Francese. Luigi Maria de Montfort è "l'ultimo dei grandi berulliani" (Brémond) e Teresa apparteneva ad un Carmelo "berulliano". Teologicamente, le due offerte sono la medesima espressione radicale della grazia battesimale nella sua dimensione sacerdotale, come partecipazione all'unico sacrificio della Croce, con i due simboli biblici dell'olocausto e della condizione di schiavo del Servo sofferente (cfr. *Is* 53 e *Fil* 2). Con Maria, Teresa scopre tutta la radicalità dell'Amore: «Amare è dare tutto e dare se stesso» (P 54, 22). "Ti amo" significa necessariamente: "mi do tutto a te, sono tutto tuo" (*totus tuus*). Sappiamo come queste due parole latine, che riassumono tutta la dottrina di Luigi Maria, siano state riprese da Giovanni Paolo II. Come la consa-

La quarta e ultima tappa della vita di Teresa in Cristo è caratterizzata dalla sua più profonda comunione alla *Passione* di Gesù. È la "Passione di Teresa", che comincia nel 1896, al momento della Pasqua, e che dura fino alla sua morte (30 settembre 1897): Passione del corpo con la malattia, ma soprattutto Passione dell'anima, con la terribile "prova contro la fede" che la santa vive in relazione con gli atei del mondo moderno, chiamati da lei «*i suoi fratelli*» (MS C, 6r). La santa è allora immersa nel Mistero della Redenzione, sperimentando intensamente nel suo proprio cuore l'incontro drammatico tra la *Luce dell'Amore* e le *Tenebre del Peccato*. Qui, la "teologia vissuta" di Teresa è una profonda partecipazione al Mistero dell'Agonia di Gesù, ed è preziosa per il teologo che vuole riflettere sulla misteriosa "appropriazione del peccato" da parte del Redentore[41]. Ed è proprio in questo periodo che Teresa scopre pienamente *l'Amore fraterno* (cfr. MS C, 11v – 33v). La "corda fraterna" del suo cuore si manifesta nell'amore dei più vicini (le sorelle della sua comunità) e dei più lontani che sono proprio gli atei. Così, nella comunione alla Persona di Gesù e alla sua opera di Salvezza, come un meraviglioso fiore, Teresa si è aperta in tutte le dimensioni della sua umanità, fino alla piena realizzazione del suo essere nell'Amore, come Sposa e Madre, Figlia e Sorella.

Concludendo questo percorso della teologia vissuta di Teresa, vorrei insistere su un aspetto di particolare importanza per oggi. Attraverso la sua testimonianza espressa nei suoi *Scritti*, la santa mette in profonda luce *la comunione privilegiata che esiste tra la Chiesa pellegrinante e la vita terrena di Gesù, cioè i Misteri della sua "kenosi", dall'Incarnazione alla Croce, attraverso tutti i Misteri della sua vita rivelati nei Vangeli*. La *"piccolezza"* teresiana, come la *"povertà"* francescana, è proprio il princi-

---

crazione monfortana, l'offerta teresiana è un dono totale di sé a Gesù nella Trinità, dove lo Spirito Santo è il fuoco dell'olocausto all'Amore e il vincolo di questa schiavitù amorosa; è Lui che identifica il battezzato a Gesù e a Gesù Crocifisso. Poiché questo dono totale di sé conduce fino alla Croce. Come Luigi Maria, Teresa "abbandona la sua offerta" nelle mani di Maria (cfr. Pr 6). Dopo Teresa, Luigi Maria è uno dei principali candidati al titolo di Dottore della Chiesa, e possiamo pensare che il processo di beatificazione di Giovanni Paolo II metterà in piena luce l'importanza e l'attualità della dottrina di questo Santo.

[41] Infatti, secondo le parole di Giovanni Paolo II nella *Novo Millennio Ineunte*: «Per riportare all'uomo il volto del Padre, Gesù ha dovuto non soltanto assumere il volto dell'uomo, ma caricarsi persino del "volto" del peccato» (n. 25). Cfr. il mio articolo: F.-M. Léthel, *Le Mystère de l'Agonie de Jésus à la lumière de la théologie des saints*, in PATH 2 (2003) 417-441.

*pale "privilegio" della vita terrena di Gesù, e della vita della Chiesa sulla
terra.* Certo, la Chiesa pellegrinante è in comunione con la Risurrezione
di Gesù, ma la piena configurazione con il Risorto è il privilegio della
Chiesa escatologica, già dato a Maria nel Mistero della sua Assunzione.
La teologia di Teresa, come quella di Francesco e anche di Tommaso (il
merito di Cristo), valorizza particolarmente la breve vita di Gesù sulla
Terra. Questo è di grande attualità, di fronte alle problematiche riduttive
riguardo al "Gesù storico" (del bultmanismo e post-bultmanismo). In
modo particolare, Teresa di Gesù Bambino del Santo Volto ci mostra nel
modo più sconvolgente il vincolo d'Amore che unisce il Gesù terreno,
cioè il Verbo Incarnato nei Misteri della sua kenosi, con ciascuno di noi,
con ogni essere umano. «Con l'Incarnazione il Figlio di Dio si è unito in
certo modo con ogni uomo» (*Gaudium et Spes*, 22).

Questa fondamentale affermazione del Vaticano II, ripresa e sviluppata da Giovanni Paolo II, è meravigliosamente illustrata da Teresa di
Lisieux Dottore della Chiesa. Per lei, questo "certo modo" dell'unione di
Gesù con ogni uomo non è altro che l'Amore, il suo Amore verso tutti
e verso ciascuno come se fosse unico al mondo, un amore sempre personale e sempre presente nel Cuore di Gesù, a partire dal primo momento
dell'Incarnazione[42].

---

[42] Così, Teresa ci permette di ritrovare l'importanza della visione beatifica sempre
presente nell'anima di Gesù, che gli permetteva realmente di conoscere ed amare ciascuno
di noi.

Il *pro nobis*, specifico del martirio garante della verità

Réal Tremblay

«I martiri sono immagini della vera carità»
POLICARPO DI SMIRNE

«Amando il tuo prossimo, purifichi il tuo sguardo per vedere Dio»
AGOSTINO

Il prof. O'Callaghan ha studiato con precisione le coordinate essenziali della testimonianza cristiana come mezzo di trasmissione della Verità. Egli segnala a giusto titolo che questa testimonianza implica, come per necessità intrinseca, una rinuncia necessaria. Il testimone deve essere pronto a sacrificare la sua vita come il Cristo ha donato la sua.

Situando le mie osservazioni più nella linea delle "prospettive" aperte da questo forum che in quelle della "sintesi", vorrei attirare l'attenzione su un aspetto fondamentale della testimonianza fino al sangue data alla Verità, con lo scopo di far emergere, nel contesto attuale, lo *specificum* di questo tipo di testimonianza.

Il martirio è sempre esistito nella Chiesa ed esisterà fino alla venuta gloriosa del Signore. Poiché la Chiesa è il corpo del Testimone per eccellenza (cfr. *1 Tm* 6, 13), il Crocifisso risorto, è nel suo DNA, per così dire, il fatto d'apparire temprata nel sangue dell'Agnello (cfr. *Ap* 1, 5; 7, 14; 22, 14). K. Rahner scriveva un tempo:

«Il martirio fa parte dell'essenza della Chiesa. Non può essere altrimenti, che nella Chiesa si rinnovi continuamente il martirio. Essa infatti deve non solo vivere la sua testimonianza per Cristo crocifisso, ma deve concretizzare la testimonianza vissuta. Essa non può celebrare e ripresentare la morte di Cristo soltanto nel mistero sacramentale della messa. La deve proprio vivere in tutta verità»[1].

Chiesa ornata di sangue, dicevamo. Ma attenzione! Vesti macchiate di sangue sono argomenti sempre più attuali oggigiorno. La prima pagina dei giornali ne parla, i *reportage* televisivi lo mostrano, informazioni e immagini il più spesso legati a ideali umani (indipendentemente qui dal fatto che essi lo siano veramente) giustificati per appello al *divinum*. Pensiamo alla legione di kamikaze che oramai accerchiano il nostro pianeta e che sono pronti al sacrificio supremo di se stessi in nome del loro "dio" e dei loro "valori". In questo contesto, è ancora giustificato parlare di testimonianza della verità fino al sangue?

Accanto a questa similitudine che suscita riserve, e addirittura rifiuto, riguardo alla fondatezza di questo tipo di testimonianza, ci sono ancora i fatti di sangue di cui i cristiani sono stati la causa. Hans Urs von Balthasar ne ha rilevato i principali con una lucidità e una forza ineguagliate. Mi permetto di riportare l'essenziale delle sue osservazioni. Esse ci aiuteranno a non cadere nell'illusione quando verrà l'ora di giustificare teologicamente la testimonianza cristiana fino al sangue:

«Certamente suscita orrore leggere che l'imperatore Galerio fece assediare ed incendiare dai militari una piccola città della Frigia i cui abitanti erano tutti cristiani, di modo che tutti, compresi donne e bambini, morirono incendiati, ma l'eccelso costruttore di Santa Sofia, il cristianissimo imperatore Giustiniano fece diverse volte la stessa cosa per scacciare alcune sette cristiane e i Giudei in Asia minore, né si agì diversamente nelle guerre contro gli Albigesi: si rinchiusero gli eretici nelle loro Chiese e si appiccò il fuoco a queste. Altri vertici: la presa di Costantinopoli ad opera dei crociati, la conquista dell'America latina ad opera degli spagnoli, la guerra dei trenta anni, la notte di san Bartolomeo, le fiaccole viventi dell'inquisizione e della persecuzione delle streghe, che non erano da meno di quelle dei giardini di Nerone, il rogo di Savonarola e di Giordano Bruno: non c'è fine alle atrocità cristiane che continuano nelle torture e nelle

---

[1] K. RAHNER, *Sulla teologia della morte. Con una digressione sul martirio*, Morcelliana, Brescia 1965, 92 (Testo originale: *Zur Theologie des Todes mit einem Exkurs über das Martyrium* [QD., 2], Herder, Freiburg 1958, 91).

prigioni degli stati militari del Sudamerica, ma anche nella durezza di cuore di alcuni imprenditori capitalisti cristiani che sconsideratamente sfruttano popoli e paesi poveri»[2].

Ancora una volta, è giustificato il fatto di essere ricorsi alla testimonianza fino al sangue come mezzo privilegiato della trasmissione della Verità quando il martire cristiano e il kamikaze musulmano sacrificano la loro vita per una causa di cui Dio è il garante e che i cristiani – soggetti per eccellenza di questo tipo di testimonianza – sono stati protagonisti della morte di altri ancor più crudeli che i tiranni più feroci della storia?

A queste difficoltà di situare il martirio nel solco dell'irradiarsi della Verità, si potrebbe aggiungere il rifiuto radicale di F. Nietzsche. Di fronte a Pascal che si fa promotore del martirio affermando di non credere che a storie «i cui testimoni si farebbero sgozzare», Nietzsche preferisce la dottrina «uscita dal suo proprio braciere»[3].

Tutte queste difficoltà ci conducono a porre la questione dello specifico del martirio cristiano in vista del ruolo che deve giocare nella trasmissione della Verità. Nella sua esposizione di questa mattina, il prof. O'Callaghan ha trattato la questione in generale inserendo il martirio nel suo studio delle coordinate essenziali della testimonianza cristiana. Dando per supposti questi dati, vorrei fissare la mia attenzione su un elemento che mi sembra particolarmente importante per rispondere alla questione che ci impegna e che mi appare spesso dimenticata nella teologia del martirio, in ragione probabilmente del suo statuto di verità riflessa o legata ad un'altra più fondamentale. Questo dato potrebbe essere formulato in questi termini: il martire cristiano soffre e muore con il Cristo *per gli altri*; è proprio in questo che egli diviene mediatore della Verità.

---

[2]   H.U. VON BALTHASAR, *Nouveaux points de repère*, Fayard, Paris 1980, 362 (la traduzione è mia).

[3]   Per il riferimento ai testi, si veda la mia opera: R. TREMBLAY, «*Ma io vi dico...*». *L'agire eccellente, specifico della morale cristiana*, Bologna 2005, 168-170 (Testo originale: «*Mais moi, je vous dis...*». *L'agir excellent, spécifique de la morale chrétienne*, Fides, Montréal 2005, 172-174).

Stavo meditando su quest'idea quando mi sono imbattuto per caso in un passaggio dell'*Angelus* che Giovanni Paolo II pronunciò il giorno della festa di Santo Stefano (26 dicembre 2003). Leggiamo il testo:

> «La Chiesa chiama il giorno del martirio *dies natalis*. La morte del martire, infatti, è una nascita al Cielo, in forza della morte e risurrezione di Cristo. Ecco perché è tanto significativo celebrare il primo Martire nel giorno dopo Natale: quel Gesù, che è nato a Betlemme, ha dato la vita *per noi* affinché noi pure, rinati "dall'alto" per la fede e il Battesimo, *fossimo disposti a sacrificare la nostra per amore dei fratelli*. [...] Il Signore dia (alle comunità cristiane che subiscono le persecuzioni) la forza della perseveranza e la capacità di *amare anche coloro che li fanno soffrire*»[4].

In questo testo, il papa stabilisce uno stretto parallelo tra la morte-nascita del martire (qui Stefano) e la morte-resurrezione di Cristo. Lo stesso parallelo è stabilito in seguito tra la nascita di Gesù e la nascita dei cristiani mediante la fede e il battesimo, ma questa volta in quanto la nascita storica di Gesù è avvicinata alla sua morte *pro nobis* e in quanto la nostra nascita mediante il sacramento implica una disponibilità ad amare i nostri fratelli fino alla morte (il martirio). Nella stessa scia, il papa giunge a raccomandare alle comunità soggette al martirio l'amore per coloro che "fanno soffrire". Il martirio si produce dunque in unione con il Cristo pasquale al servizio radicale degli altri, nemici compresi. È nel dono agli altri, posto nella comunione con il Figlio incarnato, morto e risorto, che il martire è testimone della Verità.

Sarebbe interessante ritornare alle grandi figure del martirologio cristiano e esaminare le loro esperienze in questo senso. Già il martirio di Stefano non dà adito ad alcun dubbio su questa dimensione altruista o fraterna del suo martirio.

> «E così lapidavano Stefano mentre pregava e diceva: "Signore Gesù, accogli il mio spirito". Poi piegò le ginocchia e gridò forte: "Signore, non imputar loro questo peccato". Detto questo, morì» (*At* 7, 59-60).

Vorrei ancora menzionare in questo contesto la testimonianza di Jean de Brébeuf (1593-1649), gesuita venuto dalla Francia per impiantare la

---

[4]   http://www.vatican.va/holy_father/john_paul_ii/angelus/2003/documents/hf_jpii_ang_20031226_it.html (sottolineatura mia).

fede cristiana tra gli autoctoni del Canada. Nel suo quaderno spirituale, in cui promette di non sottrarsi al martirio se gliene è fatta la grazia, dice di soffrire che Dio non è conosciuto, che questa "regione barbara" non è ancora interamente convertita alla fede e che il peccato non è totalmente estirpato[5]. Ancorché egli non colleghi direttamente l'eventualità del suo martirio alla conversione delle popolazioni "indiane" da evangelizzare, il fatto che egli parli delle sue preoccupazioni pastorali nel contesto della sua adesione profonda alla eventuale grazia del martirio non lascia dubbi sul *pro nobis* della sua morte violenta.

A conclusione di queste osservazioni, tentiamo di commisurare a questo specifico del martirio cristiano le difficoltà segnalate più sopra nel parlare del martirio e dunque nel legarlo alla trasmissione della Verità.

A proposito del rapporto al "divino" del "martirio" dei kamikaze e del rapporto al divino del martirio cristiano, c'è, al di là della loro somiglianza, una differenza abissale. Mentre nel primo caso, il garante è un dio che autorizza, per l'instaurazione del suo regno, la distruzione di tutti coloro che non militano nelle sue file, nel secondo caso, il garante è un Dio che esige il rispetto e il servizio radicale di chiunque, ivi compresi "quanti fanno soffrire". A fondamento di questa differenza, ci sono due modelli di percezione del *divinum*. Mentre nel primo caso, si tratta di un dio solitario[6], impassibile, geloso dei suoi interessi, nel secondo caso, si tratta di un Dio tri-personale[7] che ama la sua creatura senza eccezione

---

[5] Cfr. R. LATOURELLE, *Étude sur les écrits de saint Jean de Brébeuf* (Studia Collegii Maximi Immaculatae Conceptionis, IX), Montréal 1952, vol. 1, 236-237.

[6] Nella presentazione del libro di M. RODINSON, *Maometto*, Milano, Corriere della Sera 2006, S. Noja Noseda scrive: «In quel suo (di Maometto) mondo d'Arabia il monoteismo era penetrato da secoli come concetto, come aspirazione, anche se molti arabi, divenuti monoteisti, rimanevano pagani. Seppur affascinato, ciò che del cristianesimo Maometto temette d'istinto furono le sue divisioni: monofisiti e duofisiti, calcedoniani e nestoriani ma soprattutto l'idea della trinità. Essa lo turbava nel profondo. L'Iddio che vide è unico e senza eguali né figli, non generato e che non genera», S. NOJA NOSEDA *Maometto, genio da manager al servizio di un Dio unico*, in "Corriere della Sera", 10.01.2006, 40.

[7] Alla luce del mistero trinitario, Ratzinger scrive: «Die höchste Einheit ist für den, der Gott als drei-einigen glaubt, nicht die Einheit des starren Einerlei. Das Modell der Einheit, auf das hinzustreben ist, ist folglich nicht die Unteilbarkeit des Atomon, der in sich nicht mehr teilbaren kleinsten Einheit, sondern die maßgebende Höchstform von Einheit ist jene Einheit, welche die Liebe schafft. Die Vieleinheit, die in der Liebe wächst, ist radikalere, wahrere Einheit als die Einheit des "Atoms"», J. RATZINGER, *Einführung in das Christentums*, München, Kösel 1968[9], 140.

di nessuno al punto di unirsi a lei nel Figlio e di donarsi a lei fino alla morte di Croce per liberarla dalla sua miseria interiore e di introdurla nella sua intimità trinitaria. È tale *pro nobis* divino che il martirio cristiano riflette e che lo caratterizza[8].

Da questo punto di vista, appare chiaramente che la violenza praticata, in nome della fede, da parte di cristiani di ieri su altre persone è un nonsenso e una flagrante contro-testimonianza della Verità. Questo fatto più che deplorabile invita i cristiani di oggi all'umiltà (ci sono stati altri martiri e altri atteggiamenti eroici) e accentua la necessità del perdono o la fondatezza della consegna di Cristo ad amare gli altri fino al sangue ivi inclusi "quanti fanno soffrire" (cf. *Gv* 15, 13; *Mt* 5, 44).

È allora che la testimonianza della Verità con il sangue può sfuggire allo scetticismo di Nietzsche. Il martire, infatti, non è lì per sbandierare o far uscire dal "suo proprio braciere" la verità, ridotta così a non essere che *una* verità, ma è lì per farsi piccolo davanti agli altri in nome dell'Altro e così lasciar trasparire la Verità *tout court*, la sola che tutto comprende e che non passerà mai, cioè che «Dio è amore» (*1 Gv* 4, 8.16) e che, in virtù di ciò, ogni essere umano, amico o nemico, dev'essere oggetto di un rispetto e di un servizio assoluti (cf. *Gv* 13, 14; *Gal* 5, 13; etc.).

---

[8] Comunicato, per così dire, nel διατίθεμαι ὑμῖν (cfr. *Lc* 22, 29) che qualifica il "corpo dato" di Cristo nell'eucaristia. Infatti, l'espressione può essere presa a carico dallo stesso martire in quanto quest'ultimo, come dice sant'Agostino, scambia con il Cristo ciò che ha ricevuto nell'eucaristia (cfr. *In Io. tr.* 84, 2, in *Opere di S. Agostino* [Nuova Biblioteca Agostiniana], Parte III, vol. XXIV, Roma 1968, 1261). Da qui si può dire che il nostro "*pro nobis*/per gli altri" non si caratterizza solo per il suo altruismo radicale, ma anche per il suo senso redentore (per partecipazione, evidentemente), il che accentua ancora lo specifico del martirio cristiano. Per riflessioni importanti su aspetti di questo tipo: cfr. S. ZAMBONI, *Martirio e vita morale*, in *RTM* 37 (2005), 145, 53-70.

Prospettive di sintesi

Marcello Bordoni

1. Un primo rilievo doveroso riguarda il problema dei presupposti metafisici del pensiero teologico, oggi particolarmente importanti in un'epoca di pensiero debole. Da ciò scaturisce l'intreccio tra il principio di rivelazione, la storicità, che condiziona il pensiero umano culturalmente situato, e i suoi presupposti di incondizionata apertura alla verità. Di qui la prima esigenza che s'impone al teologo: declinare quel presupposto per la teologia che è la *precomprensione metafisica dell'essere.* Anche se la metafisica non è il terreno dal quale la teologia trae il proprio alimento e la propria forza, si può però ben dire che essa è *l'atmosfera indispensabile per respirare,* senza la quale la riflessione teologica rischia di soffocare e non può trovare un surrogato in qualsiasi miscela artificiale, fatta di teorie sociali o di sole ipotesi scientifiche. Bisogna pertanto rifiutare quelle posizioni odierne, nelle quali, ritenendo la ragione metafisica una eredità propria della cultura occidentale europea, si tende a sostituirla con modelli di pensiero non metafisici.

La teologia non può ignorare come suo primo compito, per uno sviluppo della fede nella Verità rivelata, il *restituire all'uomo la fiducia ed il coraggio nei confronti della ragione, nella sua avventura di ricerca della verità.* Senza questo primo e fondamentale presupposto la Parola stessa di Dio che "è sempre Parola divina in linguaggio umano, non sarebbe capace di esprimere nulla su Dio" (FR 84). Infatti, il cammino del pensiero teologico, nel suo costante sforzo d'interpretazione della Parola di Rivelazione, si ridurrebbe a un continuo processo di rimando "da interpretazione a interpretazione, senza mai portarci ad attingere un'affermazione semplicemente vera" (ivi), con la conseguenza deleteria che "non vi sarebbe più rivelazione di Dio, ma soltanto l'espressione di concezioni umane su di Lui e su ciò che presumibilmente Egli pensa di noi" (ivi*). Da queste esigenze consegue, per la teologia, che se ha il suo punto di partenza nella Parola di Dio, essa deve pure incontrarsi con quel cammino che è la ricerca umana della verità attraverso il dialogo con una filosofia che sia metafisicamente fondata. Così, *la ricerca della verità da parte del credente si realizza in un continuo dinamismo circolare nel quale l'ascolto della Parola di rivelazione e la ricerca della ragione s'incontrano continuamente, per cui, da una parte, la fede si approfondisce e si purifica, e, dall'altra, anche il pensiero riceve arricchimento, perché gli si schiudono nuovi orizzonti.*

2. Una seconda e fondamentale esigenza, affermata nel contributo del Card. G. Cottier su *"metodo teologico e prassi di fede"*, pone a fuoco un elemento basilare: il fare teologia non può essere astratto dalla posizione di fede del teologo che lo congiunge al *luogo ecclesiale* (cfr. *Donum Veritatis*, 11), nel quale egli vive, unendo insieme *l'auditus fidei* e *l'intellectus fidei*. In questa unità appare necessaria l'attenzione rivolta al *primato* della Scrittura letta non solo esegeticamente, ma anche, e in modo specifico, nel contesto della *Traditio vivens* della Chiesa che si esprime nella *lex orandi* e nel *sensus fidei della comunione ecclesiale* (LG 12) proveniente dall'unzione dello Spirito Santo (1Gv 2,20.27), avendo presente la guida e autenticazione del Magistero. Per questo, *la teologia non deve mai essere compresa come un'impresa puramente privata del teologo* e pertanto la "libertà propria alla ricerca teologica, si esercita all'interno della fede della Chiesa" (*Fidei donum*, 11).

In questa prospettiva, si deve dare una posizione rilevante al rapporto tra Scrittura e Tradizione, compreso nella silloge di quel *circolo ermeneutico* suggerito nella *Dei Verbum* (nn. 9-10), secondo il quale, *da un lato*, va affermato il *"primato"* o il *"carattere egemonico"* della Scrittura, in quanto *"luogo privilegiato"* nel quale la "predicazione apostolica (...) è espressa in modo speciale" (*speciali modo exprimitur*) (n. 8). Tale primato deve però essere rettamente compreso. Il privilegio della Scrittura, *che deriva dalla Tradizione* e *non contiene in modo integrale* la Rivelazione, è fondato da una duplice motivazione: *"la ispirazione dello Spirito Santo"*[1] e il fatto che la Scrittura è legata, nel Nuovo Testamento, al periodo fondatore della fede, che appartiene alla "Parola di Dio affidata da Cristo e dallo Spirito Santo agli Apostoli" (n. 9). Perciò la Scrittura è costituisce un punto fermo della Verità di fede (2Tess. 2,15), un solido e invalicabile riferimento all'evento della Parola, ri-

---

[1] "La Sacra Scrittura è Parola di Dio (*locutio Dei*) in quanto scritta per ispirazione dello Spirito di Dio" (DV 9).

cevuta una volta per sempre. Per questo, *la mediazione scritturistica* è un *punto di passaggio obbligato* per entrare in contatto con il mistero cristologico fonte della Rivelazione, nell'affermazione della sua irrepetibilità e della testimonianza di coloro che furono chiamati a essere i garanti della Verità dell'Evento originario cristologico, non solo come fatto storico, ma anche come *interpreti ispirati* del suo contenuto autentico teologico-salvifico di verità.

Dall'altro lato, la Scrittura, *come testo*, da sola, potrebbe restare lettera morta che uccide (2Cor 3,6), se non fosse animata dalla corrente vitale della Tradizione della Chiesa: "privata della Tradizione ecclesiale, la Scrittura sarebbe un corpo morto e l'unica funzione alla quale potrebbe aspirare sarebbe di ordine puramente documentario"[2]. Di qui l'importanza della Tradizione per completare il circolo ermeneutico delle vie di trasmissione: la Tradizione, che nel suo momento fondante (Dio-Cristo-Apostoli) è "costitutiva" del *Verbum Dei*, ha però il suo valore proprio che è quello di "trasmettere la Parola di Dio" (*Verbum Dei*) integralmente (DV 9).

3. Un terzo compito del metodo della teologia si gioca sulle *frontiere del dialogo* nel contesto culturale, ecumenico e interreligioso. Il dialogo, nelle sue espressioni culturali, appare sempre più un elemento irrinunciabile della fede in Gesù Cristo e della missione della Chiesa nel mondo. Ci si rende conto, però, che se è innegabile che il principale problema che si pone, *per salvaguardare la validità stessa del dialogo*, è *il suo essenziale ed imprescindibile riferimento alla verità*, il paradigma epistemologico riguardante il rapporto tra verità e dialogo implica pure quello di verità ed alterità. Esso presuppone sempre una precomprensione della persona umana, in quanto "intenzionata alla verità", nello "sforzo comune che l'umanità compie per raggiungere la verità" (FR 2; GS 16). Senza un movimento veritativo, senza una istanza metafisica della verità, l'alterità e la pluralità decadono inevitabilmente nel relativismo e fenomenologismo, che non sono compatibili con un autentico metodo teologico.

Questo principio dialogico vale non solo nel campo ecumenico tra le confessioni cristiane, ma anche in ambito interreligioso e in ciò che riguarda il

---

[2] A. Vanhoye, *La Parola di Dio nella vita della Chiesa*, in R. Fisichella (ed.), *Il Concilio Vaticano II. Recezione e attualità alla luce del Giubileo*, San Paolo, Cinisello Balsamo 2000, 33.

rapporto tra vangelo e cultura[3], avendo presente quanto affermava Giovanni Paolo II in *Catechesi Tradendae* 53: "Il messaggio evangelico non è puramente e semplicemente isolabile dalla cultura, nella quale esso si è da principio inserito (l'universo biblico, e più concretamente, l'ambiente culturale, in cui è vissuto Gesù di Nazaret), e neppure è isolabile (...) dalle culture, in cui si è già espresso nel corso dei secoli; esso non sorge per generazione spontanea da alcun *humus* culturale; esso da sempre si trasmette mediante un dialogo apostolico, che è inevitabilmente inserito in un certo dialogo di culture". Ciò interdice di pensare che l'incarnazione del messaggio cristiano si possa intendere secondo un percorso a senso unico: dalla fede alla cultura. Vangelo e cultura non vengono determinati, nella loro identità, indipendentemente da ogni loro rapporto. Tuttavia bisogna pure avere presente, a proposito del linguaggio cristiano, che esso è, originariamente e insieme, "vincolato alla cultura", ma anche "meta-culturale": per cui, se possiede tratti e caratteristiche linguistiche e culturali originarie, esso esprime anche in questo vincolo valori meta-culturali, in grazie di quali le caratteristiche puramente culturali del tempo vengono trascese.

In questa luce, si può affermare che l'esigenza della pluralità delle culture, nel suo evidenziare la pluriforme ricchezza dell'umano, non può costituire un motivo per affermare alcun *relativismo culturale* ed escludere a priori ogni principio veritativo che regola l'umano come tale, nella sua valenza meta-culturale. L'uomo, infatti, non si esaurisce nella cultura (*Veritatis Splendor*, 53). Questo principio meta-culturale, che fonda nella giusta direzione *ogni incontro dialogico inter-culturale*, è ancor più essenziale quando si tratta del messaggio cristiano e della sua accoglienza nella fede. *L'evento cristologico costituisce infatti il principio di unità e di discernimento dell'umano nel contesto della pluralità delle culture.* Già la CTI, nel suo intervento "sull'unità della fede e il pluralismo teologico" (1972), sottolineava che il mistero di Cristo ci offre un centro unitario e resta sempre un "*mistero che (...) pur essendo mistero di ricapitolazione e di riconciliazione universale* (cfr. Ef 2,11-22) *sorpassa le possibilità di espressione di qualsiasi epoca della storia, sottraendosi con ciò stesso ad ogni sistematizzazione esaustiva* (Ef 3, 8-10)"[4].

---

[3] M. BORDONI, *Le inculturazioni della cristologia e la Tradizione cristologica della Chiesa*, in *Historiam Perscrutari*, a cura di M. Maritano, Miscellanea O. Pasquato, Las, Roma 2002, 43-61.

[4] EV IV, nn. 1801-1815.

4. In questa esigenza *dialogica* il metodo teologico non può ignorare anche il dialogo della *teologia con le scienze* non solo umane, ma anche naturali. In questo campo si va aprendo un *"nuovo areopago"*[5] per il futuro della teologia. Oggi, si va affermando sempre più, in una prospettiva di frontiera, la ripresa di un approccio nuovo alle scienze naturali. Autori contemporanei che si sono distinti per il loro contributo alla riflessione della teologia in dialogo con la cultura del nostro tempo, hanno dichiarato *che la loro decisione, anche se tardiva, di un ingresso nel dialogo, come teologi, con gli scienziati delle scienze naturali, è stata motivata da una lettura attenta, fatta con impegno, delle pubblicazioni scientifiche correnti.* Questa lettura li ha portati al convincimento che "i teologi potrebbero conoscere qualcosa di più su Dio se leggessero, oltre che la Bibbia, il 'Libro della natura'"[6].

Recentemente si era, forse, troppo facilmente liquidato il discorso di frontiera della teologia con le scienze naturali sulla base di una presunta incompatibilità tra la ragione scientifica ritenuta di carattere esclusivo strumentale, e falsificabile, che prescinderebbe del tutto dall'apertura ai valori ultimi dell'esistenza dell'uomo e del suo mondo, rispetto alla ragione speculativa, di natura metafisica, che pone la questione del fondamento dell'esistenza e si proietta alla ricerca del senso ultimo della vita. Non si può certamente rinunziare, come talora è avvenuto, al *valore del sapere metafisico come partner privilegiato del cammino dialogico della teologia*[7]: questa rinunzia, là ove è stata operata in favore della sola scienza come partner prevalente e predominante nel dialogo con la teologia, ha avuto esiti nefasti. Questo non giustifica però il rifiuto della validità e dell'arricchimento proveniente da un *rinnovato dialogo tra la teologia e le scienze naturali* che rispetti l'esigenza di uno "spazio concettuale che non potrà essere identificato né in quello scientifico, né in quello teologico, esso dovrà essere necessariamente uno 'spazio neutro' atto alla mediazione, in quanto capace di interagire con entrambe le discipline senza ad esse appartenere e senza avere la pretesa di

---

[5] G. TANZELLA-NITTI, *Teologia e scienza. Le ragioni di un dialogo*, Paoline, Milano 2003; ID., *Il significato del discorso su Dio nel contesto scientifico-culturale odierno*, Armando, Roma 1996; cfr. *Dizionario Interdisciplinare di Scienza e Fede*, a cura di G. TANZELLA-NITTI – A. STRUMIA, Urbaniana University Press – Città Nuova, Roma 2002, 404-424.

[6] J. MOLTMANN, *Scienza e sapienza. Scienza e teologia in dialogo*, Brescia 2003.

[7] In realtà, la filosofia deve sempre mantenere un ruolo mediatore tra teologia e scienza: cfr. S. RONDINARA, *Modi di interazione tra conoscenza scientifica e sapere teologico*, in "Nuova Umanità", XXVI (2004/1), n. 151, 37-57.

risolvere i problemi specifici dei due ambiti del sapere. Nella tradizione della cultura dell'Occidente un tale compito è affidato a quell'esercizio dell'amore per la sapienza che abbiamo sempre chiamato *filosofia*"[8].

Il S. Padre, in una nota lettera al Direttore della Specola Vaticana (01.06.1988) su questo dialogo tra la teologia e le scienze, tendeva a superare, da un lato, ogni tendenza regressiva propria del passato, che porterebbe verso forme di riduzionismo unilaterale, ma, dall'altro, invitava a un dialogo per il quale oggi "abbiamo un'opportunità senza precedenti di stabilire un rapporto interattivo comune in cui ogni disciplina conserva la propria integrità pur rimanendo radicalmente aperta alle scoperte ed intuizioni dell'altra". Così questo dialogo "deve continuare e progredire in profondità e in ampiezza", avendo presente però l'esigenza che "ciascuna disciplina continui ad arricchire, nutrire e provocare l'altra, ad essere più pienamente ciò che deve essere ed a contribuire alla nostra visione di ciò che siamo e di dove stiamo andando".

Questo invito al cammino nella *legittimità di un dialogo*, può trovare un suo esito promettente *per la teologia del futuro* nella misura in cui la diversità degli approcci metodologici delle scienze naturali e teologiche trovino un loro punto di incontro *nella lettura del "libro della creazione"*. È procedendo su questa linea, infatti, che possiamo chiederci: non potrebbe la cosmologia contemporanea avere qualcosa da offrire alle nostre riflessioni sulla creazione? E poiché c'interroghiamo sul futuro della teologia è allora lecito chiederci quali potrebbero essere le implicazioni escatologiche della cosmologia contemporanea, specialmente alla luce dell'immenso futuro del nostro universo.

La teologia, nella misura in cui saprà sviluppare il suo dialogo con la scienza, potrà dare un suo efficace contributo non solo per la crescita della fede, ma anche per la crescita di un sapere scientifico che per quanto obbedisca alle sue proprie leggi, ha bisogno, per costruire una dimora sempre più abitabile per l'uomo, dell'aiuto di quanto la teologia può offrire perché siano rispettati i disegni di Dio nella costruzione del mondo creato nel contesto della storia di una nuova alleanza.

* * *

---

[8] S. RONDINARA, *Modi di interazione tra conoscenza scientifica e sapere teologico*, o.c., 54.

In una delle ultime discussioni del III Forum è stata posta con urgenza la domanda: di quale metodo teologico abbiamo voluto parlare?

Quale metodo la Pontificia Accademia di Teologia ha voluto difendere e raccomandare come metodo per un'autentica teologia cristiana?

A questi interrogativi, in forma di riflessioni conclusive, si possono offrire alcune chiarificazioni.

Un primo servizio alla Chiesa, nell'inderogabile istanza di una *riflessione credente*, è quello di rispondere alle esigenze d'intelligibilità della fede per cui la *razionalità della teologia*, la sua scientificità, e *il pensare nella comunione ecclesiale* non si escludono, ma vanno insieme.

Questo s'impone oggi, particolarmente, nella situazione di uno smarrimento dovuto a non poche carenze di ecclesialità, a frazionamento di metodi spesso divergenti, che approdano a discorsi detti teologici, ma condotti secondo un pluralismo dispersivo incompatibile con il principio della Verità rivelata.

In questa situazione, *il compito che si è prefissa l'Accademia* non è quello di consacrare un particolare metodo come unico ed esclusivo: rimane la coscienza che nella *communio ecclesiale* sono possibili diversi percorsi che hanno sempre caratterizzato *la pluralità delle grandi scuole teologiche,* facenti capo anche alla pluralità delle varie esperienze di spiritualità, per cui si dà una legittima pluralità all'interno della comunione ecclesiale.

Tale pluralità è determinata piuttosto da accentuazioni particolari della ricchezza delle molteplici componenti della Tradizione vivente della Parola, le quali debbono sempre più contribuire a una teologia che rifletta la particolare comprensione rivelata della Verità che illumina l'intelligenza umana.

L'intento del III Forum è stato quello di evidenziare *alcuni aspetti imprescindibili* senza dei quali non può esservi teologia (sistematica) cattolica: è alla luce di queste prospettive fondamentali che sono possibili ed accettabili pluralità di *visioni teologiche cattoliche* meritevoli di questo nome.

Mi permetto pertanto di richiamare alcuni di queste componenti imprescindibili e fondamentali.

1. *Il principio della comunione ecclesiale.* Esso comporta il *riferimento egemonico alla Scrittura*, letta non solo nel suo contesto letterario e culturale per conoscere la "mente dell'autore" (*intentio auctoris*), ma nel contesto della *Traditio vivens* della Parola scritta, sotto l'azione molteplice dello Spirito (lo stesso Spirito che ha ispirato la Scrittura) che guida: l'esperienza della vita liturgica, il cui accento può contribuire allo sviluppo dell' importanza del carattere *dossologico* della teologia; la lettura dei Padri e Dottori della Chiesa che arricchisce della dimensione spirituale e pastorale la riflessione teologica; la teologia monastica che richiama a quel valore della contemplazione dei misteri della vita di Cristo che consente di rafforzare la componente meditativa ed esperienziale della riflessione teologica, l'insegnamento del Magistero, che in forza del suo carisma certo di Verità è in grado di dare solidità alle affermazioni dogmatiche della fede; l'esperienza di vita dei Santi, che arricchisce la teologia con la "dimensione del cuore" dell'esperienza vissuta della fede nella carità; il *sensus fidei* di tutto il Popolo cristiano che pone il pensiero teologico in sintonia con la Verità nascosta nel senso religioso del Popolo di Dio consentendone l'esplicitazione.

Il teologo non può fare teologia ignorando o non curandosi di questi aspetti della *Traditio vivens* della Parola .

2. *Il principio della struttura del sapere teologico.* Attraverso queste molteplici accentuazioni emerge come compito della teologia quello di fare emergere la "logica della fede" intrinsecamente derivante dalla Verità rivelata. Così, particolarmente la teologia dei Padri, la teologia monastica, la teologia spirituale dell'esperienza dei mistici, riflette meglio quella concezione della Verità che si disvela nell'*evento cristologico*.

In questa linea, l'evento dell'incarnazione, della pasqua (croce-risurrezione), in quanto rivelazione escatologica del mistero trinitario di Dio, *costituisce la norma fondamentale della verità teologica,* dalla quale per nessun'altra comprensione culturale essa potrà mai deflettere. Sulla base di quest'attitudine dell'intelligenza che si apre e si lascia misurare dal donarsi, nel suo "nascondersi-disvelarsi", della Parola di Verità, si sviluppa una teologia come *momento critico del sapere della fede* che privilegia la *recezione-costatazione* dell'evento della Verità rivelata. Essa *si esprime* in *giudizi di "riconoscimento" della Verità stessa,* costituiti non solo da un consenso logico, ma anche dall'atto di una decisione di amore. È un fare teologia che non solo presuppone, ma *si evolve all'interno del movimento di fede che ringrazia, ama e spera l'incontro perfetto con il Cristo Verità tutta intera.* Potremmo definire questo stile del pensiero teologico come stile *dossologico*, che dona una caratteristica "eucaristica" alla struttura stessa del parlare teologico. Perché si definisca come *pensiero interno al credere*, questo "stile o modello teologico" può riflessivamente esplicitarsi *solo rispettando il movimento spirituale di un intelligere "ri-conoscente", per il quale il pensare dell'uomo si compie lasciandosi pensare e dire da Dio e dalla sua Parola di Verità*[9]. Esso potrebbe definirsi *"contemplazione intellettuale nell'ambito del mistero salvifico"*, oppure "via dell'anima spirituale verso la luce della Verità che redime e rende beati, il che non esclude la polemica, l'apologetica e nemmeno lo sforzo del concetto". In essa si dà più spazio alla creatività, all'ispirazione, al linguaggio simbolico-narrativo: ci si muove in contesti di scoperta più che di argomentazione fondativa; preghiera, meditazione e predicazione le sono più vicine.

3. *Il principio dell'intellectus fidei*, che comprende il ruolo della ragione nel contesto tracciato dalla *Fides et ratio* di Giovanni Paolo II. Non mi è parso che nella discussione si sia evidenziato un punto fondamentale per una teologia rispettosa dell'intellettualità della fede: il rapporto privilegiato con una *sana filosofia* che rispecchi quel senso dell'essere che è frutto delle radici cristiane. In questo contesto si pongono gravi questioni per la teologia, la quale non può fare a meno di una *pre-comprensione metafisica*. Certamente, la metafisica non è il terreno dal quale la teologia trae il proprio alimento e la propria forza, però si può ben dire che essa è l'atmosfera indispensabile per respirare, senza la quale il riflettere teologico rischia di soffocare e *non può trovare surrogati in qualsiasi miscela artificiale, fatta di teorie sociali o di ipotetiche teorie scientifiche*.

4. *Il principio della storicità.* La teologia, *non può neppure disattendere il problema del condizionamento storico generale del pensiero umano, l'importanza del "luogo storico" in cui si rivela la Verità divina e quindi la struttura storica del pensiero di fede* («*fides una est de temporalibus et aeternis*»: così si esprimeva lapidariamente San Tommaso d'Aquino). Di qui l'interesse, da parte della teologia, per quella questione di fondo che riguarda il rapporto tra *"verità e storia"*. L'avvento del pensiero storico ha posto sempre più in evidenza, come ha scritto la Commissione Teologica Internazionale[10], che

---

[9] Questa teologia presenta una sua impronta specifica, essa è un reale *pensare la fede* , ma non è semplicemente teologia razionale: «È *sapienziale* (...) non razionale né scientifica. Conosce la speculazione e la sistematicità. Il suo obiettivo è la certezza intelligibile della visione spirituale, non l'accertamento razionale del pensiero discorsivo» (M. SECKLER, *Teologia Scienza Chiesa*. Saggi di teologia fondamentale, Brescia 1988, 34).

[10] Cfr. *L'interpretazione dei dogmi* (1989), A- I/1, in "La Civiltà Cattolica", 141 (1990), n. 3356, pp. 144-173, soprattutto p. 148 (EV/11, nn. 2717-2811).

«quando ci troviamo alle prese con il problema della verità del reale, non partiamo mai da zero. Il reale che si tratta di comprendere lo incontriamo concretamente nell'interpretazione attraverso il sistema dei simboli di una data cultura, che si manifesta specialmente nel linguaggio. La comprensione umana è dunque in relazione con la storia della comunità. Così, per interpretare occorre anche appropriarsi e comprendere le testimonianze che la tradizione ha già dato». Ciò comporta l'esigenza di «svincolarsi da un realismo ingenuo. Nella nostra conoscenza, non abbiamo mai a che fare con il reale nella sua astrattezza, ma sempre con un reale nel contesto culturale dell'uomo, con la sua interpretazione attraverso la tradizione e la sua attuale appropriazione». In linea di principio, pertanto, si può affermare che «non c'è conoscenza umana senza presupposti» e che «in tutto ciò che l'uomo conosce, dice e fa, è storicamente condizionato dalla storia»[11]. *Tale situazione di condizionamento dell'intelligenza umana in quanto storicamente situata, tocca non solo la riflessione teologica, ma la stessa struttura degli enunciati della fede* – come i recenti documenti magisteriali riconoscono –, *nonostante le difficoltà che tale condizionamento storico determina nella sua «incidenza sull'espressione della rivelazione»*[12].

5. *Il principio della dialogicità*, che coinvolge non solo il rapporto della fede con la cultura e le scienze umane, ma anche il rapporto con le altre religioni. Il che, però, non può evadere l'esigenza di un'attitudine di ricerca della Verità. Esso tocca infatti, ad esempio, nel rapporto tra cristianesimo e religioni, quell'aspetto intrinseco della natura stessa del senso religioso che ha a che fare con la questione, insieme, della verità e della libertà *nel dovere di seguire la retta coscienza* e nell'intenzione – come più volte sottolineato da Giovanni Paolo II – «di cercare e di obbedire alla verità».

---

[11] *Ib.*, p. 150 (EV/11, n. 2726).
[12] Cfr. per esempio la Dichiarazione dottrinale della CONGREGAZIONE PER LA DOTTRINA DELLA FEDE, *Mysterium Ecclesiae* (1973), n. 5 (in EV/4, nn. 2564-2589, qui n. 2576).

Conclusione

Piero Coda

1. Una prima istanza, non testimoniata forse esplicitamente, ma emergente tuttavia con forza dal percorso di ricerca qui descritto, concerne il fatto che la definizione del *metodo* della teologia va posta e declinata in organica connessione con la definizione dello *statuto* della teologia stessa. Pur da prospettive e con accenti diversi, si è da tutti sottolineata, infatti, la necessità di una messa a fuoco dell'identità e della missione della teologia nel contesto dell'identità e della missione della Chiesa. In tale ottica sono emersi chiaramente tre livelli di comprensione e di esercizio dello statuto originale e irrinunciabile della teologia cristiana, sulla cui connessione sarebbe utile e importante un adeguato approfondimento: (a) il livello propriamente *epistemico*, con la pertinente declinazione dell'esercizio della *ratio fide illustrata*; (b) il livello o collocazione originariamente *ecclesiale* della medesima; (c) il livello *esistenziale* e *spirituale* del concreto esercizio di essa che ne consegue.

Una seconda istanza che, nel modo proprio di ciascuno, attraversa di fatto tutti e tre i livelli prima richiamati, è quella *trinitaria.* Se, infatti, l'Oggetto proprio della teologia cristiana è Dio Uno e Trino e tutte le realtà *sub ratione Trinitatis*, il metodo teologico non può che essere, di conseguenza, trinitario. Ovviamente, quest'affermazione va declinata in modo rigoroso e non semplicemente allusivo. Essa richiama infatti la dimensione *cristologica* del teologare (in quanto l'*intellectus fidei* è partecipazione al νοῦς Χριστοῦ, come afferma Paolo in 1Cor 2,16) e insieme la sua dimensione *pneumatologica* (secondo la molteplicità degli aspetti che sono emersi in molti contributi); ma implica anche quello che, facendo eco a Ireneo di Lione, si può definire il "*ritmo trinitario*" della metodologia teologica: sia in riferimento alla sua strutturale forma comunionale *ad intra*, sia in riferimento alla sua specifica forma testimoniale-dialogica *ad extra*.

2. Nell'impegno a declinare con pertinenza le due istanze di cui prima, una parola va spesa a proposito *dell'originalità e dell'unità del metodo teologico nel costitutivo riferimento di esso alle altre espressioni del sapere umano, in primis la filosofia ma insieme anche le scienze umane e naturali.* È ovvio che le discipline teologiche sono molte, e molti e diversi sono i metodi di cui esse fanno specificamente uso. Ma, nonostante (o meglio proprio attraverso) questa distinzione, i vari metodi, ognuno dei quali dev'essere esercitato nella sua peculiarità, alla fine non possono non convergere: in quanto la teologia è un'unità, nonostante ed anzi attraverso le diverse discipline in cui di fatto si articola. Unico è l'orizzonte esistenziale e intellettuale all'interno del quale i vari metodi vengono esercitati: quello della fede; unico, in definitiva, è l'Oggetto che viene approfondito, pur in prospettive diverse: il mistero di Dio Trinità rivelato in Gesù Cristo che illumina di Sé la creazione e la storia; unico infine è l'obiettivo che le varie discipline teologiche perseguono: l'approfondimento vitale della fede stessa per la sua incarnazione nell'esistenza personale e comunitaria, per il suo annuncio e la sua testimonianza nel mondo di oggi. Di conseguenza, il teologo deve avere, da una parte, una grande sensibilità per i diversi aspetti metodologici implicati nelle diverse discipline in cui si esprime la teologia e una sufficiente competenza in essi; e, dall'altra, allo stesso tempo, un forte e genuino senso dell'unità e della specificità del metodo teologico globalmente e radicalmente considerato. Parafrasando la nota espressione di Jacques Maritain, anche nel caso della teologia occorre "distinguere per unire". In tale contesto epistemico sono da collocarsi, nella loro peculiarità, sia il rapporto tra teologia e filosofia, e in particolare metafisica, sia tra teologia e scienze umane e naturali.

a. Circa il primo rapporto, la *Fides et ratio* opportunamente sottolinea che "il legame tra la sapienza teologica e il sapere filosofico è una delle ricchezze più originali della tradizione cristiana nell'approfondimento della verità rivelata" (n. 105). Ciò deriva, a ben vedere, da due fatti convergenti. Da un lato, la filosofia, evidenziando per sé "la dimensione metafisica della verità" (cfr. *ivi*), dischiude quell'orizzonte di apertura dello spirito all'Essere come Verità e di trascendenza e dedizione di quest'ultima allo spirito stesso, all'interno del quale soltanto si fa evento percepibile e intelligibile la rivelazione gratuita di Dio. D'altro lato, la rivelazione stessa, accolta nella fede e penetrata dall'intelligenza illuminata e nutrita dalla fede, sotto la guida dello Spirito Santo introduce "alla verità tutta intera" (cfr. Gv 16,13) dell'Essere

Increato e dell'essere creato uniti e distinti in Colui che ha detto di Sé: "Io
sono la Verità" (cfr. Gv 14,6). Di qui, la duplice esigenza di fedeltà della teologia alla grande tradizione della filosofia dell'essere elaborata dalla tradizione metafisica cristiana (cfr. FR 97) e insieme di apertura a un rinnovamento
creativo di essa, nella luce di un sempre più profondo discernimento dei tesori di verità proposti dalla rivelazione: "la verità rivelata, offrendo pienezza
di luce sull'essere a partire dallo splendore che proviene dallo stesso Essere
sussistente, illuminerà il cammino della riflessione filosofica" (FR 79).

b. Circa il rapporto tra la teologia e le scienze, esso va collocato sul terreno
della necessaria criticità scientifica della teologia stessa, per cui essa è chiamata
a far uso sia della *scienze storico-critiche* sia delle *scienza umane* sia delle *scienze
naturali* (si pensi oggi alle questioni impellenti della cosmologia, della bioeti-
ca e della ingegneria genetica). La questione riguarda il come possa e debba
correttamente avvenire una tale interazione. Se, infatti, il riferimento comune
dei diversi saperi è il reale, non nella sua rappresentazione ingenua, ma nella
ricchezza d'espressione che trova parola nella pluralità delle prospettive e dei
linguaggi che lo intenzionano, come possono avvenire uno scambio fruttuoso
e una traduzione pertinente dei risultati raggiunti da un ambito disciplinare al-
l'altro? La questione è delicata e impegnativa. Non si tratta di estrapolare i dati
di una disciplina per riproporli come tali nell'ambito di pertinenza di un'altra
disciplina, nella linea di un discutibile e anzi inaccettabile concordismo. Si
tratta piuttosto di vedere se e come le prospettive dischiuse sul reale a partire
da un ambito disciplinare, possano offrire degli apporti fruibili anche da altre
discipline, nel loro specifico approccio al reale.

Ovviamente, una simile operazione – che di fatto è continuamente
compiuta, a livello più o meno riflesso, nel prodursi e nel crescere di quel fenomeno complesso e complessivo che è la cultura umana, in un determinato
momento e in una determinata forma del suo sviluppo – può essere compiuta, come opportunamente ha sottolineato Bordoni, solo disponendo di
uno spazio di mediazione intellettuale tra i diversi ambiti disciplinari: quello
spazio in cui giunge a consapevolezza riflessa *il darsi del reale come reale*.
Quel reale al quale, per la loro parte, le diverse discipline fanno riferimento secondo una specifica prospettiva, uno specifico metodo, uno specifico
obiettivo. Tale necessario spazio di mediazione è quello offerto, nella tradizione della cultura occidentale, dalla *filosofia in quanto metafisica o filosofia
dell'essere*. Essa, infatti, costituisce l'orizzonte che abbraccia e illumina ogni

conoscere e ogni agire dell'uomo. L'uomo *interpreta* e *dà forma* alla realtà entro la quale vive: la accoglie, la nomina, la descrive, ne evidenzia le varie dimensioni e i vari aspetti, e insieme la plasma e la trasforma. Ecco i vari saperi, le scienze, le tecniche e le arti. Ma al tempo stesso l'uomo si pone la domanda sulla verità e il senso di ciò che ha conosciuto e fatto: in definitiva, la domanda sulla verità e sul senso di ciò che è, che trova risposta gratuita e piena in Gesù Cristo quale *Persona Veritatis* (Sant'Agostino). Il fatto che oggi, il più delle volte, sia la teologia ad assumersi in prima persona la duplice e convergente funzione di custodia e di rinnovamento dell'orizzonte ontologico del conoscere e di dialogo con le scienze, non solo testimonia dell'intatta vitalità e potenzialità del sapere che direttamente attinge dalla rivelazione, ma mostra anche come sia ormai improponibile la delineazione di un orizzonte ontologico condiviso e pertinente che voglia prescindere da una reciproca stimolazione tra teologia, filosofia e scienze.

3. Una seconda prospettiva di approfondimento concerne *lo statuto* e, di conseguenza, *il metodo insieme ecclesiale e trinitario della teologia cristiana*. Nella prospettiva disegnata autorevolmente dal magistero del Concilio Vaticano II, l'ecclesiologia trinitaria della *communio* mostra di avere, in effetti, un decisivo riflesso sull'identità e sull'esercizio della teologia. L'*Ecclesia de Trinitate* è il luogo della testimonianza, nella fede, della rivelazione di Dio donata escatologicamente al mondo in Gesù Cristo e trasmessa e vissuta nello Spirito Santo. Tale mediazione è oggettivamente proposta nel canone scritturistico e nei segni sacramentali, interpretati e realizzati, rispettivamente, dal Magistero e dal Ministero ordinato. Tale mediazione è resa oggettivamente efficace per l'azione dello Spirito Santo e fa contemporaneo a ogni tempo e presente a ogni luogo l'evento stesso di Gesù Cristo crocifisso e risorto. Non si tratta, dunque, d'una mediazione soltanto verbale, ma reale e sostanziale, che ha la sua piena attuazione nella presenza eucaristica del Cristo stesso. La mediazione oggettiva, del resto, per sé implica, suscita e norma la mediazione soggettiva della fede che l'accoglie e di essa si nutre. Senza la giusta e vitale *receptio* soggettiva della *traditio* oggettiva, l'evento di Gesù Cristo non si fa presente oggi per noi e per il mondo. Tale mediazione soggettiva o *receptio* è operata anch'essa dallo Spirito Santo. Il quale non solo gratuitamente suscita la fede in Cristo, in sinergia con la libertà umana, non solo la sostiene e guida coi suoi doni (i sette doni dello Spirito Santo), ma di tempo in tempo la illumina, la fortifica e la orienta anche con speciali carismi (cfr. LG 12), volti ad attualizzare la recezione e la penetrazione vitale nell'evento di Gesù Cristo. Decisiva, nella fede cristiana, è pertanto, grazie alla mediazione della Chiesa, la *presenza* attuale del Risorto, nel quale "Dio, che ha parlato in passato, non cessa di parlare con la Sposa del suo Figlio diletto" (DV 8). Tale presenza è grazia (χάρις), offerta dalla Parola e dal Sacramento, che diventa soggettivamente efficace quando la libertà del discepolo la riconosce nella fede e la vive esistenzialmente nell'esercizio dell'*agápe* ("Questo è *il* suo comandamento: che crediamo [πίστις] nel nome del Figlio suo Gesù Cristo e che ci amiamo [ἀγάπη] gli uni gli altri secondo il comando che Dio ci ha dato" [1 Gv 3,23]).

La *communio*, pertanto, non descrive soltanto l'esistenza originaria dei discepoli in Cristo quale presupposto vitale della loro conoscenza del Padre nello Spirito, ma illustra anche la dinamica del loro accesso a tale conoscenza per la mediazione della *traditio*. Il Concilio Vaticano II insegna, infatti, che "la Sacra Tradizione, la Sacra Scrittura e il Magistero della Chiesa, per sapientissima disposizione di Dio, sono tra loro talmente connessi e congiunti da *non potere indipendentemente sussistere*" (*Dei Verbum* 10). Quest'affermazione sottolinea che le mediazioni oggettive che rendono possibile alla Chiesa il suo dimorare e penetrare sempre nuovo nella verità del Cristo, hanno valore in quanto, essendo ciascuna in relazione con il Crocifisso/Risorto nello Spirito Santo, sono, di conseguenza, in relazione anche tra loro. Esse sono chiamate a mettere in comunione la singola forma di mediazione e il singolo momento storico in cui essa si realizza, con le altre forme e gli altri momenti della trasmissione. In una dinamica che è chiamata a salvaguardare ed esprimere, nell'oggi, la singolarità escatologica della Parola di Dio in Cristo.

Già nell'idea sistematica dei *loci theologici*, elaborata nel XVI secolo da Melchior Cano e divenuta canonica per la teologia successiva, la *traditio* dell'evento Cristo – come sottolinea Max Seckler – veniva garantita da "un organismo interattivo di soggetti della tradizione" (la Scrittura, la Tradizione, la Chiesa tutta, il Papa, i Padri, i teologi…), in modo tale che ciascuno di essi "rappresenta potenzialmente il tutto, ma con i propri mezzi e a partire dalla propria ottica"[1]. In questo modo, "il tutto della *veritas catholica* in quanto *veritas catholica* si realizza soltanto nella cooperazione di questa

---

[1] M. SECKLER, *Il significato ecclesiologico dei 'loci theologici'*, in ID., *Teologia, scienza, chiesa*, tr. it., Morcelliana, Brescia 1988, 171-206, in particolare 188s; 193s.

totalità"[2]. Il limite di tale concezione era che i vari soggetti potevano di fatto diventare "sempre più autonomi"[3]. La prospettiva teologica del Vaticano II, maturata in riferimento sia al concetto di rivelazione proposto nella *Dei Verbum*, sia al concetto di Chiesa comunione presentato nella *Lumen gentium*, sia a quello del *Christus praesens in mysterio* della *Sacrosanctum Concilium*, invita a una visione che, senza confondere l'identità peculiare e la funzione propria delle varie forme (livello sincronico) e dei vari momenti storici (livello diacronico) della mediazione, ne comprende e promuove la convergenza e i rapporti, sulla base della radice unica da cui germogliano: la παράδωσις, nello Spirito Santo, dell'evento della Parola di Dio che si è fatta carne "una volta per sempre" in Cristo Gesù. Nel contesto della dinamica relazionale dei soggetti della trasmissione della Parola, la Sacra Scrittura e il Magistero godono, indubbiamente, di uno statuto peculiare, in quanto manifestano e garantiscono, in modi diversi, la definitività escatologica della rivelazione di Dio in Gesù Cristo. La Parola di Dio scritta, in quanto testimonianza normativa e intrascendibile dell'evento della rivelazione; il Magistero, in quanto esercizio dell'interpretazione certa e autentica di esso. E tuttavia – come precisa il Vaticano II – "il Magistero non è al di sopra della Parola di Dio, ma la serve, insegnando soltanto ciò che è stato trasmesso, in quanto, per divino mandato e con l'assistenza dello Spirito Santo, piamente la ascolta, santamente la custodisce e fedelmente la espone" (DV 10).

In tale orizzonte, tra l'altro, va posta con pertinenza anche la riflessione sul *carisma* della teologia e sul significato teologico dei grandi *carismi ecclesiali*, non solo come dato soggettivo (spiritualità) ma anche come dato oggettivo (luogo teologico). Giovanni Paolo II ha sottolineato in proposito, nella *Novo millennio ineunte*, che la "teologia vissuta dei Santi" costituisce un "grande patrimonio", ricco di "indicazioni preziose che consentono di accogliere più facilmente l'intuizione della fede, e ciò in forza delle particolari luci che alcuni di essi hanno ricevuto dallo Spirito Santo, o persino attraverso l'esperienza che essi stessi hanno fatto" del mistero di Cristo (cfr. n. 27). Tale richiamo allude, almeno indirettamente, all'insegnamento eloquente e preciso di *Dei Verbum*, 8, secondo cui "cresce la comprensione, tanto delle cose quanto delle parole trasmesse, sia con la riflessione e lo studio dei credenti, i quali le meditano in cuor loro (cfr. Lc 2,19 e 51), sia con la espe-

---

[2] *Ib.*
[3] *Ib.*

rienza data da una più profonda intelligenza delle cose spirituali", in modo tale che "la Chiesa, nel corso dei secoli, tende incessantemente alla pienezza della verità divina, finché in essa vengano a compimento le parole di Dio". In questa linea, H.U. von Balthasar ha potuto affermare che "grandi carismi come quelli di Agostino, Francesco, Ignazio possono ricevere donati dallo Spirito sguardi nel centro della rivelazione, sguardi che arricchiscono la Chiesa in modo quantomai inaspettato e tuttavia perenne"[4]. Il che richiama alla dimensione mariale intrinseca all'esercizio soggettivo della teologia (*Dei Verbum* opportunamente rimanda a Lc 2,19 e 51), strettamente connessa, sotto il profilo del contenuto, alla sua peculiare dimensione mariologica.

La forma trinitaria del metodo teologico, inoltre, è decisiva anche nel riferimento della teologia alle culture e alle religioni: in una parola, alla *storia* dell'umanità e all'*altro*. L'apertura relazionale propria della fede cristiana nella sua dinamica pasquale invita a porre il dialogo come forma specifica della testimonianza della verità, della sua proposizione e del suo stesso approfondimento, come ha voluto richiamare, riprendendo il magistero conciliare, Giovanni Paolo II nella *Novo millennio ineunte* (n. 56; cfr. *Gaudium et spes* 44). Tema, quest'ultimo, che esige oggi più che mai una rigorosa trattazione per evitare gli opposti scogli del compromesso relativistico e dell'esclusivismo fondamentalista.

Le considerazioni qui suggerite, a partire dal ricco e convergente svolgimento del II Forum, mi pare possano costituire un contributo al prosieguo della riflessione sul metodo teologico e insieme offrire un indirizzo alla dinamica e agli obiettivi di lavoro della Pontificia Accademia di Teologia. Essa, appunto in quanto "Accademia", è chiamata a diventare sempre più e sempre meglio ciò che è per definizione: un luogo di dialogo alto e aperto, amicale e comunionale, secondo il modello offerto dall'Accademia di Platone, nella quale la verità "dopo un lungo essere insieme in dialogo su questi temi, e dopo una comunanza di vita, improvvisamente, come luce che si accende dallo scoccare di una scintilla, nasce nell'anima e da se stessa si alimenta" (*Lettera VII*, 341 C-D). E proprio così, nella luce della presenza escatologica di Cristo Verità, proporsi come "casa e scuola di comunione" (cf. *Nmi* 43) per i teologi, e servizio efficace e incisivo al Popolo di Dio e al Magistero dei Pastori nell'oggi della storia umana.

---

[4] H.U. VON BALTHASAR, *Teologica. Lo Spirito della verità*, Vol. III, Jaca Book, Milano 1992, 22.

4. Parafrasando Aristotele, si può senz'altro affermare che "teologia" si dice in molti modi: nel senso che essa esibisce, al contempo, un indiscutibile significato originario, su cui tutti conveniamo e che funge da ispiratore *"analogatum princeps"*, e una pluralità di declinazioni che non derivano soltanto dalla molteplicità delle intonazioni spirituali e culturali, ma dalla differenza dei livelli di esercizio e di espressione del fatto teologico. E tale pluralità analogica, che è insieme convergenza unitaria, è assolutamente necessario tener presente quando si discetta sullo statuto e sul metodo della teologia, per evitare inutili e perniciosi fraintendimenti e per svolgere un approfondimento coerente e proficuo.

È evidente infatti, che un primo livello, ontologicamente fondante, della teologia è quello coestensivo all'originarsi e al progressivo configurarsi della fede cristiana stessa. Se, da un lato, la fede è la risposta pertinente e adeguata all'evento della rivelazione di Dio mediante Gesù Cristo nello Spirito Santo e, dall'altro, essa è teologicamente e antropologicamente riuscita nel momento in cui esprime un'esplicita intelligenza di sé, ne consegue che la vita della comunità dei discepoli di Gesù Cristo, la vita della Chiesa, è essa stessa "teo-logia": e cioè *traditio* (diacronica) e *communicatio* (sincronica) dell'evento di Gesù Cristo nello Spirito in quanto esso plasma e dà forma all'esistenza umana nella storia, nella sua costitutiva tensione verso il compimento escatologico.

È, in fondo, proprio a questa dimensione sorgiva e insieme risolutiva della teologia cristiana che alludono ad esempio, nel magistero del Concilio Vaticano II, sia la *Dei Verbum* quando afferma che nella fedeltà alla *Traditio* degli Apostoli, che a sua volta deriva ed esprime la *Traditio* trinitaria del Figlio incarnato da parte del Padre nello Spirito Santo (cfr. *Gv* 20,21), «*Ecclesia, in sua doctrina, vita et cultu, perpetuat cunctisque generationibus transmittit omne quod ipsa est, omne quod credit*» (n. 8); sia l'*Optatam totius* là dove invita a far convergere tutte le discipline «*ad alumnorum mentibus magis magisque aperiendum Mysterium Christi quod totam generis humani historiam afficit, in Ecclesiam iugiter influit et ministerio sacerdotali praecipue operatur*» (n. 14), e là dove esorta a riconoscere presenti e operanti i misteri della salvezza «*in actionibus liturgicis et universa Ecclesiae vita*», imparando «*humanorum problematum solutiones sub Revelationis luce quaerere, eius aeternas veritates mutabili rerum humanarum condicioni applicare easque modo coaevis hominibus accommodato communicare*» (n. 16).

Di qui, a un secondo livello, si sviluppa quell'*intelligentia fidei* in cui la teologia propriamente consiste. Essa, per obbedienza alla sua intrinseca natura e alla sua primigenia vocazione, non può dunque configurarsi se non come il venire al pensiero di quella *communio*, quale *novitas vitae* mediante Cristo nello Spirito, da cui nasce e a cui si alimenta. È vero, da un lato, che essa dovrà obbedire alle leggi proprie dell'intelligenza, ma è altrettanto vero, d'altro lato, che l'intelligenza stessa, una volta *fide illustrata*, potrà e dovrà esibire il suo statuto plenario alla luce del disegno di Dio escatologicamente rivelato/attuato in Cristo. Si tratterà, dunque, di un'*intelligentia caritate formata*, elevata cioè a esprimere, nel suo modo proprio e originale, il tutto della rivelazione che è chiamata a vivere in se stessa e a trasmettere nella sua integralità. Di qui, in particolare, quella dialettica che, a ben vedere, è intrinseca a ogni autentica teologia cristiana, tra *sapientia* e *scientia*, e cioè, in definitiva, tra il contemplare e vivere la realtà nella partecipazione di grazia al pensiero e alla vita di Dio in Cristo, e l'incarnazione della vita e del pensiero di Dio nella storicità, secondo la modalità e la dinamica proprie del Verbo di Dio fatto carne nel soffio dello Spirito Santo. Di qui anche la struttura per sé testimoniale e dialogica della teologia, volta a irradiare l'intelligenza di Cristo in un orizzonte universale, e a ricapitolare in Lui, non integristicamente, la crescita verso la verità ovunque suscitata e alimentata dallo Spirito senz'invidia e senza parsimonia.

Infine, a un terzo livello, è necessario e arricchente tematizzare riflessivamente, in una rigorosa teoria gnoseologica, il *proprium* e il *novum* del conoscere teologico in quanto nasce e prende forma originariamente al primo livello e, di conseguenza, s'esprime e articola coerentemente al secondo livello di cui s'è sin qui detto. I tre livelli vanno adeguatamente distinti, ma non per separarli, bensì per illuminarne l'intima coesione e armonia.

Quando si parla di *comunione* (a livello diacronico e sincronico) e di *dialogo* come dimensioni intrinseche del metodo teologico si vuole evidenziare ciò che per sé caratterizza la teologia cristiana in quanto tale, e a tutti questi tre livelli: anche se, ovviamente, con una specifica peculiarità in ognuno di essi, peculiarità che va debitamente focalizzata e articolata, in sé e nel rapporto con gli altri livelli.

Quando, ad esempio, si parla di una necessaria "spiritualità", e cioè di una vita limpidamente condotta nello Spirito di Gesù Cristo, quale *humus* e atmosfera vitale dell'esercizio del teologare, non si fa altro che sottolineare l'inscindibile nesso esistenziale che lega la novità della vita in Cristo con la sua espressione nell'*intelligentia fidei*.

5. Il discorso sin qui fatto, e che, in forme diverse, ha impegnato la gran parte delle nostre energie e risorse, conduce per sé a un'ulteriore questione che, a dire il vero, è solo qua e là emersa, ma che, a mio avviso, è di fondamentale importanza per una corretta impostazione della nostra ricerca e per uno scavo di approfondimento che sia non solo all'altezza della novità di cui la teologia è chiamata a dar conto, ma anche culturalmente significativo e incisivo nell'oggi della storia. In modo assai sintetico, e come tale bisognoso di un'adeguata esplicitazione e articolazione, direi che il nodo sul quale dovremmo con coraggio e con costanza riflettere è il seguente: in definitiva, è la novità stessa dell'Oggetto che la teologia è chiamata ad accogliere ed esprimere che determina la forma del metodo con cui il soggetto – in ciò competente – assolve a tale compito.

Se, infatti, è il Dio Trinità d'Amore, rivelato/comunicato nella pasqua di Gesù Cristo e nell'effusione pentecostale dello Spirito Santo come il principio e il fine di tutto ciò che è, l'Oggetto primo e ultimo della teologia (la sua *Res*), è chiaro che solo una vita e, insieme, un'intelligenza ad esso corrispondenti potranno darne adeguata testimonianza e pertinente ragione. Tale consapevolezza, a ben vedere, è stata ed è senz'altro presente nei più luminosi e maturi progetti teologici di tutti i tempi.

Oggi, però, mi pare che tale consapevolezza, sulla base del rinnovamento che ha attraversato il '900 ecclesiale, deve emergere ed essere assunta come tale dalla comunità dei teologi come espressione qualificata della *communio* dell'intero Popolo di Dio sotto la guida del magistero, in sintonia con l'ecclesiologia del Vaticano II e gl'impulsi di Paolo VI, Giovanni Paolo II, Benedetto XVI. La corrispondenza dell'esercizio della soggettività teologica all'Oggetto trinitario, che come tale la connota, implica non solo una metodologia che permetta adeguatamente a ciascun teologo d'informare la sua intelligenza sulla misura della Vita trinitaria, ma, per ciò stesso, implica l'acquisizione e la pertinente articolazione di relazioni intersoggettive capaci di attestare ed esprimere al meglio, anche a livello intellettuale, l'Oggetto accolto e comunicato. Non si tratta soltanto di una questione "spirituale", nel senso depotenziato del termine, ma di un fatto onto-logico per sé richiedente precise implicazioni epistemiche e metodologiche nella teologia.

6. Infine, tenendo conto delle linee emerse dal nostro dialogo, mi proverei a riassumerne le istanze convergenti in vista della prosecuzione della nostra ricerca, riconducendole a tre fondamentali:

(1) per dare concretezza e verificare l'intenzionalità dell'approccio metodologico istruito nel II e nel III Forum, è forse giunto il momento di fissare l'attenzione sulla "res" dell'atto teologico;

(2) e ciò convergendo possibilmente – a motivo dello spessore oggettivo e del condiviso interesse soggettivo per la questione – sul tema della "fede in Gesù Cristo";

(3) tenendo insieme presente l'obiettivo intrinseco (all'oggetto della fede) e urgente (in rapporto alla cultura odierna) della credibilità, della comunicazione e della rilevanza antropologica della fede in Cristo.

Su questa base è possibile prevedere di proseguire, insieme e con frutto, il cammino intrapreso.

Nota all'edizione

Manlio Sodi

Trasformare il contenuto dei risultati di due *Forum* in un volume unitario non è stato un lavoro semplice. Richiedeva per lo meno una revisione da parte dei singoli Autori e una armonizzazione dei contenuti e delle prospettive che si basasse sulla conoscenza dei risultati proposti da tutti i Collaboratori.

Il *Consiglio* della *Pontificia Academia Theologica* ha ritenuto opportuno accelerare l'edizione pur nel rischio di presentare sovrapposizioni e riferimenti immediati alle riflessioni e alle discussioni dell'uno o dell'altro *Forum* che in una redazione più organica avrebbero potuto essere migliorati. Se questo non è stato fatto è perché si voleva mantenere la freschezza, la vivacità e talora il limite, che provengono dalla pubblicazione di *Atti*, sia pur già apparsi nella rivista PATH.

Di fronte al materiale accumulato nei due *Forum* e dinanzi alle attese da più parti sollecitate di poter disporre in un volume unitario tutti i contributi, è stato impostato questo primo volume della collana ITINERARIA in cui si riprendono tutti i materiali ma predisposti secondo un certo ordine.

Il *Consiglio* dell'Accademia, infatti, ha pensato l'articolazione dei contributi distribuendoli in tre parti:

1. *All'origine la Parola*;
2. *In contesto ecclesiale*;
3. *La Verità testimoniata*.

Due contributi (quelli di Max Seckler e di Berhard Körner), originariamente apparsi in lingua tedesca, sono stati tradotti in italiano per garantire una maggior diffusione dei contenuti (quello di Max Seckler è apparso anche in *Rivista Liturgica* 95/2 [2008] 227-252 per lo specifico interesse liturgico).

Pochi ed essenziali sono gli elementi tenuti presenti per una pianificazione redazionale. Si è voluto, però, arricchire il volume con l'*Indice dei*

Nomi sia per una verifica dialettica con le numerose e diversificate posizioni, sia per cogliere un orizzonte che permette di intravedere l'ampiezza del dibattito (il lungo elenco è molto eloquente) che chiama in causa Autori dell'antichità e dell'oggi, Istituzioni ecclesiastiche e laiche, Padri della Chiesa e Magistero pontificio, Santi e Sante che hanno impregnato con la loro testimonianza la vita teologale della Chiesa di ogni tempo.

Dall'insieme scaturisce un volume che solleciterà lo sviluppo di un dibattito, e che a sua volta si aprirà su ulteriori prospettive, perché la ricerca del metodo in teologia, come pure in numerose altre scienze, è sempre *in progress*.

Indice dei Nomi

Nel presente elenco sono indicati i nomi citati dagli Autori; il numero indica la pagina senza specificare se il nome è nel testo o in nota. Sono recensiti anche gli Organismi della Curia Vaticana e di eventuali altre Istituzioni; non sono presi in considerazione i nomi della Sacra Scrittura, né i documenti ecclesiali del Magistero o della Tradizione.

Indice generale

Parte I
ALL'ORIGINE LA PAROLA

Parte II

IN CONTESTO ECCLESIALE

Parte III
LA VERITÀ TESTIMONIATA

PONTIFICIA ACADEMIA THEOLOGICA

Libreria Editrice Vaticana
00120 Città del Vaticano
Tel. (+39) 06-6988.5003 – Fax (+39) 06-6988.4716 – CCP 00774000
www.liberiaeditricevaticana.com – diffusione@lev.va

Collana
«ITINERARIA»
Scripta Auctorum

La collana *Itineraria* pubblica opere di Autori singoli o in collaborazione, che rispecchiano le finalità della *Pontificia Academia Theologica*. I volumi, editi sotto la responsabilità del Consiglio dell'Accademia, si pongono a servizio della ricerca teologica nell'odierno contesto culturale ed ecclesiale.

1. M. SODI (ed.), *Il metodo teologico. Tradizione, innovazione, comunione in Cristo*, Lev, Città del Vaticano 2008, pp. 511, ISBN 978-88-209-8079-5, € 29,00.

2. A. AMATO, *Gesù, identità del cristianesimo. Conoscenza ed esperienza*, Lev, Città del Vaticano 2008 (in stampa).

3. M. SODI - P. O'CALLAGHAN (edd.), *Paolo di Tarso. Tra* kerygma, cultus *e* vita, Lev, Città del Vaticano 2009 (in preparazione).

4. D. VALENTINI, *Lo Spirito e la Sposa. Scritti teologici sulla Chiesa di Dio e degli uomini*, Lev, Città del Vaticano 2009 (in preparazione).

Rivista

«PATH»
Periodicum Internationale

La rivista *PATH* è espressione della *Pontificia Academia Theologica*; vi collaborano soprattutto i membri accademici. Nata nel 2002, pubblica due volumi all'anno su temi di attualità teologica e di rilevanza ecclesiale.

Vol. 1 - Anno 2002

- *Editoriales*

  n. 1 - AMATO A., *Path: una nuova rivista*, 3-4;

  n. 2 - AMATO A., *Per una rilettura della "Dominus Iesus"*, 141-143.

- *Studia*

  AMATO A., Dominus Iesus: *recezione e problematiche*, 79-114; AMATO A., *Complementi bibliografici alla* Dominus Iesus, 367-370; BORDONI M., *Fare teologia all'inizio del terzo millennio*, 9-46; BORDONI M., *Riflessione teologica sulla verità della rivelazione cristiana*, 251-266; CODA P., *Il carattere dinamico della verità cristiana, approccio pneumatologico*, 267-279; COTTIER G.-M., *Quelques nœuds théologiques*, 47-58; DAL COVOLO E., *«Ego sum Via et Veritas»* (Gv 14,6). *Argomentazioni patristiche di verità*, 221-238; FISICHELLA R., *Ricezione ecclesiale della* Dominus Iesus, 173-182; HON TAI-FAI S., *Christological Affirmations of* Dominus Iesus *and Interreligious Dialogue*, 315-342; ILLANES J.L., *Lenguaje, comunicación y recepción del magisterio reciente*, 183-202; LÉTHEL F.-M., *Verità e amore di Cristo nella teologia dei santi*, 281-314; PENNA R., *Il concetto biblico di «verità». Alcuni aspetti semantici*; SCHEFFCZYK L., *La mia esperienza di teologo cattolico. Uno sguardo d'insieme*, 59-78; SECKLER M., *Zeitgenössischer philosophisch-theologischer Kontext und* Dominus Iesus. *Säkularisierung, Postmodernismus, Religiöser Pluralismus*, 145-171; SEIDL H., *Riflessione filosofica sulla verità*, 239-250; SPITERIS Y., *L'ecclesiologia della* Dominus Iesus *e dialogo ecumenico*, 346-366.

- *Commentarium* • *In memoriam* • *Recensiones* • *Vita Academiæ* • *Opera accepta*

Vol. 2 - Anno 2003

- *Editoriales*

  n. 1 - AMATO A., *Teologia trinitaria contemporanea*, 3-4;

  n. 2 - CODA P., *Cristologia tra questioni e prospettive*, 271-276.

- *Studia*

BATTAGLIA V., *Cristologia e spiritualità*, 505-525; BERTONE T., *La rilevanza dottrinale e teologica del* Catechismo della Chiesa Cattolica, 239-251; BORDONI M., *Trinità e missione*, 179-195; BORDONI M., *L'universalità della salvezza in Cristo e le mediazioni partecipate*, 375-399; BORRIELLO L., *Teologia trinitaria e spiritualità*, 155-177; CIOLA N., *"Disagi" contemporanei di fronte al paradosso cristiano dell'incarnazione*, 443-471; CIPRIANI N., *Il mistero trinitario nei Padri*, 47-70; COTTIER G.-M., *Théologie trinitarie et Ecclésiologie*, 95-107; DHAVAMONY M., *Towards a Trinitarian Theology of Religions*, 197-221; GALVAN J.M., *Trinità e arte*, 133-155; GOZZELINO G., *"Io vado a prepararvi un posto" (Gv 14,2). Riflessioni sulla dialettica "simbolica" o di unità dei distinti della cristologia con l'escatologia*, 491-504; LADARIA L.F., *La recente interpretazione della definizione di Calcedonia*, 321-340; LÉTHEL F.-M., *Le mystère de l'agonie de Jésus à la lumière de la théologie des Saints*, 417-441; PENNA R., *I fondamenti della cristologia neotestamentaria. Alcuni aspetti della questione*, 305-320; SALVATI G.M., *Trinità e inculturazione*, 223-237; SANNA I., *Il riscontro della Trinità nella vita del credente*, 109-131; SCARAFONI P., *Cristocentrismo: significato e valenza teologica, oggi*, 277-304; SPITERIS Y., *Teologia trinitaria nell'Oriente cristiano: implicazioni soteriologiche e antropologiche*, 71-93; TREMBLAY R., *Le christocentrisme, lieu d'émergence d'une morale du maximum. Reflexions à la lumière du IV évangile*, 473-490; VANHOYE A., *La fede di Gesù? A proposito di Ebrei 12,2: "Gesù, autore e perfezionatore della fede"*, 401-415; WONG J.H., Logos and Tao: *Johannine Christology and a Taoist Perspective*, 341-374; ZEVINI G., *Il volto del Dio unico in tre persone nel Vangelo di Giovanni*, 5-46.

- *Recensiones* • *Vita Academiæ* • *Opera accepta*

Vol. 3 - Anno 2004

- *Editoriales*
  - n. 1 - BORDONI M., *Il metodo teologico oggi. Fra tradizione e innovazione*, 3-5;
  - n. 2 - SODI M., *"Advocata gratiæ et sanctitatis exemplar". A 150 anni dalla definizione del dogma dell'Immacolata Concezione*, 313-316.

- *Studia*

BORDONI M., *Prospettive di sintesi*, 257-263; BRAMBILLA F.G., *Il dramma del peccato originale nella letteratura teologica contemporanea*, 317-336; BUX N., *La "concezione di Maria" nelle fonti liturgiche delle Chiese Orientali*, 467-480; CARLOTTI P., *Riflessi etici e spirituali del metodo teologico*, 239-256; CECCHIN S., *La definizione dogmatica dell'Immacolata Concezione (8 dicembre 1854)*,

403-438; CODA P., *Prospettive di sintesi*, 265-272; CODA P., *Maria e la Trinità. A 150 anni dal dogma dell'Immacolata Concezione*, 289-305; COTTIER G.-M., *Méthode théologique et pratique* (praxis) *de la foi*, 7-19; DAL COVOLO E., *Metodo teologico e studio dei Padri della Chiesa oggi*, 111-124; DHAVAMONY M., *Interreligious Dialogue and Theological Method*, 157-193; DI NOIA J.A., *Metodo teologico e magistero della Chiesa*, 57-68; FISICHELLA R., *Inculturazione della fede e metodo teologico*, 125-139; FORTE B., *Ecclesialità della teologia: fra tradizione e innovazione*, 69-81; GAMBERO L., *L'argomento patristico nella lettera apostolica* Ineffabilis Deus, 387-401; GENRE E., *Fare teologia nelle comunità della Riforma*, 195-208; GRECH P., Auditus fidei: *esegesi biblica e teologia*, 21-32; LÉTHEL F.-M., *Marie Toute Sainte et Immaculée dans le Mystère du Christ et de l'Eglise. La doctrine de saint Louis-Marie Grignion de Montfort à la lumière du Concile Vatican II*, 507-556; MORANTE G., *Linee emergenti di pastorale e di catechesi a partire dal dogma dell'Immacolata*, 607-634; NAVONI M., *La dottrina dell'Immacolata Concezione nelle fonti liturgiche occidentali: un sondaggio*, 481-506; OCÁRIZ F., Intellectus fidei: *teologia sistematica ed esegesi biblica*, 33-55; OUELLET M., *Dialogue œcuménique et méthode théologique*, 141-155; SERRA A., *Fondamenti biblici dell'Immacolata?*, 363-386; SIMBULA G., *L'opera di Dio nell'Immacolata. Intuizioni e riflessioni di san Massimiliano Kolbe*, 557-588; SODI M., Lex orandi *e metodo teologico. La teologia liturgica fra tradizione e innovazione*, 83-109; SORANZO M., *Evoluzione iconografica dell'Immacolata Concezione*, 635-670; SORCI P., *La dottrina dell'Immacolata nelle fonti liturgiche antiche e medievali*, 439-465; SPITERIS Y., *Impostazione metodologica della teologia ortodossa*, 209-226; SPITERIS Y., *Il peccato originale nella tradizione orientale*, 337-362; TREMBLAY R., *Verità e libertà nella ricerca teologica. Saggio di approfondimento alla luce di Gv 16,12-15*, 227-237.

• *Recensiones* • *Vita Academiæ*

Vol. 4 - Anno 2005

• *Editoriales*

    n. 1 - CODA P., *Giovanni Paolo II e la via della Chiesa*, 3-8;

    n. 2 - POUPARD card. P., *Il cielo sulla terra. La "via della bellezza" luogo d'incontro tra cristianesimo e culture*, 311-314;

       - GIOVANNI PAOLO II, *Discorso alla IX Seduta pubblica delle Pontifice Accademie*, 315-317.

• *Studia*

CASTELLANO CERVERA J., *«Amaos los unos a los otros como yo os he amado»: espiritualidad de comunión* (NMI 43), 85-104; CHENIS C., *Chiesa ed arte. Paolo VI e Giovanni Paolo II: la "tradizione" nella novità*, 497-515; DE FIORES S., *Dalla* tota pulchra *alla* via pulchritudinis *in mariologia*, 531-559; DI BLASIO T., *La via della bellezza: rassegna bibliografica*, 561-606; DRISCOLL J., *The Church in the United States: What Has Happened Since* Ecclesia in America?, 177-202; FERME B., *Jesus Christ and the Peoples of Oceania in* Ecclesia in Oceania, 223-240; GARGANO G.I., *«Senza di me non potete far nulla»: mistagogia della Parola e dell'Eucaristia (NMI 35-39)*, 57-84; GEROSA L., *«Coltivare e dilatare gli spazi di comunione»: ambiti e strumenti dell'ecclesiologia di comunione (NMI 44-46)*, 105-120; GRECH P., *Lo splendore della gloria celeste. Estetica teologica*, 337-346; GROSSI V., *La via* pulchritudinis *nella riflessione di Agostino d'Ippona*, 347-376; HON TAI FAI S., *Proclaiming Christ in Multiple Contexts: Some Methodological Considerations in Theology with Reference to* Ecclesia in Asia, 203-222; IACOBONE P., *La bellezza di Cristo nell'arte, dall'Antichità al Rinascimento*, 451-479; ILUNGA MUYA J., *L'annuncio di Cristo in Africa nella prospettiva de l'*Ecclesia in Africa, 139-156; KARLIC E.E., *La Iglesia en Latino-América: el significado de la* Ecclesia in America, 157-176; LUZI M., *La bellezza come cammino di evangelizzazione e di formazione umana*, 319-322; MANTOVANI M., *Il* pulchrum *nell'orizzonte dei trascendentali dell'essere in S. Tommaso d'Aquino*, 377-394; MARCHESI G., *La via della bellezza nell'estetica di Hans Urs von Balthasar*, 395-412; O'CALLAGHAN P., *L'Europa e la speranza: tra promessa e ricordo. Riflessioni intorno all'*Ecclesia in Europa, 241-270; PAGAZZI G.C., *«Vogliamo vedere Gesù»: un volto da contemplare (NMI 16-28). I sensi spirituali e i sensi di Gesù*, 27-56; PARENTI S., *La bellezza nella liturgia delle Chiese ortodosse*, 441-450; PETRÀ B., *Tra trasfigurazione e divinizzazione: il cammino del cristiano verso la* visio Dei, 517-530; RAVASI, G., *La bellezza della creazione nell'Antico Testamento*, 323-335; RAZZANO L., *L'idea di bellezza nel pensiero religioso russo tra '800 e '900*, 413-428; RUPNIK M.I., *La via della bellezza nell'arte contemporanea*, 481-495; SODI M., *Bellezza e decoro nella celebrazione dei Santi Misteri*, 429-440; SORRENTINO D., Novo Millennio Ineunte: *un dinamismo nuovo. La Chiesa all'alba del terzo millennio*, 9-26; ZANGHÌ G. M., *«Vivere in Cristo la vita trinitaria per trasformare la storia»: per un nuovo paradigma culturale (NMI 29)*, 121-137.

- *Vita Academiæ*

Vol. 5 - Anno 2006

- *Editoriales*
    - n. 1 - BORDONI M., *Il metodo teologico oggi. Comunione in Cristo tra memoria e dialogo*, 3-6;
    - n. 2 - BORDONI M., *Metafisica e rivelazione*, 261-269.

- *Studia*

BERTI E., *Attualità dell'eredità di Aristotele*, 297-331; BORDONI M., *La Tradizione vivente della Parola e l'azione molteplice dello Spirito*, 73-85; BORDONI M., *Conclusioni e prospettive – I*, 211-215; BOSCO N., *Platonismo e rivelazione cristiana*, 285-296; BOZZOLO A., *L'orizzonte sacramentale della rivelazione*, 501-515; CODA P., *«Veritatem facientes in caritate» (Ef 4, 15). Significato e percorso del III Forum*, 7-16; CODA P., *Conclusioni e prospettive – II*, 217-220; CODA P., *Competenza e rilevanza ontologica della rivelazione in San Tommaso d'Aquino*, 365-381; DAL COVOLO E., *Metafisica e rivelazione. L'itinerario dei primi tre secoli cristiani*, 313-325; FARINA M., *La Verità di Cristo nella storia: testimonianza e dialogo nella via dell'educazione*, 143-175; FERRI R., *Metafisica e rivelazione in Sant'Agostino*, 327-340; FISICHELLA R., *L'ecclesiologia di comunione e il metodo teologico*, 43-53; FISICHELLA R., *Metafisica e rivelazione: la prospettiva di* Fides et ratio, 271-283; FORTE B., *Prospettive di ontologia trinitaria*, 485-499; GRECH P., *Il ruolo dello Spirito Santo nella trasmissione della Tradizione*, 87-93; ILLANES J.L., *El metodo teologico y sus presupuestos eclesiologicos y existenciales*, 177-184; KÖRNER B., *«Einswerden von Zeugnis und Zeuge in der Gemeinschaft der Zeugen». Erkenntnis im Glauben und Spiritualität der Gemeinschaft*, 55-71; LÉTHEL F.-M., *L'amore di Cristo come luogo della verità. Il contributo teologico di santa Teresa di Lisieux, Dottore della Chiesa*, 111-141; LORIZIO G., *Teologia e "metafisica della carità" nel pensiero di Antonio Rosmini*, 383-400; NARDIN R., *Metafisica e rivelazione in Sant'Anselmo*, 341-363; O'CALLAGHAN P., *La Verità di Cristo nella storia: testimonianza e dialogo*, 95-109; O'CALLAGHAN P., *La metafisica di Gabriel Marcel*, 401-424; OUELLET M., *Hans Urs von Balthasar et la métaphysique: esquisse de sa contribution a partir d'Épilogue*, 473-483; PANNENBERG W., *Metaphysik und Offenbarung. Eine Betrachtung aus reformatorischer Sicht*, 425-433; SANNA I., *Metafisica e rivelazione. La proposta di Karl Rahner*, 453-472; SCARAFONI P., *Il metodo teologico oggi. Verità di Cristo nella storia, testimonianza e dialogo*, 191-209; SECKLER M., *Die* Communio-*Ekklesiologie, die theologische Methode und die* Loci-theologici-*Lehre Melchior Canos*, 17-43; TREMBLAY R., *Il* pro nobis*, specifico del martirio garante della Verità*, 185-190; VALENTINI N., *La rivelazione dell'amore. Il contributo di Pavel A. Florenskij*, 435-451.

- *Vita Academiæ*

Vol. 6 - Anno 2007

- *Editoriales*
   n. 1 - BORDONI M., *Aspetti del pensiero teologico di Joseph Ratzinger*, 3-8;
   n. 2 - BORDONI M., *A servizio della Teologia*, 263-269.

- *Studia*

  CIPRIANI N., *Sant'Agostino nella riflessione di J. Ratzinger*, 9-26; CIOLA N., *Nuovi impulsi per la teologia contemporanea dall'Enciclica* Deus caritas est *di Benedetto XVI*, 271-304; CODA P., *Sul posto del cristianesimo nella storia delle religioni: rilevanza e attualità di una chiave di lettura*, 239-253; DEL POZO ABEJÓN G., *La novedad de la declaracíon* Dignitatis humanae *del Vaticano II y su coherencia con el magisterio anterior*, 411-425; DRISCOLL J., *Joseph Ratzinger on "The Spirit of the Liturgy"*, 183-198; FARINA M., *Maria, la Madre, nella terra ferma dell'amore*, 115-139; FISICHELLA R., *Verità, fede e ragione in J. Ratzinger*, 27-43; GARGANO G.I., *S. Giovanni Crisostomo e le Sacre Scritture*, 335-363; GHIBERTI G., *L'interpretazione della Scrittura nella Chiesa nella teologia di J. Ratzinger*, 45-64; GRECH P., *Il Cardinale Ratzinger e l'esegesi attuale*, 65-77; HIDBER B., *Umkehr im theologischen Denken von J. Ratzinger*, 199-220; KÖRNER B., *«Wie du Vater in mir bist, und ich in dir»: der Einsatz für die Ökumene, in* Novo Millennio Ineunte, 391-410; ILLANES J.L., *Iglesia, sociedad y política según J. Ratzinger*, 221-238; O'CALLAGHAN P., *"God is Love": Divine Paternity and Christian Brotherhood in the Theology of J. Ratzinger*, 79-93; OCÁRIZ F., *La Iglesia,* Sacramentum salutis *según J. Ratzinger*, 161-181; RASPANTI A., *I Santi: una sfida alla teologia. Appunti di riflessione*, 365-390; RUSECKI M., *La genèse révélatrice de la religion*, 427-439; SCARAFONI P., *La "persona" nel pensiero teologico di J. Ratzinger*, 141-160; STRAMARE T., *Metodi biblici tra il sì e il ma. Quale nuova metodologia?*, 305-333; TREMBLAY R., *«L'"Exode et ses liens aux pôles protologique et eschatologique. Le point de vue de l'Einführung*, 95-114; WONG J. H., *Christ and Christian Non-Duality: Christology and Mysticism in Bede Griffiths*, 441-465.

- *Recensiones* • *Vita Academiæ*